KB168142

해커스 주택관리사

기본서

해커스 주택관리사

민희열

약력

현 | 해커스 주택관리사학원 민법 대표강사
해커스 주택관리사 민법 동영상강의 대표강사

전 | 해커스 공인중개사 민법 강사 역임
EBS · 랜드프로(노원) · 새롬 공인중개사(강남, 송파, 분당, 주안 등) 강사 역임

저서

공인중개사 판례특강, 민법 및 민사특별법, 해커스패스, 2020~2022
공인중개사 7일완성 회차별 기출문제집(민법), 해커스패스, 2022
공인중개사 시험에 꼭 나오는 핵심테마 정리, 민법 및 민사특별법, 해커스패스, 2020
공인중개사 핵심을 잡는 민법 체계도, 민법 및 민사특별법, 해커스패스, 2022
주택관리사 기초입문서(민법) 1차, 해커스패스, 2025
주택관리사 민법(기본서), 해커스패스, 2025

2025 해커스 주택관리사(보) 1차 기본서
민법 ❶

초판 1쇄 발행 2024년 8월 26일

지은이 민희열, 해커스 주택관리사시험 연구소
펴낸곳 해커스패스
펴낸이 해커스 주택관리사 출판팀

주소 서울시 강남구 강남대로 428 해커스 주택관리사
고객센터 1588-2332
교재 관련 문의 house@pass.com
해커스 주택관리사 사이트(house.Hackers.com) 1:1 수강생 상담
학원강의 및 동영상강의 house.Hackers.com

ISBN 1권 979-11-7244-300-9 (14360)
세트 979-11-7244-299-6 (14360)
Serial Number 01-01-01

주택관리사 합격을 위한 **필수 기본서**
기초부터 실전까지 **한 번에!**

주택관리사(보) 시험 합격에 있어서 민법은 매우 중요한 과목입니다. 그 이유는, 다른 과목들은 이해와 암기가 매우 어려워서 고득점이 쉽지 않고, 민법은 조문 · 판례 등으로 정형화되어 있어서 상대적으로 고득점이 가능하기 때문입니다. 따라서 고득점으로 합격을 보장하는 민법을 확실하게 공부하여야 할 것입니다.

최근 주택관리사(보) 시험의 출제경향을 살펴보면, 사례형과 조문 · 판례의 종합형 및 여러 파트에 산재한 이론을 모은 연계형 문제가 출제되고 있고, 나아가 지문 길이도 장문의 형태로 바뀌고 있습니다. 따라서 수험생 여러분은 고득점 합격을 위하여 기본서 전체를 체계적으로 학습하여야 합니다.

본 기본서는 최근 10년간의 출제경향과 수험생들의 이해를 통한 고득점 합격을 위하여 충실한 내용을 담았습니다. 기본서를 통해서 시험에 자주 출제되는 이론을 체계적으로 잘 정리할 수 있도록 핵심 키워드를 색자로 표시함으로써 수험생들이 빈출되는 중요 내용을 한눈에 파악할 수 있도록 하였습니다. 그리고 기출예제를 통하여 공부한 내용을 점검할 수 있도록 하였으며, 조문 및 판례, 핵심 콕!콕! 등의 학습장치를 통하여 학습의 효율성을 높일 수 있도록 서술하였습니다.

이 책은 다음과 같은 내용에 중점을 두었습니다.

1 도표를 통한 비교가 필요한 내용의 정리

2 기출예제를 통한 출제경향의 분석 및 대비

3 중요 출제예상 조문 정리

4 출제빈도가 높은 중요 판례 정리

5 OX 지문을 통한 단원별 정리

6 박스형 문제, 사례형 문제, 종합형 문제를 통한 실전감각의 배양

더불어 주택관리사(보) 시험 전문 **해커스 주택관리사**(house.Hackers.com)에서 학원강의나 동영상강의를 함께 이용하여 꾸준히 공부한다면 학습효과를 극대화할 수 있습니다.

이 책과 해커스 주택관리사 강의가 수험생 여러분들을 주택관리사(보) 시험 합격으로 이끌어 줄 것을 기원합니다.

2024년 8월

민희열, 해커스 주택관리사시험 연구소

이 책의 차례

이 책의 특징 6
이 책의 구성 8
주택관리사(보) 안내 10
주택관리사(보) 시험안내 12
학습플랜 14
출제경향분석 및 수험대책 16

제1권

제1편 | 민법총칙

제1장 | 민법총칙 서론 20
제1절 민법의 의의 21
제2절 민법의 법원 22
제3절 민법의 기본원리 26
제4절 민법전의 적용범위(민법의 효력범위) 28

제2장 | 권리와 법률관계 36
제1절 법률관계 37
제2절 권리와 의무 38
제3절 권리의 발생 및 경합 42
제4절 권리의 행사와 의무의 이행 43
제5절 신의성실의 원칙 44
제6절 권리의 보호 59

제3장 | 권리의 주체 70
제1절 총설 71
제2절 자연인 71
제3절 법인 104

제4장 | 물건 184
제1절 권리의 객체 일반론 185
제2절 물건의 의의 및 종류 185
제3절 부동산과 동산 189
제4절 주물과 종물 193
제5절 원물과 과실 196

제5장 | 법률행위 208
제1절 권리변동의 일반이론 209
제2절 법률행위의 기초이론 211
제3절 법률행위의 종류 213
제4절 법률행위의 해석 216
제5절 법률행위의 목적 221
제6절 의사표시 254
제7절 법률행위의 대리 299
제8절 법률행위의 무효와 취소 350
제9절 법률행위의 부관(조건과 기한) 380

제6장 | 기간 398

제7장 | 소멸시효 406
제1절 총설 407
제2절 소멸시효의 요건 410
제3절 소멸시효의 장애(소멸시효의 중단과 정지) 420
제4절 소멸시효의 효과 433

제2권

제2편 | 물권법

제1장 | 물권법 서론 460
제1절 물권법 일반론 461
제2절 물권의 본질 462
제3절 물권의 종류 465
제4절 물권의 효력 466

제2장 | 물권의 변동 478
제1절 총설 479
제2절 물권변동의 구성요소 481
제3절 부동산물권의 변동 483
제4절 동산물권의 변동 499
제5절 물권의 소멸 504

제3장 | 기본물권(점유권 · 소유권) 518
제1절 점유권 519
제2절 소유권 545

제4장 | 용익물권 598
제1절 총설 599
제2절 지상권 599

제3절 지역권 619
제4절 전세권 625

제5장 | 담보물권 650
제1절 총설 651
제2절 유치권 654
제3절 질권 664
제4절 저당권 677

제3편 | 채권총론

제1장 | 채권법 서론 716
제1절 채권법의 의의 717
제2절 채권의 본질 718

제2장 | 채권의 목적 720
제1절 일반론 721
제2절 목적에 의한 채권의 종류 723

제3장 | 채권의 효력 734
제1절 서론 735
제2절 채무불이행 737
제3절 채권자지체 757
제4절 책임재산의 보전 759

제4장 | 다수당사자의 채권관계 780
제1절 총설 781
제2절 분할채권관계 781
제3절 불가분채권관계 782
제4절 연대채무 786
제5절 보증채무 793

제5장 | 채권양도와 채무인수 810
제1절 총설 811
제2절 채권양도 811
제3절 채무인수 821

제6장 | 채권의 소멸 832
제1절 총설 833
제2절 변제 833
제3절 대물변제 847
제4절 공탁 849
제5절 상계 852
제6절 기타 채권의 일반적 소멸원인 857

제4편 | 채권각론

제1장 | 채권의 발생 868

제2장 | 계약총론 870
제1절 계약법 총설 871
제2절 계약의 성립 873
제3절 계약의 효력 880
제4절 계약의 해제 · 해지 891

제3장 | 계약각론 916
제1절 매매 917
제2절 임대차 938
제3절 도급 960
제4절 위임 967

제4장 | 부당이득 988

제5장 | 불법행위 1004
제1절 총설 1005
제2절 일반불법행위의 성립요건 1006
제3절 특수한 불법행위 1009
제4절 불법행위의 효과 1020

제27회 기출문제 및 해설 1036

이 책의 특징

합격의 완성, 2025 주택관리사(보) 합격을 위한 필수 기본서

2025년도 제28회 주택관리사(보) 시험 대비를 위한 필수 기본서로서 꼭 필요한 기본이론을 엄선하여 수록하고, 보다 효율적인 학습이 가능하도록 구성하였습니다. 또한 기출문제와 중요 지문을 풍부하게 수록하여 기초부터 실전 대비까지 한 번에 완성할 수 있도록 하였습니다.

2

기본기를 탄탄하게 다지는 체계적인 학습구성

단원열기 PART(미리보기)

이론학습 전 전체적인 흐름을 파악하고 중점을 두고 학습하여야 하는 부분을 미리 확인할 수 있도록 각 단원의 목차와 출제포인트를 연계하여 구성하였습니다. 여기에 '단원길라잡이'를 구체적으로 제시하여 앞으로의 학습방향을 효율적으로 세울 수 있도록 하였습니다.

기본이론 PART(이해하기)

기초용어부터 심화이론까지 풍부한 내용을 효과적으로 이해할 수 있도록 다양한 학습장치를 수록하였습니다. 이를 통하여 이론을 차근차근 학습할 수 있으며, 실제 출제경향을 엿볼 수 있는 요소들을 적절히 배치하여 주택관리사(보) 시험에 최적한 학습이 이루어지도록 하였습니다.

단원마무리 PART(점검하기)

완성도 높은 마무리학습을 할 수 있도록 앞서 공부한 내용을 되짚어 볼 수 있는 '2단계 마무리STEP'을 수록하였습니다. 출제빈도가 높은 지문들을 다시 한 번 점검하고, 다양한 유형의 문제를 통하여 실제 시험이 어떻게 출제되는지를 확인함으로써 학습성과를 점검할 수 있도록 하였습니다.

3 최신 개정법령 및 출제경향 반영

최신 개정법령 및 시험 출제경향을 철저하게 분석하여 이론과 문제에 모두 반영하였습니다. 또한 기출문제의 경향과 난이도가 충실히 반영된 문제들을 수록하여 주택관리사(보) 시험의 최신 경향을 익히고 실전에 충분히 대비할 수 있도록 하였습니다.

4 전략적 학습을 위한 3주/8주 완성 학습플랜 제공

학습자의 수준과 상황에 따라 활용할 수 있는 3주/8주 완성 학습플랜을 수록하였습니다. 개인의 전략에 맞춰 과목별 3주 완성 학습플랜과 전 과목 8주 완성 학습플랜 중 선택하여 학습할 수 있도록 구성하였으며, 제시된 학습플랜에 따라 매일 계획적으로 학습하여 공부의 흐름을 놓치지 않도록 하였습니다.

5 학습효과의 극대화를 위한 명쾌한 온 · 오프라인 강의 제공(house.Hackers.com)

체계적으로 학습하여 한 번에 합격을 이루고자 하는 학습자들을 위하여 해커스 주택관리사학원에서는 주택관리사 전문 교수진의 쉽고 명쾌한 강의를 제공하고 있습니다. 해커스 주택관리사(house.Hackers.com)에서는 학원강의를 온라인으로 학습할 수 있도록 동영상강의를 제공하고 있으며, 1:1 학습문의를 통하여 교수님에게 직접 질문하고 답변을 받으며 현장강의를 듣는 것과 같은 학습효과를 얻을 수 있습니다.

다양한 무료 학습자료 및 필수 합격정보 제공(house.Hackers.com)

해커스 주택관리사(house.Hackers.com)에서는 제27회 기출문제 동영상 해설강의, 무료 온라인 전국 실전모의고사 그리고 각종 무료 강의 등 다양한 무료 학습자료와 시험안내자료, 시험가이드 등 필수 합격정보를 무료로 제공하고 있습니다. 이러한 유용한 자료와 정보들을 효과적으로 얻어 시험 관련 내용에 빠르게 대처할 수 있도록 하였습니다.

이 책의 구성

01 눈에 쏙! 흐름분석

단원별 출제비중과 구조 등을 시각적으로 제시하여 본격적으로 이론학습을 시작하기 전 단원의 출제경향과 흐름파악을 통한 전략적인 학습이 가능하도록 하였습니다.

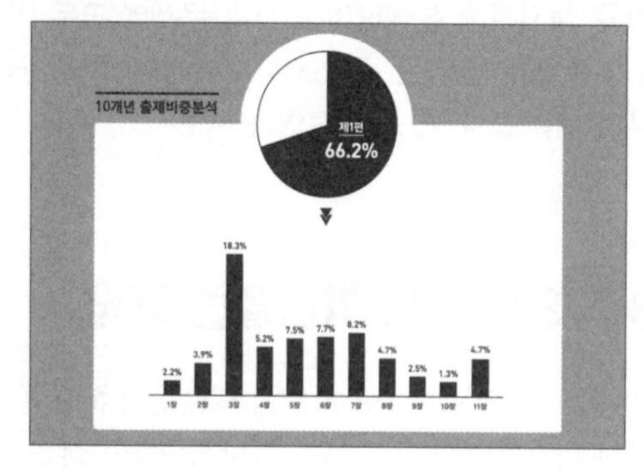

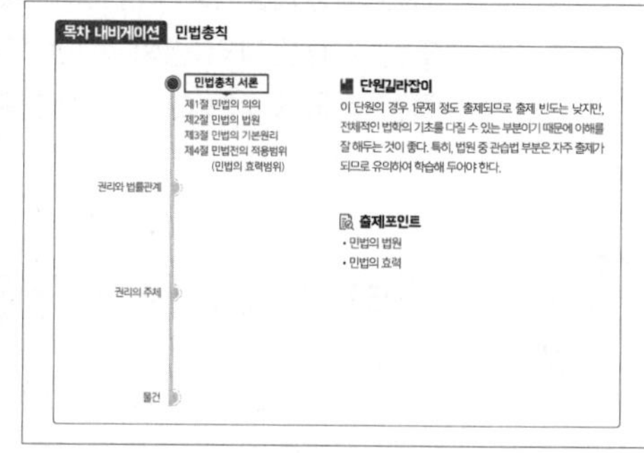

10개년 출제비중분석

최근 10개년의 출제비중을 시각적으로 제시하여 이론학습 전에 해당 편 · 장의 출제비중을 한눈에 확인할 수 있도록 하였습니다.

목차 내비게이션 / 단원길라잡이

'목차 내비게이션'을 통하여 학습하고 있는 편의 구조와 장의 위치 및 구성을 파악할 수 있으며, '단원길라잡이'를 통하여 중점적으로 학습하여야 할 핵심 내용을 먼저 확인한 후 학습의 방향을 잡을 수 있도록 하였습니다.

02 개념 쏙! 이론학습

학습에 도움을 줄 수 있는 다양한 코너를 마련하여 출제가 예상되는 중요 이론을 효과적으로 정리하고 실력을 쌓을 수 있도록 하였습니다.

핵심 콕! 콕! 유효이자율법과 정액법의 비교

구분	할인발행시		할증발행시	
	정액법	유효이자율법	정액법	유효이자율법
이자비용	일정	증가	일정	감소
사채발행차금상각액	일정	증가	일정	증가
현금지급액	일정	일정	일정	일정
사채장부금액	증가	증가	감소	감소

더 알아보기 사채발행비

사채발행수수료, 사채권 인쇄비용 등 사채발행과 관련하여 직접적으로 발생하는 비용을 말하며 발행가액에서 차감하여 회계처리한다.

발행 유형	회계처리
액면발행 · 할인발행	(차) 사채할인발행차금(⇧) ××× (대) 현금 ×××
할증발행	(차) 사채할증발행차금(⇩) ××× (대) 현금 ×××

기출예제

하중과 변형에 관한 용어 설명으로 옳은 것은? 제26회

① 고정하중은 기계설비하중을 포함하지 않는다.
② 외력이 작용하는 구조부재 단면에 발생하는 단위면적당 힘의 크기를 응력도라 한다.
③ 외력을 받아 변형한 물체가 그 외력을 제거하면 본래의 모양으로 되돌아가는 성질을 소성이라고 한다.
④ 등분포활하중은 저감해서 사용하면 안 된다.
⑤ 지진하중 계산을 위해 사용하는 밑면전단력은 구조물 유효무게에 반비례한다.

해설

① 고정하중은 기계설비하중을 포함한다.
③ 외력을 받아 변형한 물체가 그 외력을 제거하면 본래의 모양으로 되돌아가는 성질을 탄성이라고 한다.
④ 등분포활하중은 저감해서 사용할 수 있다(지붕활하중을 제외한 등분포활하중은 부재의 영향면적이 $36m^2$ 이상인 경우 저감할 수 있다).
⑤ 지진하중 계산을 위해 사용하는 밑면전단력은 구조물 유효무게에 비례한다.

정답: ②

핵심 콕! 콕! / 더 알아보기

'핵심 콕! 콕!'을 통하여 출제 가능성이 높은 중요 이론을 확실히 이해하고 정리할 수 있도록 하였고, '더 알아보기'를 통하여 이론을 더욱 충실히 학습할 수 있도록 하였습니다.

기출예제

'기출예제'를 통하여 이론이 실제로 어떻게 출제되는지 바로 확인하며 출제유형을 파악하고, 이론에 대한 이해도를 높일 수 있도록 하였습니다.

03 실력 쑥! 확인학습

시험 출제경향과 난이도를 충실히 반영한 2단계 단원마무리를 통하여 학습한 내용을 확실히 점검하고 실전에 충분히 대비할 수 있도록 하였습니다.

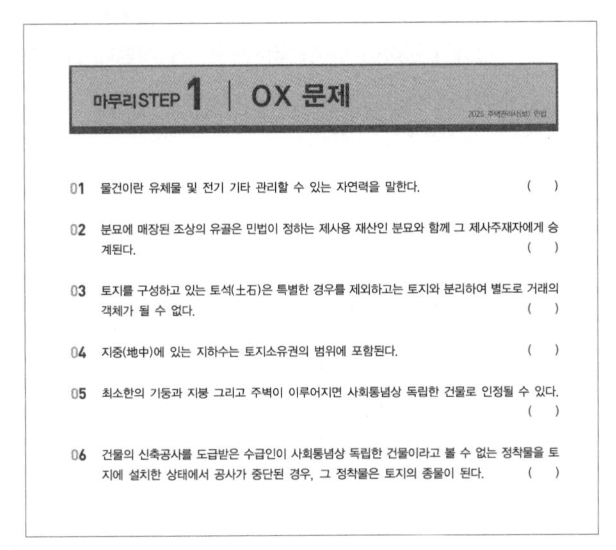

마무리STEP 1 | OX 문제

2025 주택관리사(보) 민법

01 물건이란 유체물 및 전기 기타 관리할 수 있는 자연력을 말한다. ( )

02 분묘에 매장된 조상의 유골은 민법이 정하는 제사용 재산인 분묘와 함께 그 제사주재자에게 승계된다. ( )

03 토지를 구성하고 있는 토석(土石)은 특별한 경우를 제외하고는 토지와 분리하여 별도로 거래의 객체가 될 수 없다. ( )

04 지중(地中)에 있는 지하수는 토지소유권의 범위에 포함된다. ( )

05 최소한의 기둥과 지붕 그리고 주벽이 이루어지면 사회통념상 독립한 건물로 인정될 수 있다. ( )

06 건물의 신축공사를 도급받은 수급인이 사회통념상 독립한 건물이라고 볼 수 없는 정착물을 토지에 설치한 상태에서 공사가 중단된 경우, 그 정착물은 토지의 종물이 된다. ( )

마무리STEP 1 OX 문제

출제빈도가 높은 중요 지문으로 구성된 OX 문제를 단원별로 제공하여 중요 내용을 다시 한 번 확인할 수 있도록 하였습니다.

마무리STEP 2 | 확인문제

2025 주택관리사(보) 민법

01 권리의 원시취득에 해당하는 것을 모두 고른 것은? (다툼이 있으면 판례에 따름) 제26회

ㄱ 유실물을 습득하여 적법하게 소유권을 취득한 경우
ㄴ 금원을 대여하면서 채무자 소유의 건물에 저당권을 설정받은 경우
ㄷ 점유취득시효가 완성되어 점유자 명의로 소유권이전등기가 마쳐진 경우

① ㄱ ② ㄴ
③ ㄱ, ㄴ ④ ㄱ, ㄷ
⑤ ㄴ, ㄷ

02 권리의 원시취득에 해당하지 않는 것은? (다툼이 있으면 판례에 따름) 제25회

① 건물의 신축에 의한 소유권취득
② 유실물의 습득에 의한 소유권취득
③ 무주물의 선점에 의한 소유권취득
④ 부동산 점유취득시효에 의한 소유권취득
⑤ 근저당권 실행을 위한 경매에 의한 소유권취득

마무리STEP 2 확인문제

해당 단원에서 자주 출제되는 기출문제를 엄선하여 수록하였으며, 기출유형 분석으로 출제 가능성이 높은 예상문제를 수록하여 실전에 충실히 대비할 수 있도록 하였습니다.

주택관리사(보) 안내

주택관리사(보)의 정의

주택관리사(보)는 공동주택을 안전하고 효율적으로 관리하고 공동주택 입주자의 권익을 보호하기 위하여 운영 · 관리 · 유지 · 보수 등을 실시하고 이에 필요한 경비를 관리하며, 공동주택의 공용부분과 공동소유인 부대시설 및 복리시설의 유지 · 관리 및 안전관리 업무를 수행하기 위하여 주택관리사(보) 자격시험에 합격한 자를 말합니다.

주택관리사의 정의

주택관리사는 주택관리사(보) 자격시험에 합격한 자로서, 다음의 어느 하나에 해당하는 경력을 갖춘 자로 합니다.

① 사업계획승인을 받아 건설한 50세대 이상 500세대 미만의 공동주택(「건축법」 제11조에 따른 건축허가를 받아 주택과 주택 외의 시설을 동일 건축물로 건축한 건축물 중 주택이 50세대 이상 300세대 미만인 건축물을 포함)의 관리사무소장으로 근무한 경력이 3년 이상인 자
② 사업계획승인을 받아 건설한 50세대 이상의 공동주택(「건축법」 제11조에 따른 건축허가를 받아 주택과 주택 외의 시설을 동일 건축물로 건축한 건축물 중 주택이 50세대 이상 300세대 미만인 건축물을 포함)의 관리사무소 직원(경비원, 청소원, 소독원은 제외) 또는 주택관리업자의 직원으로 주택관리 업무에 종사한 경력이 5년 이상인 자
③ 한국토지주택공사 또는 지방공사의 직원으로 주택관리 업무에 종사한 경력이 5년 이상인 자
④ 공무원으로 주택 관련 지도 · 감독 및 인 · 허가 업무 등에 종사한 경력이 5년 이상인 자
⑤ 공동주택관리와 관련된 단체의 임직원으로 주택 관련 업무에 종사한 경력이 5년 이상인 자
⑥ ①~⑤의 경력을 합산한 기간이 5년 이상인 자

주택관리사 전망과 진로

주택관리사는 공동주택의 관리 · 운영 · 행정을 담당하는 부동산 경영관리분야의 최고 책임자로서 계획적인 주택관리의 필요성이 높아지고, 주택의 형태 또한 공동주택이 증가하고 있는 추세로 볼 때 업무의 전문성이 높은 주택관리사 자격의 중요성이 높아지고 있습니다.
300세대 이상이거나 승강기 설치 또는 중앙난방방식의 150세대 이상 공동주택은 반드시 주택관리사 또는 주택관리사(보)를 채용하도록 의무화하는 제도가 생기면서 주택관리사(보)의 자격을 획득 시 안정적으로 취업이 가능하며, 주택관리시장이 확대됨에 따라 공동주택관리업체 등을 설립 · 운영할 수도 있고, 주택관리법인에 참여하는 등 다양한 분야로의 진출이 가능합니다.
공무원이나 한국토지주택공사, SH공사 등에 근무하는 직원 및 각 주택건설업체에서 근무하는 직원의 경우 주택관리사(보) 자격증을 획득하게 되면 이에 상응하는 자격수당을 지급받게 되며, 승진에 있어서도 높은 고과점수를 받을 수 있습니다.
정부의 신주택정책으로 주택의 관리측면이 중요한 부분으로 부각되고 있는 실정이므로, 앞으로 주택관리사의 역할은 더욱 중요해질 것입니다.

① 공동주택, 아파트 관리소장으로 진출
② 아파트 단지 관리사무소의 행정관리자로 취업
③ 주택관리업 등록업체에 진출
④ 주택관리법인 참여
⑤ 주택건설업체의 관리부 또는 행정관리자로 참여
⑥ 한국토지주택공사, 지방공사의 중견 간부사원으로 취업
⑦ 주택관리 전문 공무원으로 진출

주택관리사의 업무

구분	분야	주요업무
행정관리업무	회계관리	예산편성 및 집행결산, 금전출납, 관리비 산정 및 징수, 공과금 납부, 회계상의 기록유지, 물품구입, 세무에 관한 업무
	사무관리	문서의 작성과 보관에 관한 업무
	인사관리	행정인력 및 기술인력의 채용 · 훈련 · 보상 · 통솔 · 감독에 관한 업무
	입주자관리	입주자들의 요구 · 희망사항의 파악 및 해결, 입주자의 실태파악, 입주자간의 친목 및 유대 강화에 관한 업무
	홍보관리	회보발간 등에 관한 업무
	복지시설관리	노인정 · 놀이터 관리 및 청소 · 경비 등에 관한 업무
	대외업무	관리 · 감독관청 및 관련 기관과의 업무협조 관련 업무
기술관리업무	환경관리	조경사업, 청소관리, 위생관리, 방역사업, 수질관리에 관한 업무
	건물관리	건물의 유지 · 보수 · 개선관리로 주택의 가치를 유지하여 입주자의 재산을 보호하는 업무
	안전관리	건축물설비 또는 작업에서의 재해방지조치 및 응급조치, 안전장치 및 보호구설비, 소화설비, 유해방지시설의 정기점검, 안전교육, 피난훈련, 소방 · 보안경비 등에 관한 업무
	설비관리	전기설비, 난방설비, 급 · 배수설비, 위생설비, 가스설비, 승강기설비 등의 관리에 관한 업무

주택관리사(보) 시험안내

응시자격

1. 응시자격: 연령, 학력, 경력, 성별, 지역 등에 제한이 없습니다.
2. 결격사유: 시험시행일 현재 다음 중 어느 하나에 해당하는 사람은 주택관리사 등이 될 수 없으며, 그 자격이 상실됩니다.
   • 피성년후견인 또는 피한정후견인
   • 파산선고를 받은 사람으로서 복권되지 아니한 사람
   • 금고 이상의 실형을 선고받고 그 집행이 끝나거나(집행이 끝난 것으로 보는 경우 포함) 집행이 면제된 날부터 2년이 지나지 아니한 사람
   • 금고 이상의 형의 집행유예를 선고받고 그 유예기간 중에 있는 사람
   • 주택관리사 등의 자격이 취소된 후 3년이 지나지 아니한 사람
3. 주택관리사(보) 자격시험에 있어서 부정한 행위를 한 응시자는 그 시험을 무효로 하고, 당해 시험시행일로부터 5년간 시험 응시자격을 정지합니다.

시험과목

구분	시험과목	시험범위
1차 (3과목)	회계원리	세부과목 구분 없이 출제
	공동주택시설개론	• 목구조 · 특수구조를 제외한 일반 건축구조와 철골구조, 장기수선계획 수립 등을 위한 건축적산 • 홈네트워크를 포함한 건축설비개론
	민법	• 총칙 • 물권, 채권 중 총칙 · 계약총칙 · 매매 · 임대차 · 도급 · 위임 · 부당이득 · 불법행위
2차 (2과목)	주택관리관계법규	다음의 법률 중 주택관리에 관련되는 규정 「주택법」, 「공동주택관리법」, 「민간임대주택에 관한 특별법」, 「공공주택 특별법」, 「건축법」, 「소방기본법」, 「소방시설 설치 및 관리에 관한 법률」, 「화재의 예방 및 안전관리에 관한 법률」, 「승강기 안전관리법」, 「전기사업법」, 「시설물의 안전 및 유지관리에 관한 특별법」, 「도시 및 주거환경정비법」, 「도시재정비 촉진을 위한 특별법」, 「집합건물의 소유 및 관리에 관한 법률」
	공동주택관리실무	시설관리, 환경관리, 공동주택 회계관리, 입주자관리, 공동주거관리이론, 대외업무, 사무 · 인사관리, 안전 · 방재관리 및 리모델링, 공동주택 하자관리(보수공사 포함) 등

* 시험과 관련하여 법률 · 회계처리기준 등을 적용하여 정답을 구하여야 하는 문제는 시험시행일 현재 시행 중인 법령 등을 적용하여 그 정답을 구하여야 함
* 회계처리 등과 관련된 시험문제는 한국채택국제회계기준(K-IFRS)을 적용하여 출제됨

시험시간 및 시험방법

구분	시험과목 수		입실시간	시험시간	문제형식
1차 시험	1교시	2과목(과목별 40문제)	09:00까지	09:30~11:10(100분)	객관식 5지 택일형
	2교시	1과목(과목별 40문제)		11:40~12:30(50분)	
2차 시험	2과목(과목별 40문제)		09:00까지	09:30~11:10(100분)	객관식 5지 택일형 (과목별 24문제) 및 주관식 단답형 (과목별 16문제)

* 주관식 문제 괄호당 부분점수제 도입
1문제당 2.5점 배점으로 괄호당 아래와 같이 부분점수로 산정함
- 3괄호: 3개 정답(2.5점), 2개 정답(1.5점), 1개 정답(0.5점)
- 2괄호: 2개 정답(2.5점), 1개 정답(1점)
- 1괄호: 1개 정답(2.5점)

원서접수방법

1. 한국산업인력공단 큐넷 주택관리사(보) 홈페이지(www.Q-Net.or.kr/site/housing)에 접속하여 소정의 절차를 거쳐 원서를 접수합니다.
2. 원서접수 시 최근 6개월 이내에 촬영한 탈모 상반신 사진을 파일(JPG 파일, 150×200픽셀)로 첨부하여 인터넷 회원가입 후 접수합니다.
3. 응시수수료는 1차 21,000원, 2차 14,000원(제27회 시험 기준)이며, 전자결제(신용카드, 계좌이체, 가상계좌) 방법을 이용하여 납부합니다.

합격자 결정방법

1. 제1차 시험: 과목당 100점을 만점으로 하여 모든 과목 40점 이상이고, 전 과목 평균 60점 이상의 득점을 한 사람을 합격자로 합니다.
2. 제2차 시험
   - 1차 시험과 동일하나, 모든 과목 40점 이상이고 전 과목 평균 60점 이상의 득점을 한 사람의 수가 선발예정인원에 미달하는 경우 모든 과목 40점 이상을 득점한 사람을 합격자로 합니다.
   - 2차 시험 합격자 결정 시 동점자로 인하여 선발예정인원을 초과하는 경우 그 동점자 모두를 합격자로 결정하고, 동점자의 점수는 소수점 둘째 자리까지만 계산하며 반올림은 하지 않습니다.

최종합격자 발표

시험시행일로부터 1차 약 1달 후, 2차 약 2달 후 한국산업인력공단 큐넷 주택관리사(보) 홈페이지(www.Q-Net.or.kr/site/housing)에서 확인 가능합니다.

학습플랜

8주 완성 학습플랜

- 일주일 동안 3과목을 번갈아 학습하여, 8주에 걸쳐 1차 과목을 1회독할 수 있는 학습플랜입니다.
- 주택관리사(보) 시험 공부를 처음 시작하는 수험생, 학원강의 커리큘럼에 맞추어 공부하는 수험생에게 추천합니다.

구분	월	화	수	목	금	토
	회계원리	공동주택 시설개론	민법	회계원리	공동주택 시설개론	민법
1주차	1편 1장	1편 1장	1편 1장~3장 2절 1관	1편 2장	1편 2장	1편 3장 2절 2관~3절
2주차	1편 3장	1편 3장	1편 3장 문제~4장	1편 4장	1편 4장	1편 5장 1절~5장 본문
3주차	1편 5장	1편 5장~6장	1편 5장 문제~7절	1편 6장~7장	1편 7장~8장	1편 5장 8절~6장
4주차	1편 8장	1편 9장~10장	1편 7장	1편 9장	1편 11장~12장	2편 1장~2장
5주차	1편 10장	2편 1장	2편 3장 본문	1편 11장~12장	2편 2장~3장	2편 3장 문제~4장
6주차	1편 13장~14장	2편 4장~5장	2편 5장	1편 15장	2편 6장	3편 1장~3장 본문
7주차	2편 1장~2장	2편 7장	3편 3장 문제~5장	2편 3장~4장	2편 8장 1절~4절	3편 6장~4편 2장 3절
8주차	2편 5장~6장	2편 8장 5절~8절	4편 2장 4절~3장 2절	2편 7장~9장	2편 9장~10장	4편 3장 3절~5장

3주 완성 학습플랜 - [민법]

- 한 과목을 3주에 걸쳐 1회독할 수 있는 학습플랜입니다.
- 한 과목씩 집중적으로 공부하고 싶은 수험생에게 추천합니다.

구분	월	화	수	목	금	토
1주차	1편 1장~2장	1편 3장 본문	1편 3장 문제~4장	1편 5장 1절~5절 본문	1편 5장 5절 문제~7절	1편 5장 8절~6장
2주차	1편 7장	2편 1장~2장	2편 3장~5장 3절	2편 5장 4절~3편 2장	3편 3장	3편 4장 본문
3주차	3편 4장 문제~5장	3편 6장	4편 1장~2장 본문	4편 2장 문제~3장 1절	4편 3장 2절~문제	4편 4장~5장

학습플랜 이용 Tip

- 본인의 학습 진도와 상황에 적합한 학습플랜을 선택한 후, 매일 · 매주 단위의 학습량을 확인합니다.
- 목표한 분량을 완료한 후에는 ☑과 같이 체크하며 학습 진도를 스스로 점검합니다.

[1회독 시]
- 8주 완성 학습플랜에 따라 학습합니다.
- 처음부터 완벽하게 이해하려 하기보다는 용어와 흐름을 파악한다는 생각으로 학습하는 것이 좋습니다.
- 본문의 별색으로 표시된 부분을 위주로 이해하고, 이론과 연계된 기출문제를 확인하며 주요 내용을 파악합니다.

[2회독 시]
- 8주 완성 학습플랜에 따라 학습하되 1회독에서 이해한 내용을 바탕으로 체계를 잡고 주요 내용을 요약하며 학습합니다.
- '핵심 콕! 콕!'을 중심으로 중요한 내용의 체계를 잡고, 기출예제를 통하여 주요 내용을 점검하며 빈출되는 출제포인트를 익힙니다.

[3회독 시]
- 과목별 학습 진도와 상황을 고려하여 8주 완성 또는 3주 완성 학습플랜에 따라 학습합니다.
- 2회독까지 정리한 내용을 단원마무리 문제에 적용하여 출제경향을 파악하고 실전감각을 익히며 중요한 부분을 선별해 집중 학습하도록 합니다.

출제경향분석 및 수험대책

제27회(2024년) 시험 총평

제27회 주택관리사(보) 시험은 기존의 출제비중에 따라서 민법총칙 24문항, 물권법 8문항, 채권법 8문항이 출제되었습니다. 다만, 민법총칙 문제로 출제되었더라도 내용면에서는 물권법 · 채권법 내용을 포함한 것이 많았다는 것을 알아야 합니다.

이번 시험은 전통적인 조문 · 판례 문제와 이론을 결합한 문제들이 출제되어서 다소 어렵게 느껴지기도 하였습니다. 특히, 물권법 · 채권법에서는 청구권보전의 가등기, 저당권의 피담보채권의 범위, 불가분채무, 매매의 예약, 임대인의 동의가 있는 전대차 등 민법상 중요한 제도이지만 그동안은 주택관리사(보) 시험에 출제되지 않았던 것들이 출제되어서 어렵게 느껴지기도 하였습니다. 앞으로도 이런 출제경향은 계속해서 유지되리라고 봅니다.

제27회(2024년) 출제경향분석

구분		제18회	제19회	제20회	제21회	제22회	제23회	제24회	제25회	제26회	제27회	계	비율(%)
민법총칙	민법총칙 서론		1	1	1	1	1	1	1	1	1	9	2.25
	권리와 법률관계	1	2	2	2		2	2	2	1	2	16	4
	권리의 주체	8	7	7	7	8	7	7	7	7	7	72	18
	물건	2	2	3	2	2	2	2	2	2	2	21	5.25
	법률행위	10	10	9	10	10	9	10	10	12	9	99	24.75
	기간	1				1	1					3	0.75
	소멸시효	2	2	2	2	2	2	2	2	1	3	20	5
물권법	물권법 서론	1	1	1				1			1	5	1.25
	물권의 변동	2	1	1	2	2	2	1	2	2	1	16	4
	기본물권 (점유권 · 소유권)	2	2	2	2	2	1	1	3	3	2	20	5
	용익물권	1	2	2	2	2	2	2	1	1	2	17	4.25
	담보물권	2	2	2	2	2	3	3	2	3	2	23	5.75
채권총론	채권법 서론												
	채권의 목적								1			1	0.25
	채권의 효력	2		1	1	1	2	1			1	9	2.25
	다수당사자의 채권관계		1							1	1	3	0.75
	채권양도와 채무인수		1	1	1				1	1		5	1.25
	채권의 소멸					1		1				2	0.5
채권각론	채권의 발생							1				1	0.25
	계약총론	1	1	1	2	2	3	2	1	1	1	15	3.75
	계약각론	4	4	4	3	3	1	2	3	2	3	29	7.25
	부당이득						1		1	1	1	4	1
	불법행위	1	1	1	1	1	1	1	1	1	1	10	2.5
총계		40	40	40	40	40	40	40	40	40	40	400	100

제28회(2025년) 수험대책

❶ 민법총칙

민법총칙은 주택관리사(보) 1차 시험 합격과 민법공부의 출발선이 되는 파트입니다. 따라서 주택관리사(보) 시험 합격을 위해서는 총 24문제가 출제되는 민법총칙을 충실히 학습해야 합니다. 민법총칙은 각칙인 물권법과 채권법의 총칙이므로 물권법과 채권법을 알아야 풀 수 있는 문제들이 많아 물권과 채권을 함께 체계적으로 공부해야 한다는 것을 염두에 두어야 합니다. 또한 물권법과 채권법에 비해 민법총칙의 출제비중이 압도적으로 높기 때문에 고득점을 위해서는 반복적으로 충분하게 학습해야 합니다.

❷ 물권법

보통 물권법 총론에서 2문항, 물권법 각론에서 6문항이 출제되어 총 8문항이 출제됩니다. 물권법은 물권법정주의로 인하여 조문과 판례를 반복하면 좋은 점수를 받을 수 있습니다. 다만, 강약이 있으므로 출제경향분석표를 참고하여, 강의를 토대로 한 충분한 학습이 필요합니다.

❸ 채권법

민법총칙과 물권법에 비해서 공부할 양이 압도적으로 많으므로 강의를 통하여 출제비중이 높은 부분을 전략적으로 학습할 필요가 있습니다. 기출되지 않은 부분도 민법총칙 문제와 연계하여 출제되고 있다는 점에 유의해야 합니다.

2025 해커스 주택관리사(보)

house.Hackers.com

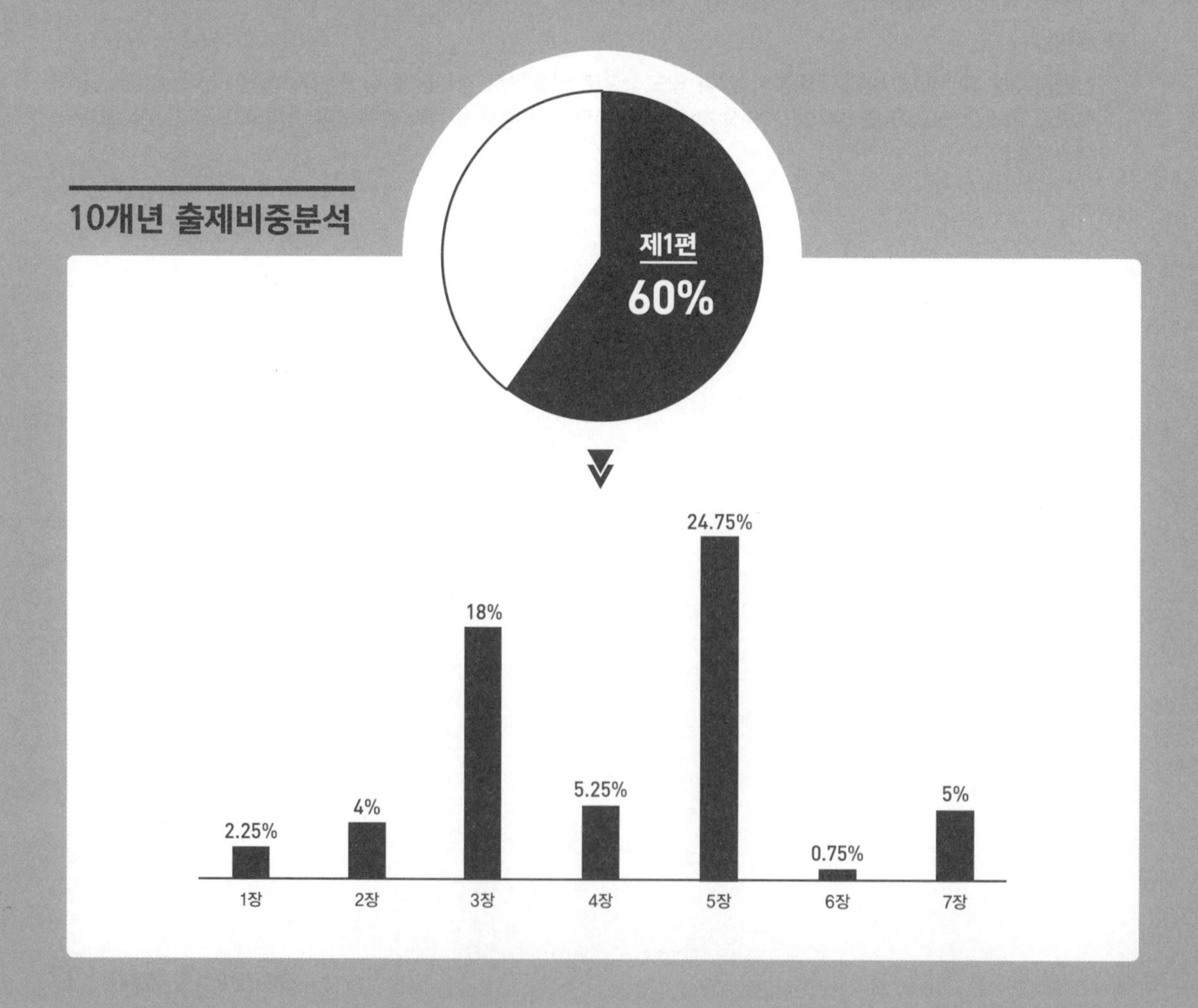

제1편

민법총칙

제 1 장 민법총칙 서론
제 2 장 권리와 법률관계
제 3 장 권리의 주체
제 4 장 물건
제 5 장 법률행위
제 6 장 기간
제 7 장 소멸시효

제 1 장 민법총칙 서론

목차 내비게이션 민법총칙

민법총칙 서론
제1절 민법의 의의
제2절 민법의 법원
제3절 민법의 기본원리
제4절 민법전의 적용범위
(민법의 효력범위)

권리와 법률관계

권리의 주체

물건

법률행위

기간

소멸시효

단원길라잡이

이 단원의 경우 1문제 정도 출제되므로 출제 빈도는 낮지만, 전체적인 법학의 기초를 다질 수 있는 부분이기 때문에 이해를 잘해 두는 것이 좋다. 특히, 법원 중 관습법 부분은 자주 출제되므로 유의하여 학습해 두어야 한다.

출제포인트

- 민법의 법원
- 민법의 효력

제1절 민법의 의의

01 서설

민법은 개인 사이의 생활관계를 규율하는 법이다. 형식적으로 '민법'이라는 이름을 가진 성문법전, 즉 '민법전'을 가리키지만, 실질적으로는 모든 사람들에게 일반적으로 적용되는 사법, 즉 '일반사법'을 뜻한다.

02 실질적 의미의 민법

(1) 민법은 법의 일부이다

법은 하나의 법규범을 가리키는 것이 아니고, 헌법을 정점으로 하여 어느 정도 체계를 이루고 있는 여러 규범을 의미한다. 민법은 이러한 법질서의 일부이다.

(2) 민법은 사법이다

① **공법과 사법의 구별**: 공법과 사법을 구별하는 실익은 그 지도원리와 적용법규 및 소송형태(민사소송 또는 행정소송)의 차이에 있다. 즉, 사적자치원리는 사법에서만 적용되며, 명문규정이 없을 때 적용하여야 할 법 또는 법원칙을 결정하기 위하거나 행정사건과 민사사건의 구별을 위해서는 공 · 사법의 구별이 필요하다.

② **사법의 내용**: 사법의 적용을 받는 생활관계, 즉 사법관계에는 재산관계와 가족관계의 둘이 있다. 재산관계의 전형적인 것으로는 물권관계와 채권관계가 있으며, 가족관계는 친족관계와 상속관계가 있다. 전자를 규율하는 것을 재산법, 후자를 규율하는 것을 가족법이라고 한다.

(3) 민법은 일반법이다

① **일반법과 특별법**: 일반법은 사람 · 사항 · 장소 등에 특별한 제한 없이 일반적으로 적용되는 법이고, 특별법은 일정한 사람 · 사항 · 장소에 관하여만 적용되는 법이다(예 상법). 이 구별은 상대적이며, 민법의 경우 일반법에 해당한다.

② **특별법 우선의 원칙**: 일반법과 특별법이 저촉되면 특별법이 먼저 적용되고, 특별법이 규율하지 않는 사항에 대하여 일반법이 적용된다.

(4) 민법의 그 밖의 성질

① **실체법**: 실체법은 직접 법률관계 자체, 즉 권리 · 의무에 관하여 정하는 법이고, 절차법은 법률관계(권리 · 의무)를 실현하는 절차를 정하는 법이다. 민법은 실체법에 속하며, 민사에 관한 절차법의 대표적인 예로는 민사소송법 · 민사집행법 · 가사소송법을 들 수 있다.

② 행위규범 · 재판규범: 민법은 각 개인이 지켜야 할 규범(행위규범)이면서 아울러 재판 시 법관이 지켜야 할 규범(재판규범)이기도 하다.

03 형식적 의미의 민법

형식적 의미의 민법은 1958년 2월 22일 법률 제471호로 제정 · 공포되어 1960년 1월 1일부터 시행되고 있는 '민법'이라는 이름의 성문법전을 말한다.

04 양자의 관계 및 민법학의 대상

(1) 두 민법 사이의 관계

실질적 민법과 형식적 민법은 일치하지 않는다.

(2) 민법학의 대상 – 실질적 민법

민법학의 대상이 되는 민법은 실질적 민법이다.

제2절 민법의 법원

01 서설

민법의 법원

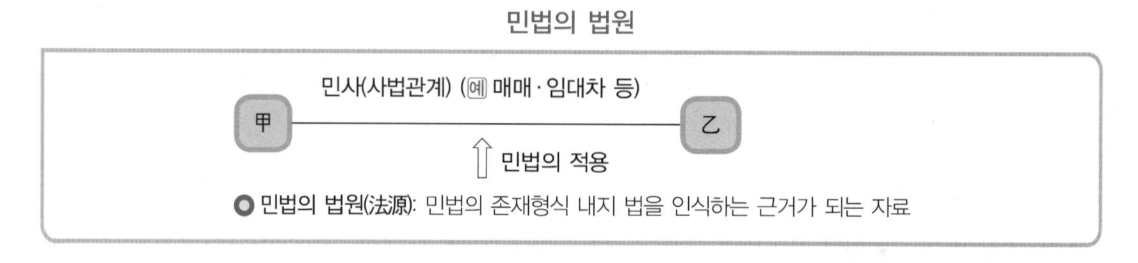

제1조【법원】민사에 관하여 법률에 규정이 없으면 관습법에 의하고 관습법이 없으면 조리에 의한다.

(1) 일반적으로 법원(法源)이란 법관이 재판을 함에 있어서 적용하여야 할 기준, 즉 법의 존재형식 내지 법을 인식하는 근거가 되는 자료를 의미한다.

(2) 제1조는 민법의 법원 및 그 적용순서를 정하고 있다.

① 민사 적용법규로서 성문법 이외에 불문법도 인정하여 법률, 관습법 및 조리를 법원으로 인정한다.

② 성문법주의를 취하여, 불문법은 성문법에 규정이 없는 때에 적용된다.

③ 불문법으로 관습법, 조리를 인정하며, 관습법이 먼저 적용되는 것으로 한다.

(3) 물권의 종류와 내용은 민법 제185조에 의해 '법률과 관습법'에 의해서만 인정된다. 즉, 조리에 의해서는 인정될 수 없고, 또 그 법률에는 명령이나 규칙은 포함되지 않는다.

02 민법의 법원의 종류

(1) 법률(성문민법)

제1조의 법률은 모든 성문법(제정법)을 뜻한다. 즉, 민법전뿐만 아니라 민사에 관한 특별법(예 가등기담보 등에 관한 법률, 주택임대차보호법 등) 및 민법 부속법률(예 부동산등기법, 공탁법), 법규 등을 포함한다(광의의 법률). 따라서 명령(대통령의 긴급명령, 긴급재정·경제명령 포함)과 대법원규칙, 조례·규칙(자치법규), 비준·공포된 조약과 일반적으로 승인된 국제법규도 민사에 관한 것일 경우에는 법률과 동일한 효력을 가지므로 민사에 관한 법원이 된다(헌법 제6조 제1항).

(2) 관습법

① 의의

㉠ 관습법이란 자연적으로 발생한 관행이나 관례가 수범자에 의해 인정된 법적 확신을 기초로 법규범화된 것을 말하는데, 이는 우리 민법상 법원이 된다(제1조).

㉡ 관습법에 의해 인정되는 것으로는 분묘기지권(대판 2001.8.21, 2001다28367), 관습법상의 법정지상권 등 관습법에 의해 인정되는 물권과 명인방법이라는 공시방법 등이 있다.

더 알아보기 관습법에 의해 인정되는 것

1. **분묘기지권**: 분묘를 수호하고 봉제사하는 목적을 달성하는 데 필요한 범위 내에서 타인의 토지를 사용할 수 있는 권리이다.
2. **관습법상의 법정지상권**: 동일인에게 속하였던 토지 및 건물이 매매 기타의 원인으로 소유자를 달리하게 된 때에 그 건물을 철거한다는 특약이 없으면 건물소유자가 당연히 취득하게 되는 법정지상권이다.
3. **명인방법**: 수목의 집단이나 미분리의 과실을 토지와는 독립하여 거래하고자 할 때 인정되는 공시방법이다.

② 성립요건

㉠ 관습법이란 사회의 거듭된 관행으로 생성된 사회생활규범이 사회의 법적 확신과 인식에 의하여 법적 규범으로 승인·강행되기에 이른 것을 말한다[법적 확신설(통설·판례)]. 그런데 관습법은 법원의 판결에 의하여 그 존재가 확인되지만, 성립시기는 관행이 법적 확신을 취득한 때로 소급한다(통설).

㉡ 관습법은 법원으로서 법령과 같은 효력을 가지므로 관행이 헌법 및 전체 법질서, 선량한 풍속 기타 사회질서에 반하지 않아야 한다.

판례 **'사회의 거듭된 관행으로 생성한 사회생활규범'이 법적 규범으로 승인되기 위한 요건**

[1] 관습법이란 사회의 거듭된 **관행**으로 생성한 사회생활규범이 **사회의 법적 확신과 인식**에 의하여 법적 규범으로 승인·강행되기에 이른 것을 말하고, 그러한 **관습법은 법원(法源)으로서 법령에 저촉되지 아니하는 한 법칙으로서의 효력이 있는 것**이고, 또 사회의 거듭된 관행으로 생성한 어떤 사회생활규범이 법적 규범으로 **승인**되기에 이르렀다고 하기 위하여는 **헌법을 최상위 규범으로 하는 전체 법질서에 반하지 아니하는 것으로서 정당성과 합리성이 있다고 인정될 수 있는 것**이어야 하고, 그렇지 아니한 사회생활규범은 비록 그것이 사회의 거듭된 관행으로 생성된 것이라고 할지라도 이를 법적 규범으로 삼아 관습법으로서의 효력을 인정할 수 없다.

[2] 사회의 거듭된 관행으로 생성된 사회생활규범이 관습법으로 승인되었다고 하더라도 사회 구성원들이 그러한 관행의 **법적 구속력에 대하여 확신을 갖지 않게 되었다**거나, 사회를 지배하는 기본적 이념이나 사회질서의 변화로 인하여 그러한 관습법을 적용하여야 할 시점에 있어서의 **전체 법질서에 부합하지 않게 되었다**면 그러한 관습법은 법적 규범으로서의 효력이 부정될 수밖에 없다.

[3] 종중이란 공동선조의 분묘수호와 제사 및 종원 상호간의 친목 등을 목적으로 하여 구성되는 자연발생적인 종족집단이므로, 종중의 이러한 목적과 본질에 비추어 볼 때 **공동선조와 성과 본을 같이하는 후손은 성별의 구별 없이 성년이 되면 당연히 그 구성원이 된다고 보는 것이 조리에 합당**하다(대판 2005.7.21, 2002다1178 전합).

㉢ 일반적으로 법령과 같은 효력을 갖는 관습법은 당사자의 주장·증명을 기다림이 없이 법원이 직권으로 이를 확정하여야 한다(대판 1983.6.14, 80다3231).

판례 **주장·증명책임**

법령과 같은 효력을 갖는 **관습법**은 당사자의 주장 입증을 기다림이 없이 법원이 **직권**으로 이를 확정하여야 하고 **사실인 관습**은 그 존재를 **당사자**가 주장·입증하여야 하나, **관습**은 그 존부 자체도 명확하지 않을 뿐만 아니라 그 관습이 사회의 법적 확신이나 법적 인식에 의하여 법적 규범으로까지 승인되었는지의 여부를 가리기는 더욱 어려운 일이므로, **법원이 이를 알 수 없는 경우 결국은 당사자가 이를 주장 입증할 필요**가 있다(대판 1983.6.14, 80다3231).

③ 관습법의 효력

㉠ 성문법과 관습법의 우열: 관습법의 효력에 관하여, 다수설·판례(대판 1983.6.14, 80다3231)는 민법 제1조를 근거로 법률에 규정이 없는 경우에 관습법이 보충적으로 적용된다는 보충적 효력설이다. 한편, 상사에 관하여 상법에 규정이 없으면 상관습법에 의하고 상관습법이 없으면 민법의 규정에 의한다(상법 제1조). 즉, 상사에 관하여는 상관습법이 민법에 우선하여 적용된다(특별법 우선의 원칙).

판례 보충적 효력설

가정의례준칙 제13조의 규정과 배치되는 관습법의 효력을 인정하는 것은 **관습법의 제정법에 대한 열후적 · 보충적 성격**에 비추어 민법 제1조의 취지에 어긋나는 것이다(대판 1983.6.14, 80다3231).

ⓛ 관습법과 사실인 관습의 관계

구분	관습법	사실인 관습
의의	관습법이란 법원으로서 관행이 사회구성원의 법적 확신을 얻어 법규범으로서의 지위를 가지게 된 것을 말한다. **제1조 【법원】** 민사에 관하여 법률에 규정이 없으면 관습법에 의하고 관습법이 없으면 조리에 의한다.	사실인 관습은 법률행위의 해석의 표준으로서 당사자의 의사가 명확하지 않은 경우에 그 부분을 대체할 수 있는 거래상의 관습이다. **제106조 【사실인 관습】** 법령 중의 선량한 풍속 기타 사회질서에 관계없는 규정과 다른 관습이 있는 경우에 당사자의 의사가 명확하지 아니한 때에는 그 관습에 의한다.
성립요건	ⓐ 관행 + 법적 확신(통설 · 판례) ⓑ 헌법을 최상위 규범으로 하는 전체 법질서에 반하지 아니하는 것으로서 정당성과 합리성이 있어야 한다(판례).	ⓐ 관행 + 법적 확신(요하지 않음) ⓑ 선량한 풍속 기타 사회질서에 반하지 않아야 한다.
효력	관습법은 법원(法源)으로서 법령에 저촉되지 아니하는 한 법칙으로서의 효력이 있다[보충적 효력설(통설 · 판례)].	사실인 관습은 강행법규에 위배되지 않고(즉, 사적자치가 인정되는 분야), 당사자의 의사가 명확하지 않은 경우 해석기준이 된다(임의법규에 우선한다).
법원성 유무	관습법은 법적 확신을 구비하는 규범이며, 법원이 된다.	사실인 관습은 법적 확신을 결여하는 관행으로서, 법률행위의 해석기준이다.
증명책임	관습법은 법원이 직권으로 이를 확정하여야 한다(직권조사사항). 그러나 법원이 알 수 없는 경우 당사자가 주장 · 증명할 필요가 있다(대판 1983.6.14, 80다3231).	ⓐ 사실인 관습은 그 존재를 당사자가 주장 · 증명하여야 한다(대판 1983.6.14, 80다3231). ⓑ 사실인 관습은 경험칙이므로 법관 스스로 직권에 의하여 판단할 수 있다(대판 1976.7.13, 76다983).
적용범위	관습법은 모든 민사(법률사실)에 관계한다.	사실인 관습은 법률행위에만 관계한다.

(3) 조리

조리는 사물의 본질적 법칙 또는 사물의 도리를 말하며, 경험칙 · 사회통념 등으로 표현되기도 한다. 조리가 법원이 되는지에 관하여 긍정하는 견해가 다수설이다. 법관은 법의 흠결을 이유로 재판을 거부할 수 없으므로 조리를 재판의 준칙으로 인정하고 있다.

(4) 판례

판례는 법원의 재판을 통하여 형성된 규범을 말한다. 판례를 법이라고 하면 판례법이라고 부른다. 그러나 판례는 민법의 법원이 될 수 없다(다수설).

(5) 헌법재판소의 결정

헌법재판소의 결정은 법률과 동일한 효력을 가지므로(헌법재판소법 제47조 및 제75조), 그 결정내용이 실질적으로 민사에 관한 것인 때에는 민법의 법원이 된다. 그러나 법원에서 제외시키는 소극적인 의미에서 법원으로 된다고 할 수 있을 뿐이다.

기출예제

민법의 법원(法源)에 관한 설명으로 옳지 않은 것은? (다툼이 있으면 판례에 따름) 제27회

① 일반적으로 승인된 국제법규가 민사에 관한 것이면 민법의 법원이 될 수 있다.
② 민사에 관한 대통령의 긴급재정명령은 민법의 법원이 될 수 없다.
③ 법원(法院)은 관습법에 관한 당사자의 주장이 없어도 직권으로 이를 확정할 수 있다.
④ 법원(法院)은 관습법이 헌법에 위반되는지 여부를 판단할 수 있다.
⑤ 사실인 관습은 사적자치가 인정되는 분야에서 법률행위 해석기준이 될 수 있다.

해설

제1조의 법률은 모든 성문법(제정법)을 뜻한다. 명령(대통령의 긴급명령, 긴급 재정 · 경제명령 포함)과 대법원규칙, 조례 · 규칙(자치법규), 비준 · 공포된 조약과 일반적으로 승인된 국제법규도 민사에 관한 것일 경우에는 법률과 동일한 효력을 가지므로 민사에 관한 법원이 된다(헌법 제6조 제1항). 정답: ②

제3절 민법의 기본원리

01 총설

민법의 기본원리는 민법전이 어떤 원리에 입각하여 만들어졌는가의 문제이다. 우리 민법전은 근대민법전을 모범으로 하여 만들어졌다. 근대민법전들은 모든 개인은 완전히 자유이고 서로 평등하다고 하는 자유인격의 원칙(인격절대주의)을 기본으로 하고 있다.

02 사적자치의 원칙

(1) 의의

사적자치의 원칙은 민법의 기본을 이루는 것으로서 '인간으로서의 존엄과 가치'(헌법 제10조), 그 한 내용인 일반적 행동의 자유라는 이념에 기하여, 법질서가 허용하는 한도에서 각자가 자기의 법률관계를 자기의 의사에 따라 자주적으로 처리할 수 있고, 국가나 법질서는 여기에 직접적으로 개입하거나 간섭하면 안 된다는 원칙이다.

(2) 계약자유의 원칙

계약법의 영역에서 당사자들은 원칙적으로 국가나 타인의 간섭을 받지 않고 자기의 법률관계를 스스로 정할 수 있다. 계약자유는 계약체결의 자유, 상대방 선택의 자유, 내용결정의 자유, 방식의 자유 등을 그 내용으로 한다.

(3) 소유권 존중의 원칙

개인이 자기의 인격을 자유롭게 전개하기 위한 물질적 기초, 즉 소유권으로 대표되는 재산권을 존중하여 주는 원칙이다.

(4) 과실책임의 원칙

자기의 행위의 결과로 타인에게 손해가 발생하였더라도 그 결과가 자기의 일정한 정신작용에 기한 것이 아니라면 그 손해에 대한 책임을 지지 않는다는 원칙이다. 즉, 과실책임의 원칙상 민법에 있어서 책임이 발생하려면 행위자에게 고의 또는 과실이 있어야 한다. 형법에서와 달리 민법에서는 책임의 발생 및 범위 면에서 둘은 차이가 없다.

03 사회적 형평의 고려

(1) 의의

소유권 또는 계약과 같은 사회적 제도는 법질서 및 다른 사람의 자유나 권리와 조화되어야 하며, 권리를 가진다고 하여 이를 무제한적으로 추구한다면 사회의 평화와 질서가 좌절될 수 있다. 여기서 '사회적 형평'이라는 제2의 이념이 나타나게 된다.

(2) 내용

사회적 형평(조정)의 원칙은 사적자치를 비롯한 3대 원리를 제약하는 원리이다. 그 구체적인 예로는 신의성실의 원칙(제2조 제1항), 권리남용금지(제2조 제2항), 사회질서(제103조), 폭리행위금지(제104조), 대물반환의 예약(제607조), 차주에 불이익한 약정의 금지(제608조), 임대차에 있어서의 강행규정(제652조), 정당방위 · 긴급피난(제761조), 유류분제도(제1112조 이하) 등을 들 수 있다.

(3) 한계

자유와 그 실질적 전제인 평등을 확보하기 위하여 현대민법에서 외면할 수 없게 된 사회적 형평의 이념은 어디까지나 소극적 · 제한적인 것이고, 따라서 사적자치의 원칙에 대한 제약은 필요한 최소한에 그쳐야 한다.

제4절 민법전의 적용범위(민법의 효력범위)

01 사항에 관한 적용범위

민법은 사법의 일반법이기 때문에 개인의 사법관계에 관한 것이면 그 모두에 적용된다. 다만, 상법을 비롯한 특별사법이나 민사특별법규에 따로 규정이 있는 경우에는 특별법 우선의 원칙에 따라 제1차적으로 특별법이 적용되며, 보충적으로 민법이 적용된다.

02 때에 관한 적용범위

(1) 법률은 시행일부터 폐지일까지 효력을 가진다. 그리고 기득권 존중 및 법적 안정성의 요청에 따라 법률은 그 효력이 생긴 때부터 그 후에 발생한 사항에 대해서만 적용되는 것이 원칙이다. 이를 법률불소급의 원칙이라고 한다.

(2) 민법은 부칙 제2조에서 "본법은 특별한 규정 있는 경우 외에는 본법 시행일 전의 사항에 대하여도 이를 적용한다."라고 규정함으로써 형식적으로 소급효를 인정하고 있지만, 동조 단서가 "그러나 이미 구법에 의하여 생긴 효력에 영향을 미치지 아니한다."라고 하여 기득권을 보호하고 있어, 법률불소급의 원칙을 인정하는 것과 같다.

03 인(人)에 관한 적용범위

민법은 우리 국민이 국내에 있든 국외에 있든 적용되며, 이를 속인주의라고 한다. 한편 민법은 우리 영토 내에 있는 외국인에 대해서도 적용되는데, 이를 속지주의라고 한다. 속인주의와 속지주의를 같이 채택하는 것이 일반적인 경향인데, 그 결과 우리 민법과 외국의 민법이 서로 충돌하는 수가 있다. 위 경우에 어느 나라의 법률을 준거법으로 할지를 정한 것으로 '국제사법'이 있다.

04 장소에 관한 적용범위

민법은 우리나라의 모든 영토 내에서 적용된다.

마무리STEP 1 | OX 문제

01 민사에 관하여 법률에 규정이 없으면 관습법에 의하고 관습법이 없으면 조리에 의한다. ( )

02 물권은 관습법에 의하여 창설될 수 없다. ( )

03 상행위에 관하여서는 상관습법이 민법에 우선하여 적용된다. ( )

04 법률의 규정을 집행하기 위해 세칙을 정하는 집행명령이 민사에 관한 것이면 민법의 법원이 된다. ( )

05 일반적으로 승인된 국제법규도 민사에 관한 것이라면 민법의 법원이 될 수 있다. ( )

06 관습법은 당사자가 그 존재를 주장 · 증명해야만 법원(法院)이 이를 적용할 수 있다. ( )

07 관습법이 사회질서의 변화로 인하여 적용 시점의 전체 법질서에 반하게 된 때에는 법적 규범으로서의 효력이 부정된다. ( )

01 ○

02 × 물권은 법률 또는 관습법에 의하는 외에는 임의로 창설하지 못한다(제185조).

03 ○

04 ○

05 ○

06 × 관습법은 당사자의 주장 입증을 기다림이 없이 법원이 직권으로 이를 확정하여야 하고, 사실인 관습은 그 존재를 당사자가 주장 · 입증하여야 한다(대판 1983.6.14, 80다3231).

07 ○

08 사실인 관습은 그 존재를 당사자가 주장 · 입증하여야 한다. ( )

09 사실인 관습은 관습법과는 달리 법령의 효력이 없는 단순한 관행으로서 법률행위 당사자의 의사를 보충함에 그친다. ( )

10 판례가 인정한 관습법상의 물권에는 분묘기지권, 관습상의 법정지상권 등이 있다. ( )

11 판례는 온천권, 소유권에 준하는 관습상의 물권, 공원이용권, 사도통행권 등은 관습법상의 물권으로 인정하지 않는다. ( )

12 공동선조와 성과 본을 같이하는 후손인 여성은 성년이 되면 종중의 구성원이 된다고 보는 것이 조리에 합당하다. ( )

08 ○
09 ○
10 ○
11 ○
12 ○

마무리STEP 2 | 확인문제

01 **법원(法源)에 관한 설명으로 옳지 않은 것은? (다툼이 있으면 판례에 따름)** 제21회

① 민사에 관한 대통령의 긴급명령은 민법의 법원이 된다.
② 민사에 관하여 법률에 규정이 없으면 관습법에 의하고 관습법이 없으면 조리에 의한다.
③ 일반적으로 승인된 국제법규는 민사에 관한 것이더라도 민법의 법원이 될 수 없다.
④ 관습법은 당사자의 주장 · 증명이 없더라도 법원(法源)이 직권으로 이를 확정할 수 있다.
⑤ 관습법이 그 적용시점에서 전체 법질서에 부합하지 않게 된 경우, 그 관습법의 효력은 부정된다.

정답 | 해설

01 ③ 비준 · 공포된 조약과 일반적으로 승인된 국제법규도 민사에 관한 것일 경우에는 법률과 동일한 효력을 가지므로 민사에 관한 법원이 된다(헌법 제6조 제1항).

02 **법원(法源)에 관한 설명으로 옳지 않은 것은? (다툼이 있으면 판례에 따름)** 제24회

① 민사에 관하여 법률과 관습법이 없는 경우에는 사실인 관습에 의한다.
② 법률의 규정을 집행하기 위해 세칙을 정하는 집행명령이 민사에 관한 것이면 민법의 법원이 된다.
③ 관습법이 사회질서의 변화로 인하여 적용 시점의 전체 법질서에 반하게 된 때에는 법적 규범으로서의 효력이 부정된다.
④ 관습법은 당사자의 주장 · 증명이 없더라도 법원(法院)이 직권으로 이를 확정하여야 한다.
⑤ 헌법에 의해 체결 · 공포된 조약 중 민사에 관한 것은 민법의 법원이 된다.

03 **민법의 법원(法源)에 관한 설명으로 옳지 않은 것은? (다툼이 있으면 판례에 따름)** 제25회

① 일반적으로 승인된 국제법규가 민사에 관한 것이면 민법의 법원이 될 수 있다.
② 민사에 관하여 법률에 규정이 없으면 관습법에 의하고 관습법이 없으면 조리에 의한다.
③ 사실인 관습은 사적자치가 인정되는 분야에서 법률행위 당사자의 의사를 보충하는 기능을 한다.
④ 민사에 관한 대법원규칙은 민법의 법원이 될 수 있다.
⑤ 관습법은 당사자가 그 존재를 주장 · 증명해야만 법원(法院)이 이를 적용할 수 있다.

04 **관습법에 관한 설명으로 옳지 않은 것은? (다툼이 있으면 판례에 따름)** 제23회

① 물권은 관습법에 의해서도 창설할 수 있다.
② 미등기 무허가건물의 양수인에게는 소유권에 준하는 관습상의 물권이 인정된다.
③ 사실인 관습은 관습법과는 달리 법령의 효력이 없는 단순한 관행으로서 법률행위 당사자의 의사를 보충함에 그친다.
④ 민사에 관하여 법률에 규정이 없으면 관습법에 의하고 관습법이 없으면 조리에 의한다.
⑤ 관습법으로 승인되었던 관행이 그러한 관습법을 적용해야 할 시점에서의 전체 법질서에 부합하지 않게 되었다면, 그 관습법은 법적 규범으로서의 효력이 부정된다.

05 관습법과 사실인 관습에 관한 설명으로 옳은 것은? (다툼이 있으면 판례에 따름)

제26회

① 물권은 관습법에 의하여 창설될 수 없다.
② 사실인 관습은 법령에 저촉되지 않는 한 법칙으로서의 효력을 갖는다.
③ 사실인 관습은 당사자의 주장 · 증명이 없더라도 법원이 직권으로 확정하여야 한다.
④ 관습법이 사회질서의 변화로 인하여 적용 시점의 전체 법질서에 반하게 되면 법적 규범으로서의 효력이 부정된다.
⑤ 사실인 관습은 사회생활규범이 사회의 법적 확신에 의하여 법적 규범으로 승인된 것을 말한다.

정답 | 해설

02 ① 민사에 관하여 법률에 규정이 없으면 관습법에 의하고 관습법이 없으면 조리에 의한다(제1조). 사실인 관습은 법률행위의 해석기준이다.

03 ⑤ 관습법은 당사자의 주장 입증을 기다림이 없이 법원이 직권으로 이를 확정하여야 하고, 사실인 관습은 그 존재를 당사자가 주장 · 입증하여야 한다(대판 1983.6.14, 80다3231).

04 ② 미등기 무허가건물의 양수인이라도 그 소유권이전등기를 경료하지 않는 한 그 건물의 소유권을 취득할 수 없고, 소유권에 준하는 관습상의 물권이 있다고도 할 수 없다(대판 2006.10.27, 2006다49000).

05 ④ ④ 사회의 거듭된 관행으로 생성된 사회생활규범이 관습법으로 승인되었다고 하더라도 사회 구성원들이 그러한 관행의 법적 구속력에 대하여 확신을 갖지 않게 되었다거나, 사회를 지배하는 기본적 이념이나 사회질서의 변화로 인하여 그러한 관습법을 적용하여야 할 시점에 있어서의 전체 법질서에 부합하지 않게 되었다면 그러한 관습법은 법적 규범으로서의 효력이 부정될 수밖에 없다(대판 2005.7.21, 2002다1178 전합).
① 물권은 법률 또는 관습법에 의하는 외에는 임의로 창설하지 못한다(제185조).
② 관습법은 법원(法源)으로서 법령에 저촉되지 아니하는 한 법칙으로서의 효력이 있다(대판 2005.7.21, 2002다1178 전합).
③ 관습법은 당사자의 주장 입증을 기다림이 없이 법원이 직권으로 이를 확정하여야 하고 사실인 관습은 그 존재를 당사자가 주장 · 입증하여야 한다(대판 1983.6.14, 80다3231). 한편, 사실인 관습은 경험칙이므로 법관 스스로 직권에 의하여 판단할 수 있다(대판 1976.7.13, 76다983).
⑤ 관습법이란 사회의 거듭된 관행으로 생성한 사회생활규범이 사회의 법적 확신과 인식에 의하여 법적 규범으로 승인·강행되기에 이른 것을 말한다(대판 2005.7.21, 2002다1178 전합).

06 관습법과 사실인 관습에 관한 설명으로 옳은 것은? (다툼이 있으면 판례에 따름)

제20회

① 사회의 거듭된 관행이 관습법으로 승인되었다면, 그것이 적용될 시점에 전체 법질서와 부합하지 않더라도 효력이 인정된다.
② 상행위와 관련된 법률관계에서는 민법이 상관습법에 우선한다.
③ 관습법은 당사자의 주장 · 증명이 없으면 법원이 직권으로 이를 확정할 수 없다.
④ 사실인 관습이 강행규정에 관한 것이더라도, 강행규정에서 관습에 따르도록 위임한 경우라면 그 관습에 대하여 법적 효력을 부여할 수 있다.
⑤ 물권은 관습법에 의하여 창설될 수 없다.

정답 | 해설

06 ④ ① 사회의 거듭된 관행으로 생성된 사회생활규범이 관습법으로 승인되었다고 하더라도 사회 구성원들이 그러한 관행의 법적 구속력에 대하여 확신을 갖지 않게 되었다거나, 사회를 지배하는 기본적 이념이나 사회질서의 변화로 인하여 그러한 관습법을 적용하여야 할 시점에 있어서의 전체 법질서에 부합하지 않게 되었다면 그러한 관습법은 법적 규범으로서의 효력이 부정될 수밖에 없다(대판 2005.7.21, 2002다1178 전합).
② 상사에 관하여 상법에 규정이 없으면 상관습법에 의하고 상관습법이 없으면 민법의 규정에 의한다(상법 제1조).
③ 관습법은 당사자의 주장 입증을 기다림이 없이 법원이 직권으로 이를 확정하여야 하고, 사실인 관습은 그 존재를 당사자가 주장 · 입증하여야 한다(대판 1983.6.14, 80다3231).
⑤ 물권은 법률 또는 관습법에 의하는 외에는 임의로 창설하지 못한다(제185조).

house.Hackers.com

제 2 장 권리와 법률관계

목차 내비게이션 민법총칙

민법총칙 서론

권리와 법률관계

제1절 법률관계
제2절 권리와 의무
제3절 권리의 발생 및 경합
제4절 권리의 행사와 의무의 이행
제5절 신의성실의 원칙
제6절 권리의 보호

권리의 주체

물건

법률행위

기간

소멸시효

단원길라잡이

이 단원은 2~3문제가 출제되는 중요한 파트로서, 특히 권리의 종류와 신의성실의 원칙에서 자주 출제된다. 권리와 신의성실의 원칙은 민법 전체에 관련되는 민법학의 기초가 되므로 많은 이해가 필요한데, 특히 형성권, 신의성실의 원칙 부분을 유의하여 학습해 두어야 한다. 하지만 신의성실의 원칙에 관한 판례는 민법 전체를 알아야 이해가 되기 때문에 민법 전체를 학습한 다음에 공부할 것을 추천한다.

출제포인트

- 법률관계
- 권리의 종류
- 권리의 충돌
- 신의성실의 원칙

제1절 법률관계

01 서설

(1) 의의

사람의 생활관계 가운데에는 법에 의하여 규율되는 관계가 있는가 하면 그렇지 않은 것도 있다. 이 중에 '법에 의하여 규율되는 생활관계'를 법률관계라고 한다. 법률관계가 아닌 생활관계(비법률관계)는 법 대신 도덕 · 관습 · 종교 등의 다른 사회규범에 의하여 규율되며, 국가권력에 의한 강제력은 수반하지 않는다.

(2) 호의관계

① **의의**: 호의관계란 법적으로 구속받으려는 의사 없이 행하여진 생활관계를 말한다. 비법률관계의 대표적인 예로 호의관계가 있다. 친구의 산책에 동행해 주기로 한 경우, 어린아이를 그 부모가 외출하는 동안 대가를 받지 않고 돌보아 주기로 한 경우, 저녁식사에 초대한 경우, 자기 차에 아는 사람을 무료로 태워준 경우(이른바 호의동승)가 그 예이다.

② **법률관계와 구별**: 호의관계와 법률관계는 당사자 사이에 법적 구속의사(법적 보호의 이익)가 있느냐에 의하여 구별된다. 행위의 유상성이 법률관계와 호의관계의 유일한 구별표준인 것은 아니다. 즉, 호의적 행위는 언제나 무상이지만, 역으로 모든 무상행위가 호의적 행위인 것은 아니다(예 증여나 무상임치 등).

③ **효과**

㉠ 호의관계가 존재하는 경우에는 호의적 급부를 약속받은 자에게 법률관계에서 인정되는 이행청구 · 채무불이행으로 인한 손해배상청구가 인정되지 않는다.

㉡ 예컨대, 출근길에 아는 사람을 태워 운행하다가 운전자의 과실로 동승자가 피해를 입은 경우와 같이, 호의관계로 인정되는 경우에도 그 급부에 수반하여 손해가 발생한 경우에는 불법행위에 기한 손해배상청구권이 인정될 수 있다. 이 경우에도 호의관계로 인정되는 것은 아니며, 그 손해를 누가 부담할 것인가를 정하는 것은 법률의 규정에 의한 법률관계가 된다. 문제는 '호의성 때문에 손해배상책임의 면제 또는 경감을 인정할 것인가'이다.

판례 **호의동승자에 대한 손해배상액의 경감 여부**

차량의 운행자가 아무런 대가를 받지 아니하고 동승자의 편의와 이익을 위하여 동승을 허락하고 동승자도 그 자신의 편의와 이익을 위하여 그 제공을 받은 경우 그 운행 목적, 동승자와 운행자의 인적 관계, 그가 차에 동승한 경위, 특히 동승을 요구한 목적과 적극성 등 여러 사정에 비추어 가해자에게 **일반 교통사고와 동일한 책임을 지우는 것이 신의법칙이나 형평의 원칙으로 보아 매우 불합리하다고 인정될 때에는 그 배상액을 경감**할 수 있으나, **사고 차량에 단순히 호의로 동승하였다는 사실만 가지고 바로 이를 배상액 경감사유로 삼을 수 있는 것은 아니다**(대판 1999.2.9, 98다53141). 차량에 동승하였다는 사실을 알아볼 수 있을 뿐이고, **차량에 탑승하였던 양인이 다 사망하여 그 밖의 동승 경위나 운행 목적 등에 관하여 이를 알아 볼 수 없게 된 이상 막바로 손해배상의 경감사유로 삼을 수는 없다**(대판 1996.3.22, 95다24302).

02 내용

법률관계는 법에 의하여 구속되는 자와 법에 의하여 보호받는 자의 관계로 나타나는바, 전자의 지위를 의무, 후자의 지위를 권리라고 한다. 결국 법률관계는 권리 · 의무관계이다.

제2절 권리와 의무

01 권리의 의의

(1) 개념

권리란 권리주체가 일정한 이익을 누릴 수 있도록 법이 인정하는 힘을 말한다[권리법력설(통설)].

(2) 구별개념

① **권한**: 권한이란 다른 사람을 위하여 그에게 일정한 법률효과를 발생케 하는 행위를 할 수 있는 법률상의 지위나 자격을 말한다(예 대리인의 대리권, 이사의 대표권).

② **권능**: 권능이란 권리의 내용을 이루는 개개의 법률상의 힘을 말한다. 가령, 소유권이라는 권리에 대하여 그 내용인 사용권 · 수익권 · 처분권을 말한다.

③ **권원**: 권원이란 일정한 법률상 또는 사실상의 행위를 하는 것을 정당화하는 법률상의 원인을 말한다. 예컨대, 타인의 부동산에 무단으로 건물 등을 지은 경우에는 그것은 타인의 소유권을 침해하는 것으로서 그 타인은 그 건물 등의 철거를 청구할 수 있는데(제214조), 그 철거를 당하지 않기 위해서는 그 토지를 사용할 권원이 있어야 하고, 그러한 것으로는 지상권 · 임차권 등이 있다.

④ **반사적 이익(권리반사)**: 반사적 이익이란 법이 일정한 사람에게 일정한 행위를 명하거나 금지함에 따라 다른 사람이 반사적으로 누리는 이익을 말한다. 가령, 불법원인급여에 해당하는 경우에 급여자는 급여의 반환을 청구할 수 없는데(제746조), 그 결과 수익자가 그 급여의 소유권을 취득하는 것은 반사적 이익에 불과하다.

02 의무의 의의

일정한 행위를 하여야 할 또는 하지 않아야 할 법률상의 구속을 말한다. 보통 의무는 권리의 반면으로 권리에 대응한다. 그러나 언제나 권리와 의무가 상응하는 것은 아니다. 즉, 의무만 있고 권리는 없는 경우가 있는가 하면, 권리만 있고 의무는 없는 경우도 있다.

03 권리의 종류

법이 공법과 사법으로 나누어짐에 따라 권리도 공법상의 권리인 공권과 사법상의 권리인 사권으로 구별된다. 민법상의 권리는 사권이다.

(1) 내용에 의한 분류

① **재산권**: 재산권은 경제적 가치가 있는 이익을 누리는 것을 내용으로 하는 권리로서, 물권 · 채권 · 지식재산권이 있다. 물권에는 점유권 · 소유권, 용익물권인 지상권 · 지역권 · 전세권, 담보물권인 유치권 · 질권 · 저당권이 있다. 지식재산권은 발명 · 저작 등의 정신적 · 지능적 창조물을 독점적으로 이용하는 것을 내용으로 하는 권리로서, 특허권 · 실용신안권 · 디자인권 · 상표권 · 저작권 등이 이에 속한다.

핵심 콕! 콕! 채권법 전형계약의 종류

1. 재산권이전형 계약: 증여, 매매, 교환, 증여
2. 대차형 계약: 소비대차, 사용대차, 임대차
3. 노무공급 계약: 고용, 도급, 여행, 현상광고, 위임, 임치
4. 기타: 조합, 종신정기금, 화해

② **가족권(신분권)**: 부부 · 친자 등의 가족공동체의 일원인 지위에 기한 권리(예 친권 · 부양청구권, 상속권)로서, 이에는 친족권과 상속권의 두 가지가 있다.

③ **인격권**: 생명 · 신체 · 신용 · 명예 · 정조 · 성명 · 초상 · 창작 등과 같이 권리의 주체와 불가분적으로 결합되어 있는 인격적 이익을 내용으로 하는 권리이다.

판례 **인격권에 기초하여 현재의 침해행위의 배제 또는 장래의 침해행위의 금지청구 가부(적극)**

명예는 생명, 신체와 함께 매우 중대한 보호법익이고 **인격권으로서의 명예권은 물권의 경우와 마찬가지로 배타성을 가지는 권리**라고 할 것이므로 사람의 품성, 덕행, 명성, 신용 등의 인격적 가치에 관하여 사회로부터 받는 객관적인 평가인 **명예를 위법하게 침해당한 자는 손해배상 또는 명예회복을 위한 처분**을 구할 수 있는 이외에 인격권으로서 명예권에 기초하여 가해자에 대하여 **현재 이루어지고 있는 침해행위를 배제하거나 장래에 생길 침해를 예방하기 위하여 침해행위의 금지**를 구할 수도 있다(대결 2005.1.17, 2003마1477).

④ **사원권**: 사단법인의 구성원이 그 구성원이라는 지위에서 사단에 대하여 가지는 권리 · 의무를 총칭하여 사원권이라고 부른다. 사원권에는 자익권(예 이익배당청구권 · 잔여재산분배청구권) · 공익권(예 결의권 · 소수사원권 등)이 있는데, 상법의 적용을 받는 회사에서는 전자가, 민법의 적용을 받는 비영리법인에서는 후자가 중심을 이룬다.

(2) 작용(효력)에 의한 분류

① **지배권**: 지배권이란 타인의 행위를 개입시키지 않고 일정한 객체를 직접 지배할 수 있는 권리(사용, 수익, 처분 등을 할 수 있는 권리)를 말한다. 직접 지배한다는 것은 권리의 내용인 이익을 실현하기 위하여 권리자 아닌 타인의 행위나 동의를 필요로 하지 않는다는 의미이며, 이 점에서 청구권과 구별된다. 물권이 전형적인 지배권이지만, 그 밖에 준물권, 지식재산권, 친권, 후견권 등도 이에 속한다.

② **청구권**: 청구권이란 특정인이 다른 특정인에 대하여 일정한 행위(작위 · 부작위)를 요구할 수 있는 권리를 말한다. 예컨대 주택 매매계약에 기한 매수인의 소유권이전등기청구권은 채권적 청구권이다. 전형적인 청구권은 채권이고, 소유물반환청구권과 같은 물권적 청구권(제213조), 상속회복청구권(제999조) 등도 이에 속한다.

③ **형성권**

㉠ 형성권이란 권리자의 일방적인 의사표시에 의하여 법률관계를 발생 · 변경 · 소멸시키는 권리를 말한다.

㉡ 형성권으로는 권리자의 의사표시만 있으면 법률관계의 변동이 일어나는 것(법률행위의 동의권, 취소권, 추인권, 상계권, 계약의 해지 · 해제권, 매매의 일방예약완결권, 상속포기권 등)과 그 권리의 행사가 제3자에 대하여 중대한 영향을 미치기 때문에 법원의 판결이 있어야 비로소 법률관계의 변동이 일어나는 것(채권자취소권, 재판상 이혼권 등)의 두 유형이 있다.

㉢ 한편 공유물분할청구권(제268조), 지료증감청구권(제286조), 지상물매수청구권(제283조, 제285조), 부속물매수청구권(제316조), 매매대금감액청구권(제572조), 차임증감청구권(제628조) 등은 법문상 청구권으로 표현되어 있지만 형성권으로 해석한다(다수설).

④ **항변권**: 항변권이란 상대방의 청구권의 행사에 대해 그 작용을 저지할 수 있는 권리를 말한다(반대권이라고도 한다). 항변권으로는 청구권의 행사를 일시적으로 저지할 수 있을 뿐인 연기적 항변권(동시이행의 항변권, 보증인의 최고 · 검색의 항변권)과 그것을 영구히 저지할 수 있는 영구적 항변권(상속인의 한정승인의 항변권)의 두 종류가 있다.

기출예제

형성권이 아닌 것은? (다툼이 있으면 판례에 따름) 제27회

① 계약의 해제권
② 법률행위의 취소권
③ 점유자의 유익비상환청구권
④ 매매의 일방예약완결권
⑤ 토지임차인의 지상물매수청구권

해설

점유자의 유익비상환청구권은 청구권이다. 정답: ③

(3) 기타의 분류

① **절대권과 상대권**: 절대권은 특정의 상대방이 없고 누구에 대해서도 주장할 수 있는 권리로서 대세권이라고도 하는데, 물권이나 인격권이 그 예이다. 반면, 상대권은 특정인에 대해서만 주장할 수 있는 권리로서 대인권이라고도 하는데, 채권 등의 청구권이 그 예이다.

② **일신전속권과 비전속권**: 일신전속권은 권리가 고도로 인격적이기 때문에 타인에게 이전되어서는 의미가 없는 귀속상의 일신전속권(즉, 양도성과 상속성이 없다. 제979조의 부양청구권의 처분금지 규정 참조)과 권리자 자신이 직접 행사하지 않으면 의미가 없기 때문에 타인이 권리자를 대리하여 또는 대위하여 행사할 수 없는 행사상의 일신전속권(따라서 자신이 직접 행사하여야 한다. 예 제913조의 친권)이 있다. 한편, 비전속권은 양도성과 상속성이 있는 권리로 대부분의 재산권이 이에 속한다.

③ **주된 권리와 종된 권리**: 권리 가운데에는 하나의 권리가 다른 권리를 전제로 하여 존재하는 경우가 있다. 이때 그 전제가 되는 권리가 주된 권리이고, 그것에 의존하는 권리를 종된 권리라고 한다. 예를 들면 원본채권과 이자채권, 피담보채권과 질권 · 저당권, 주채무자에 대한 채권과 보증인에 대한 채권은 모두 주된 권리 · 종된 권리이다. 종된 권리는 주된 권리에 의존하고 그와 법률적 운명을 같이하기 때문에, 주된 권리가 이전되면 종된 권리도 이전되며, 주된 권리가 시효로 소멸하면 종된 권리도 소멸한다(제183조).

④ 기성의 권리와 기대권: 이는 권리가 성립요건을 모두 갖추었는가에 의한 구별이다. 기성의 권리는 권리의 성립요건이 모두 갖추어져서 성립된 권리를 말한다. 이에 대해 기대권은 권리의 발생요건 중 일부만을 갖추어 장래 남은 요건이 갖추어지면 권리를 취득할 수 있는 상태로서 법에 의하여 보호되는 것을 기대권이라고 한다. 조건부 권리(제148조, 149조), 기한부 권리(제154조) 등이 그 전형적인 예이다.

제3절 권리의 발생 및 경합

01 권리의 발생(권리규정)

권리의 발생요건을 그 내용으로 하는 실질적 민법의 규정을 권리규정이라고 한다.

02 권리의 경합

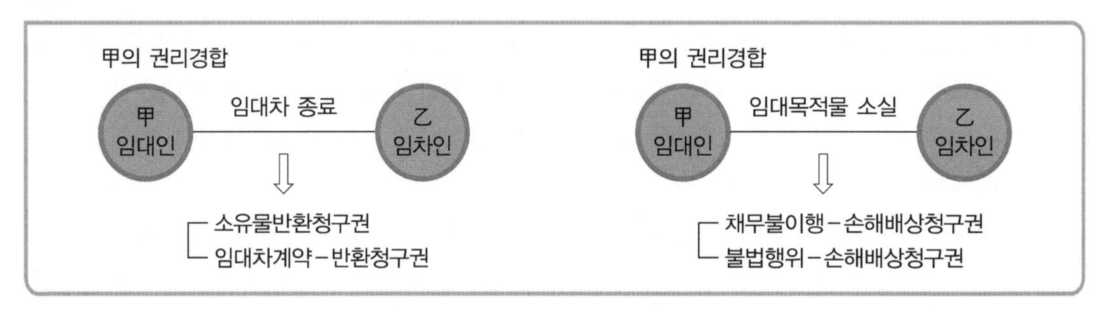

(1) 의의

① 권리의 경합이란 하나의 생활사실이 수개의 법규가 정하는 요건을 충족하여 동일한 목적을 가지는 수개의 권리가 발생하는 경우를 말한다. 가령 임대차계약의 종료에 따라 임대목적물의 소유자인 임대인에게는 임대차에 기한 반환청구권(제654조, 제615조)과 소유권에 기한 반환청구권(제213조)이 주어진다.

② 이들 수개의 권리는 동일한 목적을 위하여 존재하므로, 그중 어느 하나의 행사로 목적을 달성하면 나머지 권리는 소멸한다. 그러나 각각의 권리는 독립하여 존재하고, 서로 관계없이 행사될 수 있으며, 각기 따로 시효 기타의 사유로 소멸할 수 있다. 판례도, "채권자가 동일한 목적을 달성하기 위하여 복수의 채권을 갖고 있는 경우, 채권자로서는 그 선택에 따라 권리를 행사할 수 있되, 그중 어느 하나의 청구를 한 것만으로는 다른 채권 그 자체를 행사한 것으로 볼 수는 없으므로, 특별한 사정이 없는 한 다른 채권에 대한 소멸시효 중단의 효력은 없다."고 한다(대판 2002.6.14, 2002다11441).

(2) 경합의 모습

① 청구권경합: 예컨대, 임차목적물이 임차인의 고의나 과실로 멸실된 경우에 임대인이 가지는 채무불이행에 기한 손해배상청구권과 불법행위에 기한 손해배상청구권이 청구권경합의 관계에 있다.

② 법조경합: 법조경합이란 하나의 생활사실이 수개의 법규의 요건을 충족하지만, 그 수개의 법규가 특별법과 일반법의 관계에 있거나, 하나의 법규가 다른 법규와 경합하여 그 효과를 제한하는 경우에, 전자의 법규만이 적용되는 것을 말한다. 예를 들면, 공무원의 직무상 불법행위에 대한 책임에 관한 국가배상법 제2조와 민법 제756조의 경합, 수량지정매매에서 목적물의 일부가 계약 당시에 이미 멸실된 경우에 제574조와 제535조의 경합 등이다.

제4절 권리의 행사와 의무의 이행

01 권리의 행사와 의무의 이행

(1) 권리의 행사란 권리의 내용을 실현하는 것을 말한다. 반면 의무의 이행이란 의무자가 의무의 내용을 실현하는 것을 말한다.

(2) 권리의 행사는 원칙적으로 권리자의 의사에 맡겨져 있다(사적자치). 즉, "자기의 권리를 행사하는 자는 그 누구를 해하는 것도 아니다." 다만, 친권과 같이 타인의 이익을 위하여 인정되는 권리에서는 그 권리를 행사하여야 할 의무가 있으나(제913조), 이것은 예외적인 것이다. 또한 민법은 제2조에서 권리행사의 한계를 명문으로 규정하고 있다.

02 권리의 충돌과 순위

(1) 권리의 충돌

동일한 객체에 대하여 수개의 권리가 존재하여 모든 권리를 만족시킬 수 없는 경우를 말한다. 충돌의 유형으로 물권 상호간의 충돌, 채권 상호간의 충돌 및 물권과 채권의 충돌 등이 있다.

(2) 권리의 순위

① 물권 상호간

㉠ 소유권과 제한물권 사이에서는 제한물권의 성질상 그것이 언제나 소유권에 우선한다.

㉡ 하나의 물건 위에 서로 양립할 수 없는 수개의 물권이 성립하는 경우에, 먼저 성립한 권리가 나중에 성립한 권리에 우선한다(우선적 효력).

② **물권과 채권간:** 동일물에 대하여 물권과 채권이 병존하는 경우에는, 그 성립시기를 불문하고 원칙적으로 물권이 우선한다.

③ **채권 상호간:** 동일한 채무자에 대하여 수개의 채권이 충돌하는 경우에, 채권자평등의 원칙에 따라 동일 채무자에 대한 수개의 채권은 평등하게 다루어진다. 다만, 이러한 원칙이 그대로 지켜지는 것은 파산의 경우이며, 그 밖의 경우에는 각 채권자가 임의로 채권을 실행하여 변제받을 수 있다. 그 결과 채권을 먼저 행사하는 자가 이익을 얻게 되는데, 이를 선행주의라고 한다.

제5절 신의성실의 원칙

제2조【신의성실】① 권리의 행사와 의무의 이행은 신의에 좇아 성실히 하여야 한다.
② 권리는 남용하지 못한다.

01 서론

(1) 의의

신의성실의 원칙은 법률관계의 당사자가 상대방의 이익을 배려하여 형평에 어긋나거나 신뢰를 저버리는 내용 또는 방법으로 권리를 행사하거나 의무를 이행하여서는 아니 된다는 추상적 규범이다(대판 2006.6.29, 2005다11602).

① 적용범위

㉠ 신의성실의 원칙(이하 '신의칙'이라 한다)은 오늘날 민법의 모든 분야에서뿐만 아니라 상법 등 사법 모든 분야에서 적용된다. 이처럼 민법 전체에 적용되지만, 실제로는 채권법 분야에서 가장 실효성이 크다. 뿐만 아니라 노동법이나 기타 경제법 등 사회법 분야에 있어서도 그 적용이 많으며, 민사소송법 · 헌법 · 행정법 · 세법 등 공법 분야에 있어서도 그 적용이 있다.

㉡ 신의칙이 적용되기 위해서는 당사자 사이에 법적인 특별결합관계가 존재하여야 한다. 일반적인 행위규범은 1차적으로 민법 제750조에서 정하고 있는 '위법행위'의 판단에 의하여 설정된다. 참고로 권리남용금지법리는 법적 특별결합관계가 없는 사이에서도 성립한다(적용영역 구별설). 연혁적으로나 실천적으로나 동조 제1항은 채권법의 영역에서, 제2항은 물권법의 영역에서 특히 중요한 의미를 가진다.

② **신의칙과 권리남용의 관계**: 통설과 판례의 대체적인 경향은 권리의 행사가 신의성실에 반하는 경우에는 권리남용이 된다고 하여, 권리남용의 금지를 신의칙의 효과로 보고 있다. 그래서 양 조항의 중복적용을 긍정하고 있다(대판 2002.10.25, 2002다32332). 한편, 의무의 이행이 신의칙에 반하는 경우에는 채무불이행이 되어 계약의 해제권, 손해배상청구권 등을 행사할 수 있다.

③ **효과**

㉠ 권리의 행사가 신의칙에 위반하는 때에는 권리의 남용이 되는 것이 보통이다. 따라서 일반적으로 권리행사로서의 효과가 생기지 않는다.

㉡ 신의성실의 원칙에 반하는 것 또는 권리남용은 강행규정에 위배되는 것이므로, 당사자의 주장이 없더라도 법원은 직권으로 판단할 수 있다(대판 1989.9.29, 88다카17181). 따라서 매매계약의 당사자가 계약체결시에 신의칙 위반을 이유로 매매의 효력을 다투지 않기로 한 특약은 무효이다.

판례

1. **보증인이 채권자에 대하여 보증채무를 부담하지 아니함을 주장할 수 있었는데도 그 주장을 하지 아니한 채 보증채무의 전부를 이행**하였다면 그 주장을 할 수 있는 범위 내에서는 신의칙상 그 보증채무의 이행으로 인한 구상금채권에 대한 연대보증인들에 대하여도 그 구상금을 청구할 수 없다(대판 2006.3.10, 2002다1321).

2. **甲이 하여야 할 연대보증을 그 부탁으로 乙이 대신한 경우, 甲이 그 연대보증채무를 대위변제하였다는 이유로 乙에 대하여 구상권을 행사하는 것**은 신의칙에 반한다(대판 2000.5.12, 99다38293).

3. 도급인과 수급인 사이에 하자담보책임기간을 준공검사일부터 2년간으로 약정하였다 하더라도 **수급인이 그와 같은 시공상의 하자를 알고 도급인에게 고지하지 않은** 이상, 약정담보책임기간이 경과하였다는 이유만으로 수급인의 담보책임이 면제된다고 보는 것은 **신의성실의 원칙에 위배된다고 볼 여지가 있고, 이 경우 민법 제672조를 유추적용하여 수급인은 그 하자로 인한 손해에 대하여 담보책임을 면하지 못한다**고 봄이 옳다(대판 1999.9.21, 99다19032).

4. **채권자가 채권을 확보하기 위하여 제3자의 부동산을 채무자에게 명의신탁하도록 한 다음 동 부동산에 대하여 강제집행을 하는 따위의 행위**는 신의칙에 비추어 허용할 수 없다(대판 1981.7.7, 80다2064).

5. **건물의 소유지분권을 매도한 사람**은 그 매매의 이행으로서 매수인에 대하여 그 매도 부분에 관한 점유이전의 의무를 지므로 특단의 사정이 없는 한 **매도인이 점유 · 사용 중인 매수인에 대하여 그 매매 부분을 명도하라고 청구하는 것**은 신의성실의 원칙에 위배된다(대판 1999.1.15, 98다43953).

---

(2) 신의칙의 적용상의 한계

① 현존하는 법규에의 구속

㉠ 신의성실의 원칙의 과제는 1차적으로 현존하는 법규들 또는 법률관계들을 그 의미와 목적에 따라 구체화하거나 형식적으로 주어진 법적 지위의 한계를 제시해주는 데에 있다.

㉡ 권리의 행사가 신의칙에 위배되더라도 신의칙보다 상위에 있는 민법의 기본이념에 배치되지 않는 경우에는 이러한 권리행사는 허용된다. 예컨대, 제한능력을 이유로 의사표시를 취소하는 경우, 기판력이 신의칙에 반하는 방법으로 편취되었다 하더라도 기판력을 주장하는 것은 권리남용에 해당한다고 할 수 없다. 특히 강행규정에 반하는 행위를 한 자가 강행규정 위반을 이유로 무효를 주장하는 것은 신의칙 위반이 아니다.

판례 신의칙의 한계

1. **행위무능력자**[1] **제도**는 사적자치의 원칙이라는 민법의 기본이념, 특히 자기책임 원칙의 구현을 가능케 하는 도구로서 인정되는 것이고, 거래의 안전을 희생시키더라도 **행위무능력자를 보호**하고자 함에 근본적인 **입법취지**가 있는 것인바, … **법정대리인의 동의 없이 신용구매계약을 체결한 미성년자가 사후에 법정대리인의 동의 없음을 사유로 들어 이를 취소하는 것이 신의칙에 위반된 것이라고 할 수는 없다**(대판 2007.11.16, 2005다71659).

   1 행위무능력자: 이하 판례에서는 민법 개정에 따라 제한능력자로 바꾸어 학습하여야 한다.

2. 특별한 사정이 없는 한, **법령에 위반되어 무효임을 알고서도 그 법률행위를 한 자가 강행법규 위반을 이유로 무효를 주장하는 것이 신의칙 또는 금반언의 원칙에 반하거나 권리남용에 해당한다고 볼 수는 없는** 것이다(대판 2006.6.29, 2005다11602·11619).

3. 학생에 대한 학교의 편입학 허가, 대학교졸업 인정, 대학원 입학, 공학석사학위 수여 등이 그 자격요건을 규정한 **교육법 제111조, 제112조, 제115조에 위반되어 무효**라면 이와 같은 당연무효의 행위를 학교법인이 취소하는 것은 그 편입학 허가 등의 행위가 처음부터 무효이었음을 당사자에게 통지하여 확인시켜 주는 것에 지나지 않으므로 여기에 **신의칙 내지 신뢰의 원칙을 적용할 수 없고** 그러한 뜻의 취소권은 시효로 인하여 소멸하지도 않으며 그와 같은 자격요건에 관한 흠은 학교법인이나 학생 또는 일반인들에 의하여 치유되거나 정당한 것으로 추인될 수 있는 성질의 것도 아니다(대판 1989.4.11, 87다카131).

② **최후의 비상수단**: 일반조항은 모든 사안을 포섭할 수 있다는 점에서 그 적용영역이 극히 넓은 반면에, 자의적인 적용의 위험(소위 '일반조항에로의 도피현상')이 있어 법적 안정성을 해칠 수 있는 소지가 있다. 따라서 일반적 원칙을 적용하여 법이 두고 있는 구체적인 제도의 운용을 배제하는 것은 법해석에 있어 또 하나의 대원칙인 법적 안정성을 해할 위험이 있으므로 그 적용에는 신중을 기하여야 한다(대판 2005.5.13, 2004다71881).

판례 국가의 소멸시효 완성 주장 가부

국가에게 국민을 보호할 의무가 있다는 사유만으로 **국가가 소멸시효의 완성을 주장하는 것 자체가 신의성실의 원칙에 반하여 권리남용에 해당한다고 할 수는 없**으므로, 국가의 소멸시효 완성 주장이 신의칙에 반하고 권리남용에 해당한다고 하려면 일반 채무자의 소멸시효 완성 주장에서와 같은 특별한 사정이 인정되어야 할 것이고, 또한 그와 같은 **일반적 원칙을 적용하여 법이 두고 있는 구체적인 제도의 운용을 배제하는 것은 법해석에 있어 또 하나의 대원칙인 법적 안정성을 해할 위험이 있으므로 그 적용에는 신중을 기하여야 한다**(대판 2005.5.13, 2004다71881).

③ **일반조항과 그 구체화**: 제2조는 그 내용이 일반적이고 추상적인 일반조항의 대표적인 예이다. 신의성실의 원칙을 개별적 · 구체적 사건에 적용함에 있어서 법적 안정성 내지 예측가능성을 확보하기 위하여 보다 상세하게 구체화되어야 한다.

02 신의칙의 기능

(1) 해석기능

① 신의칙은 법률과 법률행위를 해석하여 그 내용을 보다 명확하게 하는 기능이 있다.
② 신의칙의 법해석기능에 의하여 '기타의 행위의무'가 인정된다.

판례

1. 신의칙에 의한 보호의무 발생
   ① **사용자**는 근로계약에 수반되는 **신의칙상의 부수적 의무**로서 피용자가 노무를 제공하는 과정에서 생명, 신체, 건강을 해치는 일이 없도록 인적 · 물적 환경을 정비하는 등 필요한 조치를 강구하여야 할 **보호의무**를 부담하고, 이러한 보호의무를 위반함으로써 **피용자가 손해를 입은 경우 이를 배상할 책임**이 있다(대판 2001.7.27, 99다56734).
   ② **숙박업자**는 고객에게 위험이 없는 안전하고 편안한 객실 및 관련 시설을 제공함으로써 고객의 안전을 배려하여야 할 **보호의무**를 부담하며 이러한 의무는 숙박계약의 특수성을 고려하여 **신의칙상 인정되는 부수적인 의무**로서 **숙박업자가 이를 위반하여 고객의 생명 · 신체를 침해하여 투숙객에게 손해를 입힌 경우 불완전이행으로 인한 채무불이행책임**을 부담한다(대판 2000.11.24, 2000다38718).
   ③ 환자가 병원에 입원하여 치료를 받는 경우에 있어서, **병원**은 입원환자의 휴대품 등의 도난을 방지함에 필요한 적절한 조치를 강구하여 줄 **신의칙상의 보호의무**가 있다(대판 2003.4.11, 2002다63275).

2. 계약교섭의 중도파기가 신의칙 위반으로 불법행위를 구성
   어느 일방이 교섭단계에서 계약이 확실하게 체결되리라는 정당한 기대 내지 신뢰를 부여하여 상대방이 그 신뢰에 따라 행동하였음에도 상당한 이유 없이 **계약의 체결을 거부**하여 손해를 입혔다면 이는 **신의성실의 원칙에 비추어 볼 때 계약자유원칙의 한계를 넘는 위법한 행위로서 불법행위를 구성**한다(대판 2003.4.11, 2001다53059).

3. 부동산 거래에 있어 신의칙상 거래 상대방에 대한 고지의무를 부담하는 경우

① **부동산 거래에 있어 거래 상대방이 일정한 사정에 관한 고지를 받았더라면 그 거래를 하지 않았을 것임이 경험칙상 명백한 경우**에는 신의성실의 원칙상 사전에 상대방에게 그와 같은 사정을 **고지할 의무**가 있으며, … 우리 사회의 통념상으로는 공동묘지가 주거환경과 친한 시설이 아니어서 분양계약의 체결 여부 및 가격에 상당한 영향을 미치는 요인일 뿐만 아니라 대규모 공동묘지를 가까이에서 조망할 수 있는 곳에 아파트단지가 들어선다는 것은 통상 예상하기 어렵다는 점 등을 감안할 때 **아파트 분양자는 아파트단지 인근에 공동묘지가 조성되어 있는 사실을 수분양자에게 고지할 신의칙상의 의무를 부담**한다(대판 2007.6.1, 2005다5812·5829·5836).

② 이 사건 **아파트 단지 인근에 이 사건 쓰레기 매립장이 건설예정인 사실이 신의칙상 분양회사가 분양계약자들에게 고지하여야 할 대상**이라고 본 것은 정당하고, **고지의무 위반은 부작위에 의한 기망행위에 해당**하므로 원고들로서는 **기망을 이유로 분양계약을 취소하고 분양대금의 반환을 구할 수도 있고 분양계약의 취소를 원하지 않을 경우 그로 인한 손해배상만을 청구**할 수도 있다(대판 2006.10.12, 2004다48515).

---

(2) 보충기능

신의칙은 법률이나 법률행위에 있어서 규율되지 않은 틈이 있는 경우에 그 틈을 보충하는 기능이 있다.

(3) 수정기능

신의칙은 이미 명백하게 확정되어 있는 법률이나 법률행위의 내용을 수정하는 기능이 있다. 판례는, 계속적 보증의 경우뿐만 아니라 특정채무를 보증하는 일반보증의 경우에 있어서도, 채권자의 권리행사가 신의칙에 비추어 용납할 수 없는 성질의 것인 때에는 보증인의 책임을 제한하는 것이 예외적으로 허용될 수 있을 것이라고 한다(대판 2004.1.27, 2003다45410). 그리고 위임계약에서 보수에 관한 약정이 있는 경우, 약정 보수액이 부당하게 과다하여 신의성실의 원칙이나 형평의 관념에 반한다고 볼 만한 특별한 사정이 있는 경우에는 예외적으로 적당하다고 인정되는 범위 내의 보수액만을 청구할 수 있다. 그런데 이러한 보수 청구의 제한은 어디까지나 계약자유의 원칙에 대한 예외를 인정하는 것이므로, 법원은 그에 관한 합리적인 근거를 명확히 밝혀야 한다고 한다(대판 2018.5.17, 2016다35833 전합).

판례

1. 일반보증책임을 신의칙에 의하여 제한할 수 있는지 여부(한정 적극)

채권자와 채무자 사이에 계속적인 거래관계에서 발생하는 **불확정한 채무를 보증하는 이른바 계속적 보증의 경우뿐만 아니라 특정채무를 보증하는 일반보증의 경우**에 있어서도, **채권자의 권리행사가 신의칙에 비추어 용납할 수 없는 성질의 것인 때에는 보증인의 책임을 제한하는 것이 예외적으로 허용**될 수 있을 것이나, 일단 유효하게 성립된 보증계약에 따른 책

임을 신의칙과 같은 일반원칙에 의하여 제한하는 것은 자칫 잘못하면 사적자치의 원칙이나 법적 안정성에 대한 중대한 위협이 될 수 있으므로 **신중을 기하여 극히 예외적으로 인정**하여야 할 것이다(대판 2007.1.25, 2006다25257).

2. 약정된 보수액의 전부를 청구할 수 없는 경우

① **세무사**의 세무대리업무처리에 대한 보수에 관하여 의뢰인과의 사이에 약정이 있는 경우, 그 대리업무를 종료한 세무사는 특별한 사정이 없는 한 **약정된 보수액을 전부 청구할 수 있는 것이 원칙**이지만, 대리업무수임의 경위, 보수금의 액수, 세무대리업무의 내용 및 그 업무처리과정, 난이도, 노력의 정도, 의뢰인이 세무대리의 결과 얻게 된 구체적 이익과 세무사보수규정, 기타 변론에 나타난 **제반 사정을 고려하여 그 약정된 보수액이 부당하게 과다하여 신의성실의 원칙이나 형평의 원칙에 반하는 특별한 사정이 있는 경우에는 예외적으로 상당하다고 인정되는 범위 내의 보수액만을 청구할 수 있다**고 할 것이다(대판 2006.6.15, 2004다59393).

② 위임계약에서 보수액에 관하여 약정한 경우에 **수임인은 원칙적으로 약정보수액을 전부 청구할 수 있는 것이 원칙**이지만, 위임의 경위, 위임업무처리의 경과와 난이도, 투입한 노력의 정도, 위임인이 업무처리로 인하여 얻게 되는 구체적 이익, 기타 변론에 나타난 제반 사정을 고려할 때 약정보수액이 부당하게 과다하여 **신의성실의 원칙이나 형평의 원칙에 반한다고 볼 만한 특별한 사정이 있는 때에는 예외적으로 상당하다고 인정되는 범위 내의 보수액만을 청구**할 수 있다(대판 2016.2.18, 2015다35560).

---

(4) 금지기능

신의칙에는 구체적인 행위가 신의성실에 반하는 경우에 그 행위의 효과를 금지하는 기능이 있다. 이 금지기능에 의하여 채무이행 행위가 신의성실에 반하면 채무불이행으로, 권리행사가 신의성실에 반하면 권리남용으로 평가된다.

03 신의칙이 구체화된 하부원칙(파생원칙)

(1) 사정변경의 원칙

① 사정변경의 원칙은 '법률행위 성립 후 당시 환경이 된 사정에 당사자 쌍방이 예견 못하고 또 예견할 수 없었던 변경이 발생한 결과 본래의 급부가 신의형평의 원칙상 당사자에 현저히 부당하게 된 경우, 당사자가 그 급부내용을 적당히 변경할 것을 상대방에게 제의할 수 있고, 상대방이 이를 거절하는 때에는 당해 계약을 해제할 수 있는 규범'이다(대판 1955.4.14, 4286민상231).

② 민법과 민사특별법에서는 개별적으로 이 원칙의 취지를 규정한 것이 있기는 하지만(예 지료증감청구권 · 전세금증감청구권 · 차임증감청구권 등), 이를 직접적으로 정한 일반규정은 없다. 이에 관하여, 통설은 사정변경의 원칙을 일반적으로 인정한다.

③ 판례는 과거 사정변경의 원칙을 인정하지 않았고(대판 1955.4.14, 4286민상231), 다른 판결에서 차임 부증액의 특약이 있더라도 그 특약을 유지시키는 것이 신의칙에 반한다고 인정될 정도의 사정변경이 있다고 여겨지는 경우에는 임대인에게 차임증액 청구를 인정하여 주어야 할 것이라고 하였다(대판 1996.11.12, 96다34061). 최근에는 사정변경의 원칙의 인정을 전제로 하여 그 자세한 의미에 관하여 설시하고 있다(대판 2007.3.29, 2004다31302). 나아가 우리 판례는 근보증의 경우나 계속적 보증관계에서는 사정변경의 원칙을 적용하여 보증계약의 해지권을 인정하고 계속적 보증인의 책임을 제한하고 있다(대판 2002.5.31, 2002다1673).

④ **계약 성립의 기초가 된 사정이 현저히 변경되고 당사자가 계약의 성립 당시 이를 예견할 수 없었으며**, 그로 인하여 계약을 그대로 유지하는 것이 당사자의 이해에 중대한 불균형을 초래하거나 계약을 체결한 목적을 달성할 수 없는 경우에는 계약준수원칙의 예외로서 사정변경을 이유로 계약을 해제하거나 해지할 수 있다. 여기에서 말하는 **사정이란 당사자들에게 계약 성립의 기초가 된 사정**을 가리키고, 당사자들이 계약의 기초로 삼지 않은 사정이나 어느 일방당사자가 변경에 따른 불이익이나 위험을 떠안기로 한 사정은 포함되지 않는다. 경제상황 등의 변동으로 당사자에게 손해가 생기더라도 합리적인 사람의 입장에서 사정변경을 예견할 수 있었다면 사정변경을 이유로 계약을 해제할 수 없다. 특히 계속적 계약에서는 계약의 체결시와 이행시 사이에 간극이 크기 때문에 당사자들이 예상할 수 없었던 사정변경이 발생할 가능성이 높지만, 이러한 경우에도 위 계약을 해지하려면 경제적 상황의 변화로 당사자에게 불이익이 발생했다는 것만으로는 부족하고 위에서 본 요건을 충족하여야 한다(대판 2017.6.8, 2016다249557).

판례

1. 사정변경으로 인한 계약해제가 인정되는 경우

이른바 사정변경으로 인한 **계약해제는, 계약성립 당시 당사자가 예견할 수 없었던 현저한 사정의 변경이 발생하였고 그러한 사정의 변경이 해제권을 취득하는 당사자에게 책임 없는 사유로 생긴 것으로서, 계약내용대로의 구속력을 인정한다면 신의칙에 현저히 반하는 결과가 생기는 경우에 계약준수원칙의 예외로서 인정**되는 것이고, 여기에서 말하는 **사정**이라 함은 **계약의 기초가 되었던 객관적인 사정**으로서, 일방당사자의 **주관적 또는 개인적인 사정을 의미하는 것은 아니다**. 또한 계약의 성립에 기초가 되지 아니한 사정이 그 후 변경되어 일방당사자가 계약 당시 의도한 계약목적을 달성할 수 없게 됨으로써 손해를 입게 되었다 하더라도 특별한 사정이 없는 한 그 계약내용의 효력을 그대로 유지하는 것이 신의칙에 반한다고 볼 수도 없다(대판 2007.3.29, 2004다31302).

2. 일시적 계약(매매)의 경우 사정변경 부정

① **매매계약체결 후 9년이 지났고 시가가 올랐다는 사정**만으로 계약을 해제할 만한 사정변경이 있다고 볼 수 없고, 매수인의 소유권이전등기 절차이행 청구가 신의칙에 위배된다고도 할 수 없다(대판 1991.12.10, 90다9728).

② **매매계약의 체결 이후 시가 상승이 예상되자 매도인이 구두로 구체적인 금액의 제시 없이 매매대금의 증액요청을 하였고, 매수인은 이에 대하여 확답하지 않은 상태에서 중도금을 이행기 전에 제공하였는데, 그 이후 매도인이 계약금의 배액을 공탁하여 해제권을 행사한 사안**에서, **시가 상승만으로 매매계약의 기초적 사실관계가 변경되었다고 볼 수 없어** '매도인을 당초의 계약에 구속시키는 것이 특히 불공평하다'거나 '매수인에게 계약내용 변경요청의 상당성이 인정된다'고 할 수 없고, **이행기 전의 이행의 착수가 허용되어서는 안 될 만한 불가피한 사정이 있는 것도 아니**므로 매도인은 위의 **해제권을 행사할 수 없다**(대판 2006.2.10, 2004다11599).

3. 계속적 계약(근보증)의 경우 사정변경의 원칙 인정

① 사정변경에 의한 근보증계약의 해지: 사정변경을 이유로 보증계약을 **해지**할 수 있는 것은 **포괄근보증이나 한정근보증과 같이 채무액이 불확정적이고 계속적인 거래로 인한 채무에 대하여 한 보증에 한**하는바, 회사의 이사로 재직하면서 보증 당시 그 채무액과 변제기가 **특정되어 있는 회사의 확정채무에 대하여 보증을 한 후 이사직을 사임하였다 하더라도, 사정변경을 이유로 보증계약을 해지할 수 없다**(대판 1999.1.15, 98다46082).

② 계속적 보증계약에 있어서 보증인의 책임을 제한할 수 있는 경우: 일반적으로 계속적 보증계약에 있어서 **보증인의 부담으로 돌아갈 주채무의 액수가 보증인이 보증 당시에 예상하였거나 예상할 수 있었던 범위를 훨씬 상회하고, 그 같은 주채무 과다 발생의 원인이 채권자가 주채무자의 자산상태가 현저히 악화된 사실을 익히 알거나 중대한 과실로 알지 못한 탓으로 이를 알지 못하는 보증인에게 아무런 통보나 의사타진도 없이 고의로 거래규모를 확대함에 비롯되는 등 신의칙에 반하는 사정이 인정되는 경우**에 한하여 **보증인의 책임을 합리적인 범위 내로 제한**할 수 있다(대판 2005.10.27, 2005다35554·35561).

③ 차임부증액 특약이 있는 임대차에서 사정변경으로 인한 차임증액청구권 인정: 임대차계약에 있어서 차임부증액의 특약이 있더라도 그 약정 후 그 특약을 그대로 유지시키는 것이 **신의칙에 반한다고 인정될 정도의 사정변경이 있다고 보여지는 경우에는 형평의 원칙상 임대인에게 차임증액청구를 인정**하여야 한다(대판 1996.11.12, 96다34061).

---

(2) 모순행위금지의 원칙

① 의의: 모순행위금지의 원칙은 권리자의 권리행사가 그의 종전의 행동과 모순되는 경우에 그러한 권리행사는 허용되지 않는다는 원칙을 말한다. 이는 영미법상의 금반언(禁反言)의 법리와 유사하다. 예컨대, 본인의 지위를 단독상속한 무권대리인이 본인의 지위에서 상속 전에 행한 무권대리행위의 추인을 거절하는 것은 신의칙에 반한다(대판 1994.9.27, 94다20617).

② 요건: 객관적으로 모순되는 행위와 그에 대한 귀책, 그에 따라 야기된 상대방의 보호받을 가치가 있는 신뢰의 존재가 상관적으로 고려되어야 한다.

판례

1. **농지의 명의수탁자가 적극적으로 농가이거나 자경의사가 있는 것처럼 하여** 소재지관서의 증명을 받아 그 명의로 소유권이전등기를 마치고 그 농지에 관한 소유자로 행세하면서, 한편으로 **증여세 등의 부과를 면하기 위하여 농가도 아니고 자경의사도 없었음을 들어 농지개혁법에 저촉되기 때문에 그 등기가 무효라고 주장함**은 전에 스스로 한 행위와 모순되는 행위를 하는 것으로 자기에게 유리한 법지위를 악용하려 함에 지나지 아니하므로 이는 신의성실의 원칙이나 금반언의 원칙에 위배되는 행위로서 법률상 용납될 수 없다(대판 1990.7.24, 89누8224).
2. **자신의 친딸로 하여금 그 소유의 대지상에 건물을 신축하도록 승낙한 자가 위 건물이 친딸의 채권자에 의한 강제경매신청에 따라 경락되자 경락인에 대하여 그 철거를 구하는 행위**가 신의칙에 위배된다(대판 1991.6.11, 91다9299).
3. **취득시효완성 후에 그 사실을 모르고 당해 토지에 관하여 어떠한 권리도 주장하지 않기로 하였다 하더라도 이에 반하여 시효주장을 하는 것**은 특별한 사정이 없는 한 신의칙상 허용되지 않는다(대판 1998.5.22, 96다24101).
4. **근저당권자가 담보로 제공된 건물에 대한 담보가치를 조사할 당시 대항력을 갖춘 임차인이 그 임대차 사실을 부인하고 임차보증금에 대한 권리주장을 않겠다는 내용의 확인서를 작성**해 준 경우, 그 후 그 건물에 대한 **경매절차에서 이를 번복하여 대항력 있는 임대차의 존재를 주장함과 아울러 근저당권자보다 우선적 지위를 가지는 확정일자부 임차인임을 주장**하여 그 임차보증금반환채권에 대한 배당요구를 하는 것은 특별한 사정이 없는 한 금반언 및 신의칙에 위반되어 허용될 수 없다(대판 1997.6.27, 97다12211).
5. 경매목적이 된 부동산의 소유자가 경매절차가 진행 중인 사실을 알면서도 그 경매의 기초가 된 근저당권 내지 채무명의인 공정증서가 무효임을 주장하여 **경매절차를 저지하기 위한 조치를 취하지 않았을 뿐만 아니라 배당기일에 자신의 배당금을 이의 없이 수령하고 경락인으로부터 이사비용을 받고 부동산을 임의로 명도**해 주기까지 하였다면 그 후 **경락인에 대하여 위 근저당권이나 공정증서가 효력이 없음을 이유로 경매절차가 무효라고 주장**하여 그 경매목적물에 관한 소유권이전등기의 말소를 청구하는 것은 금반언의 원칙 및 신의칙에 위반되는 것이어서 허용될 수 없다(대판 1993.12.24, 93다42603).
6. 해고처분에 의한 퇴직금 수령 후 해고처분무효확인소송의 제기
   ① **회사가 해고한 근로자에게 지급할 퇴직금과 갑근세반환금 등을 청산하여 변제공탁하고 근로자가 그 공탁을 조건 없이 수락하고 출급청구를 하여 수령**하였다면 그 근로자는 그 때에 회사의 해고처분을 유효한 것으로 인정하였다고 볼 수밖에 없으므로 **그 후 8개월 가까이 지나 제기한 해고무효확인청구는 금반언의 원칙에 위배되어 위법하다**(대판 1989.9.29, 88다카19804).

② **사용자로부터 해고된 근로자가 퇴직금 등을 수령하면서 아무런 이의의 유보나 조건을 제기하지 않았다면 특별한 사정이 없는 한 그 해고의 효력을 인정**하였다고 할 것이고, 따라서 그로부터 **오랜 기간이 지난 후에 그 해고의 효력을 다투는 소를 제기하는 것**은 신의칙이나 금반언의 원칙에 위배되어 허용될 수 없으나, 다만 이와 같은 경우라도 **해고의 효력을 인정하지 아니하고 이를 다투고 있었다고 볼 수 있는 객관적인 사정이 있다거나 그 외에 상당한 이유가 있는 상황하에서 이를 수령하는 등 반대의 사정이 있음이 엿보이는 때**에는, 명시적인 이의를 유보함이 없이 퇴직금을 수령한 경우라고 하여도 일률적으로 해고의 효력을 인정하였다고 보아서는 안 된다(대판 2005.11.25, 2005다38270).

③ 한계: 판례는 강행법규 위반사실을 알면서 스스로 그러한 행위를 한 당사자가 나중에 그 행위가 강행법규 위반으로 무효라고 주장하는 것이 신의칙에 위배되지 않는다고 한다.

판례

1. **강행법규에 위반하여 무효인 수익보장약정이 투자신탁회사가 먼저 고객에게 제의를 함으로써 체결된 것**이라고 하더라도, 이러한 경우에 **강행법규를 위반한 투자신탁회사 스스로가 그 약정의 무효를 주장함**이 신의칙에 위반되는 권리의 행사라는 이유로 그 주장을 배척한다면, 이는 오히려 강행법규에 의하여 배제하려는 결과를 실현시키는 셈이 되어 입법취지를 완전히 몰각하게 되므로, 달리 특별한 사정이 없는 한 위와 같은 주장이 신의성실의 원칙에 반하는 것이라고 할 수 없다(대판 1999.3.23, 99다4405).
2. **강행법규인 국토이용관리법을 위반하였을 경우에 있어서 위반한 자 스스로가 무효를 주장함**이 신의성실의 원칙에 위배되는 권리의 행사라는 이유로서 이를 배척한다면 투기거래계약의 효력발생을 금지하려는 국토이용관리법의 입법취지를 완전히 몰각시키는 결과가 되므로, 거래당사자 사이의 약정내용과 취득목적대로 관할관청에 토지거래허가신청을 하였을 경우에 그 신청이 국토이용관리법 소정의 허가기준에 적합하여 허가를 받을 수 있었으나 다른 급박한 사정으로 이러한 절차를 회피하였다고 볼 만한 특단의 사정이 엿보이지 아니하는 한, 그러한 주장이 신의성실의 원칙에 반한다고는 할 수 없다(대판 1993.12.24, 93다44319).
3. **상속인 중의 1인이 피상속인의 생존시에 피상속인에 대하여 상속을 포기하기로 약정**하였다고 하더라도, 상속개시 후 민법이 정하는 절차와 방식에 따라 상속포기를 하지 아니한 이상, **상속개시 후에 자신의 상속권을 주장**하는 것은 정당한 권리행사로서 권리남용에 해당하거나 또는 신의칙에 반하는 권리의 행사라고 할 수 없다(대판 1998.7.24, 98다9021).

(3) 실효의 원칙

① 의의

㉠ 권리자가 권리를 행사하지 않음으로써 상대방에 대하여 앞으로도 권리를 행사하지 않을 것이라는 확신을 주고 상대방이 이에 따라 행동하였는데, 그 후에 권리자가 권리의 행사를 주장하는 것은 신의칙에 반하며, 그 권리는 실효된다.

ⓛ 권리의 실효는 법의 일반원리인 신의성실의 원칙에 바탕을 둔 파생원칙이므로 **사법관계뿐만 아니라 공법관계**에도 적용이 된다(대판 1988.4.27, 87누915). **항소권과 같은 소송법상의 권리**에 대하여도 실효의 원칙은 적용되며(대판 1996.7.30, 94다51840), 1년 4개월 전에 발생한 **해제권**을 행사하지 아니한 사안에서 실효의 원칙을 적용한 경우도 있다(대판 1994.6.28, 93다26212). 그러나 **소유권이나 친권 등과 같이 배타적 · 항구적 권리**에서는 그 권리의 본질과 배치되지 않는 범위에서 이를 인정하여야 할 것이다. 포기할 수 없는 권리는 실효가 인정되지 않는다. 따라서 **인지청구권**에는 실효의 원칙이 적용되지 않는다(대판 2001.11.27, 2001므1353).

판례 **인지청구권의 행사에 실효의 법리 부적용**

인지청구권은 본인의 일신전속적인 신분관계상의 권리로서 포기할 수도 없으며 포기하였더라도 그 효력이 발생할 수 없는 것이고, **이와 같이 인지청구권의 포기가 허용되지 않는 이상 거기에 실효의 법리가 적용될 여지도 없다**(대판 2001.11.27, 2001므1353).

② **요건**: 권리자가 실제로 권리를 행사할 수 있는 기회가 있었음에도 불구하고 상당한 기간이 경과하도록 권리를 행사하지 아니하여 의무자인 상대방으로서도 이제는 권리자가 권리를 행사하지 아니할 것으로 신뢰할 만한 정당한 기대를 가지게 된 다음에 새삼스럽게 그 권리를 행사하는 것이 법질서 전체를 지배하는 신의성실의 원칙에 위반하는 것으로 인정되는 결과가 될 때에는 이른바 실효의 원칙에 따라 그 권리의 행사가 허용되지 않는다(대판 2005.10.28, 2005다45827). 따라서 종전 토지소유자가 자신의 권리를 행사하지 않았다는 사정은 그 토지의 소유권을 적법하게 취득한 새로운 권리자에게 실효의 원칙을 적용함에 있어서 고려하여야 할 것은 아니다(대판 1995.8.25, 94다27069).

③ **효과**: 실효의 요건이 충족되면 권리행사는 권리남용이 되어 허용되지 않으며, 그 효과는 권리남용의 일반적인 효과에 따른다.

판례

1. 실효의 원칙에 의해 고용관계 주장이 허용되지 않는 경우
   ① **의원면직처분이 무효인 것임을 알고서도 2년 4개월 남짓한 동안이나 그 처분이 무효인 것이라고 주장하여 자신의 권리를 행사한 바 없다는 점, 의원면직처분으로 면직된 때로부터 12년 이상이 경과된 후에 새삼스럽게 그 처분의 무효를 이유로 을과의 사이에 고용관계가 있다고 주장**하여 소를 제기하는 것은, **노동분쟁의 신속한 해결이라는 요청과 신의성실의 원칙 및 실효의 원칙**에 비추어 허용될 수 없는 것이다(대판 1992.1.21, 91다30118).

② 회사의 자신에 대한 징계면직처분에 대하여 재심청구를 하였으나 기각되자 회사가 자신의 급여구좌에 입금한 해고예고수당을 반환하기 위하여 이를 공탁까지 하였다가 그 후 아무런 이의 없이 **회사로부터 퇴직금을 수령하고 그 후로는 부당노동행위구제신청을 하는 등으로 징계면직처분을 다툼이 없이 다른 생업에 종사하여 오다가 징계면직일로부터 2년 10개월가량이 경과한 후 제기한 해고무효확인의 소**는 노동분쟁의 신속한 해결이라는 요청과 신의성실의 원칙 및 실효의 원칙에 비추어 허용될 수 없다(대판 1996.11.26, 95다49004).

2. 실효의 원칙에 의해 해제권 행사가 허용되지 않는 경우
해제의 의사표시가 있은 무렵을 기준으로 볼 때 무려 1년 4개월 가량 전에 발생한 해제권을 장기간 행사하지 아니하고 오히려 매매계약이 여전히 유효함을 전제로 잔존채무의 이행을 최고함에 따라 상대방으로서는 그 해제권이 더 이상 행사되지 아니할 것으로 신뢰하였고 또 매매계약상의 매매대금 자체는 거의 전부가 지급된 점 등에 비추어 보면 그와 같이 신뢰한 데에는 정당한 사유도 있었다고 봄이 상당하다면, 그 후 **새삼스럽게 그 해제권을 행사한다는 것은 신의성실의 원칙에 반하여 허용되지 아니한다** 할 것이므로, 이제 와서 **매매계약을 해제하기 위하여는 다시 이행제공을 하면서 최고를 할 필요가 있다**(대판 1994.11.25, 94다12234).

3. **송전선이 토지 위를 통과하고 있다는 점을 알고서 토지를 취득**하였다고 하여 그 취득자가 그 소유 토지에 대한 소유권의 행사가 제한된 상태를 용인하였다고 할 수 없으므로, **그 취득자의 송전선 철거 청구 등 권리행사가 신의성실의 원칙에 반하지 않는다**(대판 1995.8.25, 94다27069).

4. **토지소유자가 그 점유자에 대하여 부당이득반환청구권을 장기간 적극적으로 행사하지 아니하였다는 사정**만으로는 부당이득반환청구권이 이른바 실효의 원칙에 따라 소멸하였다고 볼 수 없다(대판 2002.1.8, 2001다60019).

---

04 권리남용금지의 원칙

(1) 의의

① 권리남용금지의 원칙이라 함은 신의칙에 위배되는 권리의 행사는 허용되지 않는다는 원칙이다.

② 권리남용금지의 원칙은 백지규정이며, 재판규범이면서 행위규범이다. 그리고 강행규정이다(대판 1989.8.29, 88다카17181). 그 원칙은 물권법에서 발전하였지만 민법의 모든 영역에 걸쳐 널리 적용된다. 판례도 중혼의 취소나 친권행사와 같은 가족법상의 권리행사를 권리남용으로 인정한 바 있다(대판 1997.1.24, 96다43928). 물론 실효성이 가장 큰 분야는 물권법이다.

(2) 권리남용의 요건

① **권리의 행사:** 권리남용으로 되기 위해서는 우선 권리가 존재하고, 그 권리가 권리자에 의하여 적극적이든 소극적이든 행사되었을 것을 전제로 한다. 권리에 의무의 요소가 내포되어 있는 친권에서는 그 불행사가 남용이 되는 경우가 있을 수 있다(예 친권의 불행사).

② **객관적 요건(신의칙 위반):** 권리행사가 권리남용으로 되려면 신의칙에 반하여야 한다. 이것은 권리행사자의 이익과 그로 인하여 침해되는 상대방의 이익 사이에 현저한 불균형이 있음을 말하고, 어느 경우가 이에 해당하는지는 구체적인 사안에 따라 여러 사정을 종합하여 판단하여야 하는데, 종국적으로는 사회질서가 그 기준이 된다.

③ **주관적 요건**

㉠ **학설:** 통설은 오로지 객관적 요건만을 고려하여 권리남용을 판단한다. 권리자의 주관적 가해의사 내지 목적, 즉 쉬카네(Schikane)는 권리남용의 보조요건이 될 수 있을 뿐이라고 한다. 그리하여 가해의사가 있으면 권리남용에 해당하나, 가해의사 자체는 주관적 요건으로 요구되지 않는다고 한다.

㉡ **판례:** 판례는 주관적 요건과 객관적 요건 양자를 강조하는 경향이라고 할 것이다. 토지소유권 행사와 관련한 판결이 대부분인데, 이는 토지소유권의 행사를 원칙적으로 제한하지 않으려는 의도일 것이다. 그 밖에 상계권(대판 2003.4.11, 2002다59481), 또는 상표권 행사가 권리남용이 되기 위하여 주관적 요건이 반드시 필요한 것은 아니라고 한다(대판 2007.1.25, 2005다67223). 근래 몇몇 판결에서는 주관적 요건은 객관적인 사정에 의하여 추인할 수 있다고 하여(대판 2005.3.24, 2004다71522), 주관적 요건의 완화를 시도하고 있다.

판례

1. 권리남용의 요건

① 권리행사가 권리의 남용에 해당한다고 할 수 있으려면, **주관적**으로 그 권리행사의 목적이 오직 상대방에게 고통을 주고 손해를 입히려는 데 있을 뿐 권리를 행사하는 사람에게 아무런 이익이 없는 경우이어야 하고, **객관적**으로는 그 권리행사가 **사회질서에 위반**된다고 볼 수 있어야 하는 것이며, 이와 같은 경우에 해당되지 않는 한 비록 **권리의 행사에 의하여 권리행사자가 얻는 이익보다 상대방이 입을 손해가 현저히 크다 하여도 그러한 사정만으로는 이를 권리남용이라고 할 수 없다**(대판 2002.9.4, 2002다22083·22090).

② 권리의 행사가 상대방에게 고통이나 손해를 주기 위한 것이라는 **주관적 요건**은 권리자의 정당한 이익을 결여한 권리행사로 보여지는 **객관적인 사정에 의하여 추인**할 수 있다(대판 2005.3.24, 2004다71522·71539).

2. 권리남용의 주관적 요건 불요 사례

① **상계권의 행사**를 제한하는 위와 같은 근거에 비추어 볼 때, 일반적인 권리남용의 경우에 요구되는 **주관적 요건을 필요로 하는 것은 아니다**(대판 2003.4.11, 2002다59481).

② **상표권의 행사**를 제한하는 근거에 비추어 볼 때, 상표권 행사의 목적이 오직 상대방에게 고통을 주고 손해를 입히려는 데 있을 뿐 이를 행사하는 사람에게는 아무런 이익이 없어야 한다는 **주관적 요건을 반드시 필요로 하는 것은 아니다**(대판 2007.1.25, 2005다67223).

---

(3) 권리남용의 효과

① 권리의 행사가 남용으로 인정되면 그 법률효과는 인정되지 않는다. 그리고 권리남용에 해당하더라도 권리가 종국적으로 박탈되지 않는 것이 원칙이나, 법률규정에 의해 권리를 박탈하는 경우가 있다(㉠ 제924조의 친권상실의 선고). 그 밖에 권리의 행사가 남용으로 되어 상대방의 권리를 침해했다면 위법성이 인정되며, 불법행위에 의한 손해배상책임을 부담해야 한다(제750조).

② 권리자의 권리남용으로 인정되더라도 손해에 대해서는 부당이득반환청구를 할 수 있고(제741조), 불법행위를 구성하는 경우에는 손해배상을 청구할 수 있다(제750조).

판례

1. **건물이 이미 서 있는 토지를 매수하여 그 시가의 7배가 넘는 건물의 철거를 요구하면서 그 인접토지가격보다 2배 이상 되는 가격에 그 토지를 매수할 것을 요구하는 것**은 권리의 남용에 해당한다(대판 1964.11.11, 64다720).

2. **한국전력공사가 정당한 권원에 의하여 토지를 수용하고 그 지상에 변전소를 건설**하였으나 토지소유자에게 그 수용에 따른 손실보상금을 공탁함에 있어서 착오로 **부적법한 공탁이 되어 수용재결이 실효됨으로써 결과적으로 그 토지에 대한 점유권원을 상실**하게 된 경우, **토지소유자가 그 변전소의 철거와 토지의 인도를 청구하는 것**은 토지소유자에게는 별다른 이익이 없는 반면 한국전력공사에는 그 피해가 극심하여 이러한 권리행사는 주관적으로는 그 목적이 오직 상대방에게 고통을 주고 손해를 입히려는 데 있고, 객관적으로는 사회질서에 위반된 것이어서 **권리남용**에 해당한다(대판 1999.9.7, 99다27613).

3. **외국에 이민을 가 있어서 주택에 입주할 급박한 사정이 없는 딸이 고령과 지병으로 고통을 겪고 있는 상태에서 달리 마땅한 거처도 없는 아버지와 그를 부양하는 남동생을 상대로 자기소유 주택의 명도 및 퇴거를 청구하는 행위**는 반인륜적 행위로 권리남용에 해당한다(대판 1998.6.12, 96다52670).

4. 자기 채무의 이행을 회피하기 위한 수단으로 동시이행의 항변권을 행사하는 것은 권리남용에 해당

일반적으로 동시이행의 관계가 인정되는 경우에 그러한 항변권을 행사하는 자의 **상대방이 그 동시이행의 의무를 이행하기 위하여 과다한 비용이 소요되거나 또는 그 의무의 이행이 실제적으로 어려운 반면 그 의무의 이행으로 인하여 항변권자가 얻는 이득은 별달리 크지 아니하여 동시이행의 항변권의 행사가 주로 자기 채무의 이행만을 회피하기 위한 수단이라고 보여지는 경우**에는 그 항변권의 행사는 **권리남용**으로서 배척되어야 할 것이다(대판 2001.9.18, 2001다9304).

5. 채무자의 소멸시효 완성 주장이 신의칙에 반하여 허용되지 않는 경우

채무자의 소멸시효에 기한 항변권의 행사도 우리 민법의 대원칙인 신의성실의 원칙과 권리남용금지의 원칙의 지배를 받는 것이어서, **채무자가 시효완성 전에 채권자의 권리행사나 시효중단을 불가능 또는 현저히 곤란하게 하였거나, 그러한 조치가 불필요하다고 믿게 하는 행동을 하였거나, 객관적으로 채권자가 권리를 행사할 수 없는 장애사유가 있었거나, 또는 일단 시효완성 후에 채무자가 시효를 원용하지 아니할 것 같은 태도를 보여 권리자로 하여금 그와 같이 신뢰하게 하였거나, 채권자보호의 필요성이 크고, 같은 조건의 다른 채권자가 채무의 변제를 수령하는 등의 사정이 있어 채무이행의 거절을 인정함이 현저히 부당하거나 불공평하게 되는 등의 특별한 사정이 있는 경우**에는 채무자가 소멸시효의 완성을 주장하는 것이 신의성실의 원칙에 반하여 권리남용으로서 허용될 수 없다(대판 2005.5.13, 2004다71881).

기출예제

신의성실의 원칙과 그 파생원칙에 관한 설명으로 옳은 것은? (다툼이 있으면 판례에 따름)

제27회

① 권리의 행사와 의무의 이행은 신의에 좇아 성실히 하여야 한다.
② 권리를 남용한 경우 그 권리는 언제나 소멸한다.
③ 신의성실의 원칙에 반하는지의 여부는 법원이 직권으로 판단할 수 없다.
④ 신의성실의 원칙은 사법관계에만 적용되고, 공법관계에는 적용될 여지가 없다.
⑤ 사정변경의 원칙에서 사정은 계약의 기초가 된 일방 당사자의 주관적 사정을 의미한다.

해설

② 권리남용에 해당하더라도 권리가 종국적으로 박탈되지 않는 것이 원칙이나, 법률규정에 의해 권리를 박탈하는 경우가 있다(예 제924조의 친권상실의 선고).
③ 신의성실의 원칙에 반하는 것 또는 권리남용은 강행규정에 위배되는 것이므로, 당사자의 주장이 없더라도 법원은 직권으로 판단할 수 있다(대판 1989.9.29, 88다카17181).
④ 신의성실의 원칙은 오늘날 민법의 모든 분야에서뿐만 아니라 상법 등 사법 모든 분야에서 적용된다. 뿐만 아니라 민사소송법·헌법·행정법·세법 등 공법 분야에 있어서도 그 적용이 있다.
⑤ 여기에서 말하는 '사정'이라 함은 계약의 기초가 되었던 객관적인 사정으로서, 일방 당사자의 주관적 또는 개인적인 사정을 의미하는 것은 아니다(대판 2007.3.29, 2004다31302).

정답: ①

제6절 권리의 보호

01 서설

권리의 보호방법으로 국가구제와 사력구제의 두 가지가 있는데, 근대에 와서는 국가구제가 원칙이다.

02 국가구제

국가구제제도로 재판제도와 조정제도가 있다.

03 사력구제

사력구제는 국가구제를 기다릴 여유가 없는 경우에 한하여 예외적으로 인정될 뿐이다. 민법은 정당방위와 긴급피난이 불법행위로 되지 않는다는 규정을 두고 있으며, 사력구제에 관하여는 일반적인 규정이 없다. 사력구제로 정당방위(제761조 제1항) · 긴급피난(제761조 제2항)과 자력구제(제209조)가 있다.

마무리STEP 1 | OX 문제

01 법률관계란 법에 의하여 규율되는 생활관계를 말한다. ( )

02 인격권 침해에 대하여는 예방적 구제수단으로서 금지청구권이 인정된다. ( )

03 청구권은 특정인이 다른 특정인에게 일정한 행위를 요구할 수 있는 권리로서 물권, 가족권 등으로부터도 발생한다. ( )

04 채권자취소권은 권리자의 의사표시만으로 그 효과가 발생한다. ( )

05 토지임차인의 지상물매수청구권은 형성권이다. ( )

06 매매예약완결권의 법적 성질은 청구권이다. ( )

07 항변권은 상대방의 청구권 행사에 대하여 일시적 또는 영구적으로 작용을 저지할 수 있는 권리이다. ( )

01 ○

02 ○

03 ○

04 ○ 채무자가 채권자를 해함을 알고 재산권을 목적으로 한 법률행위를 한 때에는 채권자는 그 취소 및 원상회복을 법원에 청구할 수 있다(제406조 제1항). 즉, 채권자취소권은 채권자가 자기의 이름으로 수익자 또는 전득자를 피고로 하여 재판상 행사하여야 한다.

05 ○

06 × 매매예약의 완결권은 일방의 의사표시만으로 매매를 성립시키는 점에서 형성권에 속한다(대판 2018.11.29, 2017다247190).

07 ○

08 전세목적물이 전세권자의 고의로 멸실된 경우에 소유자인 전세권설정자는 전세권자에게 채무불이행에 기한 손해배상청구권과 불법행위에 기한 손해배상청구권을 가지며, 양자는 청구권 경합의 관계에 있다. ( )

09 공무원의 직무상 불법행위에 대하여 국가배상법과 민법이 경합하는 경우에, 전자만이 적용된다. ( )

10 토지에 대하여 지상권과 사용대차권이 충돌하는 경우, 권리 성립의 선후에 관계없이 지상권이 우선한다. ( )

11 신의칙은 사인간의 법률관계에만 적용되므로, 일반 행정 법률관계에서의 관청의 행위에 대하여는 적용될 여지가 없다. ( )

12 신의칙에 반하는 것은 당사자의 주장이 없더라도 법원이 직권으로 판단할 수 있다. ( )

13 강행법규에 반하는 법률행위를 한 자가 스스로 강행법규 위반을 이유로 그 법률행위의 무효를 주장하는 것은 신의칙에 반한다. ( )

14 병원은 입원계약에 따라 입원환자들의 휴대품이 도난되지 않도록 할 신의칙상 보호의무를 진다. ( )

08 ○

09 ○

10 ○

11 × 신의성실의 원칙은 오늘날 민법의 모든 분야에서뿐만 아니라 상법 등 사법 모든 분야에서 적용된다. 뿐만 아니라 민사소송법 · 헌법 · 행정법 · 세법 등 공법 분야에 있어서도 그 적용이 있다.

12 ○

13 × 특별한 사정이 없는 한, 법령에 위반되어 무효임을 알고서도 그 법률행위를 한 자가 강행법규 위반을 이유로 무효를 주장하는 것은 신의칙 또는 금반언의 원칙에 반하거나 권리남용에 해당한다고 볼 수는 없다(대판 2006.6.29, 2005다11602 · 11619).

14 ○

15 계약교섭의 부당한 파기는 신의칙에 비추어 불법행위를 구성할 수 있다. ( )

16 아파트 분양자는 아파트단지 인근에 대규모 공동묘지가 조성되어 있는 사실을 수분양자에게 고지할 신의칙상의 의무를 부담한다. ( )

17 세무사와 의뢰인 사이에 약정된 보수액이 부당하게 과다하여 신의칙에 반하는 경우, 세무사는 상당하다고 인정되는 범위의 보수액만 청구할 수 있다. ( )

18 사정변경의 원칙에 기한 계약의 해제가 인정되는 경우, 그 사정에는 계약의 기초가 된 객관적 사정만이 포함된다. ( )

19 계속적 보증계약의 보증인은 주채무가 확정된 이후에는 사정변경을 이유로 보증계약을 해지할 수 없다. ( )

20 임대차계약에 차임을 증액하지 않기로 하는 특약이 있더라도 그 특약을 그대로 유지시키는 것이 신의칙에 반한다고 인정될 정도의 사정변경이 있는 경우에는 임대인에게 차임증액청구가 인정될 수 있다. ( )

21 본인의 지위를 단독상속한 무권대리인은 본인의 지위에서 추인거절권을 행사할 수 있다. ( )

15 ○
16 ○
17 ○
18 ○
19 ○
20 ○
21 × 본인의 지위를 단독상속한 무권대리인이 본인의 지위에서 상속 전에 행한 무권대리행위의 추인을 거절하는 것은 신의칙에 반한다(대판 1994.9.27, 94다20617).

22 인지(認知)청구권을 장기간 행사하지 않아서 상대방에게 더 이상 그 권리를 행사하지 않을 것이라고 신뢰할 만한 정당한 기대가 형성되었다면, 인지청구권은 실효된다. ( )

23 채무자의 소멸시효에 기한 항변권의 행사에 대해서도 신의칙이 적용될 수 있다. ( )

22 × 인지청구권은 본인의 일신전속적인 신분관계상의 권리로서 포기할 수도 없으며 포기하였더라도 그 효력이 발생할 수 없는 것이고, 이와 같이 인지청구권의 포기가 허용되지 않는 이상 거기에 실효의 법리가 적용될 여지도 없다(대판 2001.11.27, 2001므1353).

23 ○

마무리STEP 2 | 확인문제

01 **권리를 분류할 때 그 연결이 옳지 않은 것은?** 제25회

① 상계권 – 청구권
② 소유권 – 지배권
③ 사원총회에서의 결의권 – 사원권
④ 계약해제권 – 형성권
⑤ 소유권이전등기청구권 – 재산권

02 **형성권에 해당하는 것을 모두 고른 것은? (다툼이 있으면 판례에 따름)** 제24회

> ㉠ 전세권자의 전세금반환채권
> ㉡ 점유자의 유익비상환청구권
> ㉢ 매매예약상 권리자의 일방예약완결권
> ㉣ 지상권자의 지상물매수청구권

① ㉠, ㉡
② ㉠, ㉣
③ ㉡, ㉢
④ ㉡, ㉣
⑤ ㉢, ㉣

03 **형성권이 아닌 것은?** 제23회

① 취소권
② 상계권
③ 채권자대위권
④ 계약의 약정해지권
⑤ 매매의 일방예약완결권

04 **권리와 의무에 관한 설명으로 옳은 것은? (다툼이 있으면 판례에 따름)** 제26회

① 매매예약완결권의 법적 성질은 청구권이다.
② 주된 권리가 시효로 소멸하면 종된 권리도 소멸한다.
③ 채권자취소권은 권리자의 의사표시만으로 그 효과가 발생한다.
④ 연기적 항변권의 행사는 상대방의 청구권을 소멸시킨다.
⑤ 임대인의 임대차계약 해지권은 행사상 일신전속권이다.

정답 | 해설

01 ① 민법이 규정하고 있는 상계는 단독행위로서, 상계권은 형성권이다.

02 ⑤ ㉠ 전세권자의 전세금반환채권과, ㉡ 점유자의 유익비상환청구권은 청구권이다.
㉢ 매매예약의 완결권은 일방의 의사표시만으로 매매를 성립시키는 점에서 형성권에 속한다(대판 2018.11.29, 2017다247190).
㉣ 지상권자의 지상물매수청구권은 형성권으로서 지상권자가 이를 행사함으로 인하여 지상물에 관하여 매매계약 관계가 성립된다(대판 1967.12.18, 67다2355).

03 ③ 채권자대위권은 채권자가 자기 채권의 보전을 위하여 그의 채무자가 제3채무자에 대하여 가지는 채권을 채무자에 갈음하여 행사할 수 있는 권리이다(제404조). 구체적으로는 일종의 법정재산관리권이고 형성권은 아니다. 참고로 채권자취소권은 재판상 행사하여야 하는 형성권이다.

04 ② ② 종된 권리는 주된 권리에 의존하고 그와 법률적 운명을 같이하기 때문에, 주된 권리가 이전되면 종된 권리도 이전되며, 주된 권리가 시효로 소멸하면 종된 권리도 소멸한다(제183조).
① 매매예약의 완결권은 일방의 의사표시만으로 매매를 성립시키는 점에서 형성권에 속한다(대판 2018.11.29, 2017다247190).
③ 채무자가 채권자를 해함을 알고 재산권을 목적으로 한 법률행위를 한 때에는 채권자는 그 취소 및 원상회복을 법원에 청구할 수 있다(제406조 제1항). 즉, 채권자취소권은 채권자가 자기의 이름으로 수익자 또는 전득자를 피고로 하여 재판상 행사하여야 한다.
④ 항변권이란 상대방의 청구권의 행사에 대해 그 작용을 저지할 수 있는 권리를 말한다(반대권이라고도 한다).
⑤ 임대인의 임대차계약 해지권은 오로지 임대인의 의사에 행사의 자유가 맡겨져 있는 행사상의 일신전속권에 해당하는 것으로 볼 수 없다(대판 2007.5.10, 2006다82700 · 82717).

05 민법상 권리와 의무에 관한 설명으로 옳지 않은 것은? (다툼이 있으면 판례에 따름)

제21회

① 임차인의 지상물매수청구권의 법적 성질은 형성권이다.
② 물권은 법률 또는 관습법에 의하는 외에는 임의로 창설하지 못한다.
③ 인격권 침해에 대하여는 예방적 구제수단으로서 금지청구권이 인정된다.
④ 주된 권리의 소멸시효가 완성한 때에는 종속된 권리에 그 효력이 미친다.
⑤ 저당권은 1필지인 토지의 일부에도 분필하지 않은 상태로 설정할 수 있다.

06 사권(私權)에 관한 설명으로 옳지 않은 것은? (다툼이 있으면 판례에 따름) 제20회

① 토지임차인의 지상물매수청구권은 형성권이다.
② 채권자취소권은 소로써만 행사할 수 있다.
③ 청구권은 채권뿐만 아니라 물권으로부터도 생긴다.
④ 하자담보책임에 기한 토지 매수인의 손해배상청구권은 제척기간에 걸리므로, 소멸시효 규정의 적용이 배제된다.
⑤ 항변권은 상대방의 청구권 자체를 소멸시키는 권리가 아니라 그 작용을 저지할 수 있는 권리이다.

07 권리 상호간의 관계에 관한 설명으로 옳은 것을 모두 고른 것은? (다툼이 있으면 판례에 따름)

제25회

㉠ 일방 당사자의 잘못으로 인해 상대방 당사자가 계약을 취소하거나 불법행위로 인한 손해배상을 청구할 수 있는 경우, 계약 취소로 인한 부당이득반환청구권과 불법행위로 인한 손해배상청구권은 경합하여 병존한다. ㉡ 공무원이 공권력의 행사로 그 직무를 행함에 있어 고의 또는 과실로 위법하게 타인에게 손해를 가한 경우, 국가가 부담하는 민법상 불법행위책임과 국가배상법상 배상책임은 경합하여 병존한다. ㉢ 매매의 목적물에 물건의 하자가 있는 경우, 매도인의 하자담보책임과 채무불이행책임은 별개의 권원에 의하여 경합하여 병존할 수 있다.

① ㉠　　② ㉢　　③ ㉠, ㉡
④ ㉠, ㉢　　⑤ ㉠, ㉡, ㉢

08 **신의성실의 원칙에 관한 설명으로 옳지 않은 것을 모두 고른 것은? (다툼이 있으면 판례에 따름)** 제23회

> ㉠ 법령에 위반되어 무효임을 알고서도 법률행위를 한 자가 강행법규 위반을 이유로 무효를 주장하는 것은 특별한 사정이 없는 한 신의칙에 반한다.
> ㉡ 신의성실의 원칙에 반하는 것은 강행규정에 위배되는 것이다.
> ㉢ 일반보증의 경우에도 채권자의 권리행사가 신의칙에 반하여 허용될 수 없는 때에는 예외적으로 보증인의 책임을 제한할 수 있다.
> ㉣ 아파트 분양자는 아파트단지 인근에 대규모 공동묘지가 조성되어 있는 사실을 수분양자에게 고지할 신의칙상의 의무를 부담한다.

① ㉠
② ㉢
③ ㉠, ㉡
④ ㉡, ㉢
⑤ ㉢, ㉣

정답 | 해설

05 ⑤ 1필의 토지·1동의 건물이 저당권의 객체가 된다. 1필의 토지의 일부에는 저당권을 설정할 수 없다.

06 ④ 하자담보에 기한 매수인의 손해배상청구권은 권리의 내용·성질 및 취지에 비추어 민법 제162조 제1항의 채권 소멸시효의 규정이 적용되고, 민법 제582조의 제척기간 규정으로 인하여 소멸시효 규정의 적용이 배제된다고 볼 수 없으며, 이때 다른 특별한 사정이 없는 한 무엇보다도 매수인이 매매 목적물을 인도받은 때부터 소멸시효가 진행한다고 해석함이 타당하다(대판 2011.10.13, 2011다10266).

07 ④ ㉡ 공무원이 그 직무를 집행함에 있어서 불법행위를 한 경우에는 제756조가 적용되지 않고 그에 대한 특칙인 국가배상법 제2조가 적용된다(대판 1996.8.23, 96다19833).

08 ① ㉠ 특별한 사정이 없는 한, 법령에 위반되어 무효임을 알고서도 그 법률행위를 한 자가 강행법규 위반을 이유로 무효를 주장하는 것은 신의칙 또는 금반언의 원칙에 반하거나 권리남용에 해당한다고 볼 수는 없다(대판 2006.6.29, 2005다11602·11619).

09 신의성실의 원칙에 관한 설명으로 옳지 않은 것은? (다툼이 있으면 판례에 따름)

제21회

① 소멸시효에 기한 항변권 행사에도 신의칙이 적용될 수 있다.
② 계약교섭의 부당한 파기는 신의칙에 비추어 불법행위를 구성할 수 있다.
③ 신의칙에 반하는 것은 당사자의 주장이 없더라도 법원이 직권으로 판단할 수 있다.
④ 강행법규에 반하는 법률행위를 한 자가 스스로 강행법규 위반을 이유로 그 법률행위의 무효를 주장하는 것은 신의칙에 반한다.
⑤ 본인의 지위를 단독상속한 무권대리인이 상속 전에 행한 무권대리행위에 대하여 본인의 지위에서 추인을 거절하는 것은 신의칙에 반한다.

10 신의성실의 원칙(이하 '신의칙')에 관한 설명으로 옳지 않은 것은? (다툼이 있으면 판례에 따름)

제24회

① 세무사와 의뢰인 사이에 약정된 보수액이 부당하게 과다하여 신의칙에 반하는 경우, 세무사는 상당하다고 인정되는 범위의 보수액만 청구할 수 있다.
② 계속적 보증계약의 보증인은 주채무가 확정된 이후에는 사정변경을 이유로 보증계약을 해지할 수 없다.
③ 병원은 입원계약에 따라 입원환자들의 휴대품이 도난되지 않도록 할 신의칙상 보호의무를 진다.
④ 인지청구권은 포기할 수 없는 권리이므로 실효의 원칙이 적용되지 않는다.
⑤ 관련 법령을 위반하여 무효인 편입허가를 받은 자에 대하여 오랜 기간이 경과한 후 편입학을 취소하는 것은 신의칙 위반이다.

11 **신의성실의 원칙(이하 '신의칙')에 관한 설명으로 옳은 것은? (다툼이 있으면 판례에 따름)** 제20회

① 신의칙에 위반하는지 여부는 당사자의 주장이 없는 한 법원이 직권으로 판단할 수 없다.

② 강행법규를 위반한 자가 스스로 그 약정의 무효를 주장하는 것은 특별한 사정이 없는 한 신의칙에 위반되어 허용되지 않는다.

③ 인지(認知)청구권을 장기간 행사하지 않아서 상대방에게 더 이상 그 권리를 행사하지 않을 것이라고 신뢰할 만한 정당한 기대가 형성되었다면, 인지청구권은 실효된다.

④ 신의칙은 사인간의 법률관계에만 적용되므로, 일반 행정 법률관계에서의 관청의 행위에 대하여는 적용될 여지가 없다.

⑤ 채무자의 소멸시효에 기한 항변권의 행사에 대해서도 신의칙이 적용될 수 있다.

정답 | 해설

09 ④ 특별한 사정이 없는 한, 법령에 위반되어 무효임을 알고서도 그 법률행위를 한 자가 강행법규 위반을 이유로 무효를 주장하는 것은 신의칙 또는 금반언의 원칙에 반하거나 권리남용에 해당한다고 볼 수는 없다(대판 2006.6.29, 2005다11602·11619).

10 ⑤ 학생에 대한 학교의 편입학 허가, 대학교졸업 인정, 대학원 입학, 공학석사학위 수여 등이 그 자격요건을 규정한 교육법 제111조, 제112조, 제115조에 위반되어 무효라면 이와 같은 당연무효의 행위를 학교법인이 취소하는 것은 그 편입학 허가 등의 행위가 처음부터 무효이었음을 당사자에게 통지하여 확인시켜 주는 것에 지나지 않으므로 여기에 신의칙 내지 신뢰의 원칙을 적용할 수 없고 그러한 뜻의 취소권은 시효로 인하여 소멸하지도 않는다(대판 1989.4.11, 87다카131).

11 ⑤ ⑤ 채무자의 소멸시효에 기한 항변권의 행사도 우리 민법의 대원칙인 신의성실의 원칙과 권리남용금지의 원칙의 지배를 받는다(대판 2005.5.13, 2004다71881).

① 신의성실의 원칙에 반하는 것 또는 권리남용은 강행규정에 위배되는 것이므로, 당사자의 주장이 없더라도 법원은 직권으로 판단할 수 있다(대판 1989.9.29, 88다카17181).

② 특별한 사정이 없는 한, 법령에 위반되어 무효임을 알고서도 그 법률행위를 한 자가 강행법규 위반을 이유로 무효를 주장하는 것은 신의칙 또는 금반언의 원칙에 반하거나 권리남용에 해당한다고 볼 수는 없다(대판 2006.6.29, 2005다11602·11619).

③ 인지청구권은 본인의 일신전속적인 신분관계상의 권리로서 포기할 수도 없으며 포기하였더라도 그 효력이 발생할 수 없는 것이고, 이와 같이 인지청구권의 포기가 허용되지 않는 이상 거기에 실효의 법리가 적용될 여지도 없다(대판 2001.11.27, 2001므1353).

④ 신의성실의 원칙은 오늘날 민법의 모든 분야에서뿐만 아니라 상법 등 사법 모든 분야에서 적용된다. 뿐만 아니라 민사소송법·헌법·행정법·세법 등 공법 분야에 있어서도 그 적용이 있다.

제 3 장 권리의 주체

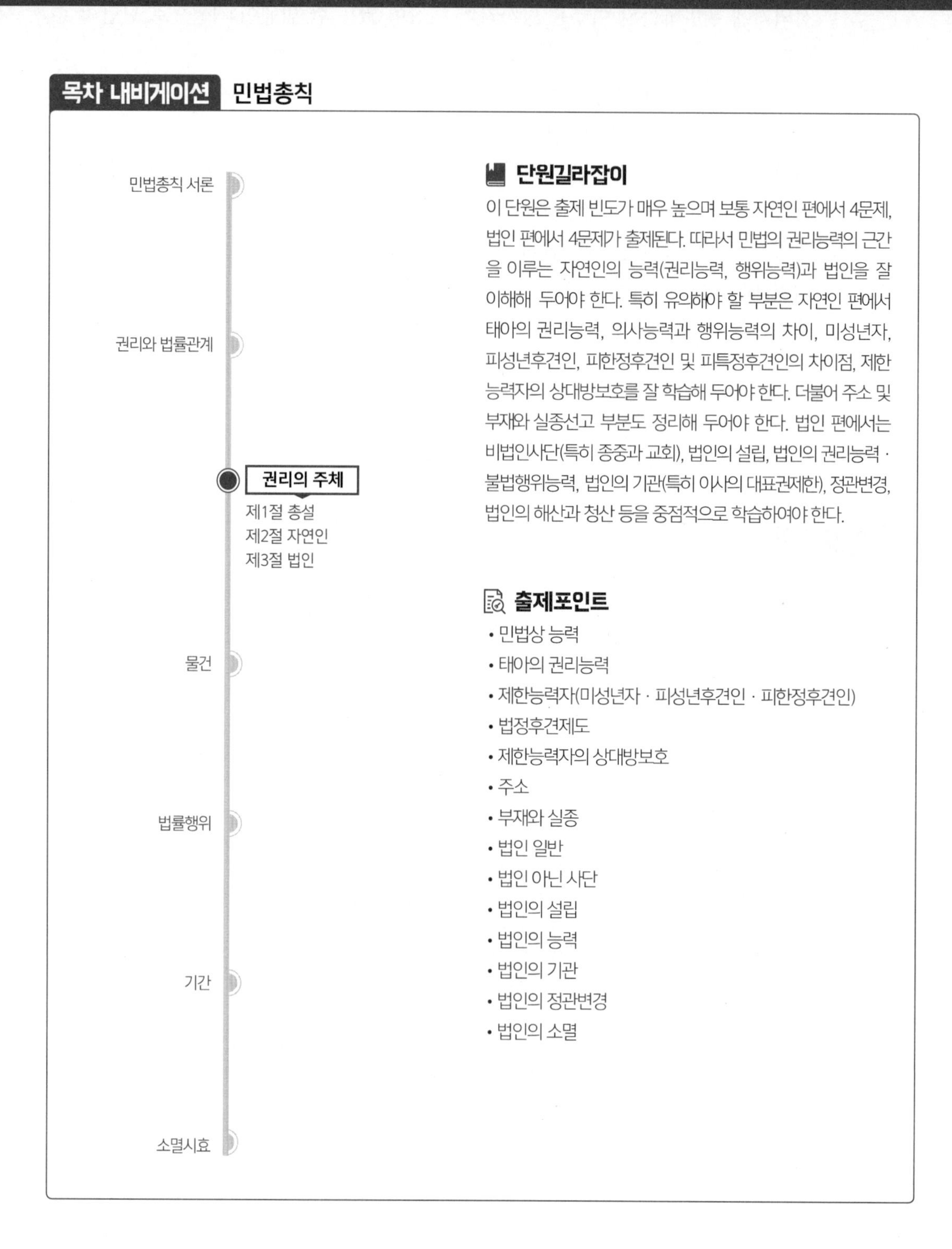

목차 내비게이션 민법총칙

민법총칙 서론
권리와 법률관계
권리의 주체
제1절 총설
제2절 자연인
제3절 법인
물건
법률행위
기간
소멸시효

단원길라잡이

이 단원은 출제 빈도가 매우 높으며 보통 자연인 편에서 4문제, 법인 편에서 4문제가 출제된다. 따라서 민법의 권리능력의 근간을 이루는 자연인의 능력(권리능력, 행위능력)과 법인을 잘 이해해 두어야 한다. 특히 유의해야 할 부분은 자연인 편에서 태아의 권리능력, 의사능력과 행위능력의 차이, 미성년자, 피성년후견인, 피한정후견인 및 피특정후견인의 차이점, 제한능력자의 상대방보호를 잘 학습해 두어야 한다. 더불어 주소 및 부재와 실종선고 부분도 정리해 두어야 한다. 법인 편에서는 비법인사단(특히 종중과 교회), 법인의 설립, 법인의 권리능력 · 불법행위능력, 법인의 기관(특히 이사의 대표권제한), 정관변경, 법인의 해산과 청산 등을 중점적으로 학습하여야 한다.

출제포인트

- 민법상 능력
- 태아의 권리능력
- 제한능력자(미성년자 · 피성년후견인 · 피한정후견인)
- 법정후견제도
- 제한능력자의 상대방보호
- 주소
- 부재와 실종
- 법인 일반
- 법인 아닌 사단
- 법인의 설립
- 법인의 능력
- 법인의 기관
- 법인의 정관변경
- 법인의 소멸

제1절 총설

민법상 권리의 주체로는 사람인 '자연인'과, 일정한 단체, 즉 사단 또는 재단으로서 법인격을 취득한 '법인'의 둘이 있다. 따라서 동물은 권리의 주체가 될 수 없다. 주의할 것은 조합은 권리의 주체가 아니라는 것이다.

제2절 자연인

제1관 권리능력

01 의의

> 제3조【권리능력의 존속기간】사람은 생존한 동안 권리와 의무의 주체가 된다.

권리능력이란 권리 · 의무의 주체가 될 수 있는 지위 또는 자격을 말한다. 제3조는 모든 사람은 평등하게 권리능력을 가지고(권리능력 평등의 원칙), 또 출생한 때부터 사망한 때까지(즉, 생존한 동안) 권리능력을 가지는 것으로 규정한다. 권리능력에 관한 규정은 강행규정으로서 당사자의 합의가 있더라도 그 적용을 배제할 수가 없다.

02 권리능력의 시기

(1) 출생

① 사람의 권리능력은 **출생**으로 시작된다. 권리능력이 시작되는 시점인 출생과 관련하여 민법학에서는 태아가 모체 밖으로 완전히 나온 순간, 즉 '전부노출설'이 통설이다.

② 살아서 출생하면 성별, 생존능력의 유무, 기형 여부 등을 가리지 않고 권리능력을 취득한다.

③ 사람이 출생하면 출생신고를 하며, 이 **출생신고 · 사망신고는 보고적 신고**이다. 출생의 사실 및 그 시기는 그것을 전제로 하여 법률효과를 주장하는 자가 증명하여야 하는데, 이때 **가족관계등록부(과거의 호적부)의 기록은 진실한 것으로 추정**을 받는 유력한 것이기는 하나, 반대의 증거에 의하여 번복될 수 있는 것이다[호적부에 관한 판례(대판 1968.4.30, 67다499)]. 가족관계등록부의 기록은 절차상의 것에 지나지 않으며, 그 것에 의하여 실체적인 관계가 좌우되지 않는다. 그러므로 타인의 자(子)를 자기의 친생자로 신고하여도 친생자관계가 생기지 않는다.

(2) 태아의 권리능력

① 의의

㉠ 태아는 아직 출생 전이어서 민법상 사람이 아니므로 **권리능력을 가지지 못한다**(제3조). 이렇게 되면 태아에게 불리한 경우가 생기게 된다. 따라서 각국의 민법은 태아의 이익을 보호하는 규정을 두고 있다.

㉡ 태아 보호를 위한 입법주의 중에서, 일반적 보호주의는 모든 법률관계에 있어서 일반적으로 태아를 이미 출생한 것으로 보는 것이고(스위스, 로마법), 개별적 보호주의는 중요한 법률관계에 관하여서만 개별적으로 출생한 것으로 보는 것인데(독일, 프랑스, 일본), 우리 민법은 개별적 보호주의를 취하고 있다.

② 우리 민법상 태아의 권리능력을 인정하는 개별규정

㉠ 불법행위로 인한 손해배상청구권: 태아는 이미 출생한 것으로 본다(제762조). 판례는 부(父)의 생명침해 및 상해로 인한 태아 자신의 위자료청구권(제752조, 대판 1962.3.15, 4294민상903; 대판 1993.4.27, 93다4663)과 태아 자신에 대한 출생 전의 불법행위에 대한 손해배상청구(대판 1968.3.5, 67다2869)를 인정한다.

판례 태아의 불법행위로 인한 손해배상청구권

1. **태아**도 손해배상의 청구권에 관하여는 이미 출생한 것으로 보고 또 **위자료는 그 청구권자가 피해 당시 정신상 고통에 대한 감수성을 갖추고 있지 않더라도 장래 이를 감수할 것임이 현재 합리적으로 기대할 수 있는 경우**에는 즉시 그 청구를 할 수 있다(대판 1962.3.15, 4294민상903).
2. 태아도 손해배상청구권에 관하여는 이미 출생한 것으로 보는바, **부(父)가 교통사고로 상해**를 입을 당시 **태아**가 출생하지 아니하였더라도 그 뒤에 **출생한 이상 부(父)의 부상으로 인하여 입게 될 정신적 고통에 대한 위자료를 청구할 수 있다**(대판 1993.4.27, 93다4663).
3. **교통사고의 충격으로 태아가 조산되고 또 그로 인하여 제대로 성장하지 못하고 사망**하였다면 위 불법행위는 **한편으로 산모에 대한 불법행위인 동시에 한편으로는 태아 자신에 대한 불법행위**라고 볼 수 있으므로, 따라서 죽은 아이는 생명침해로 인한 재산상 손해배상청구권이 있다(대판 1968.3.5, 67다2869).

㉡ 재산상속: 태아는 상속순위에 관하여 이미 출생한 것으로 본다(제1000조 제3항). 대습상속(제1001조) 및 유류분권(제1118조)에 관하여도 태아의 권리능력을 인정할 것이다(통설).

㉢ 유증(遺贈): 유증에 관하여도 태아는 이미 출생한 것으로 본다(제1064조).

㉣ 사인증여(死因贈與): 사인증여는 증여자의 사망으로 효력이 생기는 증여이다. 사인증여에 관하여 태아에게 권리능력이 인정되는가에 관하여, 사인증여가 계약이어서

단독행위인 유증과 다르기는 하나, 유사한 면이 있어서 유증에 관한 규정을 준용하고 있는 만큼(제562조), 태아에 관한 규정도 준용되어야 한다(다수설).

㉤ 태아의 인지청구권과 증여계약상 수증능력 존부

ⓐ 인지는 혼인 외의 자(子)의 부(父) 또는 모(母)가 그 자(子)를 자신의 자로서 승인하여 법률상 친자관계를 생기게 하는 단독행위이다. 부(父)는 제858조에 의하여 태아를 인지할 수 있으나, 태아가 인지청구권을 행사할 수 있는지에 관하여 규정이 없으며, **태아의 인지청구권이 인정되지 않는**다고 한다(다수설).

ⓑ 또 증여계약에 있어서의 수증능력 등에 관하여 태아의 권리능력을 인정할 것인가도 논의가 있다. 판례는 의용민법하의 사건에 관하여 개별규정을 유추하여 **태아의 수증능력을 인정할 수 없고,** 또 태아인 동안에는 법정대리인이 있을 수 없으므로 **법정대리인에 의한 수증행위도 할 수 없다**고 한다(대판 1982.2.9, 81다534). 생각건대, 민법이 개별적 보호주의를 취하고 있는 이상 개별규정의 유추적용에 반대한다(다수설).

③ **태아의 법적 지위** – 태아는 언제 권리능력을 취득하는가?

㉠ 태아가 이미 '출생한 것으로 본다'고 하는 의미에 대하여, **정지조건설**은 태아로 있는 동안에는 아직 권리능력을 취득하지 못하나 살아서 출생한 때에는 권리능력 취득의 효과가 문제의 사건이 발생한 시기까지 소급한다고 하고(그래서 **인격소급설**이라 한다), 태아인 동안에는 법정대리인이 있을 수 없다고 한다. 태아가 사산된 경우에도 타인에게 불측의 손해를 줄 염려가 없으므로, 거래의 안전을 우선시하는 입장이다(소수설).

㉡ **해제조건설**은 이미 출생한 것으로 간주되는 각 경우에 태아는 그 개별적 사항의 범위 안에서 제한된 권리능력을 가지며, 사산인 경우 권리능력 취득의 효과가 문제의 사건시까지 소급하여 소멸한다고 하고(그래서 **제한적 인격설**이라 한다), 태아인 동안에도 권리능력이 있기 때문에 법정대리인도 있을 수 있다고 한다. 이 견해에 의하면 태아의 보호에 유리하지만 태아가 사산된 경우 상대방 또는 제3자에게 뜻밖의 손해를 줄 염려가 있다(다수설).

㉢ **판례는** "태아가 권리를 취득한다 하더라도 현행법상 이를 대행할 기관이 없으니 태아로 있는 동안은 권리능력을 취득할 수 없으므로, 살아서 출생한 때에 출생시기가 문제의 사건의 시기까지 소급하여 그때에 태아가 출생한 것과 같이 법률상 보아준다고 해석하여야 상당하다."라고 하여 **정지조건설**의 입장이다(대판 1976.9.14, 76다1365; 대판 1982.2.9, 81다254).

㉣ 참고로 양설 모두 태아가 최소한 살아서 출생하는 것을 전제로 하며, **태아가 사산된 때에는 어느 경우에도 권리능력을 갖지 못한다.**

03 권리능력의 범위(외국인의 권리능력)

(1) 권리능력의 평등

사람은 생존한 동안 성별 · 연령 · 직업 · 계급 등을 묻지 않고 평등하게 권리능력을 갖는 것이 원칙이다(제3조).

(2) 예외

① **권리의 성질:** 권리의 성질상 어느 특정인만이 권리를 가지는 수가 있다.

② **외국인의 권리능력:** 모든 자연인은 국적 여하를 묻지 않고 평등하게 권리능력을 가진다. 그러나 외국인의 권리능력이 일정한 경우에는 부정되는 경우가 있고, 상호주의에 의하여 제한되는 경우도 있다.

04 권리능력의 종기

(1) 사망

① 자연인에게는 사망이 유일한 권리능력의 소멸사유이다. 따라서 인정사망이나 실종선고가 있더라도 당사자가 생존하고 있는 한 권리능력을 잃게 되지는 않는다.

② 사람의 사망시기는, 현재로서는 심장(박동)정지설이 통설이다. 그러나 최근에는 법의학계를 중심으로 뇌사설이 줄기차게 주장되고 있다.

③ 사람이 사망한 때에는 1개월 이내에 신고하여야 하며(가족관계의 등록 등에 관한 법률 제84조 제1항), 이를 위반하면 과태료의 제재를 받는다(가족관계의 등록 등에 관한 법률 제122조). 사망의 사실 및 시기는 그것을 전제로 하여 법률효과를 주장하는 자가 증명하여야 하는데[1], 가족관계등록부는 그 기재가 적법하게 되었고 기재사항이 진실에 부합한다는 추정을 받는다. 그러나 가족관계등록부의 기재에 반하는 증거가 있거나 그 기재가 진실이 아니라고 볼 만한 특별한 사정이 있을 때에는 그 추정은 번복될 수 있다(대결 2020.1.9, 2018스40).

1 대판 1995.7.28, 94다42679는 실존인물인 한 살아 있으면 95세가 된다고 할지라도 생존이 추정되며, 사망하였다는 점은 상대방이 입증할 것이라고 한다.

(2) 사망의 증명곤란을 구제하기 위한 제도

① 동시사망의 추정

> 제30조 【동시사망】 2인 이상이 동일한 위난으로 사망한 경우에는 동시에 사망한 것으로 추정한다.

㉠ 동시사망 추정제도는, 2인 이상이 동일한 위난으로 사망한 때에 특히 상속과 관련하여 발생할 수 있는 불합리한 결과를 막기 위하여 두어졌다. 제30조는 동시사망의 추정을 받는 자 사이에서는 상속이 생기지 않는 것으로 한다.

판례 **동시사망으로 추정되는 경우 대습상속 가능**

상속인이 될 직계비속이나 형제자매(피대습자)의 직계비속 또는 배우자(대습자)는 피대습자가 상속개시 전에 사망한 경우에는 대습상속을 하고, … 민법 제1001조의 **'상속인이 될 직계비속이 상속개시 전에 사망한 경우'**에는 **'상속인이 될 직계비속이 상속개시와 동시에 사망한 것으로 추정되는 경우'도 포함**하는 것으로 합목적적으로 해석함이 상당하다(대판 2001.3.9, 99다13157).

㉡ 2인 이상이 서로 다른 위난으로 사망하였으나 그들의 사망시기의 선후를 확정할 수 없는 경우, 통설적 견해는 제30조를 유추적용하여 동시사망으로 추정한다.

㉢ 동시사망의 추정은 추정이지 의제가 아니므로, 그것은 반증에 의하여 번복될 수 있다. 판례는, "민법 제30조에 의하면, 2인 이상이 동일한 위난으로 사망한 경우에는 동시에 사망한 것으로 추정하도록 규정하고 있는바, 이 추정은 법률상 추정으로서 이를 번복하기 위하여는 동일한 위난으로 사망하였다는 전제사실에 대하여 법원의 확신을 흔들리게 하는 반증을 제출하거나 또는 각자 다른 시각에 사망하였다는 점에 대하여 법원에 확신을 줄 수 있는 본증을 제출하여야 하는데, 이 경우 사망의 선후에 의하여 관계인들의 법적 지위에 중대한 영향을 미치는 점을 감안할 때 충분하고도 명백한 입증이 없는 한 위 추정은 깨어지지 아니한다고 보아야 한다."고 한다(대판 1998.8.21, 98다8974).

② 인정사망(가족관계의 등록 등에 관한 법률 제87조)

㉠ 수해 · 화재나 그 밖의 재난으로 인하여 사망한 사람이 있는 경우에 그것을 조사한 관공서의 사망통보에 의하여 가족관계등록부에 사망의 기록을 하는데(동법 제87조, 제16조), 이것이 인정사망이다.

㉡ 사망의제의 효력이 없으며 강한 사망추정적 효과가 있다. 따라서 반증에 의하여 이를 번복할 수 있으며, 사망의 대세적 효과를 인정하기 위해서는 다시 실종선고를 필요로 한다.

③ 실종선고 – 실종선고와 인정사망의 비교

구분	실종선고	인정사망
규정	민법 제27조 이하	가족관계의 등록 등에 관한 법률 제87조
청구 요부	○	×

공시최고 요부	○	×
기간경과 요부	○	×
사망의 의미	사망간주	사망추정
발생시기	실종기간 만료시	가족관계등록부 사망기재일
번복	가정법원의 실종선고 취소로 번복	사실의 증명으로 번복

판례 **인정사망이나 실종선고에 의하지 않고 법원이 사망사실을 인정할 수 있음**

갑판원이 시속 30노트 정도의 강풍이 불고 파도가 5~6m가량 높게 일고 있는 등 기상조건이 아주 험한 북태평양의 해상에서 어로작업 중 갑판 위로 덮친 파도에 휩쓸려 찬 바다에 추락하여 행방불명이 되었다면 비록 시신이 확인되지 않았다 하더라도 그 사람은 그 무렵 사망한 것으로 확정함이 우리의 **경험칙과 논리칙**에 비추어 당연하다. 수난, 전란, 화재 기타 사변에 편승하여 타인의 불법행위로 사망한 경우에 있어서는 확정적인 증거의 포착이 손쉽지 않음을 예상하여 법은 **인정사망, 위난실종선고 등의 제도와 그 밖에도 보통실종선고제도**도 마련해 놓고 있으나 그렇다고 하여 **위와 같은 자료나 제도에 의함이 없는 사망사실의 인정**을 수소법원이 절대로 할 수 없다는 법리는 없다(대판 1989.1.31, 87다카2954).

기출예제

민법상 자연인의 능력에 관한 설명으로 옳지 않은 것은? (다툼이 있으면 판례에 따름)

제27회

① 법원은 인정사망이나 실종선고에 의하지 않고 경험칙에 의거하여 사람의 사망사실을 인정할 수 없다.
② 의사능력의 유무는 구체적인 법률행위와 관련하여 개별적으로 판단되어야 한다.
③ 의사무능력을 이유로 법률행위의 무효를 주장하는 자는 의사무능력에 대하여 증명책임을 부담한다.
④ 의사무능력을 이유로 법률행위가 무효로 된 경우, 의사무능력자는 그 행위로 인해 받은 이익이 현존하는 한도에서 상환할 책임이 있다.
⑤ 태아가 불법행위로 인해 사산된 경우, 태아는 가해자에 대하여 자신의 생명침해로 인한 손해배상을 청구할 수 없다.

해설

갑판원이 시속 30노트 정도의 강풍이 불고 파도가 5~6m가량 높게 일고 있는 등 기상조건이 아주 험한 북태평양의 해상에서 어로작업 중 갑판 위로 덮친 파도에 휩쓸려 찬 바다에 추락하여 행방불명이 되었다면 비록 시신이 확인되지 않았다 하더라도 그 사람은 그 무렵 사망한 것으로 확정함이 우리의 경험칙과 논리칙에 비추어 당연하다. 수난, 전란, 화재 기타 사변에 편승하여 타인의 불법행위로 사망한 경우에 있어서는 확정적인 증거의 포착이 손쉽지 않음을 예상하여 법은 인정사망, 위난실종선고 등의 제도와 그 밖에도 보통실종선고제도도 마련해 놓고 있으나 그렇다고 하여 위와 같은 자료나 제도에 의함이 없는 사망사실의 인정을 수소법원이 절대로 할 수 없다는 법리는 없다(대판 1989.1.31, 87다카2954).

정답: ①

제2관 행위능력

01 총설

(1) 의사능력

① 의의: 민법의 기본원리인 사적자치는 당사자의 의사에 대해 민법이 법적 효과를 부여하고 이를 승인하는 제도인데, 이것은 당사자가 한 의사의 표시가 어떠한 효과를 가져오는지에 대해 이해 내지는 판단할 수 있는 능력을 가지고 있음을 전제하고 있는 것이다[통설, 판례(대판 2006.9.22, 2004다51627)]. 이러한 능력을 **의사능력**이라고 한다. 의사능력은 통상인이 가지는 정상적인 **판단능력**을 가리키며, 의사능력의 유무는 당해 구체적인 법률행위와 관련하여 **개별적으로 판단된다**(대판 2006.9.22, 2006다29358).

판례 의사능력의 의미

의사능력이란 자신의 행위의 의미나 결과를 정상적인 인식력과 예기력을 바탕으로 합리적으로 판단할 수 있는 정신적 능력 내지는 지능을 말하는바, 특히 어떤 법률행위가 그 일상적인 의미만을 이해하여서는 알기 어려운 특별한 법률적인 의미나 효과가 부여되어 있는 경우 의사능력이 인정되기 위하여는 **그 행위의 일상적인 의미뿐만 아니라 법률적인 의미나 효과에 대하여도 이해할 수 있을 것을 요한다**고 보아야 하고, 의사능력의 유무는 **구체적인 법률행위와 관련하여 개별적으로 판단**되어야 할 것이다(대판 2006.9.22, 2006다29358).

② 효력: **의사무능력자**(예 유아 · 정신병자 · 만취자 등)가 한 의사표시에 대해서는 법적 효과를 부여할 수 없으며, **무효**이다[통설, 판례(대판 2002.10.11, 2001다10113)]. 그리고 **의사무능력자뿐만 아니라 상대방도 무효를 주장할 수 있다**(통설).

(2) 행위능력

① 개념 및 효과

㉠ 행위능력이란 독자적으로 유효하게 법률행위를 할 수 있는 지위를 말하는데, 의사능력과 달리 **객관적 · 획일적으로 판단된다**. 민법상 단순히 능력이라고 하면, 이는 행위능력을 말한다.

㉡ 개정 전에는 민법상의 무능력자로 미성년자 · 한정치산자 · 금치산자의 셋이 있었다. 개정 민법은 넓은 의미에서 행위능력이 제한되는 자, 즉 제한능력자로 **미성년자**(제4조) · **피성년후견인**(제9조) · **피한정후견인**(제12조) · **피특정후견인**(제14조의 2)의 네 가지를 규정하고 있다. 그런데 피특정후견인은 행위능력상 전혀 제약을 받지 않으며, 법정후견을 받기 때문에 여기에 함께 규정한 것이다. 그리고 피한정후견인은 원칙적으로는 행위능력을 가지며, 가정법원이 피한정후견인이 한정후견인의 동의를 받아야 하는 행위의 범위를 정하는 경우에만 행위능력을 제한받게 된다.

ⓒ 예컨대, 미성년자가 만취한 상태에서 계약을 체결한 경우, 의사무능력을 이유로 한 무효와 제한능력을 이유로 한 취소가 경합될 수 있다. 여기서 '무효와 취소의 경합' 내지 '무효행위의 취소'의 문제를 이른바 '이중효'라고 한다. 무효나 취소는 일정한 법률효과를 뒷받침하는 근거에 지나지 않는다는 점에서, 표의자는 무효 또는 취소의 법률효과를 선택적으로 주장할 수 있다(통설).

② 제도적 의미

㉠ 행위능력제도는 사적자치의 원칙의 대전제이며, 강행규정이다. 그리고 제한능력자가 한 법률행위는 의사능력이 없는 상태에서 행해졌다는 증명이 없어도 이를 취소할 수 있게 함으로써 제한능력자를 보호하고, 거래상대방에게 불측의 손해를 주지 않기 위하여 마련된 제도이다.

㉡ 이 제도는 사회의 획일적 기준에 의하여 의사능력을 객관화한 것이다. 따라서 성년후견개시 또는 한정후견개시의 심판을 받지 않았으면 설사 그러한 심판을 받을 만한 상태에 있었다고 하여도 제한능력자에 관한 규정을 유추적용해서는 안 된다. 판례도 같은 입장이다(대판 1992.10.13, 92다6433).

③ 적용범위

㉠ 행위능력 내지 제한능력자제도는 법률행위에만 관련되는 것이다. 다만, 행위능력에 관한 민법총칙편의 규정은 원칙적으로 가족법상의 법률행위에는 적용이 없으며, 친족·상속편에서는 가족법상의 각종의 법률행위의 능력에 관해 따로 특별규정을 두고 있다.

㉡ 불법행위에 있어서는 개별적 · 구체적으로 책임능력 유무를 살피게 된다. 민법은 미성년자 중 책임변식지능이 없는 자(제753조)와 심신상실자(제754조)를 책임무능력자로 정하고 있다. 행위에 의해 생긴 결과만에 의미를 두는 '사실행위'에서도 행위능력 여부는 전혀 문제되지 않는다.

④ 구별개념

㉠ 의사능력 내지 행위능력은 표의자가 능동적으로 의사표시를 하는 경우에 요구되는 능력임에 비해, 의사표시의 수령능력은 상대방이 한 의사표시를 수령하여 이를 이해할 수 있는 능력을 말한다. 민법은 제한능력자를 보호하기 위해 제한능력자는 의사표시의 수령능력도 없는 것으로 규정한다.

㉡ 당사자능력은 소송의 주체(원고 · 피고)가 될 수 있는 소송상의 권리능력으로서, 민법상의 권리능력에 대응하는 것이다(민사소송법 제47조). 소송능력은 소송의 당사자로서 유효하게 소송행위를 할 수 있는 소송상의 행위능력이며, 민법상의 행위능력에 대응하는 것이다.

02 미성년자

(1) 미성년자

> 제4조【성년】사람은 19세로 성년에 이르게 된다.

① 성년기: 만 19세 이상의 자연인을 성년자로 하고, 성년에 달하지 않은 자를 미성년자라고 한다. 연령은 출생일을 산입하여 역(曆)에 의하여 계산한다(제158조).

예 1995년 6월 7일에 출생한 자는 2014년 6월 6일의 만료(자정 또는 2014년 6월 7일 0시)로써 성년이 된다.

② 혼인에 의한 성년의제

㉠ 의의: 미성년자가 혼인을 한 때에는 성년자로 본다(제826조의2). 이는 혼인생활에 독립성을 부여하여 부부관계에 제3자가 관여하는 것을 막고, 부부의 평등을 관철시키기 위한 제도이다. 혼인에 의한 성년의제는 법률혼(제826조의2)에 한하고 사실혼에는 적용되지 않는다(통설).

㉡ 성년의제의 적용범위

ⓐ 이 제도는 민법 영역에서만 적용되고, 민법 이외의 법률에는 적용되지 않는다. 즉, 선거법 · 청소년보호법 · 근로기준법 등에는 적용되지 않는다.

ⓑ 혼인에 의하여 성년이 되면 친권은 소멸하고 후견도 종료하게 된다. 단독으로 법률행위를 할 수도 있으며, 자기의 자(子)에 대하여 친권을 행사할 수도 있다. 그리고 혼인한 미성년자는 행위능력이 있으므로 협의상 이혼을 할 경우에도 법정대리인의 동의가 필요 없다.

ⓒ 성년의제를 받은 자가 아직 미성년으로 있는 동안에 혼인의 취소나 이혼 등으로 혼인이 해소된 경우에 성년의제의 효과는 소멸하지 않는다(다수설).

(2) 미성년자의 행위능력

① 원칙

> 제5조【미성년자의 능력】① 미성년자가 법률행위를 함에는 법정대리인의 동의를 얻어야 한다. 그러나 권리만을 얻거나 의무만을 면하는 행위는 그러하지 아니하다.
> ② 전항의 규정에 위반한 행위는 취소할 수 있다.

㉠ 미성년자가 법률행위를 함에는 법정대리인의 동의를 얻어야 한다(제5조 제1항). 따라서 미성년자는 법정대리인의 관여 없이 부동산 경매절차에서 경락인이 될 수 없다(대결 1969.11.19, 69마989). 미성년자가 법정대리인의 동의 없이 법률행위를 한 경우, 그 법률행위는 일단은 유효하지만(유동적 유효), 미성년자나 그의 법정대리인이 취소할 수 있고(제5조 제2항, 제140조), 이 경우 그 법률행위는 소급하여 무효가 된다(제141조).

ⓛ 미성년자가 그 법정대리인의 동의를 얻었다는 점에 관한 **증명책임**은 동의가 있었음을 이유로 법률행위의 유효를 주장하는 **상대방**에게 있다(대판 1970.2.24, 69다1568).

판례 **미성년자의 법률행위에 대한 법정대리인의 동의는 묵시적으로도 가능**

미성년자가 법률행위를 함에 있어서 요구되는 **법정대리인의 동의는 언제나 명시적이어야 하는 것은 아니고 묵시적으로도 가능**한 것이며, 한편 민법은, 범위를 정하여 처분을 허락한 재산의 처분 등의 경우와 같이 행위무능력자인 미성년자가 법정대리인의 동의 없이 단독으로 법률행위를 할 수 있는 예외적인 경우를 규정하고 있고, **미성년자의 행위가 위와 같이 법정대리인의 묵시적 동의가 인정되거나 처분허락이 있는 재산의 처분 등에 해당하는 경우라면, 미성년자로서는 더 이상 행위무능력을 이유로 그 법률행위를 취소할 수는 없다**고 할 것이다(대판 2007.11.16, 2005다71659).

- 미성년자가 월 소득범위 내에서 신용구매계약을 체결한 사안에서, 스스로 얻고 있던 소득에 대하여는 법정대리인의 묵시적 처분허락이 있었다고 본 사례

② 예외

㉠ 단순히 권리만을 얻거나 의무만을 면하는 행위(제5조 제1항 단서)

ⓐ 예컨대, 미성년자의 친권자에 대한 부양료청구(대판 1972.7.11, 72므5), 부담 없는 증여의 수락, 채무의 면제를 받는 계약의 체결 등의 행위는 미성년자에게 이익을 주고 불이익이 되지 않으므로 단독으로 할 수 있다.

ⓑ 어떤 행위에 의하여 미성년자가 권리만을 얻거나 의무만을 면하는지는 경제적인 관점이 아니고, 오로지 '법률적인 결과'만을 가지고 판단한다. 따라서 **경제적으로 유리한 쌍무계약의 체결, 상속의 승인, 부담부증여** 등은 의무도 부담하므로 이에 해당하지 않으며, **단독으로 할 수 없다.**

ⓒ 또한 **채무의 변제를 수령**하는 것은 그로 인하여 채권의 소멸을 가져오므로 권리만을 얻는 행위로 볼 수 없다(통설).

㉡ 범위를 정하여 처분이 허락된 재산의 처분행위

ⓐ 법정대리인이 범위를 정하여 처분을 허락한 재산은 미성년자가 임의로 처분할 수 있다(제6조). 예컨대, 미성년자는 용돈을 마음대로 사용할 수 있다. 그러나 **처분의 허락은 범위를 정한 일정범위의 재산에 한하여야 하고**, 제한능력자제도의 취지에 반할 정도의 **포괄적인 처분의 허락은 허용될 수 없다.**

ⓑ '범위를 정하여'에서의 범위는 처분이 허락된 '재산'의 범위를 말하며, 따라서 사용목적을 정하여 일정 재산을 준 경우에도 미성년자는 그 목적과 상관없이 자유롭게 처분할 수 있다(통설).

ⓒ 영업이 허락된 미성년자의 그 영업에 관한 행위(제8조 제1항)

> 제8조 【영업의 허락】 ① 미성년자가 법정대리인으로부터 허락을 얻은 특정한 영업에 관하여는 성년자와 동일한 행위능력이 있다.
> ② 법정대리인은 전항의 허락을 취소 또는 제한할 수 있다. 그러나 선의의 제3자에게 대항하지 못한다.

ⓐ 미성년자가 법정대리인으로부터 허락을 얻은 특정한 영업에 관하여는 성년자와 동일한 행위능력이 있다(제8조 제1항). 영업이란 상업에 한하지 않고 널리 영리를 목적으로 하는 독립적 · 계속적 사업을 의미한다. 영업을 허락하는 데는 반드시 영업의 종류를 특정해야 하며 포괄적 허락이나 하나의 영업단위의 일부에 대한 허락은 허용되지 않는다.

ⓑ 미성년자는 '성년자와 동일한 행위능력'을 가지므로 이 범위에서 개별적인 영업 관련행위에 대해 법정대리인의 동의를 얻을 필요가 없을 뿐만 아니라, 법정대리인의 대리권도 소멸한다. 또한 그에 관련된 소송행위에서 소송능력도 가진다(민사소송법 제51조).

ⓓ 대리행위: 대리인은 행위능력자임을 요하지 않는다(제117조). 대리행위의 효과는 직접 본인에게 귀속하므로 제한능력자제도의 취지에 반하지 않기 때문이다. 즉, 대리권을 가진 미성년자(피성년후견인 · 피한정후견인도 같다)는 대리행위를 단독으로 유효하게 할 수 있으며, 그 대리행위는 취소할 수 없다.

ⓔ 유언행위: 민법 제5조는 유언에 관하여는 그 적용이 없다. 만 17세에 달한 미성년자는 단독으로 유언을 할 수 있다(제1061조).

ⓕ 특별법상의 행위

ⓐ 미성년자가 법정대리인의 허락을 얻어 회사의 무한책임사원이 된 때에는 그 사원자격으로 인한 행위에 대하여는 능력자로 본다(상법 제7조).

ⓑ '친권자나 후견인은 미성년자의 근로계약을 대리할 수 없'으며(근로기준법 제67조 제1항), 법정대리인의 동의를 얻어 미성년자 자신이 직접 체결하여야 한다(다수설). 그리고 '미성년자는 독자적으로 임금을 청구할 수 있다'(근로기준법 제68조).

③ 동의와 허락의 취소 또는 제한

> 제7조 【동의와 허락의 취소】 법정대리인은 미성년자가 아직 법률행위를 하기 전에는 전2조의 동의와 허락을 취소할 수 있다.

㉠ **동의(제5조)와 허락(제6조)의 취소:** 미성년자가 법률행위를 하기 전에는 법정대리인은 그가 한 동의나 허락을 취소할 수 있다(제7조). 이러한 취소는 소급효가 없으므로 강학상 철회의 뜻이다. 이 철회의 의사표시는 미성년자나 상대방에게 하여야 한다. 다만, 철회를 미성년자에게 하였는데 그 사실을 상대방이 모른 경우에는 거래의 안전이 위협받게 되므로, 제8조 제2항 단서의 유추해석에 의하여 선의의 제3자에게 대항할 수는 없다고 할 것이다(통설).

㉡ **영업허락(제8조)의 취소와 제한:** 법정대리인은 그가 준 영업의 허락을 '취소 또는 제한'할 수 있다(제8조 제2항 본문). 영업허락의 취소는 철회의 의미이며, 제한은 예컨대, 두 개 이상의 단위의 영업을 허락하였는데 그중 어느 것을 장래에 향하여 허락이 없었던 것으로 하는 것이다. 영업허락의 취소나 제한은 선의의 제3자에게 대항하지 못한다(제8조 제2항 단서).

미성년자가 단독으로 할 수 있는 행위

구분	내용
ⓐ 단순히 권리만을 얻거나 의무만을 면하는 행위(제5조 제1항 단서)	• 인정: 부담 없는 증여를 받는 것, 채무면제를 승낙하는 것 • 부정: 부담부 증여계약을 체결하는 행위, 경제적으로 유리한 계약을 체결하는 행위, 상속을 승인하는 행위, 무상임치 · 사용대차 · 이자 없는 소비대차, 변제의 수령 · 변제(통설)
ⓑ 처분이 허락된 재산의 처분행위(제6조)	법정대리인이 범위를 정하여 처분을 허락한 재산은 미성년자가 임의로 처분할 수 있다. '범위'는 사용목적이 아니라 '재산의 범위'를 정한 것이다(통설).
ⓒ 영업이 허락된 미성년자의 그 영업에 관한 행위(제8조 제1항)	• 영업의 종류를 특정하여야 한다. 포괄적 허락 또는 일부만의 허락은 인정되지 않는다. • '영업에 관한'이란 영업을 하는 데 직접 · 간접으로 필요한 모든 행위를 포함한다. • '성년자와 동일한 행위능력이 있다.' 그 결과 개별적인 영업 관련행위에 대해 법정대리인의 동의를 얻을 필요가 없을 뿐만 아니라, 법정대리인의 대리권도 소멸한다.
ⓓ 혼인을 한 미성년자의 행위(제826조의2)	혼인한 미성년자는 사법상의 모든 관계에서 성년자와 같은 행위능력을 가진다.
ⓔ 미성년자가 법정대리인의 동의 없이 한 법률행위의 취소(제140조)	미성년자는 단독으로 취소할 수 있다.

ⓕ 대리행위[대리인은 행위능력자임을 요하지 않는다(제117조)]	• 타인의 대리인으로서 하는 대리행위에 관하여는 행위능력이 제한되지 않는다. • 제한능력자가 대리인으로 한 행위에 관하여 본인은 취소할 수 없다.
ⓖ 유언행위[만 17세에 달하지 못한 자는 유언을 하지 못한다(제1061조)]	• 만 17세가 된 자는 단독으로 유언을 할 수 있다. • 피한정후견인은 제한이 없으며, 피성년후견인도 의사능력이 회복된 때에, 의사가 심신회복의 상태를 유언서에 부기하여 유언을 할 수 있다(제1063조).
ⓗ '법정대리인'의 허락을 얻어 회사의 무한책임사원이 된 미성년자가 그 사원자격에서 하는 행위(상법 제7조)	이에 대해서는 능력자로 본다.
ⓘ 근로계약 체결(근로기준법 제67조)과 임금청구(근로기준법 제68조)	• 친권자 또는 미성년후견인은 미성년자의 근로계약을 대리할 수 없다. 법정대리인의 동의를 얻어 미성년자가 근로계약을 체결하여야 한다(다수설). • 미성년자는 독자적으로 임금을 청구할 수 있다.

(3) 법정대리인

① **법정대리인이 되는 자**: 미성년자의 법정대리인은 1차로 **친권자**가 되고, '친권자가 없거나 친권자가 법률행위의 대리권과 재산관리권을 행사할 수 없는 경우'에는 2차로 미성년후견인이 된다(제928조). 친권자는 미성년자의 부모이고(제909조, 제911조), 친권은 부모가 혼인 중인 때에는 부모가 공동으로 이를 행사한다(제909조 제2항).

② 법정대리인의 권한

㉠ 법정대리인에게는 **동의권, 대리권 및 취소권**이 있다. 법정대리인은 미성년자가 법률행위를 하는 데 동의를 할 권리가 있으며, 동의는 묵시의 방법으로도 할 수 있다(대판 2007.11.16, 2005다71659).

㉡ 법정대리인은 미성년자의 재산상 법률행위를 대리할 수 있다(제920조, 제949조 제1항). 법정대리인은 동의를 한 행위도 대리할 수 있으며, 대리행위를 함에 있어서 미성년자의 승낙을 받을 필요도 없다(대판 1962.9.20, 62다333). 그리고 미성년자가 법정대리인의 동의 없이 한 법률행위를 취소할 수 있다(제5조 제2항, 제140조).

③ 예외적 제한

㉠ **이해상반행위**: 친권자와 그 자(子) 사이에 이해상반되는 행위를 하는 경우에는(예 친권자가 자기의 채무에 관해 미성년자를 대리하여 보증계약을 체결하거나 연대채무의 약정을 하고 또 미성년자의 재산을 담보로 제공하는 경우 등), 또 친권자가

그 친권에 따르는 수인의 자(子) 사이에 이해상반되는 행위를 하는 경우에는(예 친권자가 차남을 대리하여 그의 재산을 장남에게 증여하는 경우) 친권자는 법원에 그 자(子) 또는 그 자(子) 일방의 **특별대리인의 선임**을 청구하여, 그 특별대리인과 친권자 사이에 법률행위를 하여야 한다(제921조). **이에 위반한 행위는 무권대리가 된다.**

ⓒ **미성년후견인의 대리권 행사와 후견감독인의 동의(제950조)**: 미성년후견인이 '영업에 관한 행위, 금전을 빌리는 행위, 의무만을 부담하는 행위, 부동산 또는 중요한 재산에 관한 권리의 득실변경을 목적으로 하는 행위, 소송행위, 상속의 승인, 한정승인 또는 포기 및 상속재산의 분할에 관한 협의'에 관해 대리행위를 하거나 동의를 할 때는 후견감독인이 있으면 그의 동의를 받아야 하고(제950조 제1항), 이에 위반한 행위는 피후견인 또는 후견감독인이 그 행위를 취소할 수 있다(제950조 제3항).

03 피성년후견인

제9조 【성년후견개시의 심판】 ① 가정법원은 질병, 장애, 노령 그 밖의 사유로 인한 정신적 제약으로 사무를 처리할 능력이 지속적으로 결여된 사람에 대하여 본인, 배우자, 4촌 이내의 친족, 미성년후견인, 미성년후견감독인, 한정후견인, 한정후견감독인, 특정후견인, 특정후견감독인, 검사 또는 지방자치단체의 장의 청구에 의하여 성년후견개시의 심판을 한다.
② 가정법원은 성년후견개시의 심판을 할 때 본인의 의사를 고려하여야 한다.

(1) 피성년후견인의 의의

피성년후견인은 '질병, 장애, 노령 그 밖의 사유로 인한 정신적 제약으로 사무를 처리할 능력이 지속적으로 결여된 사람'으로서 일정한 자의 청구에 의하여 **가정법원으로부터 '성년후견개시의 심판'을 받은 자**이다(제9조 제1항). 사무처리능력이 지속적으로 결여된 사람이라도 성년후견개시의 심판을 받기 전에는 피성년후견인이 아니다(대판 1992.10.13, 92다6433 참조).

(2) 성년후견개시심판의 요건 및 절차

① 요건

㉠ '질병(예 치매), 장애, 노령 그 밖의 사유로 인한 정신적 제약으로 사무를 처리할 능력이 지속적으로 결여된 사람'이어야 한다. '정신적 제약'이 있어야 하고, 신체적 장애는 성년후견개시의 사유로 되지 않는다. 나아가 '사무를 처리할 능력이 지속적으로 결여된 사람'이어야 한다. 즉, 정신적 제약과 사무처리능력의 결여 사이에 인과관계가 있어야 한다. 그리고 사무처리능력이 '지속적으로' 결여된 사람에 대한 성년후견과 사무처리능력이 부족한 사람에 대한 한정후견은 다르다(제12조 제1항).

성년후견이나 한정후견 개시의 청구가 있는 경우 **가정법원**은 청구 취지와 원인, 본인의 의사, 성년후견제도와 한정후견제도의 목적 등을 고려하여 어느 쪽의 보호를 주는 것이 적절한지를 **결정**하고, 그에 따라 필요하다고 판단하는 절차를 결정해야 한다. 따라서 **한정후견의 개시를 청구**한 사건에서 의사의 감정 결과 등에 비추어 성년후견개시의 요건을 충족하고 본인도 성년후견의 개시를 희망한다면 **법원이 성년후견을** 개시할 수 있고, **성년후견개시를 청구**하고 있더라도 필요하다면 **한정후견을** 개시할 수 있다고 보아야 한다(대결 2021.6.10, 2020스596).

ⓒ **'본인, 배우자, 4촌 이내의 친족, 미성년후견인, 미성년후견감독인, 한정후견인, 한정후견감독인, 특정후견인, 특정후견감독인, 검사 또는 지방자치단체의 장의 청구'**가 있어야 한다(제9조). 가정법원이 직권으로 절차를 개시하는 것은 인정하지 않는다.

ⓒ 가정법원은 성년후견개시의 심판을 할 때 본인의 의사를 고려하여야 한다(제9조 제2항).

② **절차**: 성년후견개시의 심판의 절차는 가사소송법과 가사소송규칙에 의하며, 모든 요건이 갖추어지면 가정법원은 반드시 성년후견개시의 심판을 하여야 한다(**필요적 선고**). 성년후견개시의 공시는 **후견등기부**에 하여야 한다(가족관계등록부에 의하지 않는다).

(3) 피성년후견인의 행위능력

> 제10조 【피성년후견인의 행위와 취소】 ① 피성년후견인의 법률행위는 **취소할** 수 있다.
> ② 제1항에도 불구하고 가정법원은 **취소할 수 없는 피성년후견인의 법률행위의 범위**를 정할 수 있다.
> ③ 가정법원은 본인, 배우자, 4촌 이내의 친족, 성년후견인, 성년후견감독인, 검사 또는 지방자치단체의 장의 청구에 의하여 제2항의 범위를 변경할 수 있다.
> ④ 제1항에도 불구하고 **일용품의 구입 등 일상생활에 필요하고 그 대가가 과도하지 아니한** 법률행위는 성년후견인이 취소할 수 없다.

① 피성년후견인의 법률행위는 원칙적으로 **취소**할 수 있다(제10조 제1항). 즉, 성년후견인의 동의 없이 한 경우는 물론이고 그 **동의를 얻어서 한 행위라도 취소할 수 있다.**

② 예외

㉠ 가정법원이 **'취소할 수 없는 피성년후견인의 법률행위의 범위'**를 정한 경우이다(제10조 제2항). 그리고 가정법원은 본인, 배우자, 4촌 이내의 친족, 성년후견인, 성년후견감독인, 검사 또는 지방자치단체의 장의 청구에 의하여 제2항의 범위를 변경할 수 있다(제10조 제3항).

ⓒ **일용품의 구입 등 일상생활에 필요하고 그 대가가 과도하지 아니한 법률행위**는 성년후견인이 취소할 수 없다(제10조 제4항). 이 규정상 취소할 수 없는 법률행위라는 점은 취소를 막으려는 상대방이 주장 · 증명하여야 한다.

③ 약혼(제802조), 혼인(제808조 제2항), 협의이혼(제835조), 인지(제856조), 입양(제873조), 파양(제902조) 등 신분행위는 성년후견인의 동의를 얻어서 스스로 할 수 있다.
④ 피성년후견인은 만 17세가 되었으면 '의사능력이 회복된 때'에 단독으로 유언을 할 수 있다(제1063조 제1항). 그 유언은 취소할 수 없다(제1062조).

(4) 법정대리인

① 피성년후견인에게는 보호자로 성년후견인을 두어야 한다(제929조). 성년후견인은 피성년후견인의 신상과 재산에 관한 모든 사정을 고려하여 여러 명을 둘 수 있고(제930조 제2항), 법인도 성년후견인이 될 수 있다(제930조 제3항). 성년후견인은 성년후견개시의 심판을 할 때에는 가정법원이 직권으로 선임한다(제936조 제1항). 이러한 성년후견인은 피후견인의 법정대리인이 된다(제938조 제1항).
② 성년후견인은 원칙적으로 동의권은 없고(제10조 제1항), 대리권만 가진다(제949조). 그러나 예외적으로 일정한 친족법상의 행위에 관하여는 동의권도 가진다. 그 외에 취소권도 있다(제10조 제1항, 제140조).

(5) 성년후견종료의 심판

> 제11조 【성년후견종료의 심판】 성년후견개시의 원인이 소멸된 경우에는 가정법원은 본인, 배우자, 4촌 이내의 친족, 성년후견인, 성년후견감독인, 검사 또는 지방자치단체의 장의 청구에 의하여 성년후견종료의 심판을 한다.

성년후견종료의 심판도 그 요건이 갖추어지면 반드시 행하여져야 한다. 성년후견종료의 심판이 있으면 피성년후견인은 '장래에 향하여' 완전한 행위능력자가 된다(소급효 부정). 다만, '가정법원이 피성년후견인에 대하여 한정후견개시의 심판을 할 때에는 종전의 성년후견의 종료심판'을 하고(제14조의3 제2항), 그때는 피한정후견인으로 된다.

04 피한정후견인

> 제12조 【한정후견개시의 심판】 ① 가정법원은 질병, 장애, 노령 그 밖의 사유로 인한 정신적 제약으로 사무를 처리할 능력이 부족한 사람에 대하여 본인, 배우자, 4촌 이내의 친족, 미성년후견인, 미성년후견감독인, 성년후견인, 성년후견감독인, 특정후견인, 특정후견감독인, 검사 또는 지방자치단체의 장의 청구에 의하여 한정후견개시의 심판을 한다.
> ② 한정후견개시의 경우에 제9조 제2항을 준용한다.

(1) 의의

피한정후견인은 '질병, 장애, 노령 그 밖의 사유로 인한 정신적 제약으로 사무를 처리할 능력이 부족한 사람'으로서 일정한 자의 청구에 의하여 가정법원으로부터 '한정후견개시의 심판'을 받은 자이다(제12조 제1항).

(2) 한정후견개시심판의 요건 및 절차

① 질병, 장애, 노령 그 밖의 사유로 인한 정신적 제약으로 사무를 처리할 능력이 부족한 사람이어야 한다.

② 본인, 배우자, 4촌 이내의 친족, 미성년후견인, 미성년후견감독인, 성년후견인, 성년후견감독인, 특정후견인, 특정후견감독인, 검사 또는 지방자치단체의 장의 청구가 있어야 한다(제12조 제1항). 가정법원이 직권으로 절차를 개시하는 것은 인정하지 않는다.

③ 가정법원은 한정후견개시의 심판을 할 때 본인의 의사를 고려하여야 한다(제12조 제2항, 제9조 제2항).

④ 한정후견개시심판의 절차는 가사소송법과 가사소송규칙에 의하며, 모든 요건이 갖추어지면 가정법원은 반드시 심판을 하여야 한다(필요적 선고). 한정후견개시의 공시는 후견등기부에 의하여 한다.

(3) 피한정후견인의 행위능력

> 제13조 【피한정후견인의 행위와 동의】 ① 가정법원은 피한정후견인이 한정후견인의 동의를 받아야 하는 행위의 범위를 정할 수 있다.
> ② 가정법원은 본인, 배우자, 4촌 이내의 친족, 한정후견인, 한정후견감독인, 검사 또는 지방자치단체의 장의 청구에 의하여 제1항에 따른 한정후견인의 동의를 받아야만 할 수 있는 행위의 범위를 변경할 수 있다.
> ③ 한정후견인의 동의를 필요로 하는 행위에 대하여 한정후견인이 피한정후견인의 이익이 침해될 염려가 있음에도 그 동의를 하지 아니하는 때에는 가정법원은 피한정후견인의 청구에 의하여 한정후견인의 동의를 갈음하는 허가를 할 수 있다.
> ④ 한정후견인의 동의가 필요한 법률행위를 피한정후견인이 한정후견인의 동의 없이 하였을 때에는 그 법률행위를 취소할 수 있다. 다만, 일용품의 구입 등 일상생활에 필요하고 그 대가가 과도하지 아니한 법률행위에 대하여는 그러하지 아니하다.

① 피한정후견인은 원칙적으로 행위능력을 가진다. 따라서 종국적 · 확정적으로 유효하게 법률행위를 할 수 있다. 다만, 가정법원이 피한정후견인으로 하여금 한정후견인의 동의를 받아야 할 행위의 범위를 정한 경우에는 예외이다.

② 즉, 가정법원은 피한정후견인이 한정후견인의 동의를 받아야 하는 행위의 범위를 정할 수 있다(제13조 제1항). 이를 한정후견인의 동의권의 유보 또는 동의유보라고 한다. 그리고 가정법원은 본인, 배우자, 4촌 이내의 친족, 한정후견인, 한정후견감독인, 검사 또는 지방자치단체의 장의 청구에 의하여 한정후견인의 동의를 받아야만 할 수 있는 행위의 범위를 변경할 수 있다(제13조 제2항). 한정후견인의 동의를 필요로 하는 행위에 대하여 한정후견인이 피한정후견인의 이익이 침해될 염려가 있음에도 그 동의를 하지 아니하는 때에는 가정법원은 피한정후견인의 청구에 의하여 한정후견인의 동의를 갈음하는 허가를 할 수 있다(제13조 제3항).

③ 한정후견인의 동의가 필요한 법률행위를 피한정후견인이 **한정후견인의 동의 없이** 하였을 때에는 그 법률행위를 **취소**할 수 있다. 다만, **일용품의 구입 등 일상생활에 필요하고 그 대가가 과도하지 아니한 법률행위**는 취소할 수 없다(제13조 제4항).

④ **친족법상의 법률행위**에 관하여, 피한정후견인에 대하여는 규정을 두고 있지 않은데, 이는 **완전한 능력자**로 하고 있는 것이므로 그러한 행위는 단독으로 유효하게 할 수 있다(통설).

핵심 콕! 콕!

피한정후견인은 원칙적으로 행위능력자이며, '동의를 받아야 하는 법률행위'에 대해서만 제한능력자이다. 따라서 피한정후견인은 모든 행위에 대해서 제한능력자가 되는 것이 아니다.

(4) 법정대리인

① 피한정후견인에게는 보호자로 **한정후견인**을 두어야 한다(제959조의2). 한정후견인은 여러 명을 둘 수 있고(제959조의3 제2항, 제930조 제2항), 법인도 한정후견인이 될 수 있다(제959조의3 제2항, 제930조 제3항). 한정후견인은 한정후견개시의 심판을 할 때에는 가정법원이 직권으로 선임한다(제959조의3 제1항).

② 한정후견인은 당연히 피한정후견인의 법정대리인으로 되는 것은 아니다. 가정법원은 **한정후견인**에게 **대리권을 수여하는 심판**을 할 수 있고(제959조의4 제1항), 그러한 심판이 있는 경우에만 법정대리권을 가진다(제959조의4 제2항, 제938조 제3항). 여기의 대리권의 범위는 동의권의 유보범위와 반드시 일치할 필요는 없다.

③ 한정후견인은 원칙적으로 **법률행위의 동의권 · 취소권이 없다**. 그러나 **동의가 유보된 경우에는 동의권과 취소권을 가진다**. 그리고 **대리권도 원칙적으로 없으며, 대리권을 수여하는 심판이 있을 경우에만 대리권을 가진다**.

(5) 한정후견종료의 심판

제14조【한정후견종료의 심판】 한정후견개시의 원인이 소멸된 경우에는 가정법원은 본인, 배우자, 4촌 이내의 친족, 한정후견인, 한정후견감독인, 검사 또는 지방자치단체의 장의 청구에 의하여 한정후견종료의 심판을 한다.

한정후견종료의 심판도 그 요건이 갖추어지면 반드시 행하여져야 한다. 한정후견종료의 심판이 있으면 피한정후견인은 '장래에 향하여' 완전한 행위능력자가 된다(소급효 부정). 다만, 가정법원이 피한정후견인에 대하여 **성년후견개시의 심판을 할 때에는 종전의 한정후견의 종료심판**을 한다(제14조의3 제1항).

05 피특정후견인

제14조의2【특정후견의 심판】① 가정법원은 질병, 장애, 노령 그 밖의 사유로 인한 정신적 제약으로 일시적 후원 또는 특정한 사무에 관한 후원이 필요한 사람에 대하여 본인, 배우자, 4촌 이내의 친족, 미성년후견인, 미성년후견감독인, 검사 또는 지방자치단체의 장의 청구에 의하여 특정후견의 심판을 한다.

② 특정후견은 본인의 의사에 반하여 할 수 없다.

③ 특정후견의 심판을 하는 경우에는 특정후견의 기간 또는 사무의 범위를 정하여야 한다.

(1) 의의

피특정후견인은 '질병, 장애, 노령 그 밖의 사유로 인한 정신적 제약으로 일시적 후원 또는 특정한 사무에 관한 후원이 필요한 사람'으로서 일정한 자의 청구에 의하여 가정법원으로부터 '특정후견의 심판'을 받은 자이다(제14조의2 제1항). 피특정후견인은 1회적 · 특정적으로 보호를 받는 점에서 지속적 · 포괄적으로 보호를 받는 피성년후견인 · 피한정후견인과 차이가 있다.

(2) 특정후견심판의 요건

① 질병, 장애, 노령 그 밖의 사유로 인한 정신적 제약으로 일시적 후원 또는 특정한 사무에 관한 후원이 필요한 사람이어야 한다. 피특정후견인은 정신적 제약이 필요한 점에서 피성년후견인 · 피한정후견인과 같으나, 사무를 처리할 능력이 있는지를 묻지 않는 점에서 다르다(일시적 후원 또는 특정한 사무에 관한 후원이 필요하다).

② 본인, 배우자, 4촌 이내의 친족, 미성년후견인, 미성년후견감독인, 검사 또는 지방자치단체의 장의 청구가 있어야 한다(제14조의2 제1항). 청구권자로 미성년후견인 · 미성년후견감독인이 규정되어 있으나, 피성년후견인 · 피한정후견인은 지속적으로 보호를 받아야 하므로 청구권자로 성년후견인 · 한정후견인은 포함되지 않는다.

③ 특정후견은 본인의 의사에 반하여 할 수 없다(제14조의2 제2항). 그렇다고 하여 본인이 적극적으로 동의하여야 하는 것은 아니다.

(3) 특정후견심판의 내용과 보호조치

① 가정법원이 특정후견의 심판을 하는 경우에는 특정후견의 기간 또는 사무의 범위를 정하여야 한다(제14조의2 제3항). 특정후견은 1회적 · 특정적 보호제도이므로 후견의 개시와 종료를 별도로 심판할 필요가 없으며, 그 후견으로 처리되어야 할 사무의 성질에 의하여 그 존속기간이 정해진다.

② 가정법원은 피특정후견인의 후원을 위하여 필요한 처분을 명할 수 있다(제959조의8 제1항). 그 처분으로 피특정후견인을 후원하거나 대리하기 위한 특정후견인을 선임할 수 있다(제959조의9 제1항). 나아가 피특정후견인의 후원을 위하여 필요하다고 인정하면 가정법원은 기간이나 범위를 정하여 특정후견인에게 대리권을 수여하는 심판을 할 수 있다(제959조의11 제1항). 그 경우에 특정후견인은 피특정후견인의 법정대리인이 된다.

(4) 피특정후견인의 행위능력

특정후견의 심판이 있어도 피특정후견인은 행위능력에 전혀 영향을 받지 않는다. 그리고 특정한 법률행위를 위하여 특정후견인이 선임되고 법정대리권이 부여된 경우에도 행위능력은 제한되지 않는다. 따라서 그러한 행위를 특정후견인의 동의 없이 직접 할 수도 있다.

(5) 피특정후견인에 대하여 성년후견개시 등의 심판을 하는 경우

특정후견의 종료심판이라는 제도는 없다. 다만, 가정법원이 피특정후견인에 대하여 성년후견개시의 심판을 하거나, 한정후견개시의 심판을 할 때에는 특정후견의 종료심판을 한다(제14조의3 제1항 · 제2항).

피성년후견인 · 피한정후견인 · 피특정후견인의 비교

구분	피성년후견인	피한정후견인	피특정후견인
제한능력자	심판을 받은 자(미성년자는 19세 미만의 자)		제한능력자 아님
심판의 요건	질병, 장애, 노령, 그 밖의 사유로 인한 정신적 제약으로		
	사무처리능력이 지속적으로 결여된 사람	사무처리능력이 부족한 사람	일시적 후원 또는 특정한 사무에 관한 후원이 필요한 사람
	일정한 자의 청구(본 · 배 · 4 · 후 · 검사 · 장) ○, 직권 ×		
	본인의 의사를 고려(즉, 본인의 의사에 반하여도 가능)		본인의 의사에 반하여 할 수 없다.
심판의 절차	가정법원의 필요적 심판, 후견등기부(가족관계등록부 ×)에 기재		
행위능력	① 원칙: 취소 ○ ② 예외: 취소할 수 없는 범위, 일용품의 구입 등	① 원칙: 행위능력 ○ ② 예외: 동의유보 – 동의 없이 하면 취소 ○ 일용품의 구입은 취소 ×	행위능력 ○

법정대리인	① 성년후견인: 직권으로 선임 ② 권한: 대리권 · 취소권 ○ (동의권 ×)	① 한정후견인: 직권으로 선임 ② 동의권 · 취소권: 원칙적 ×, 동의가 유보된 경우 ○ ③ 대리권: 원칙적 ×, 대리권수여심판 ○	① 특정후견인: 가정법원의 필요한 처분 ② 법정대리인: 특정후견인에게 대리권수여심판
후견종료의 심판	① 성년후견종료의 심판 : 장래효 ② 한정후견개시의 심판	① 한정후견종료의 심판: 장래효 ② 성년후견개시의 심판	① 특정후견종료의 심판 × ② 성년 · 한정후견개시의 심판: 특정후견종료심판 ○

기출예제

행위능력에 관한 설명으로 옳지 않은 것은? (다툼이 있으면 판례에 따름) 제27회

① 가정법원은 성년후견개시의 심판을 할 때 본인의 의사를 고려하여야 한다.
② 가정법원은 성년후견개시의 청구가 있더라도 필요하다면 한정후견을 개시할 수 있다.
③ 가정법원은 피한정후견인이 한정후견인의 동의를 받아야 하는 행위의 범위를 정할 수 있다.
④ 가정법원은 특정후견의 심판을 하는 경우에는 특정후견의 기간 또는 사무의 범위를 정하여야 한다.
⑤ 가정법원은 본인의 의사에 반하더라도 특정사무에 관한 후원의 필요가 있으면 특정후견 심판을 할 수 있다.

해설

특정후견은 본인의 의사에 반하여 할 수 없다(제14조의2 제2항). 그렇다고 하여 본인이 적극적으로 동의하여야 하는 것은 아니다.

정답: ⑤

06 제한능력자의 상대방에 대한 보호

(1) 서설(상대방보호의 필요성)

① 제한능력자의 법률행위는 취소될 수 있는데, 취소권을 제한능력자 쪽만이 가지므로 제한능력자와 거래한 상대방은 매우 불안정한 지위에 놓이게 된다(유동적 유효상태). 따라서 제한능력자와 거래한 상대방의 지위를 고려할 필요가 있다.

② 법률행위의 취소에 관한 일반적 제도로 **취소권의 단기소멸**(제146조)과 **법정추인**(제145조)이 있다. 그러나 단기소멸 자체가 장기간을 요할 뿐만 아니라 법정추인도 예외적인 현상이어서, 제한능력자의 상대방을 보호하기에 미흡하다.

③ 여기서 법은 제한능력자의 상대방을 보호하기 위한 특칙으로 **상대방의 확답촉구권**(제15조)과 **철회권 · 거절권**(제16조) 및 **속임수를 이유로 한 제한능력자 쪽의 취소권의 배제**(제17조)를 규정하고 있다.

(2) 상대방의 확답촉구권(구 최고권)

> **제15조 【제한능력자의 상대방의 확답을 촉구할 권리】** ① 제한능력자의 상대방은 제한능력자가 능력자가 된 후에 그에게 1개월 이상의 기간을 정하여 그 취소할 수 있는 행위를 추인할 것인지 여부의 확답을 촉구할 수 있다. 능력자로 된 사람이 그 기간 내에 확답을 발송하지 아니하면 그 행위를 추인한 것으로 본다.
> ② 제한능력자가 아직 능력자가 되지 못한 경우에는 그의 법정대리인에게 제1항의 촉구를 할 수 있고, 법정대리인이 그 정하여진 기간 내에 확답을 발송하지 아니한 경우에는 그 행위를 추인한 것으로 본다.
> ③ 특별한 절차가 필요한 행위는 그 정하여진 기간 내에 그 절차를 밟은 확답을 발송하지 아니하면 취소한 것으로 본다.
>
> **제950조 【후견감독인의 동의를 필요로 하는 행위】** ① 후견인이 피후견인을 대리하여 다음 각 호의 어느 하나에 해당하는 행위를 하거나 미성년자의 다음 각 호의 어느 하나에 해당하는 행위에 동의를 할 때는 후견감독인이 있으면 그의 동의를 받아야 한다.
> 1. 영업에 관한 행위
> 2. 금전을 빌리는 행위
> 3. 의무만을 부담하는 행위
> 4. 부동산 또는 중요한 재산에 관한 권리의 득실변경을 목적으로 하는 행위
> 5. 소송행위
> 6. 상속의 승인, 한정승인 또는 포기 및 상속재산의 분할에 관한 협의
>
> ③ 후견감독인의 동의가 필요한 법률행위를 후견인이 후견감독인의 동의 없이 하였을 때에는 피후견인 또는 후견감독인이 그 행위를 취소할 수 있다.

① **확답촉구의 의의**: 확답촉구는 과거의 최고를 개정한 것이다. 제한능력자의 상대방은 제한능력자 쪽에 대하여 취소할 수 있는 행위를 추인(취소권의 포기)할 것인지 여부에 관하여 확답을 촉구할 수 있다. 이러한 확답촉구는 그 효과가 촉구자의 의사와는 관계없이 민법에 의해 주어진다는 점에서 의사표시와 다르며, 그 성질은 **준법률행위**의 하나인 의사의 **통지**에 해당한다. 이러한 상대방의 확답촉구는 상대방의 일방적 행위에 의하여 법률관계의 변동이 일어나는 점에서 **일종의 형성권**이다(통설).

② **확답촉구의 요건**

㉠ 제한능력자의 상대방(선의 · 악의 불문)이 확답촉구권을 행사하려면, '1개월 이상의 기간을 정하여 그 취소할 수 있는 행위를 추인할 것인지 여부의 확답'을 요구하여야 한다(제15조 제1항).

㉡ 제한능력자는 '**능력자가 된 후에**'만 확답촉구의 상대방이 될 수 있고(제15조 제1항), '아직 능력자가 되지 못한 경우에는 그의 **법정대리인**'이 상대방이 된다(제15조 제2항). 확답촉구의 상대방이 아닌 자(=제한능력자)에 대한 확답촉구는 **무효**이다.

③ 확답촉구의 효과

㉠ 상대방의 확답촉구를 받은 자가 유예기간 내에 추인 또는 취소의 확답을 하면, 그에 따라 법률행위는 취소할 수 없는 것으로 확정되거나 소급하여 무효로 된다. 이것은 추인 또는 취소라는 의사표시의 효과이며, 확답촉구 자체의 효과는 아니다.

㉡ 확답촉구의 효과는 유예기간 내에 확답이 없는 경우에 발생한다.

ⓐ 능력자로 된 사람이 그 기간 내에 확답을 발송하지 아니하면 그 행위를 추인한 것으로 본다[도달주의의 예외로서 발신주의를 취한 것(제15조 제1항)].

ⓑ 법정대리인이 그 정하여진 기간 내에 확답을 발송하지 아니한 경우에는 그 행위를 추인한 것으로 본다(제15조 제2항).

㉢ 다만, 법정대리인의 특별한 절차가 필요한 행위는 그 정하여진 기간 내에 그 절차를 밟은 확답을 발송하지 아니하면 취소한 것으로 본다(제15조 제3항). 특별한 절차가 필요한 행위란 법정대리인인 후견인이 제950조 제1항(예 부동산 또는 중요한 재산에 관한 권리의 득실변경을 목적으로 하는 행위)에 열거된 법률행위에 관하여 추인하는 것을 말한다. 이때는 후견감독인이 있으면 그의 동의를 받아야 한다(제950조 제1항, 제959조의6).

(3) 상대방의 철회권과 거절권

> 제16조【제한능력자의 상대방의 철회권과 거절권】 ① 제한능력자가 맺은 계약은 추인이 있을 때까지 상대방이 그 의사표시를 철회할 수 있다. 다만, 상대방이 계약 당시에 제한능력자임을 알았을 경우에는 그러하지 아니하다.
> ② 제한능력자의 단독행위는 추인이 있을 때까지 상대방이 거절할 수 있다.
> ③ 제1항의 철회나 제2항의 거절의 의사표시는 제한능력자에게도 할 수 있다.

① 상대방이 제한능력자와 계약을 체결한 경우에, 제한능력자 쪽에서 '추인이 있을 때까지 상대방이 그 의사표시를 철회할 수 있다. 다만, 상대방이 계약 당시에 제한능력자임을 알았을 경우에는' 철회권이 인정되지 않는다(제16조 제1항). 이 철회의 의사표시는 '제한능력자에게도 할 수 있다'(제16조 제3항). 제한능력자와 계약을 체결한 상대방의 철회가 있으면 계약이 처음부터 성립하지 않았던 것으로 된다. 그 결과 이제 제한능력자 측이 추인을 하지 못한다.

② 제한능력자의 단독행위는 추인이 있을 때까지 상대방이 거절할 수 있다(제16조 제2항). 이 거절의 의사표시는 표의자가 제한능력자임을 알고 있었더라도 할 수 있으며, '제한능력자에게도 할 수 있다'(제16조 제3항). 상대방 있는 제한능력자의 단독행위에서 상대방의 거절이 있으면 단독행위는 무효가 된다.

(4) 제한능력자측의 취소권의 배제

제17조【제한능력자의 속임수】① 제한능력자가 속임수로써 자기를 능력자로 믿게 한 경우에는 그 행위를 취소할 수 없다.
② 미성년자나 피한정후견인이 속임수로써 법정대리인의 동의가 있는 것으로 믿게 한 경우에도 제1항과 같다.

① 의의: 제한능력자가 속임수(과거에는 사술이라고 함)를 써서 법률행위를 한 경우에는 제한능력자 쪽의 취소권을 박탈하고 있다. 그러한 경우에 상대방은 사기를 이유로 법률행위를 취소하거나(제110조 제1항) 불법행위에 의한 손해배상(제750조)을 청구할 수 있지만, 법은 한 걸음 더 나아가 제한능력자로부터 취소권을 박탈함으로써 상대방이 당초 예기한 대로의 효과를 발생케 하여 거래의 안전과 상대방을 보호한다(제17조).

② 요건

㉠ 제한능력자가 자기를 능력자로 믿게 하려고 하였거나(제17조 제1항, 피성년후견인도 포함된다), 미성년자나 피한정후견인이 법정대리인의 동의가 있는 것으로 믿게 하려고 하였어야 한다(제17조 제2항, 피성년후견인은 제외된다). 피성년후견인은 법정대리인의 동의를 얻었더라도 단독으로 유효한 행위를 할 수 없으므로 언제나 취소할 수 있다.

㉡ 제한능력자가 속임수를 썼어야 한다. 법정대리인의 동의서를 위조하거나 동사무소 직원과 짜고 생년월일을 허위로 기재한 인감증명서를 교부받아 제시하는 경우가 그 예이다. 속임수의 의미에 관하여, 통설은 적극적인 기망수단은 물론이고, 경우에 따라서는 단순한 침묵도 속임수가 될 수 있다고 한다. 그러나 판례는 '적극적인 기망수단'을 쓴 것을 말하고, '성년자로 군대 갔다 왔다'고 말하거나, '자기가 사장이라고 말한 것'만 가지고는 속임수(사술)라고 할 수 없다고 한다(대판 1955.3.31, 4287민상77; 대판 1971.12.14, 71다2045). 한편, 이 속임수의 요건은 상대방이 증명하여야 한다(대판 1971.12.14, 71다2045).

㉢ 제한능력자의 속임수에 기하여 상대방이 능력자라고 믿었거나 법정대리인의 동의가 있다고 믿었어야 한다. 그러한 오신에 의하여 상대방이 제한능력자와 법률행위를 하였어야 한다(인과관계).

③ 효과: 제한능력자나 법정대리인 기타 취소권자는 제한능력을 이유로 취소할 수 없다. 즉, 처음부터 취소권 자체가 발생하지 않는 것으로 정한 것이다.

제3관 주소

01 주소의 개념

(1) 사람은 보통 일정한 장소와 밀접한 관련을 가지고 법률관계를 형성 · 유지하는데, 사람의 생활관계의 중심지를 주소라고 한다. 즉, 주소란 사람의 생활의 근거가 되는 곳을 말한다(제18조 제1항).

(2) 주민등록지란 30일 이상 거주할 목적으로 특정한 장소에 주소나 거소를 가진 자가 주민등록법에 의하여 등록하는 장소를 말한다(주민등록법 제6조 제1항). 주민등록지는 공법상의 개념이나, 반증이 없는 한 주소로 추정된다.

02 주소의 결정

> 제18조 【주소】 ① 생활의 근거 되는 곳을 주소로 한다.
> ② 주소는 동시에 두 곳 이상 있을 수 있다.

민법은 주소에 관하여 실질주의, 복수주의를 채택하고 있다. 우리 민법은 명문의 규정을 두고 있지 않으나, 의사무능력자를 위한 법정주소에 관한 규정이 없고 실질주의와 복수주의를 취하고 있는 점에서 객관주의를 취하고 있다고 할 수 있다.

03 주소의 효과

주소는 부재 및 실종의 표준(제22조, 제27조), 변제의 장소(제467조), 상속개시지(제981조, 제998조), 어음행위의 장소(어음법 제2조 제2항, 수표법 제8조), 재판관할의 표준(민사소송법 제2조), 민소법상의 부가기간(민사소송법 제159조 제2항), 국제사법상 준거법 결정의 표준(국제사법 제3조 제2항), 귀화 및 국적회복의 표준(국적법 제5조 내지 제9조)이 된다.

04 주소의 확장

(1) 거소

> 제19조 【거소】 주소를 알 수 없으면 거소를 주소로 본다.
>
> 제20조 【거소】 국내에 주소 없는 자에 대하여는 국내에 있는 거소를 주소로 본다.

① 거소는 사람과 장소의 밀접한 정도가 주소만 못한 곳을 말한다. 주소가 있는 경우에는 따로 거소가 문제되지 않는다.

② 현재지는 장소적 관계가 거소보다 희박한 곳을 말한다(예 여행 중 투숙한 호텔). 이에 관해서는 따로 규정이 없고, 일반적으로 제19조와 제20조의 '거소'에 현재지가 포함되는 것으로 해석한다.

(2) 가주소

제21조 【가주소】 어느 행위에 있어서 가주소를 정한 때에는 그 행위에 관하여는 이를 주소로 본다.

예컨대, 대전에 주소를 둔 상인이 거래차 서울에 와서 그가 묵고 있는 어떤 호텔의 방을 그 거래에 관해 가주소로 정하였다면, 그 거래에 관하여는 그 호텔방이 주소로 간주된다.

제4관 부재와 실종

01 총설

어떤 사람이 종래의 주소를 떠나 쉽게 돌아올 가망이 없는 경우에 적절한 조치를 취할 필요가 있다. 이에 법은 우선 부재자가 생존하고 있는 것으로 추정하여 부재자가 돌아오기를 기다리며 그의 잔류재산을 관리하다가(부재자의 재산관리), 부재자의 생사불명 상태가 일정기간 계속되어 생존가능성이 적게 되면 일정한 절차에 따라 그가 사망한 것으로 보아 법률관계를 정리한다(실종선고).

02 부재자의 재산관리

1. 부재자의 의의

부재자란 종래의 주소 또는 거소를 떠나 용이하게 돌아올 가능성이 없어서 그의 재산을 관리하여야 할 필요가 있는 자를 말한다. 따라서 부재자는 실종선고의 경우와는 달리 반드시 생사불명일 필요는 없다(대판 1971.10.22, 71다1636). 그리고 부재자는 성질상 자연인에 한하며 법인은 이에 해당되지 않는다(대판 1953.5.21, 4286민재항7).

판례 부재자 여부

당사자가 외국에 가 있다 하여도 그것이 정주(定住)의 의사로써 한 것이 아니고 **유학**의 목적으로 간 것에 불과하고, 현재 그 국의 일정한 주거지에 거주하여 **그 소재가 분명**할 뿐만 아니라 **부동산이나 기타의 그 소유재산을 국내에 있는 사람을 통하여 그 당사자가 직접 관리하고 있는 사실이 인정되는 때**에는 부재자라고 할 수 없다(대판 1960.4.21, 4292민상252).

2. 잔류재산의 관리

(1) 부재자가 재산관리인을 두지 않은 경우

제22조 【부재자의 재산의 관리】 ① 종래의 주소나 거소를 떠난 자가 재산관리인을 정하지 아니한 때에는 법원은 이해관계인이나 검사의 청구에 의하여 재산관리에 관하여 필요한 처분을 명하여야 한다. 본인의 부재중 재산관리인의 권한이 소멸한 때에도 같다.
② 본인이 그 후에 재산관리인을 정한 때에는 법원은 본인, 재산관리인, 이해관계인 또는 검사의 청구에 의하여 전항의 명령을 취소하여야 한다.

제25조 【관리인의 권한】 법원이 선임한 재산관리인이 제118조에 규정한 권한을 넘는 행위를 함에는 법원의 허가를 얻어야 한다. 부재자의 생사가 분명하지 아니한 경우에 부재자가 정한 재산관리인이 권한을 넘는 행위를 할 때에도 같다.

① **법원에 의한 처분명령**: 가정법원은 이해관계인이나 검사의 청구에 의하여 필요한 처분을 명한다(제22조 제1항). 재산관리에 필요한 처분에는 재산관리인의 선임 · 잔여재산의 봉인 · 경매 등이 있다.

② 재산관리인

㉠ 지위: 부재자 재산관리인은 **일종의 법정대리인**이다. 재산관리인은 **언제든지 사임할 수 있고, 법원도 언제든지 재산관리인을 개임할 수 있다**(가사소송규칙 제42조). 법원이 선임한 부재자 재산관리인은 부재자 본인의 의사에 의하는 것이 아니라 법률에 규정된 자의 청구로 법원에 의하여 선임되는 일종의 법정대리인으로서 법정위임 관계가 있다 할 것이니 모름지기 위 취지에 따른 **선량한 관리자의 주의의무**로서 그 직무수행을 하여야 할 것이다(통설 · 판례).

㉡ 권한

ⓐ 재산관리인의 권한은 **법원의 명령**에 의해 정해지지만, 그 **정함이 없는** 경우에는 제118조에 정한 이른바 **관리행위만**을 할 수 있는 것이 원칙이다. 관리행위는 부재자를 위하여 그 재산을 **보존 · 이용 · 개량**하는 범위로 한정된다(제25조 전문). 예를 들면, '부재자 재산에 대한 차임청구나 불법행위로 인한 손해배상청구'(대결 1957.10.14, 4290민재항104), '부재자 재산의 보존을 위한 소송행위의 추완신청'(대판 1960.9.9, 4292민상885), '부재자 소유 부동산이 제3자 명의로 등기된 것의 말소청구나 토지인도청구'(대판 1964.7.23, 64다108), '부재자에게 전적으로 이익이 되는 화해'(대판 1962.11.1, 62다582)는 보존행위인 점에서, 부재자를 위한 소송비용으로 금원을 차용하면서 그 돈을 임대보증금으로 하여 부재자 재산을 채권자에게 임대하는 것(대판 1980.11.11, 79다2164)은 이용 또는 개량하는 행위로서 **법원의 허가 없이 재산관리인의 단독으로 할 수 있다.**

ⓑ 재산관리인이 부재자 재산의 처분(대판 1960.6.30, 4292민상751), 재판상 화해(대판 1968.4.30, 62다2117) 등과 같이 관리행위를 넘는 행위, 즉 **처분행위를 할 경우에는 법원의 허가를 얻어야** 한다(제25조). 관리인이 법원의 허가 없이 처분행위 등을 한 경우에는 그 처분행위는 무효이다(대판 1970.1.27, 69다1820). 법원의 허가와 관련하여, ㉮ **재산의 매각에 관해 허가를 받은 경우, 그 재산을 담보로 제공할 때에 다시 허가를 받아야 하는 것은 아니다**(대판 1957.3.23, 4289민상677). ㉯ 이 허가는 장래의 처분행위뿐만 아니라 이미 한 처분행위를 추인하는 의미로도 할 수 있다(대판 1982.12.14, 80다1872 · 1873). ㉰ 허가를 얻어 처분행위를 한 후 그 허가결정이 취소되었다고 하더라도 그 취소는 **소급효가 없으며, 따라서 이미 한 처분행위는 그대로 유효**하다(대판 1960.2.4, 4291민상636). ㉱ 법원의 허가를 얻어서 처분행위를 하는 경우에도, 그것은 **부재자의 이익**을 위하여 행하여져야 하는 것을 전제로 한다(대결 1976.12.21, 75마551). 즉, 허가를 얻었더라도 부재자의 이익과는 무관한 용도로 처분한 경우에는 그 한도에서는 무권대리가 된다. 다만, 재산관리인은 일종의 법정대리인이므로 그 권한초과의 행위에 대하여 **권한을 넘은 표현대리**(제126조)가 성립할 여지는 있다.

ⓒ **의무**: 관리인은 부재자와의 사이에 위임계약관계에 있는 것은 아니지만, 그 직무의 성질상 수임인과 동일한 의무를 부담하는 것으로 해석하여야 한다. 관리인은 그 밖에 관리할 **재산의 목록작성**(제24조 제1항), 부재자의 재산의 보존을 위하여 **가정법원이 명하는 처분의 수행**(제24조 제2항), 법원이 명하는 **담보의 제공**(제26조 제1항) 등의 의무도 진다.

ⓔ **권리**: 가정법원은 관리인에게 부재자의 재산에서 상당한 **보수를 지급**할 수 있다(제26조 제2항).

③ 재산관리의 종료

㉠ 재산관리가 불필요하게 된 때에 **가정법원은 본인 또는 이해관계인의 청구**에 의하여 종전의 **처분명령을 취소**하여야 한다(제22조 제2항). 즉, 재산관리인의 권한은 그의 선임결정이 취소되지 않는 한, 설사 부재자에 대한 **실종기간이 만료되거나**(대판 1981.7.28, 80다2668), 부재자의 **사망이 확인된 후에도**(대판 1991.11.26, 91다11810) 소멸하지 않는다.

㉡ 가정법원의 처분명령의 취소의 효력은 **소급하지 않고 장래에 향하여서만** 생기는 것이다(대판 1970.1.27, 69다719). 따라서 관리인이 법원의 허가를 얻어 부재자의 재산을 매각한 후, 법원이 관리인 선임결정을 취소하여도 관리인의 처분행위는 유효하며, 재산처분이 있은 뒤 법원의 허가결정이 취소된 때에도 마찬가지이다(대판 1960.2.4, 4291민상636).

판례 **소송계속 중에 부재자에 대한 실종선고가 확정된 경우**

부재자의 생사가 분명하지 아니한 경우, 부재자는 법원의 실종선고가 없는 한 사망자로 간주되지 아니하며, 부재자의 재산관리인이 부재자의 대리인으로서 소를 제기하여 그 소송 계속 중에 부재자에 대한 실종선고가 확정되어 그 소 제기 이전에 부재자가 사망한 것으로 간주되는 경우에도, 실종선고의 효력이 발생하기 전에는 실종기간이 만료된 실종자라 하여도 소송상 당사자능력을 상실하는 것은 아니므로, **실종선고가 확정된 때에 소송절차가 중단되어 부재자의 상속인 등이 이를 수계할 수 있을 뿐이고, 위 소 제기 자체가 소급하여 당사자능력이 없는 사망한 자가 제기한 것으로 되는 것은 아니다**(대판 2008.6.26, 2007다11057).

(2) 부재자 자신이 재산관리인을 둔 경우

① 원칙: 국가는 원칙적으로 이에 간섭하지 않는다. 재산관리인은 부재자의 수임인이며, 임의대리인이므로 위임에 관한 규정(제680조 이하)에 의하여 규율된다. 관리인에게 재산처분권까지 위임된 경우에는 그 관리인이 그 재산을 처분함에 있어서 법원의 허가를 받을 필요도 없다(대판 1973.7.24, 72다2136).

② 예외: 예외적으로 법원이 개입한다(제22조 제1항 제2문, 제23조).

> 제23조【관리인의 개임】 부재자가 재산관리인을 정한 경우에 부재자의 생사가 분명하지 아니한 때에는 법원은 재산관리인, 이해관계인 또는 검사의 청구에 의하여 재산관리인을 개임할 수 있다.

㉠ '본인의 부재중 재산관리인의 권한이 소멸한 때'에는 처음부터 관리인을 정하지 않은 경우와 같은 조치를 취한다(제22조 제1항 제2문).

㉡ '부재자의 생사가 분명하지 아니한 때'에는 가정법원은 재산관리인, 이해관계인 또는 검사의 청구에 의하여 '재산관리인을 개임'할 수 있고(제23조), 개임하지 않고 유임시키면서 감독만 할 수도 있다.

기출예제

부재자의 재산관리에 관한 설명으로 옳지 않은 것은? (다툼이 있으면 판례에 따름) 제27회

① 법원이 선임한 재산관리인은 법정대리인이다.
② 부재자는 성질상 자연인에 한하고 법인은 해당하지 않는다.
③ 법원이 선임한 재산관리인의 권한초과행위에 대한 법원의 허가는 사후적으로 그 행위를 추인하는 방법으로는 할 수 없다.
④ 재산관리인을 정한 부재자의 생사가 분명하지 아니한 경우, 그 재산관리인이 권한을 넘는 행위를 할 때에는 법원의 허가를 얻어야 한다.
⑤ 법원의 부재자 재산관리인 선임결정이 취소된 경우, 그 취소의 효력은 장래에 향하여서만 생긴다.

해설

법원의 재산관리인의 초과행위 결정의 효력은 그 허가받은 재산에 대한 장래의 처분행위뿐만 아니라 기왕의 처분행위를 추인하는 행위로도 할 수 있다(대판 1982.12.14, 80다1872 · 1873). 정답: ③

03 실종선고

(1) 실종선고의 의의

실종선고란 생사불명의 상태가 일정기간 계속된 부재자에 대해 가정법원의 선고에 의하여 사망으로 의제하는 제도를 말한다. **사람이 권리능력을 잃는 것은 사망에 의해서만이며, 실종선고는 실종자의 종래의 주소나 거소를 중심으로 한 법률관계를 확정하는 제도이다.**

(2) 실종선고의 요건

> 제27조 【실종의 선고】 ① 부재자의 생사가 5년간 분명하지 아니한 때에는 법원은 이해관계인이나 검사의 청구에 의하여 실종선고를 하여야 한다.
> ② 전지에 임한 자, 침몰한 선박 중에 있던 자, 추락한 항공기 중에 있던 자 기타 사망의 원인이 될 위난을 당한 자의 생사가 전쟁 종지 후 또는 선박의 침몰, 항공기의 추락 기타 위난이 종료한 후 1년간 분명하지 아니한 때에도 제1항과 같다.

① 실질적 요건

㉠ 부재자의 생사가 분명하지 않아야 한다. 생사불명이란 생존의 증명도 사망의 증명도 할 수 없는 상태를 말하며, 청구권자와 가정법원에 부재자의 생사 여부가 불분명하면 된다. 판례에 의하면, **호적상 이미 사망한 것으로 기재되어 있는** 자에 대해서는 호적부(현재의 가족관계등록부)의 추정력 때문에 **실종선고를 할 수 없다**(대결 1997.11.27, 97스4).

㉡ 부재자의 생사불명이 일정기간 계속되어야 한다. **보통실종의 실종기간은 5년**이며, 부재자의 생존을 증명할 수 있는 최후의 시기(최후의 소식이 있은 때)를 기산점으로 한다(제27조 제1항). **특별실종의 실종기간은 1년**이며, 그 기산점은 전쟁실종의 경우 전쟁이 종지한 때, 선박실종은 선박이 침몰한 때, 항공실종은 항공기가 추락한 때, 위난실종은 위난이 종료한 때부터 기산한다(제27조 제2항).

㉢ 여기서 **'사망의 원인이 될 위난'**이라고 함은 화재 · 홍수 · 지진 · 화산폭발 등과 같이 일반적 · 객관적으로 사람의 생명에 명백한 위험을 야기하여 사망의 결과를 발생시킬 가능성이 현저히 높은 외부적 사태 또는 상황을 가리킨다[甲이 **잠수장비를 착용한 채 바다에 입수**하였다가 부상하지 아니한 채 행방불명되었다 하더라도, 이는 '사망의 원인이 될 위난'이라고 할 수 없다(대결 2011.1.31, 2010스165)].

② 형식적 요건

㉠ 이해관계인이나 검사의 청구가 있어야 한다. 이해관계인이란 실종선고로 인하여 권리를 취득하거나 의무를 면하게 되는 자이며, 단순히 사실상의 이해관계만을 갖는 자는 포함되지 않는다. 부재자의 채권자나 채무자, 부재자의 상속인의 내연의 처로부터 재산을 매수한 자(대판 1961.11.23, 4294민재항1), **부재자의 제1순위 상속인이 있는 경우에 후순위의 상속인(부재자의 형이나 자매 등)은 이해관계인이 될 수 없다**(대결 1986.10.10, 86스20). 결국 배우자 · 제1순위 법정상속인 · 부재자의 사망으로 권리를 취득하거나 의무를 면하게 되는 자(예 보험금수익자, 종신정기금채무자) 등이 이해관계인에 해당한다.

㉡ **가정법원의 전속관할**에 속한다. **공시최고**를 하여야 하며, 그 기간은 **6개월 이상**이다.

(3) 실종선고의 효과

> **제28조【실종선고의 효과】** 실종선고를 받은 자는 **전조의 기간이 만료한 때에 사망한 것으로 본다.**

① 사망간주(의제)

㉠ 실종선고가 확정되면 실종선고를 받은 자, 즉 **실종자는 실종기간 만료시에 사망한 것으로 간주된다**(제28조). 민법은 실종자의 사망을 추정하지 않고, 사망한 것으로 의제한다. 따라서 선고가 취소되지 않는 한 **생존 등의 반증을 하여도 실종선고의 효력이 부인되지 않는다**(대판 1995.2.17, 94다52751). 의제를 뒤집기 위해서는 **실종선고를 취소**하여야 한다. 따라서 실종선고가 취소되어야 할 사유가 생겼다고 하더라도 실제로 실종선고가 취소되지 아니하는 한, 임의로 실종기간이 만료하여 사망한 때로 간주되는 시점과는 달리 사망시점을 정하여 이미 개시된 상속을 부정하고 이와 다른 상속관계를 인정할 수는 없다(대판 1994.9.27, 94다21542).

㉡ 실종자의 사망의제 시기에 관하여, 민법은 **실종기간 만료시주의**를 취하고 있다(제28조). 동일한 부재자에 대하여 실종선고를 두 번 할 수는 없으나, 만일 두 번 선고된 경우에는 **제1의 선고**에 의하여 상속 등의 법률관계를 판단하여야 한다(대판 1995.12.22, 95다12736).

판례 **실종자를 당사자로 한 판결이 확정된 후에 실종선고가 확정된 경우**

실종선고의 효력이 발생하기 전에는 실종기간이 만료된 실종자라 하여도 소송상 당사자능력을 상실하는 것은 아니므로 **실종선고 확정 전에는 실종기간이 만료된 실종자를 상대로 하여 제기된 소도 적법하고 실종자를 당사자로 하여 선고된 판결도 유효하며 그 판결이 확정되면 기판력도 발생한다**고 할 것이고, 이처럼 판결이 유효하게 확정되어 기판력이 발생한 경우에는 그 판결이 해제조건부로 선고되었다는 등의 특별한 사정이 없는 한 그 효력이 유지되어 당사자로서는 그 판결이 재심이나 추완항소 등에 의하여 취소되지 않는 한 그 기판력에 반하는 주장을 할 수 없는 것이 원칙이라 할 것이며, 비록 **실종자를 당사자로 한 판결이 확정된 후에 실종선고가 확정되어 그 사망간주의 시점이 소 제기 전으로 소급하는 경우에도 위 판결 자체가 소급하여 당사자능력이 없는 사망한 사람을 상대로 한 판결로서 무효가 된다고는 볼 수 없다**(대판 1992.7.14, 92다2455).

---

② 사망간주 범위: 실종선고는 종래의 주소를 중심으로 한 사법관계에 관하여서만 사망한 것으로 간주할 뿐이며, 권리능력을 박탈하는 제도가 아니다. 신주소에서의 법률관계나, 돌아온 후의 법률관계에 관하여는 사망의 효과가 미치지 않으며, 공법상의 법률관계는 실종선고와는 관계없이 결정된다.

③ 실종선고와 생존추정(의제) 여부

㉠ 실종선고를 받은 경우: 실종선고를 받은 경우에, 실종자는 그가 사망한 것으로 간주되는 시기(실종기간 만료시)까지는 생존한 것으로 간주된다(대판 1977.3.22, 77다81 · 82).

㉡ 실종선고를 받지 않은 경우: 실종선고를 받지 않은 경우에는, 통설 · 판례는 실종선고가 없는 이상 부재기간과는 관계없이 부재자의 생존은 추정된다고 한다(대판 1960.9.8, 4292민상885). 다른 판례는 법이 인정사망 · 실종선고제도를 마련해 놓았다고 하여 그에 의하지 않고 사망사실을 인정할 수 없는 것은 아니라고 하면서, '북태평양상의 기상조건이 아주 험하고 찬 바다에 추락하여 행방불명이 된 자는 그 무렵 사망한 것으로 인정함이 우리의 경험칙과 논리칙에 비추어 당연하다고 한다(대판 1989.1.31, 87다카2954).

(4) 실종선고의 취소

> 제29조 【실종선고의 취소】 ① 실종자의 생존한 사실 또는 전조의 규정과 상이한 때에 사망한 사실의 증명이 있으면 법원은 본인, 이해관계인 또는 검사의 청구에 의하여 실종선고를 취소하여야 한다. 그러나 실종선고 후 그 취소 전에 선의로 한 행위의 효력에 영향을 미치지 아니한다.
> ② 실종선고의 취소가 있을 때에 실종의 선고를 직접원인으로 하여 재산을 취득한 자가 선의인 경우에는 그 받은 이익이 현존하는 한도에서 반환할 의무가 있고, 악의인 경우에는 그 받은 이익에 이자를 붙여서 반환하고 손해가 있으면 이를 배상하여야 한다.

① 실종선고 취소의 요건

㉠ 실질적 요건: 실종자가 생존한 사실 또는 실종기간이 만료한 때와 상이한 때에 사망한 사실(제29조 제1항 본문), 실종기간의 기산점 이후의 어떤 시기에 생존하고 있었던 사실(통설)의 증명이 있어야 한다.

ⓛ 형식적 요건: 본인 · 이해관계인 또는 검사의 청구가 있어야 한다(제29조 제1항). 실종선고의 취소는 사건 본인의 주소지의 가정법원의 전속관할에 속하며, 요건이 갖추어지면 반드시 실종선고를 취소하여야 한다. 그 취소절차에는 일정한 사실이 증명되었으므로 공시최고를 요하지 않는다.

② 실종선고 취소의 효과

㉠ 원칙: 실종선고로 생긴 법률관계는 소급하여 무효로 되어(통설), 종래의 주소를 중심으로 한 실종자의 사법적 법률관계는 선고 전의 상태로 돌아간다.

㉡ 예외

ⓐ 실종선고 취소의 소급효에는 하나의 예외가 있다. 제29조 제1항 단서가 그것인데, '실종선고 후 그 취소 전'에 선의로 한 행위는 유효하다. '실종기간 만료 후 선고 전에' 행하여진 행위는 보호대상이 아니다.

ⓑ 계약인 경우, 예컨대 실종선고를 받은 甲의 부동산을 乙이 상속한 후, 이를 丙에게 양도하였고, 丙은 다시 丁에게 양도하였는데 그 후 甲에 대한 실종선고가 취소된 경우, 제29조의 문리해석상 양 당사자 모두의 선의를 요한다는 견해이다[쌍방선의설(다수설)]. 이에 의하면 당사자 전부가 선의일 때만 선의자로서 보호받고 그중에서(위의 乙, 丙, 丁 중에서) 1인이라도 악의인 경우에는, 취득한 물건 또는 이득을 실종선고의 취소를 받은 자에게 반환하여야 한다고 한다.

㉢ 실종선고를 직접원인으로 재산을 취득한 자의 반환의무(제29조 제2항)

ⓐ 실종선고를 직접원인으로 재산을 취득한 자는 선의인 경우 현존이익을 반환하여야 하고, 악의인 경우 받은 이익에 이자를 붙여 반환하고 손해가 있으면 배상하여야 한다(제29조 제2항). 직접수익자의 이득반환의무의 법적 성질은 부당이득반환의무이며, 그 반환의 범위는 부당이득에서 수익자의 그것과 같다(제748조).

ⓑ 실종선고를 '직접원인'으로 하여 재산을 취득한 자라 함은 상속인, 유증의 수증자, 생명보험수익자 등을 가리킨다.

청구권자의 비교

구분	청구권자
성년후견 · 한정후견 · 특정후견의 개시 및 종료 심판	본인, 배우자, 4촌 이내의 친족, 후견인, 후견감독인, 검사, 지방자치단체장
부재자의 재산관리처분 및 실종선고의 청구	이해관계인이나 검사
실종선고의 취소 청구	본인 · 이해관계인 또는 검사

제3절 법인

제1관 총설

01 법인제도

(1) 법인의 의의

법인이란 법률에 의하여 권리능력이 인정된 단체 또는 재산을 말한다. 법인으로 될 수 있는 단체에는 사단과 재단이 있다.

(2) 법인제도의 존재이유

① **법률관계의 처리의 편의:** 그 구성원과는 독립된 법인격을 단체에 부여하고 독립된 권리 · 의무의 주체성을 인정함으로써, 단체의 법률관계를 간편하게 취급하기 위한 법기술이 사단법인이며, 동일한 이유로 일정한 목적을 위하여 제공된 재산의 집합체에 대하여 독립된 인격이 부여된 것이 재단법인이다.

② **책임의 분리**

㉠ 사단이나 재단이 외부의 제3자에 대하여 책임을 져야 할 경우 그 **구성원이나 출연자의 고유재산에 대하여는 강제집행을 하지 못하며,** 당해 사단 또는 재단 자체의 재산에 대하여만 책임을 물을 수 있다.

㉡ **법인격부인론**은 법인은 이름뿐이고 실질은 어느 개인에 의해 운영된다든지, 또는 탈세 · 강제집행의 면탈 · 재산은닉 등의 목적으로 법인을 설립하여 그에 출자하는 경우처럼, **법인격의 '형해'와 '남용'**이 문제되는 경우에, **법인격 자체를 박탈하지 않고 그 특정한 경우에 한하여 그 회사의 독립적인 법인격을** 제한함으로써 회사형태의 남용에서 생기는 폐단을 교정하고자 하는 이론이다. 근거는 민법 제2조 신의성실의 원칙 위반 또는 권리남용금지 위반에서 구한다(통설 · 판례).

판례 **법인격부인론**

회사가 외형상으로는 **법인의 형식**을 갖추고 있으나 이는 법인의 형태를 빌리고 있는 것에 지나지 아니하고 **그 실질에 있어서는 완전히 그 법인격의 배후에 있는 타인의 개인기업에 불과하거나 그것이 배후자에 대한 법률적용을 회피하기 위한 수단으로 함부로 쓰여지는 경우**에는, 비록 외견상으로는 회사의 행위라 할지라도 회사와 그 배후자가 별개의 인격체임을 내세워 회사에게만 그로 인한 법적 효과가 귀속됨을 주장하면서 배후자의 책임을 부정하는 것은 신의성실의 원칙에 위반되는 법인격의 남용으로서 심히 정의와 형평에 반하여 허용될 수 없고, 따라서 **회사는 물론 그 배후자인 타인에 대하여도 회사의 행위에 관한 책임을 물을 수 있다**(대판 2001. 1.19, 97다21604).

02 법인의 종류

(1) 공법인과 사법인

법인은 법률의 규정에 의하여 성립한다(제31조). 그런데 법인설립의 근거가 되는 법률이 공법인가 아니면 사법인가에 따라 법인은 공법인과 사법인으로 나뉜다. 일반적으로 국가와 지방공공단체는 공법인이고, 민법과 상법상의 법인은 사법인에 해당하는 것으로 본다.

(2) 영리법인과 비영리법인

① 영리법인은 구성원의 경제적 이익을 도모하는 것, 즉 법인의 이익을 구성원에게 분배하는 것을 목적으로 하는 법인이고, 비영리법인은 그렇지 않은 것이다. 따라서 구성원이 없는 재단법인은 영리법인이 될 수 없다. 사단법인은 영리법인과 비영리법인이 있을 수 있다. 재단법인은 언제나 비영리법인이다.

② 영리법인 중 전형적인 것은 주식회사로 상법의 규율을 받는다(제39조 참조). 반면 비영리법인은 영리를 목적으로 하지 않는 사단법인 또는 재단법인이고, 민법의 규율을 받는다.

(3) 사단법인과 재단법인

사단법인은 일정한 목적을 위하여 결합된 사람들의 단체로서 사원을 요소로 하며, 사원총회가 사단의 의사를 자율적으로 결정한다(영리법인과 비영리법인이 있다). 재단법인은 일정한 목적에 바쳐진 재산의 존재를 요소로 하고, 법인설립자의 의사에 의하여 타율적으로 활동한다(언제나 비영리법인이다). 민법상의 법인은 반드시 사단법인 · 재단법인 가운데 어느 하나에 속하여야 하며, 둘의 중간적 법인은 인정되지 않는다.

사단법인 · 재단법인의 비교

구분	사단법인	재단법인
설립행위	① 2인 이상의 설립자의 정관작성 및 기명날인 ② 정관의 필요적 기재사항: 목적, 명칭, 사무소소재지, 자산에 관한 규정, 이사의 임면에 관한 규정, 사원자격 득실에 관한 규정, 존립시기나 해산사유를 정하는 때에는 그 시기 또는 사유 ③ 합동행위(다수설)	① 재산의 출연과 정관작성 및 기명날인, 정관의 보충이 인정됨 ② 좌동. 사원자격 득실에 관한 규정, 존립시기나 해산사유를 정하는 때에는 그 시기 또는 사유는 필요적 기재사항이 아님 ③ 1인에 의한 설립행위는 상대방 없는 단독행위, 수인인 경우에는 단독행위의 경합(다수설)

요소	사원, 영리법인과 비영리법인이 있음	일정한 목적에 바쳐진 재산, 언제나 비영리법인
의사결정 및 정관변경	① 사원총회가 결정 ② 자율적 법인, 총사원 3분의 2 이상의 동의에 의해 정관변경 가능	① 설립자의 의사, 즉 정관에 정해진 대로 활동하며 의사결정기관이 별도로 없음 ② 타율적 법인, 예외적인 경우에만 정관변경 가능
기관	이사, 감사, 사원총회	이사, 감사
해산사유	① 사단법인과 재단법인의 공통 해산사유: 존립기간의 만료, 법인의 목적의 달성 또는 달성의 불능 기타 정관에 정한 해산사유의 발생, 파산 또는 설립허가의 취소 ② 사단법인의 특유한 해산사유: 사원이 없게 되거나 총회의 결의(총사원 4분의 3 이상의 동의)	

03 권리능력 없는 사단과 재단(비법인사단 및 재단)

1. 의의

단체가 민법상 사단법인 또는 재단법인으로 되는 데에는 주무관청의 허가와 설립등기가 필요하다(제32조, 제33조). 사단 또는 재단의 실체를 가지면서도 그 허가를 받지 못하거나 또는 그 등기를 하지 않아서 법인으로 되지 않는 것을 '법인 아닌 사단 또는 재단'이라고 한다. '권리능력 없는 사단 또는 재단' 또는 '인격 없는 사단 또는 재단'이라고도 한다.

2. 권리능력 없는 사단

(1) 의의

① '권리능력 없는 사단'이란 사단의 실질을 가지고 있지만, 법인으로 되지 않는 것을 말한다. '법인 아닌 사단(비법인사단)' 또는 '인격(법인격) 없는 사단'이라고도 한다.

② 종중 또는 교회가 권리능력 없는 사단의 대표적인 예이며, 그 밖에 동 · 리(대판 1953.4.21, 4285민상162) · 자연부락(대판 1999.1.29, 98다33512) · 산제치성의 목적을 위한 마을주민의 결합체(대판 1991.5.28, 91다7750), 주택건설촉진법에 의한 주택조합(대판 1999.11.9, 99다34420) · 연합주택조합(대판 2003.5.13, 2000다50688) · 재건축조합(대판 1999.12.10, 98다36344), 아파트입주자대표회의(대판 1991.4.23, 91다4478), 회사의 채권자들로 구성된 청산위원회(대판 1996.6.28, 96다16582[1]), 재단법인 성균관의 설립 이전부터 존재하던 성균관(대판 2004.11.12, 2002다46423), 어촌계(대판 2003.6.27, 2002다68034), 불교신도회(대판 1996.7.12, 96다6103) 등도 권리능력 없는 사단에 속한다.

1 부도난 회사의 채권단(대판 1999.4.23, 99다4504) 사례에서 부정한 것도 있다.

판례 법인격 없는 사단이 아닌 것

1. 학교

학교는 교육시설의 명칭으로서 일반적으로 **법인도 아니고 대표자 있는 법인격 없는 사단 또는 재단도 아니기 때문에, 원칙적으로 민사소송에서 당사자능력이 인정되지 않는다.** 이러한 법리는 비송사건에서도 마찬가지이다(대결 2019.3.25, 2016마5908).

2. 노인요양원 · 노인요양센터

노인요양원이나 노인요양센터는 일반적으로 노인성 질환 등으로 도움을 필요로 하는 노인을 위하여 급식 · 요양과 그 밖에 일상생활에 필요한 편의를 제공함을 목적으로 하는 시설, 즉 노인의료복지시설을 가리킨다. 이는 **법인이 아님이 분명하고 대표자 있는 비법인 사단 또는 재단도 아니므로, 원칙적으로 민사소송에서 당사자능력이 인정되지 않는다**(대판 2018.8.1, 2018다227865).

(2) 성립요건

① 개관: 법인 아닌 사단으로 인정되려면, 단체로서의 조직을 갖추고, 대표의 방법 · 총회의 운영 · 재산의 관리 기타 단체의 중요한 점이 정관이나 규칙으로 확정되어 있어야 한다(대판 1999.4.23, 99다4504). 따라서 어떤 단체가 외형상 목적 · 명칭 · 사무소 · 대표자를 정하고 있더라도 사단의 실체를 인정할 만한 조직 · 재정기초 · 재산관리 기타 단체로서의 활동에 관한 증명이 없는 이상 법인 아닌 사단으로 볼 수 없다(대판 1997.9.12, 97다20908).

② 조합과의 구별: 사단은 단체성이 강하며, 그 구성원은 법률상 주체성 내지 개성을 상실하여 단체가 표면에 나타난다. 따라서 사단은 민사소송법상 당사자능력이 인정된다(민사소송법 제52조, 대판 2004.11.12, 2002다46423). 반면에 조합은 단체성이 약하며 단체의 구성원이 표면에 나타난다. 따라서 조합은 민사소송법상의 당사자능력이 인정되지 않는다.

판례 조합과 비법인사단의 구별

민법상의 조합과 법인격은 없으나 사단성이 인정되는 비법인사단을 구별함에 있어서는 일반적으로 그 **단체성의 강약**을 기준으로 판단하여야 하는바, **조합**은 2인 이상이 상호간에 금전 기타 재산 또는 노무를 출자하여 공동사업을 경영할 것을 약정하는 계약관계에 의하여 성립하므로 어느 정도 단체성에서 오는 제약을 받게 되는 것이지만 **구성원의 개인성이 강**하게 드러나는 인적 결합체인 데 비하여 **비법인사단**은 구성원의 개인성과는 별개로 권리 · 의무의 주체가 될 수 있는 독자적 존재로서의 **단체적 조직을 가지는 특성**이 있다(대판 1999.4.23, 99다4504).

단체의 비교

구분	단체성	구성원의 개성	내부규율	당사자 능력	권리 능력	자산	단체명의의 등기	부채
사단	강	약	정관, 법인규정 적용	○	○	법인의 단독소유	○	법인의 채무 (유한책임)
권리능력 없는 사단	강	약	정관, 법인규정 유추적용	○ (민소법 제52조)	△	사원의 (준)총유	○ (부등법 제26조)	사원의 준총유 (유한책임)
조합	약	강	계약, 조합규정 적용	×	×	조합원의 (준)합유	×	조합원의 준합유 (무한책임)

(3) 법률관계

① 법적 규율

㉠ 학설과 판례는 권리능력 없는 사단이 사단의 실질을 가지고 있음을 이유로 사단법인에 관한 규정 중 법인격(= 등기)을 전제로 하는 것을 제외한 나머지의 유추적용을 인정한다(대판 2006.2.23, 2005다19552).

㉡ 예컨대, 임시이사의 선임(대결 2009.11.19, 2008마699 전합), 대표자의 타인에 대한 업무의 포괄적 위임금지(대판 2011.4.28, 2008다15438), 총회의 소집과 결의(대판 2007.12.27, 2007다17062), 정관 및 대표자의 업무집행(대판 1997.1.24, 96다39721), 법인의 불법행위로 인한 손해배상책임(대판 2003.7.25, 2002다27088) 등은 유추적용되어야 한다.

㉢ 그에 비하여 법인의 등기에 관한 규정은 유추적용될 것이 아니다. 그리하여 비법인사단의 경우에는 대표자의 대표권제한에 관하여 등기할 방법이 없으므로 이사의 대표권제한에 관한 민법 제60조도 유추적용될 수 없다(대판 2003.7.22, 2002다64780).

판례 **임시이사 선임에 관한 민법 제63조의 규정을 법인 아닌 사단 또는 재단에도 유추적용**

민법 **제63조는 법인의 조직과 활동에 관한 것으로서 법인격을 전제로 하는 조항이 아니고**, 법인 아닌 사단이나 재단의 경우에도 **이사가 없거나 결원**이 생길 수 있으며, 통상의 절차에 따른 새로운 이사의 선임이 극히 곤란하고 종전 이사의 긴급처리권도 인정되지 아니하는 경우에는 **사단이나 재단 또는 타인에게 손해가 생길 염려**가 있을 수 있으므로, 민법 **제63조**는 법인 아닌 사단이나 재단에도 **유추적용**할 수 있다(대결 2009.11.19, 2008마699 전합).

② **내부관계**: 권리능력 없는 사단의 내부관계에 대하여 사적자치의 한 내용인 단체자치의 원칙에 따라 우선 정관을 적용하고, 정관에 규정이 없으면 사단법인의 내부관계에 관한 민법규정을 유추적용하여야 한다(이설 없음).

③ **외부관계**

㉠ 권리능력 없는 사단의 외부관계에 대해서도 사단법인의 외부관계에 관한 민법규정을 유추적용하여야 한다.

㉡ 법인 아닌 사단도 그 대표자가 정하여져 있으면 소송상의 당사자능력을 가진다(민사소송법 제52조). 따라서 제3자는 법인 아닌 사단에 대한 집행권원을 얻어 사단재산에 대하여 강제집행할 수 있다. 그러나 사원의 고유재산은 강제집행하지 못한다.

㉢ 사단의 권리능력, 행위능력, 대표기관의 권한, 대표의 형식, 대표기관의 불법행위로 인한 사단의 배상책임[불법행위능력(대판 2003.7.25, 2002다27088)]에 대하여는 사단법인의 규정이 유추적용된다.

④ **재산귀속관계**

㉠ 민법은 '법인이 아닌 사단'은 법인격이 없기 때문에, '법인 아닌 사단의 사원이 집합체로서 물건을 소유할 때에는 총유로 한다'고 규정한다(제275조 제1항). 권리능력 없는 사단의 물건에 대한 소유권은 사원의 총유에 속하고, 기타 재산권은 사원의 준총유에 속한다(제278조). 그 결과 사단의 구성원은 지분권이나 분할청구권을 갖지 못한다(이설 없음). 총유물의 관리 및 처분은 사원총회의 결의에 의한다(제276조 제1항). 그러나 각 사원은 정관 기타의 규약에 좇아 총유물을 사용 · 수익할 수 있다(제276조 제2항).

판례

1. 구성원 개인이 총유재산의 보존을 위한 소제기 불가
   총유재산에 관한 소송은 법인 아닌 사단이 그 명의로 사원총회의 결의를 거쳐 하거나 또는 그 구성원 전원이 당사자가 되어 필수적 공동소송의 형태로 할 수 있을 뿐 그 사단의 구성원은 설령 그가 사단의 대표자라거나 사원총회의 결의를 거쳤다 하더라도 그 소송의 당사자가 될 수 없고, 이러한 법리는 총유재산의 보존행위로서 소를 제기하는 경우에도 마찬가지라 할 것이다(대판 2005.9.15, 2004다44971 전합).

2. 비법인사단의 대표자가 사원총회의 결의를 거치지 않고 한 처분행위의 효력
   비법인사단인 교회의 대표자는 총유물인 교회재산의 처분에 관하여 **교인총회의 결의를 거치지 아니하고는 이를 대표하여 행할 권한이 없다.** 그리고 교회의 **대표자가 권한 없이 행한 교회재산의 처분행위**에 대하여는 민법 **제126조의 표현대리에 관한 규정이 준용되지 아니한다**(대판 2009.2.12, 2006다23312).

3. 비법인사단이 타인간의 금전채무를 보증하는 행위를 총유물의 관리·처분행위로 볼 수 있는지 여부(소극) 및 비법인사단인 재건축조합의 조합장이 채무보증계약을 체결하면서 조합규약에서 정한 조합 임원회의 결의 등 절차를 거치지 않은 경우, 그 보증계약의 효력(원칙적 유효)
민법 제275조, 제276조 제1항에서 말하는 총유물의 관리 및 처분이라 함은 총유물 그 자체에 관한 이용·개량행위나 법률적·사실적 처분행위를 의미하는 것이므로, **비법인사단이 타인간의 금전채무를 보증하는 행위는 총유물 그 자체의 관리·처분이 따르지 아니하는 단순한 채무부담행위에 불과**하여 이를 총유물의 관리·처분행위라고 볼 수는 없다. 따라서 **비법인사단인 재건축조합의 조합장이 채무보증계약을 체결하면서 조합규약에서 정한 조합 임원회의 결의를 거치지 아니하였다거나 조합원총회 결의를 거치지 않았다고 하더라도 그것만으로 바로 그 보증계약이 무효라고 할 수는 없다.** 다만, 이와 같은 경우에 조합 임원회의의 결의 등을 거치도록 한 조합규약은 조합장의 대표권을 제한하는 규정에 해당하는 것이므로, **거래 상대방이 그와 같은 대표권제한 및 그 위반사실을 알았거나 과실로 인하여 이를 알지 못한 때에는 그 거래행위가 무효**로 된다고 봄이 상당하며, 이 경우 그 거래 상대방이 대표권제한 및 그 위반사실을 알았거나 알지 못한 데에 과실이 있다는 사정은 그 거래의 **무효를 주장하는 측이 이를 주장·입증**하여야 한다(대판 2007.4.19, 2004다60072 전합).

㉡ 부동산등기법 제26조는 '종중, 문중 그 밖에 대표자나 관리인이 있는 법인 아닌 사단이나 재단에 속하는 부동산의 등기에 관하여는 그 사단이나 재단을 등기권리자 또는 등기의무자로 한다.'고 규정하여, 권리능력 없는 사단에 등기능력을 부여한다.

㉢ 법인 아닌 사단의 채무는 그 구성원에게 총유적으로 귀속한다. 즉, 총사원의 준총유이다. 그 결과 단체의 재산만이 책임을 지고, 각 구성원은 부담금이나 회비의 납부의무만 있을 뿐 그의 고유재산으로 책임을 질 필요는 없다(구성원의 유한책임).

(4) 대표적인 권리능력 없는 사단으로서 종중과 교회

① 종중

㉠ 의의: 종중이란 공동선조의 후손들에 의하여 선조의 분묘수호 및 봉제사와 후손 상호간의 친목을 목적으로 형성되는 자연발생적인 종족단체로서 선조의 사망과 동시에 후손에 의하여 성립하는 것이며, 그 성립을 위해 특별한 조직행위를 필요로 하는 것이 아니고, 반드시 특별한 명칭의 사용 및 서면화된 종중규약이 있어야 하거나 종중대표자가 선임되어 있는 등 조직을 갖추어야 성립하는 것은 아니다(대판 1997.11.14, 96다25715). 종중의 규약이나 관습에 따라 선출된 대표자 등에 의하여 대표되는 정도로 조직을 갖추고 지속적인 활동을 하고 있다면 비법인사단으로서의 단체성이 인정된다(대판 1994.9.30, 93다27703). 그리고 종중 안에 무수한 소종중(小宗中)이 있다(대판 1997.2.28, 95다44986). 우리나라 구 관습상 내시종중이 실재한다는 사실을 인정할 수 없다(대판 1977.6.7, 73다67). 종중은 종원이 모두 사망하고 후사(後嗣)가 없을 때에 소멸한다(대판 1954.5.22, 4286민상94).

ⓛ 구성

ⓐ 과거의 판례는 공동선조의 후손 중 성년 이상의 남자는 당연히 종중의 구성원이 되나(대판 2002.4.12, 2000다16800), 여자와 미성년의 남자는 구성원이 될 수 없다고 하였다. 그러나 판례를 변경하여 "공동선조와 성과 본을 같이하는 후손은 성별의 구별 없이 성년이 되면 당연히 그 구성원이 된다고 보는 것이 조리에 합당하다."고 하였다(대판 2005.7.21, 2002다1178 전합). 그러나 타가에 출계한 자는 친가의 생부를 공동선조로 하여 자연발생적으로 형성되는 종중의 구성원이 될 수 없다(대판 1999.8.24, 99다14228).

판례 **종중 유사의 권리능력 없는 사단**

1. 종중 유사단체는 비록 그 목적이나 기능이 고유한 의미의 종중과 별다른 차이가 없다 하더라도 **공동선조의 후손 중 일부에 의하여 인위적인 조직행위를 거쳐 성립된 경우**에는 사적 임의단체라는 점에서 자연발생적인 종족집단인 **고유한 의미의 종중과 그 성질을 달리하므로**, 그러한 경우에는 사적자치의 원칙 내지 결사의 자유에 따라 그 구성원의 자격이나 가입조건을 자유롭게 정할 수 있음이 원칙이다. 따라서 그러한 종중 유사단체의 회칙이나 규약에서 **공동선조의 후손 중 남성만으로 그 구성원을 한정**하고 있다 하더라도 특별한 사정이 없는 한 이는 **사적자치의 원칙 내지 결사의 자유의 보장범위에 포함**되고, 위 사정만으로 그 회칙이나 규약이 **양성평등 원칙을 정한 헌법 제11조 및 민법 제103조를 위반하여 무효라고 볼 수는 없다**(대판 2011.2.24, 2009다17783).
2. **종중 유사의 권리능력 없는 사단**은 반드시 총회를 열어 성문화된 규약을 만들고 정식의 조직체계를 갖추어야만 비로소 단체로서 성립하는 것이 아니라, **실질적으로 공동의 목적을 달성하기 위하여 공동의 재산을 형성하고 일을 주도하는 사람을 중심으로 계속적으로 사회적인 활동을 하여 온 경우**에는 이미 그 무렵부터 단체로서의 실체가 존재한다고 하여야 한다. **계속적으로 공동의 일을 수행하여 오던 일단의 사람들이 어느 시점에 이르러 비로소 창립총회를 열어 조직체로서의 실체를 갖추었다면, 그 실체로서의 조직을 갖추기 이전부터 행한 행위나 또는 그때까지 형성한 재산은, 다른 특별한 사정이 없는 한, 모두 이 사회적 실체로서의 조직에게 귀속**되는 것으로 봄이 타당하다(대판 2019.2.14, 2018다264628).

ⓑ 특정지역 내에 거주하는 일부 종중원에 한하여 의결권을 주고 그 밖의 지역에 거주하는 종중원의 의결권을 박탈할 개연성이 많은 종중규약은 종중의 본질에 반하여 무효이다(대판 1992.9.22, 92다15048). 특정지역 거주자나 특정범위 내의 자들만으로 분묘수호와 제사 및 친목도모를 위한 조직체를 구성하여 활동하고 있어 단체로서의 실체를 인정할 수 있을 경우에는 (종중 유사의 단체에 불과하고) 본래의 의미의 종중은 아니나 권리능력 없는 사단으로서의 단체성을 인정할 여지가 있다(대판 1993.5.27, 92다34193; 대판 2002.4.12, 2000다16800).

ⓒ 종중은 별도의 결의나 약정에 의하여 일부 종원의 자격을 제한하거나 박탈할 수는 없다[1]. 그리고 종중이 그 구성원인 종원이 가지는 고유하고 기본적인 권리의 본질적인 내용을 침해하는 처분을 하는 것은 허용되지 않는다[2].

1 관련판례

- 비록 종중의 규약상 종원명부에 등록된 자만이 종원이 될 수 있다고 규정되어 있더라도 이를 근거로 삼아 종원명부에 미등재된 자의 종원자격을 부정할 수는 없다(대판 1991.11.8, 91다25383).
- 종중이 그 구성원인 종원에 대하여 그 자격을 박탈하는 소위 할종이라는 징계처분은 종중의 본질에 반하는 것이므로 그러한 관행이나 징계처분은 위법무효하여 피징계자의 종중원으로서의 신분이나 지위를 박탈하는 효력이 생긴다고 할 수 없다(대판 1983.2.8, 80다1194).

2 관련판례

- 종원에 대하여 10년 내지 20년간 종원의 자격(각종 회의에의 참석권 · 발언권 · 의결권 · 피선거권 · 선거권)을 정지시킨다는 내용의 처분을 한 것은 효력이 없다(대판 2006.10.26, 2004다47024).
- 여성의 종중원 자격과 종중총회에서의 의결권을 제한하는 내용으로 종중규약을 개정하고, 종중 소유 부동산에 관한 수용보상금을 남성 종중원들에게만 대여하기로 한 종중 임시총회 결의는 무효이다(대판 2007.9.6, 2007다34982).

ⓒ 종중총회

ⓐ 종중총회의 소집권자는 종장 또는 문장이나(대판 1990.11.13, 90다카11971), 종중에 평소 종장이나 문장이 선임되어 있지 아니하고 선임에 관한 규약이나 일반관례가 없으면 현존하는 연고항존자가 종장이나 문장이 되어 총회의 소집권한을 갖는다(대판 1993.3.9, 92다42439). 종중원들이 종중재산의 관리 또는 처분 등에 관하여 대표자를 새로이 선정할 필요가 있어 종중의 규약에 따라 적법한 소집권자에게 종중의 임시총회의 소집을 요구하였으나 그 소집권자가 정당한 이유 없이 이에 응하지 아니하는 경우에는 차석의 임원 또는 발기인(총회의 소집을 요구한 발의자들)이 소집권자를 대신하여 총회를 소집할 수 있고(대판 1993.3.12, 92다51372), 반드시 민법 제70조를 준용하여 감사가 총회를 소집하거나 종원이 법원의 허가를 얻어 총회를 소집하여야 하는 것은 아니다(대판 2011.2.10, 2010다83199 · 83205). 그리고 종중총회는 특별한 사정이 없는 한 족보에 의하여 소집통지 대상이 되는 종중원의 범위를 확정한 후 국내에 거주하고 소재가 분명하여 통지가 가능한 모든 종중원에게 개별적으로 소집통지를 함으로써 각자가 회의와 토의 및 의결에 참가할 수 있는 기회를 주어야 하고, 일부 종중원에게 소집통지를 결여한 채 개최된 종중총회의 결의는 효력이 없으나, 그 소집통지의 방법은 반드시 직접 서면으로 하여야만 하는 것은 아니고 구두 또는 전화로 하여도 되고 다른 종중원이나 세대주를 통하여 하여도 무방하다(대판 2001.6.29, 99다32257). 종중의 족보에 종중원으로 등재된 성년 여성들에게 소집통지를 함이 없이 개최된 종중 임시총회에서의 결의는 모두 무효이다(대판 2007.9.6, 2007다34982). 그리고 소집절차에 하자가 있어 그 효력을 인정할 수 없는 종중총회의 결의라도 후에 적법하게 소집된 종중총회

에서 이를 추인하면 처음부터 유효로 된다(대판 1996.6.14, 96다2729). 한편 종중의 규약이나 관행에 의하여 매년 일정한 날에 일정한 장소에서 정기적으로 종중원들이 집합하여 종중의 대소사를 처리하기로 되어 있는 경우에는 별도로 종중회의의 소집절차가 필요하지 않다(대판 2007.5.11, 2005다56315).

판례 일부 종원에 대한 소집통지를 결여한 채 개최된 종중총회 결의의 효력

종중총회의 소집통지는 종중의 규약이나 관례가 없는 한 **통지 가능한 모든 종원에게 소집통지**를 함으로써 각자가 회의의 토의와 의결에 참여할 수 있는 기회를 주어야 하고 **일부 종원에게 이러한 소집통지를 결여한 채 개최된 종중총회의 결의는 그 효력이 없고**, 이는 그 **결의가 통지 가능한 종원 중 과반수의 찬성을 얻은 것이라 하여 달리 볼 수 없다**(대판 1994.6.14, 93다45015).

ⓑ 종중총회의 결의방법에 있어 종중규약에 다른 규정이 없는 이상 종원은 서면이나 대리인으로 결의권을 행사할 수 있으므로 일부 종원이 총회에 직접 출석하지 아니하고 다른 출석 종원에 대한 위임장 제출방식에 의하여 종중의 대표자 선임 등에 관한 결의권을 행사하는 것도 허용된다(대판 2000.2.25, 99다20155). 종중대표자를 선임한 경우에는 이러한 종중대표자만이 종중대표권을 가지며, 특히 종중재산에 관하여는 종장에게 아무런 권한이 없고 오로지 종중대표자만이 종중을 대표하여 그 관리처분권을 갖는다(대판 1983.12.13, 83다카1463).

㉣ 재산귀속관계

ⓐ 종중은 법인 아닌 사단이고(대판 1991.8.27, 91다16525), 종중 소유의 재산은 종중원의 총유에 속한다(대판 1994.4.26, 93다32446). 따라서 그 관리 및 처분에 관하여 먼저 종중규약에 정하는 바가 있으면 이에 따라야 하고, 그 점에 관한 종중규약이 없으면 종중총회의 결의에 의하여야 하므로 비록 종중대표자에 의한 종중재산의 처분이라고 하더라도 그러한 절차를 거치지 아니한 채 한 행위는 무효이다(대판 2000.10.27, 2000다22881).

판례 종중재산의 분배에 관한 종중총회의 결의가 무효인 경우

비법인사단인 종중의 토지 매각대금은 종원의 총유에 속하고, 그 **매각대금의 분배는 총유물의 처분에 해당하므로, 정관 기타 규약에 달리 정함이 없는 한 종중총회의 결의에 의하여 그 매각대금을 분배할 수 있고,** 그 분배 비율, 방법, 내용 역시 결의에 의하여 자율적으로 결정할 수 있다. 그러나 종중은 공동선조의 분묘수호와 제사 및 종원 상호간의 친목 등을 목적으로 하여 구성되는 자연발생적인 종족집단으로 그 공동선조와 성과 본을 같이하는 후손은 그 의사와 관계없이 성년이 되면 당연히 그 구성원(종원)이 되는 종중의 성격에 비추어, **종중재산의 분배에 관한 종중총회의 결의 내용이 현저하게 불공정하거나 선량한 풍속 기타 사회질서에 반하는 경우 또는 종원의 고유하고 기본적인 권리의 본질적인 내용을 침해하는 경우 그 결의는 무효**이다(대판 2010.9.9, 2007다42310 · 42327).

ⓑ 종중과 같이 법인 아닌 사단 또는 재단에 있어서도 취득시효 완성으로 인한 소유권을 취득할 수 있다(대판 1970.2.10, 69다2013). 그리고 부동산실명법하에서도 조세포탈 · 강제집행의 면탈 또는 법령상 제한의 회피를 목적으로 하지 않는 **종중[1]재산의 명의신탁은 유효**하다(동법 제8조 제1호).

1 종중 유사의 비법인사단은 포함되지 않는다(대판 2007.10.25, 2006다14165).

② 교회의 법률관계

㉠ 원칙적으로 지교회는 **소속 교단과 독립된 법인 아닌 사단**이고, 교단은 종교적 내부관계에 있어서 지교회의 상급단체에 지나지 않는다.

㉡ 교회가 법인 아닌 사단으로서 존재하는 이상, 그 법률관계를 둘러싼 분쟁을 소송적인 방법으로 해결함에 있어서는 **법인 아닌 사단에 관한 민법의 일반 이론**에 따라 교회의 실체를 파악하고 교회의 재산 귀속에 대하여 판단하여야 하며, 이에 따라 법인 아닌 사단의 재산관계와 그 재산에 대한 구성원의 권리 및 구성원 탈퇴, 특히 집단적인 탈퇴의 효과 등에 관한 법리는 교회에 대하여도 동일하게 적용되어야 한다(대판 2006.4.20, 2004다37775 전합).

판례

1. 교회 교인의 탈퇴와 교회재산의 귀속

우리 민법은 사단법인에 있어서 구성원의 탈퇴나 해산은 인정하지만 사단법인의 구성원들이 2개의 법인으로 나뉘어 각각 독립한 법인으로 존속하면서 종전 사단법인에게 귀속되었던 재산을 소유하는 방식의 사단법인의 분열은 인정하지 아니한다. 그 법리는 **법인 아닌 사단에 대하여도 동일하게 적용되며, 법인 아닌 사단의 구성원들의 집단적 탈퇴로써 사단이 2개로 분열되고 분열되기 전 사단의 재산이 분열된 각 사단들의 구성원들에게 각각 총유적으로 귀속되는 결과를 초래하는 형태의 법인 아닌 사단의 분열은 허용되지 않는다.** 교회가 법인 아닌 사단으로서 존재하는 이상, 그 법률관계를 둘러싼 분쟁을 소송적인 방법으로 해결함에 있어서는 법인 아닌 사단에 관한 민법의 일반 이론에 따라 교회의 실체를 파악하고 교회의 재산 귀속에 대하여 판단하여야 하며, 이에 따라 법인 아닌 사단의 재산관계와 그 재산에 대한 구성원의 권리 및 구성원 탈퇴, 특히 집단적인 탈퇴의 효과 등에 관한 법리는 교회에 대하여도 동일하게 적용되어야 한다. 따라서 교인들은 교회재산을 총유의 형태로 소유하면서 사용 · 수익할 것인데, **일부 교인들이 교회를 탈퇴하여 그 교회 교인으로서의 지위를 상실하게 되면 탈퇴가 개별적인 것이든 집단적인 것이든 이와 더불어 종전 교회의 총유 재산의 관리처분에 관한 의결에 참가할 수 있는 지위나 그 재산에 대한 사용 · 수익권을 상실하고, 종전 교회는 잔존 교인들을 구성원으로 하여 실체의 동일성을 유지하면서 존속하며 종전 교회의 재산은 그 교회에 소속된 잔존 교인들의 총유**로 귀속됨이 원칙이다. 그리고 교단에 소속되어 있던 지교회의 **교인들의 일부가 소속 교단을 탈퇴하기로 결의한 다음 종전 교회를 나가 별도의 교회를 설립하여 별도의 대표자를 선정하고 나아가 다른 교단에 가입한 경우, 그 교회는 종전 교회에서 집단적으로 이탈한 교인들에 의하여 새로이 법인 아닌 사**

단의 요건을 갖추어 설립된 신설 교회라 할 것이어서, 그 교회 소속 교인들은 더 이상 종전 교회의 재산에 대한 권리를 보유할 수 없게 된다. 특정 교단에 가입한 지교회가 교단이 정한 헌법을 지교회 자신의 자치규범으로 받아들였다고 인정되는 경우에는 소속 교단의 변경은 실질적으로 지교회 자신의 규약에 해당하는 자치규범을 변경하는 결과를 초래하고, 만약 지교회 자신의 규약을 갖춘 경우에는 교단변경으로 인하여 지교회의 명칭이나 목적 등 지교회의 규약에 포함된 사항의 변경까지 수반하기 때문에, **소속 교단에서의 탈퇴 내지 소속 교단의 변경은 사단법인 정관변경에 준하여 의결권을 가진 교인 3분의 2 이상의 찬성에 의한 결의를 필요로 하고, 그 결의요건을 갖추어 소속 교단을 탈퇴하거나 다른 교단으로 변경한 경우에 종전 교회의 실체는 이와 같이 교단을 탈퇴한 교회로서 존속하고 종전 교회재산은 위 탈퇴한 교회 소속 교인들의 총유**로 귀속된다(대판 2006.4.20, 2004다37775 전합). 이때 종전 교회의 **교인 중 3분의 2 이상의 동의가 있었는지 여부는 이를 주장하는 측에서 입증**하여야 한다(대판 2007.12.27, 2007다17062).

2. 교회가 법인 아닌 사단으로 성립하기 전에 개인이 취득한 권리의무가 바로 성립 후의 교회에 귀속 여부(소극) 및 이에 관하여 설립 중의 회사의 법리가 유추적용 여부(소극)
   교회가 그 실체를 갖추어 법인 아닌 사단으로 성립한 경우에 교회의 대표자가 교회를 위하여 취득한 권리의무는 교회에 귀속되나, **교회가 아직 실체를 갖추지 못하여 법인 아닌 사단으로 성립하기 전에 설립의 주체인 개인이 취득한 권리의무는 그것이 앞으로 성립할 교회를 위한 것이라 하더라도 바로 법인 아닌 사단인 교회에 귀속될 수는 없고**, 또한 설립 중의 회사의 개념과 법적 성격에 비추어, 법인 아닌 사단인 교회가 성립하기 전의 단계에서 **설립 중의 회사의 법리를 유추적용할 수는 없다**(대판 2008.2.28, 2007다37394).

---

3. 권리능력 없는 재단

(1) 권리능력 없는 재단이란 재단의 실체를 가지고 있으나 아직 법인격을 취득하지 못한 것을 말한다.

(2) 권리능력 없는 재단의 법률관계에 대하여 권리능력 없는 사단에서와 마찬가지로 재단법인에 관한 규정 중 법인격을 전제로 하는 것을 제외한 나머지 규정들을 유추적용할 것이다. 이때 등기능력(부동산등기법 제26조)과 당사자능력(민사소송법 제52조)도 인정된다.

(3) 재산의 귀속형태는 민법에 규정이 없으나, 판례는 권리능력 없는 재단의 단독소유에 속한다고 한다(대판 1994.12.13, 93다43545).

기출예제

법인 아닌 사단 및 재단에 관한 설명으로 옳은 것을 모두 고른 것은? (다툼이 있으면 판례에 따름) 제27회

㉠ 총유물에 관한 보존행위는 특별한 사정이 없는 한 법인 아닌 사단의 사원 각자가 할 수 있다.
㉡ 법인 아닌 재단은 법인격이 인정되지 않지만, 대표자 또는 관리인이 있는 경우에는 민사소송의 당사자능력은 인정된다.
㉢ 공동주택의 입주자대표회의는 동별 세대수에 비례하여 선출되는 동별 대표자를 구성원으로 하는 법인 아닌 사단에 해당한다.
㉣ 민법은 법인 아닌 재단의 재산 소유를 단독소유로 규정하고 있으므로, 법인 아닌 재단 자체의 명의로 부동산등기를 할 수 있다.

① ㉠, ㉡
② ㉠, ㉣
③ ㉡, ㉢
④ ㉠, ㉢, ㉣
⑤ ㉡, ㉢, ㉣

해설

㉡ 법인이 아닌 사단이나 재단은 대표자 또는 관리인이 있는 경우에는 그 사단이나 재단의 이름으로 당사자가 될 수 있다(민사소송법 제52조).
㉢ 공동주택의 입주자대표회의는 동별 세대수에 비례하여 선출되는 동별 대표자를 구성원으로 하는 법인 아닌 사단이다(대판 2007.6.15, 2007다6291).
㉠ 총유재산에 관한 소송은 법인 아닌 사단이 그 명의로 사원총회의 결의를 거쳐 하거나 또는 그 구성원 전원이 당사자가 되어 필수적 공동소송의 형태로 할 수 있을 뿐 그 사단의 구성원은 설령 그가 사단의 대표자라거나 사원총회의 결의를 거쳤다 하더라도 그 소송의 당사자가 될 수 없고, 이러한 법리는 총유재산의 보존행위로서 소를 제기하는 경우에도 마찬가지라 할 것이다(대판 2005.9.15, 2004다44971 전합).
㉣ 재산의 귀속형태는 민법에 규정이 없으나, 판례는 권리능력 없는 재단의 단독소유에 속한다고 한다(대판 1994.12.13, 93다43545).

정답: ③

제2관 법인의 설립

01 총설

제31조 【법인성립의 준칙】 법인은 법률의 규정에 의함이 아니면 성립하지 못한다.

법인의 설립에 관하여 민법은 제31조에서 자유설립주의를 배제하고, 제32조에서 허가주의를 채택하고 있다.

더 알아보기 법인설립에 관한 입법주의

1. 자유설립주의: 법인의 실질만 갖추면 법인으로 인정하는 태도이다
2. 준칙주의: 법인설립에 관한 요건을 미리 정해 놓고 그 요건만 갖추면 행정관청의 허가나 인가 없이도 당연히 법인이 성립하는 것으로 인정하는 태도이다. 우리 법상 각종의 회사(상법 제172조) · 노동조합(노조법 제6조)에 관하여 준칙주의가 채용되어 있다.
3. 허가주의: 법인의 설립에 관하여 허가를 필요로 하는 태도이다. 민법은 비영리법인에 관하여 허가주의를 채용하고 있다(제32조). 그 밖에 학교법인(사립학교법 제10조) · 의료법인(의료법 제48조)도 같다.
4. 인가주의: 법률이 정한 요건을 갖추어 주무장관 기타 관할 관청의 인가를 얻어야만 법인으로 성립할 수 있도록 하는 태도이다. 인가주의는 법률이 정하고 있는 요건을 갖추면 인가권자가 반드시 인가해 주어야 하는 점에서 허가주의와 다르다. 법무법인(변호사법 제41조) · 상공회의소(동법 제6조) · 농업협동조합(동법 제15조) 등은 인가주의에 의하여 설립된 법인들이다.
5. 특허주의: 하나의 법인을 설립할 때마다 특별법의 제정을 필요로 하는 태도이다. 특허주의는 정책적으로 일정한 국영기업을 설립하는 때에 사용하는 일이 많다. 한국은행 · 한국산업은행 등이 특허주의에 의하여 설립된 법인이다.
6. 강제주의: 법인의 설립을 국가가 강제하는 태도이다. 의사회 · 치과의사회 · 한의사회 · 조산사회 · 간호사회(의료법 제28조)와 지방변호사회 · 대한변호사협회(변호사법) 등은 강제주의에 의한 예이다.

02 비영리사단법인의 설립

(1) 설립요건

> 제32조 【비영리법인의 설립과 허가】 학술, 종교, 자선, 기예, 사교 기타 영리 아닌 사업을 목적으로 하는 사단 또는 재단은 주무관청의 허가를 얻어 이를 법인으로 할 수 있다.

① 목적의 비영리성: 법인의 이익을 구성원에게 분배하지 않는 것을 말하며, 반드시 공익을 목적으로 할 필요가 없다. 참고로 재단법인은 구성원이 없으므로 성질상 영리법인이 될 수 없다.

② 설립행위(정관작성)

> 제40조 【사단법인의 정관】 사단법인의 설립자는 다음 각 호의 사항을 기재한 정관을 작성하여 기명날인하여야 한다.
> 1. 목적
> 2. 명칭

3. 사무소의 소재지
4. 자산에 관한 규정
5. 이사의 임면에 관한 규정
6. 사원자격의 득실에 관한 규정
7. 존립시기나 해산사유를 정하는 때에는 그 시기 또는 사유

㉠ 사단법인을 설립하려면, **2인 이상의 설립자**가 일정한 사항을 기재한 **정관을 작성하여 기명날인하여야** 한다(제40조). 기명날인이 없는 정관은 무효이다. 사단법인의 설립행위는 **요식행위이며, 합동행위**라고 보는 견해가 다수설이다.

㉡ 정관의 기재사항에는 **필요적 기재사항(제40조)과 임의적 기재사항**이 있는데, 필요적 기재사항은 어느 하나라도 누락되면 정관은 무효로 된다. 그리고 임의적 기재사항이라도 일단 정관에 기재되면 필요적 기재사항과 차이가 없으며, 따라서 그것을 변경할 때에도 정관변경절차에 의하여야 한다.

판례 **사단법인의 정관의 법적 성질**

사단법인의 정관은 이를 작성한 사원뿐만 아니라 **그 후에 가입한 사원이나 사단법인의 기관 등도 구속**하는 점에 비추어 보면 그 **법적 성질**은 **계약이 아니라 자치법규**로 보는 것이 타당하므로, 이는 어디까지나 **객관적인 기준에 따라 그 규범적인 의미 내용을 확정하는 법규해석의 방법으로 해석**되어야 하는 것이지, **작성자의 주관이나 해석 당시의 사원의 다수결에 의한 방법으로 자의적으로 해석될 수는 없다** 할 것이어서, 어느 시점의 사단법인의 **사원들이 정관의 규범적인 의미 내용과 다른 해석을 사원총회의 결의라는 방법으로 표명하였다 하더라도 그 결의에 의한 해석은 그 사단법인의 구성원인 사원들이나 법원을 구속하는 효력이 없다**(대판 2000.11.24, 99다12437).

기출예제

민법상 비영리사단법인의 정관의 필요적 기재사항이 아닌 것은? 제27회

① 목적
② 명칭
③ 사무소의 소재지
④ 사원자격의 득실에 관한 규정
⑤ 이사회의 구성에 관한 규정

해설

정관의 필요적 기재사항은 목적, 명칭, 사무소의 소재지, 자산에 관한 규정, 이사의 임면에 관한 규정, 사원자격의 득실에 관한 규정, 존립시기나 해산사유를 정하는 때에는 그 시기 또는 사유이다(제40조). 이사회의 구성에 관한 규정은 정관의 필요적 기재사항이 아니다.

정답: ⑤

③ **주무관청의 허가**: 법인이 목적으로 하는 사업을 주관하는 주무관청의 허가를 받아야 한다(제32조). 법인의 목적이 두 개 이상의 행정관청의 소관사항인 경우에는 모든 행정관청의 허가를 받아야 한다(다수설). 비영리법인의 설립에 관한 주무관청의 허가는 **그 본질상 주무관청의 자유재량행위이고 불허가처분은 행정소송의 대상이 되지 않는다**(대판 1979.12.26, 79누248).

④ 설립등기

> **제33조【법인설립의 등기】** 법인은 그 주된 사무소의 소재지에서 설립등기를 함으로써 성립한다.
>
> **제49조【법인의 등기사항】** ① 법인설립의 허가가 있는 때에는 3주간 내에 주된 사무소 소재지에서 설립등기를 하여야 한다.
> ② 전항의 등기사항은 다음과 같다.
> 1. 목적
> 2. 명칭
> 3. 사무소
> 4. 설립허가의 연월일
> 5. 존립시기나 해산이유를 정한 때에는 그 시기 또는 사유
> 6. 자산의 총액
> 7. 출자의 방법을 정한 때에는 그 방법
> 8. 이사의 성명, 주소
> 9. 이사의 대표권을 제한한 때에는 그 제한

사단법인은 법인등기부에 **설립등기를 함으로써 성립**한다(제33조). 이 등기는 성립요건이며, **나머지 등기는 대항요건**이다(제54조).

(2) 설립 중의 사단법인

① 사단법인이 설립되는 과정은 ㉠ 법인설립을 준비하기 위한 설립자 상호간의 법률관계가 성립하고, ㉡ 정관을 작성하여 법인으로서의 실체를 갖추게 되며, ㉢ 설립등기를 함으로써 법인격을 취득하게 되는 단계를 거치게 된다. 제1단계는 설립자(발기인)조합으로서 민법상 조합계약으로 이해되며(통설), 그에 대하여는 조합 자체가 책임을 진다. 제2단계는 설립 중의 법인으로서 그 성질은 권리능력 없는 사단으로 평가된다.

② 설립 중의 법인이라는 개념은 설립 중의 단계에서 가지게 된 권리 · 의무가 특별한 이전행위 없이도 법인성립과 동시에 그 법인에 당연히 귀속하는지를 설명하기 위한 강학상의 개념이다(대판 1990.11.23, 90누2734). 이를 인정하는 것이 통설이며, 판례는 '설립 자체를 위한 비용'은 승계된다고 한다(대판 1965.4.13, 64다1940).

03 비영리재단법인의 설립

(1) 비영리재단법인의 설립요건

① 설립요건: 재단법인의 설립에는 **목적의 비영리성, 설립행위, 주무관청의 허가, 설립등기의 네 가지 요건**을 갖추어야 한다. 사단법인의 설립과 다를 바 없으나, 재단법인의 '설립행위'만 사단법인과 다른 점이 있으므로 이를 중심으로 설명한다.

② 설립행위(정관작성 및 재산의 출연)

> 제43조 【재단법인의 정관】 재단법인의 설립자는 일정한 재산을 출연하고 제40조 제1호 내지 제5호의 사항을 기재한 정관을 작성하여 기명날인하여야 한다.
>
> 제44조 【재단법인의 정관의 보충】 재단법인의 설립자가 그 명칭, 사무소소재지 또는 이사임면의 방법을 정하지 아니하고 사망한 때에는 이해관계인 또는 검사의 청구에 의하여 법원이 이를 정한다.
>
> 제47조 【증여, 유증에 관한 규정의 준용】 ① 생전처분으로 재단법인을 설립하는 때에는 증여에 관한 규정을 준용한다.
> ② 유언으로 재단법인을 설립하는 때에는 유증에 관한 규정을 준용한다.

㉠ 의의 및 성질

ⓐ 재단법인의 설립자는 일정한 사항이 기재된 정관을 작성하여 기명날인하여야 한다(제43조). 즉, **재산출연 및 정관작성이 재단법인 설립행위이다.** 이처럼 정관작성 외에 재산출연이 필요하다는 점에서 사단법인 설립행위와 다르다.

ⓑ 재단법인 설립행위는 생전처분으로 할 수 있음은 물론이고 유언으로도 할 수 있다(제47조 참조). 재단법인의 설립행위는 **요식행위이며, 상대방 없는 단독행위이다.** 수인의 설립자가 재단법인을 설립하는 경우에 단독행위의 경합이다(다수설).

㉡ 정관의 작성 및 보충

ⓐ 설립자는 일정한 사항을 기재한 정관을 작성하여 기명날인하여야 한다(제43조). **정관의 필요적 기재사항은 '목적, 명칭, 사무소의 소재지, 자산에 관한 규정, 이사의 임면에 관한 규정'**이며, 사원 자격의 득실에 관한 규정과 법인의 존립시기나 해산사유는 필요적 기재사항이 아니다(제43조, 제40조). 유언으로 재단법인을 설립하는 경우에는 유언의 방식에 따라야 한다(제47조 제2항).

ⓑ 정관의 필요적 기재사항 중 설립자가 목적과 자산만 정하고 나머지 사항, 즉 '명칭, 사무소소재지 또는 이사임면의 방법을 정하지 아니하고 사망한 때에는 이해관계인 또는 검사의 청구에 의하여 **법원'이 정관을 보충**함으로써 법인을 성립시킬 수 있다(제44조).

ⓒ 재산의 출연

ⓐ 재단의 실체가 일정한 목적재산이므로, 재산의 출연이 재단법인의 설립행위의 본체적 요소이다. 즉, 재단법인의 기본재산은 재단법인의 실체를 이루는 것이므로, 재단법인 설립을 위한 기본재산의 출연행위에 관하여 그 재산출연자가 소유명의만을 재단법인에 귀속시키고 실질적 소유권은 출연자에게 유보하는 등의 부관을 붙여서 출연하는 것은 재단법인 설립의 취지에 어긋나는 것이어서 관할관청은 이러한 부관이 붙은 출연재산을 기본재산으로 하는 재단법인의 설립을 허가할 수 없다(대판 2011.2.10, 2006다65774). 한편, 출연재산의 종류에는 제한이 없다.

ⓑ 재단법인의 설립행위는 생전행위로 할 수도 있고 유언으로 할 수도 있는데, 출연행위가 무상인 점에서 증여나 유증과 유사하므로 제47조는 증여 또는 유증에 관한 규정을 준용한다.

판례 **재단법인의 설립을 위하여 서면에 의한 출연을 한 경우에도 취소 가능**

민법 제47조 제1항에 의하여 생전처분으로 재단법인을 설립하는 때에 준용되는 민법 제555조는 "증여의 의사가 서면으로 표시되지 아니한 경우에는 각 당사자는 이를 해제할 수 있다."고 함으로써 서면에 의한 증여(출연)의 해제를 제한하고 있으나, 그 해제는 민법총칙상의 취소와는 요건과 효과가 다르므로 **서면에 의한 출연이더라도 민법총칙 규정에 따라 출연자가 착오에 기한 의사표시라는 이유로 출연의 의사표시를 취소할 수 있고, 상대방 없는 단독행위인 재단법인에 대한 출연행위라고 하여 달리 볼 것은 아니다.** … 재단법인에 대한 출연자와 법인과의 관계에 있어서 그 출연행위에 터잡아 법인이 성립되면 그로써 출연재산은 민법 제48조에 의하여 법인 성립시에 법인에게 귀속되어 법인의 재산이 되는 것이고, 출연재산이 부동산인 경우에 있어서도 위 양 당사자간의 관계에 있어서는 법인의 성립 외에 등기를 필요로 하는 것은 아니라 할지라도, 재단법인의 출연자가 착오를 원인으로 취소를 한 경우에는 **출연자는 재단법인의 성립 여부나 출연된 재산의 기본재산인 여부와 관계없이 그 의사표시를 취소할 수 있다**(대판 1999.7.9, 98다9045).

---

(2) 출연재산의 귀속시기

제48조 【출연재산의 귀속시기】 ① 생전처분으로 재단법인을 설립하는 때에는 출연재산은 법인이 성립된 때로부터 법인의 재산이 된다.
② 유언으로 재단법인을 설립하는 때에는 출연재산은 유언의 효력이 발생한 때로부터 법인에 귀속한 것으로 본다.

제186조 【부동산물권변동의 효력】 부동산에 관한 법률행위로 인한 물권의 득실변경은 등기하여야 그 효력이 생긴다.

제187조 【등기를 요하지 아니하는 부동산물권취득】 상속, 공용징수, 판결, 경매 기타 법률의 규정에 의한 부동산에 관한 물권의 취득은 등기를 요하지 아니한다. 그러나 등기를 하지 아니하면 이를 처분하지 못한다.

① **서설**: 설립자가 출연한 재산의 귀속시기를 **제48조**가 규정하고 있다. 그에 의하면 출연재산은 생전행위로 설립하는 경우에는 재단법인이 설립된 때(즉, 설립등기를 한 때), 유언으로 설립하는 경우에는 유언의 효력이 발생한 때(즉, 설립자의 사망시) 재단법인에 귀속된다. 그런데 제48조는 **권리변동에 관한 현행법의 원칙규정들과 조화되지 않는다**(제186조, 제188조 제1항, 제508조, 제523조 참조). 이러한 충돌을 어떻게 해결하여야 하는가?

② **출연재산이 물권인 경우**; 판례는 **소유권의 상대적 귀속**을 인정한다(대판 1979.12.11, 78다481 · 482 전합). 그 법리를 유언으로 재단법인을 설립하는 경우에도 그대로 적용하고 있다(대판 1993.9.14, 93다8054).

판례 **재단법인의 설립에 있어서 출연재산의 귀속시기**

1. 재단법인을 설립함에 있어서 출연재산은 그 법인이 설립된 때로부터 법인에 귀속된다는 민법 **제48조의 규정은 출연자와 법인과의 관계**를 상대적으로 결정하는 기준에 불과하여 출연재산이 부동산인 경우에도 출연자와 법인 사이에는 법인의 성립 외에 등기를 필요로 하는 것은 아니지만, **제3자에 대한 관계**에 있어서, 출연행위는 법률행위이므로 출연재산의 법인에의 귀속에는 부동산의 권리에 관한 것일 경우 **등기**를 필요로 한다(대판 1979.12.11, 78다481 · 482 전합).
2. **유언**으로 재단법인을 설립하는 경우에도 **제3자에 대한 관계**에서는 출연재산이 부동산인 경우는 그 법인에의 귀속에는 **법인의 설립 외에 등기를 필요**로 하는 것이므로, **재단법인이 그와 같은 등기를 마치지 아니하였다면** 유언자의 상속인의 한 사람으로부터 부동산의 지분을 취득하여 이전등기를 마친 **선의의 제3자에 대하여 대항할 수 없다**(대판 1993.9.14, 93다8054).

③ **출연재산이 채권인 경우**: 출연재산이 채권인 경우, **지명채권이 출연**된 때에는 채권양도에 특별한 요건이 필요하지 않기 때문에 **제48조가 규정하는 시기에 법인에 귀속된다**(이설 없음). 그러나 지시채권이나 무기명채권이 출연된 때에는 그 양도에 민법이 증서의 배서 · 교부 또는 교부를 요구하고 있어서 물권이 출연된 경우와 같은 문제가 있다.

(3) 설립 중의 재단법인

재단법인 설립자가 재산을 출연하고 정관을 작성하면 설립 중의 재단법인이 되며, 이는 권리능력 없는 재단에 해당한다. 판례는 "재단법인의 발기인은 법인설립인가를 받기 위한 준비행위로 재산의 증여를 받을 수 있고 그 등기의 명의신탁을 할 수 있으며 이러한 법률행위의 효과는 그 법인이 법인격을 취득함과 동시에 당연히 이를 계승한다."고 한다 (대판 1973.2.28, 72다2344 · 2345).

제3관 법인의 능력

01 서설

(1) 법인도 권리주체이므로, 자연인과 마찬가지로 권리능력 · 행위능력 · 불법행위능력을 가진다. 그러나 그 성질은 같지 않다.

(2) 법인의 능력에 관한 규정은 특별한 제한을 두고 있지 않는 한 민법상의 비영리법인뿐만 아니라 모든 법인에 널리 적용된다.

02 법인의 권리능력

> 제34조【법인의 권리능력】 법인은 법률의 규정에 좇아 정관으로 정한 목적의 범위 내에서 권리와 의무의 주체가 된다.

(1) 서설

법인도 권리주체이며, 따라서 권리능력을 가진다. 제34조에 의해 법인의 권리능력이 법률과 목적에 의해 제한됨이 분명하며, 그 외에 성질상 제한되기도 한다.

(2) 법인의 권리능력의 제한

① **성질에 의한 제한**: 자연인을 전제로 하는 권리, 즉 생명권 · 상속권 · 친권 · 정조권 · 육체상의 자유권 등은 법인이 가질 수 없다. 그러나 재산권 · 명예권 · 성명권 · 신용권 · 정신적 자유권은 가질 수 있고, 포괄유증을 받음으로써 상속과 동일한 결과를 얻을 수 있다(제1078조).

② **법률에 의한 제한**: 명령 · 규칙에 의한 제한은 불가능하고, 법률에 의한 제한만 가능하다. 법인의 권리능력을 일반적으로 제한하는 규정은 없으며, 약간의 개별규정이 있을 뿐이다[제81조(청산법인은 청산의 목적범위 내에서 권리의무의 주체가 된다)].

③ **목적에 의한 제한**: '목적의 범위 내'의 의미에 관하여, 학설은 '법인보호를 위해' 목적을 달성하는 데 필요한 범위 내라고 보는 협의설(소수설)과 '거래안전 보호를 위해' 목적에 위반되지 않는 범위 내라고 보는 광의설(통설)이 있다. 판례는 소수설과 유사하게 '목적을 수행하는 데 있어 직접 또는 간접으로 필요한 행위'가 목적범위 내의 행위라고 한다(대결 2001.9.21, 2000그98).

판례 '목적범위 내의 행위'의 의미와 판단기준

회사의 권리능력은 회사의 설립근거가 된 법률과 회사의 정관상의 목적에 의하여 제한되나, 그 목적범위 내의 행위라 함은 정관에 명시된 목적 자체에 국한되는 것이 아니라 그 **목적을 수행하는 데 있어 직접 · 간접으로 필요한 행위는 모두 포함**되고, 목적수행에 필요한지의 여부는 **행위의 객관적 성질에 따라 판단**할 것이고 행위자의 주관적 · 구체적 의사에 따라 판단할 것은 아니다(대판 2009.12.10. 2009다63236).

03 법인의 행위능력

(1) 서설

법인이 그 권리능력의 범위에 속하는 권리를 현실로 취득하거나, 이미 취득한 권리를 관리 · 처분하기 위해서는 일정한 행위를 하여야 한다. 이 경우 누가 어떤 방식으로 어떤 범위에서 할 수 있는지가 문제된다. 우선 명문규정은 없으나 법인은 권리능력의 범위 내에서 행위능력을 가진다고 하는 것이 통설이다.

(2) 대표기관의 행위와 방식

① 법인의 대표기관의 행위는 법인의 행위로 인정된다. 대표기관으로는 이사 · 임시이사(제63조) · 특별대리인(제64조) · 청산인(제82조, 제83조) · 직무대행자(제60조의2) 등이 있다.

② 대표기관은 법인을 '대표'하여 법인의 행위를 하며(제59조 제1항), 이에 관하여는 대리에 관한 규정이 준용된다(제59조 제2항).

(3) 법인의 법률행위의 효과

① 법인이 대표기관을 통하여 법률행위를 한 때에는 대리에 관한 규정이 준용된다(제59조 제2항). 따라서 적법한 대표권을 가진 자와 맺은 법률행위의 효과는 대표자 개인이 아니라 본인인 법인에 귀속하고, 마찬가지로 그러한 법률행위상의 의무를 위반하여 발생한 채무불이행으로 인한 손해배상책임도 대표기관 개인이 아닌 법인만이 책임의 귀속주체가 되는 것이 원칙이다(대판 2019.5.30, 2017다53265).

② 또한, 민법 제391조는 법정대리인 또는 이행보조자의 고의 · 과실을 채무자 자신의 고의 · 과실로 간주함으로써 채무불이행책임을 채무자 본인에게 귀속시키고 있는데, 법인의 경우도 법률행위에 관하여 대표기관의 고의 · 과실에 따른 채무불이행책임의 주체는 법인으로 한정된다(대판 2019.5.30, 2017다53265).

04 법인의 불법행위능력

제35조 【법인의 불법행위능력】 ① 법인은 이사 기타 대표자가 그 직무에 관하여 타인에게 가한 손해를 배상할 책임이 있다. 이사 기타 대표자는 이로 인하여 자기의 손해배상책임을 면하지 못한다.
② 법인의 목적범위 외의 행위로 인하여 타인에게 손해를 가한 때에는 그 사항의 의결에 찬성하거나 그 의결을 집행한 사원, 이사 및 기타 대표자가 연대하여 배상하여야 한다.

(1) 서설

① 의의: 법인은 제35조 제1항에 의하여 그 대표기관이 그 직무에 관하여 타인에게 가한 손해를 배상할 책임을 부담한다.

② 적용범위

㉠ 사법인 · 비법인사단에 유추적용: 제35조 제1항은 모든 사법인에 대하여 적용 내지 유추적용되며, 권리능력 없는 사단에도 유추적용된다. 판례도 동조를 유추적용하여 비법인사단인 종중(대판 1994.4.12, 92다49300), 노동조합(대판 1994.3.25, 93다32828), 주택조합(대판 2003.7.25, 2002다27088)의 불법행위책임을 인정한 바 있다.

판례 불법쟁의행위로 인하여 손해배상책임을 부담하는 주체

노동조합의 간부들이 불법쟁의행위를 기획, 지시, 지도하는 등으로 주도한 경우에 이와 같은 간부들의 행위는 조합의 집행기관으로서의 행위라 할 것이므로 이러한 경우 민법 제35조 제1항의 유추적용에 의하여 노동조합은 그 불법쟁의행위로 인하여 사용자가 입은 손해를 배상할 책임이 있고, 한편 조합간부들의 행위는 일면에 있어서는 노동조합 단체로서의 행위라고 할 수 있는 외에 개인의 행위라는 측면도 아울러 지니고 있고, 일반적으로 쟁의행위가 개개 근로자의 노무정지를 조직하고 집단화하여 이루어지는 집단적 투쟁행위라는 그 본질적 특징을 고려하여 볼 때 노동조합의 책임 외에 **불법쟁의행위를 기획, 지시, 지도하는 등으로 주도한 조합의 간부들 개인에 대하여도 책임을 지우는 것**이 상당하다(대판 1994.3.25, 93다32828 · 32835).

㉡ 제750조의 특칙: '법인의 불법행위'에 관해서는 제35조 제1항에서 따로 그 요건을 규정하는 점에서, 제750조에 대한 특칙을 이룬다.

㉢ 제756조의 특칙: 대표기관이 사무집행과 관련하여 타인에게 손해를 가하여, 법인의 불법행위책임이 성립하는 경우에는 사용자책임은 성립하지 않는다(통설 · 판례).

㉣ 국가배상법 제2조: 공무원이 그 직무를 집행함에 있어서 타인에게 손해를 가한 경우에는 국가배상법 제2조가 적용된다.

(2) 성립요건

① 대표기관의 행위

㉠ 제35조에서 말하는 '이사 기타 대표자'는 법인의 대표기관을 의미하는 것이고 대표권이 없는 이사는 법인의 기관이기는 하지만 대표기관은 아니기 때문에 그들의 행위로 인하여 법인의 불법행위가 성립하지 않는다(대판 2005.12.23, 2003다30159). 그리고 '법인의 대표자'는 그 명칭이나 직위 여하, 또는 대표자로 등기되었는지 여부를 불문하고 당해 법인을 실질적으로 운영하면서 법인을 사실상 대표하여 법인의 사무를 집행하는 사람을 포함한다(대판 2011.4.28, 2008다15438). 대표기관으로는 이사 · 임시이사(제63조), 특별대리인(제64조), 청산인(제82조, 제83조), 직무대행자(제60조의2) 등이 있다.

㉡ 대표기관이 아닌 기관(예 사원총회나 감사)의 행위에 의해서는 법인의 불법행위가 성립하지 않는다(다수설). 그리고 이사에 의하여 선임된 대리인(지배인 · 임의대리인 등)의 불법행위에 대해서는 법인이 제35조의 책임이 아니라, 제756조의 사용자책임을 부담한다(통설).

㉢ 즉, 법인에 있어서 그 대표자가 직무에 관하여 불법행위를 한 경우에는 민법 제35조 제1항에 의하여, 법인의 피용자가 사무집행에 관하여 불법행위를 한 경우에는 민법 제756조 제1항에 의하여 각기 손해배상책임을 부담한다(대판 2009.11.26, 2009다57033).

② 직무에 관한 행위(외형이론)

㉠ 법인의 대표기관이 직무에 관하여 타인에게 손해를 가한 경우에만 법인의 불법행위가 성립한다. 대표기관의 행위가 직무행위에 해당하는지 여부는 외형이론에 의해 판단된다(통설 · 판례). 사용자책임, 국가배상책임에서도 외형설을 따른다.

㉡ 판례가 인정하는 유형은 행위의 외형상 '대표기관의 직무수행행위'라고 볼 수 있는 행위뿐만 아니라, '직무행위와 사회관념상 견련성이 있는 행위'도 포함한다(대판 1974.5.28, 73다2014). 그리고 대표자의 행위가 대표자 개인의 사리를 도모하기 위한 것이었거나 혹은 법령의 규정에 위배된 것이었다 하더라도 외관상, 객관적으로 직무에 관한 행위라고 인정할 수 있는 것이라면 민법 제35조 제1항의 직무에 관한 행위에 해당한다(대판 2004.2.27, 2003다15280; 대판 1969.8.26, 68다2320).

㉢ 다만, 외형이론은 상대방의 정당한 신뢰를 보호하기 위한 것이므로 대표자의 행위가 직무에 관한 행위에 해당하지 아니함을 피해자 자신이 알았거나 또는 중대한 과실로 인하여 알지 못한 경우에는 손해배상책임을 물을 수 없다(대판 2003.7.25, 2002다27088).

ⓔ 판례는 대표기관의 법률행위이더라도 대표권남용에 해당하여 그 효과가 법인에 미치지 못하고 그로 인하여 손해가 발생하였다면, 제35조 제1항의 법인의 불법행위책임을 인정하며(대판 1990.3.23, 89다카555), 대표권남용사실에 대해 상대방이 악의 또는 중과실인 경우에는 법인의 불법행위책임을 인정하지 않는다(대판 2004.3.26, 2003다34045).

③ 일반불법행위의 요건: 제35조 제1항은 제750조에 대한 특별규정이므로, 제750조의 불법행위의 일반적 성립요건을 갖추어야 한다. 즉, 대표기관이 책임능력이 있어야 하고, 고의 또는 과실로 인한 가해행위가 위법하여야 하며, 피해자가 손해를 입어야 한다(통설).

(3) 효과

① 법인의 불법행위가 성립하는 경우

㉠ 위 ③의 요건이 갖추어지면 법인은 피해자에게 손해를 배상하여야 한다(제35조 제1항 제1문). 배상하여야 할 손해의 범위에 대하여는 일반원칙이 적용된다(대판 1987.12.8, 86다카1170은 과실상계를 인정하고, 대판 1999.7.27, 99다19384는 간접손해를 제외한다). 법인의 불법행위책임은 기관의 사용자로서 지는 책임이 아니라 법인 자신의 책임이다. 따라서 그 선임 · 감독에 과실이 없음을 증명하여도 면책되지 않는다.

㉡ 법인이 배상책임을 지는 경우에도 대표기관은 자기의 손해배상책임을 면하지 못한다(제35조 제1항 후단). 이 경우 법인의 책임과 기관의 책임은 부진정연대채무의 관계에 있게 된다.

㉢ 기관은 선량한 관리자의 주의로 그 의무를 행하여야 하므로(제61조), 법인이 피해자에게 손해를 배상한 경우에는 기관 개인에 대하여 구상권을 행사할 수 있다(제65조).

② 법인의 불법행위가 성립하지 않는 경우: 기관 개인만이 제750조에 의해 불법행위책임을 진다. 제35조 제2항은 피해자 보호를 위해 "법인의 목적범위 외의 행위로 인하여 타인에게 손해를 가한 때에는 그 사항의 의결에 찬성하거나 그 의결을 집행한 사원, 이사 및 기타 대표자가 연대하여 배상하여야 한다."라고 규정한다. 이는 공동불법행위의 성립 여부를 불문하고 연대하여 배상하게 하고 있는바, 제760조 공동불법행위의 특칙이다.

제4관 법인의 기관

01 서설

사단법인의 기관으로 필요기관인 이사와 사원총회 그리고 임의기관인 감사가 있다. 반면 재단법인의 기관으로 이사와 감사가 있으며, 성질상 사원총회는 있을 수 없다.

02 이사

(1) 의의

① 서설

> 제57조【이사】법인은 이사를 두어야 한다.

이사는 대외적으로 법인을 대표하고(대표기관), 대내적으로는 법인의 업무를 집행하는(집행기관) 상설적 필요기관이다. 사단법인은 물론 재단법인에서도 이사는 필요기관이다(제57조). 참고로 감사는 임의기관이다(제66조). 비영리법인의 경우에 이사가 될 수 있는 자는 자연인에 한한다는 것이 통설이다.

② 이사의 임면

㉠ 법인의 이사선임행위는 '위임'과 유사한 계약이다. 판례는, 법인 대표자의 유임 내지 중임을 금지하는 규약이 없는 이상, 임기만료 후에 대표자 개임이 없었다면 그 대표자를 묵시적으로 다시 대표자로 선임하였다고 해석할 것이라고 한다(대판 1970.9.17, 70다1256).

㉡ 이사의 선임행위에 흠이 있는 때에는, 이해관계인은 선임행위의 무효 또는 취소의 소를 제기할 수 있으며, 그 본안판결이 있기 전이라도 이사의 직무집행 정지 또는 직무대행자 선임의 가처분을 신청할 수 있다. 한편, 가처분으로 직무집행이 정지된 이사의 직무집행행위는 절대적으로 무효이다(대판 2008.5.29, 2008다4537).

판례 **대표이사가 직무집행정지 가처분결정으로 대표권이 정지된 기간 중에 체결한 계약의 효력**

법원의 직무집행정지 가처분결정에 의해 회사를 대표할 권한이 정지된 대표이사가 그 정지기간 중에 체결한 계약은 **절대적으로 무효**이고, 그 후 가처분신청의 취하에 의하여 **보전집행이 취소되었다 하더라도 집행의 효력은 장래를 향하여 소멸할 뿐 소급적으로 소멸하는 것은 아니라 할 것이므로, 가처분신청이 취하되었다 하여 무효인 계약이 유효하게 되지는 않는다**(대판 2008.5.29, 2008다4537).

㉢ 이사의 해임과 퇴임은 정관에 의하나, 정관에 규정이 없거나 불충분한 때에는 대리규정에 의하는 외에 위임의 규정을 유추적용하여야 한다(통설). 따라서 임기만료되

거나 사임한 이사라고 할지라도 그 임무를 수행함이 부적당하다고 인정할 만한 특별한 사정이 없는 한 그 급박한 사정을 해소하기 위하여 필요한 범위 내에서 신임 이사가 선임될 때까지 이사의 직무를 계속 수행할 수 있다(대판 2007.7.19, 2006두19297 전합[1]). 그러나 아직 임기가 만료되지 아니한 다른 이사들로 정상적인 활동을 할 수 있는 경우에는 임기만료된 이사로 하여금 이사로서 직무를 행사하게 할 필요가 없다(대결 2014.1.17, 2013마1801).

1 이러한 법리는 법인 아닌 사단에서도 마찬가지이다(대판 2007.6.15, 2007다6307).

판례 **후임 이사가 유효하게 선임되었으나 선임의 효력을 둘러싼 다툼이 있는 경우**

후임 이사가 유효히 선임되었는데도 그 선임의 효력을 둘러싼 다툼이 있다고 하여 **그 다툼이 해결되기 전까지는 후임 이사에게는 직무수행권한이 없고 임기가 만료된 구 이사만이 직무수행권한을 가진다고 할 수는 없다**(대판 2006.4.27, 2005도8875).

ⓔ 법인과 이사의 법률관계는 신뢰를 기초로 한 위임 유사의 관계이므로, 이사는 민법 제689조 제1항이 규정한 바에 따라 언제든지 사임할 수 있고, 법인의 이사를 사임하는 행위는 상대방 있는 단독행위이므로 그 의사표시가 상대방에게 도달함과 동시에 그 효력을 발생한다[1](대판 2008.9.25, 2007다17109).

1 따라서 의사표시는 수령권한 있는 기관에 도달됨으로써 바로 효력을 발생하는 것이며, 그 효력발생을 위하여 이사회의 결의나 관할관청의 승인이 있어야 하는 것은 아니다(대판 1993.9.14, 93다28799).

판례

1. 법인의 대표이사가 사임하는 경우에는 그 사임의 의사표시가 대표이사의 사임으로 그 권한을 대행하게 될 자에게 **도달한 때에 사임의 효력이 발생**하고 그 의사표시가 효력을 발생한 후에는 마음대로 이를 **철회할 수 없으나, 사임서 제출 당시 그 권한 대행자에게 사표의 처리를 일임한 경우에는 권한 대행자의 수리행위가 있어야 사임의 효력이 발생**하고, 그 이전에 사임의사를 **철회**할 수 있다(대판 2007.5.10, 2007다7256).
2. 법인이 정당한 이유 없이도 이사를 해임할 수 있음
   법인과 이사의 법률관계는 신뢰를 기초로 한 위임 유사의 관계이고, **위임계약은 원래 해지의 자유가 인정되어 쌍방 누구나 정당한 이유 없이도 언제든지 해지할 수 있으며**, 다만 불리한 시기에 부득이한 사유 없이 해지한 경우에 한하여 상대방에게 그로 인한 손해배상책임을 질 뿐이다(대결 2014.1.17, 2013마1801).
3. 법인의 정관에 이사의 해임사유에 관한 규정이 있는 경우
   법인의 정관에 이사의 해임사유에 관한 규정이 있는 경우 법인으로서는 이사의 중대한 의무위반 또는 정상적인 사무집행 불능 등의 특별한 사정이 없는 이상, **정관에서 정하지 아니한 사유로 이사를 해임할 수 없다**(대판 2013.11.28, 2011다41741).

ⓑ 이사의 성명 · 주소는 등기사항이며(제49조 제2항), 이를 등기하지 않으면 이사의 선임 · 해임 · 퇴임을 가지고 제3자에게 대항할 수 없다(제54조 제1항, 대판 2000. 1.28, 98다26187).

(2) 이사의 직무권한

① **직무집행의 방법**: 이사 선임행위는 일종의 위임계약이므로 '이사는 선량한 관리자의 주의로써 직무를 수행하여야 한다'(제681조, 제61조). 이사가 그 임무를 해태한 때에는 그 이사는 법인에 대하여 연대하여 손해배상의 책임이 있다(제65조).

② **대외적 권한** – 법인대표

> **제59조 【이사의 대표권】** ① 이사는 법인의 사무에 관하여 각자 법인을 대표한다. 그러나 정관에 규정한 취지에 위반할 수 없고, 특히 사단법인은 총회의 의결에 의하여야 한다.
> ② 법인의 대표에 관하여는 대리에 관한 규정을 준용한다.

㉠ **대표권(원칙)**: 각자(단독)대표가 원칙이다(제59조 제1항 본문). 대표에 관하여 대리에 관한 규정을 준용하므로(제59조 제2항), 표현대리, 무권대리, 현명주의, 대리행위의 하자 등이 준용된다.

㉡ **대표권의 제한**

ⓐ 정관에 의한 제한

> **제41조 【이사의 대표권에 대한 제한】** 이사의 대표권에 대한 제한은 이를 정관에 기재하지 아니하면 그 효력이 없다.
>
> **제60조 【이사의 대표권에 대한 제한의 대항요건】** 이사의 대표권에 대한 제한은 등기하지 아니하면 제3자에게 대항하지 못한다.

- **원칙**: 이사의 대표권은 정관에 의하여 제한될 수 있지만(제59조 제1항 단서), 이 제한은 등기하지 않으면 제3자에게 대항하지 못한다(제60조). **정관기재는 효력요건**(제41조)이고, **등기는 대항요건**(제60조)이다. 이사의 대표권이 정관에 의하여 제한되고 등기되어 있음에도 이사가 그를 위반하여 법인을 대표한 경우에, 그 행위는 무권대표행위로서 법인에 대하여 무효이다.
- **제60조의 제3자의 범위**: 이사의 대표권에 대한 제한은 등기하지 아니하면 제3자에게 대항하지 못한다(제60조). 제3자의 범위에 관하여 판례는 무제한설의 입장이다. 즉, 법인의 정관에 법인 대표권의 제한에 관한 규정이 있으나 그와 같은 취지가 등기되어 있지 않다면 법인은 그와 같은 정관의 규정에 대하여 선의냐 악의냐에 관계없이 제3자에 대하여 대항할 수 없다(대판 1992. 2.14, 91다24564).

판례 비법인사단의 대표자의 대표권제한

비법인사단의 경우에는 대표자의 대표권제한에 관하여 등기할 방법이 없어 민법 제60조의 규정을 준용할 수 없고, 비법인사단의 **대표자가 정관에서 사원총회의 결의를 거쳐야 하도록 규정한 대외적 거래행위에 관하여 이를 거치지 아니한 경우**라도, 이와 같은 사원총회 결의사항은 비법인사단의 내부적 의사결정에 불과하다 할 것이므로, 그 거래 상대방이 그와 같은 **대표권 제한사실을 알았거나 알 수 있었을 경우가 아니라면 그 거래행위는 유효**하다고 봄이 상당하고, 이 경우 거래의 상대방이 대표권 제한사실을 알았거나 알 수 있었음은 이를 주장하는 **비법인사단 측이 주장·입증**하여야 한다(대판 2003.7.22, 2002다64780).

ⓑ 사원총회의결에 의한 제한: 일반적인 견해에 의하면, 이사의 대표권의 제한은 사원총회의 의결에 의해서도 제한할 수 있으며(제59조 제1항 단서), 이 제한은 정관에 기재할 필요도 없다. 다만, 등기는 하여야만 제3자에게 대항할 수 있다고 한다(제60조).

ⓒ 이익상반의 경우: 법인과 이사의 이익상반행위에 대하여는 대표권이 없으며, 법원이 선임한 특별대리인이 법인을 대표한다(제64조). 특별대리인은 다른 이사가 있는 경우에는 선임될 필요가 없다(통설).

ⓓ 복임권의 제한

> 제62조【이사의 대리인선임】 이사는 정관 또는 총회의 결의로 금지하지 아니한 사항에 한하여 타인으로 하여금 특정한 행위를 대리하게 할 수 있다.

즉, 대표자는 타인으로 하여금 특정한 행위를 대리하게 할 수 있을 뿐 제반 업무처리를 포괄적으로 위임할 수는 없다(대판 1996.9.6, 94다18522).

ⓒ 대표권남용의 문제

ⓐ 대표권의 남용이란 법인의 대표기관이 외형적·형식적으로 대표권의 범위 내에서, 실질적으로는 자기 또는 제3자의 이익을 위하여 대표행위를 하는 것을 말한다.

ⓑ 판례는 대리권·대표권 남용에 관해서 "대표이사가 대표권의 범위 내에서 한 행위는 설사 대표이사가 회사의 영리목적과 관계없이 자기 또는 제3자의 이익을 도모할 목적으로 그 권한을 남용한 것이라 할지라도 일단 회사의 행위로서 유효하고, 다만 그 행위의 상대방이 대표이사의 진의를 알았거나 알 수 있었을 때에는 회사에 대하여 무효가 되는 것이며, 이는 민법상 법인의 대표자가 대표권한을 남용한 경우에도 마찬가지이다"(대판 2004.3.26, 2003다34045)라고 하여, 대체로 제107조 제1항 단서 유추적용설을 취하고 있다.

③ 대내적 권한 – 사무집행

> 제58조【이사의 사무집행】① 이사는 법인의 사무를 집행한다.
> ② 이사가 수인인 경우에는 정관에 다른 규정이 없으면 법인의 사무집행은 이사의 과반수로써 결정한다.

(3) 이사회, 임시이사 및 특별대리인

① 이사회

㉠ 이사가 여럿 있는 경우에 정관에 다른 규정이 없으면 법인의 업무집행은 이사의 과반수로써 결정되며(제58조 제2항), 이러한 이사들의 의결기관이 이사회이다. 주식회사의 이사회는 필요기관이나, 민법상 법인의 이사회는 임의기관이다. 이사회의 소집 · 결의 · 의사록의 작성 등에 관하여는 정관에 특별한 규정이 없는 한 사원총회에 관한 규정을 유추적용하여야 할 것이다(이설 없음).

㉡ 한편, 민법상 법인의 이사회의 결의에 부존재 혹은 무효 등 하자가 있는 경우 법률에 별도의 규정이 없으므로 이해관계인은 언제든지 또 어떤 방법에 의하든지 그 무효를 주장할 수 있다(대판 2003.4.25, 2000다60197). 그러나 이와 같은 무효주장의 방법으로서 이사회결의 무효확인소송이 제기되어 승소확정판결을 받은 경우 그 판결의 효력은 위 소송의 당사자 사이에서만 발생하는 것이지 대세적 효력이 있다고 볼 수는 없다(대판 2000.2.11, 99다30039).

판례 **법원의 허가를 얻어 임시총회를 소집할 수 있도록 규정한 민법 제70조 제3항을 민법상 법인의 이사회 소집에 유추적용할 수 있는지 여부(소극)**

사단법인의 소수사원이 이사에게 요건을 갖추어 임시총회의 소집을 요구하였으나 2주간 내에 이사가 총회소집의 절차를 밟지 아니한 경우 법원의 허가를 얻어 임시총회를 소집할 수 있도록 규정한 민법 제70조 제3항은, 사단법인의 최고의결기관인 사원총회의 구성원들이 사원권에 기초하여 일정한 요건을 갖추어 최고의결기관의 의사를 결정하기 위한 회의의 개최를 요구하였는데도 집행기관인 이사가 절차를 밟지 아니하는 경우에 **법원이 후견적 지위에서 소수사원의 임시총회 소집권을 인정**한 법률의 취지를 실효성 있게 보장하기 위한 규정이다. 따라서 위 규정을 구성과 운영의 원리가 다르고 법원이 후견적 지위에서 관여하여야 할 필요성을 달리하는 민법상 법인의 집행기관인 이사회 소집에 유추적용할 수 없다(대결 2017.12.1, 2017그661).

---

② 임시이사

> 제63조【임시이사의 선임】이사가 없거나 결원이 있는 경우에 이로 인하여 손해가 생길 염려가 있는 때에는 법원은 이해관계인이나 검사의 청구에 의하여 임시이사를 선임하여야 한다.

㉠ 여기서 '결원이 있는 경우'란 정관 소정의 이사의 정원수에 부족이 있는 경우를 말한다(대결 1975.3.31, 74마562). 이해관계인은 임시이사가 선임되는 것에 관하여 법률상 이해관계를 가지는 자이며, 거기에는 법인의 다른 이사 · 사원 · 채권자 등이 포함된다(대결 1976.12.10, 76마394).

㉡ 임시이사는 정식이사가 선임될 때까지의 일시적 기관이기는 하나, 이사와 동일한 권한을 가지는 법인의 대표기관이다(대판 1963.3.21, 62다800). 정식이사가 선임되면 임시이사의 권한은 당연히 소멸한다(이설 없음).

③ 특별대리인

> 제64조【특별대리인의 선임】 법인과 이사의 이익이 상반하는 사항에 관하여는 이사는 대표권이 없다. 이 경우에는 전조의 규정에 의하여 특별대리인을 선임하여야 한다.

특별대리인은 대리인이 아니고 법인의 대표기관이다.

(4) 직무대행자

> 제60조의2【직무대행자의 권한】 ① 제52조의2의 직무대행자는 가처분명령에 다른 정함이 있는 경우 외에는 법인의 통상사무에 속하지 아니한 행위를 하지 못한다. 다만, 법원의 허가를 얻은 경우에는 그러하지 아니하다.
> ② 직무대행자가 제1항의 규정에 위반한 행위를 한 경우에도 법인은 선의의 제3자에 대하여 책임을 진다.

직무대행자는 이사의 선임행위에 흠이 있는 경우에 이해관계인의 신청에 의하여 법원이 가처분으로 선임하는 임시적 기관이다.

판례

1. 가처분결정에 의하여 선임된 학교법인 이사 직무대행자의 법적 지위 및 권한 범위
가처분결정에 의하여 학교법인의 이사의 직무를 대행하는 자를 선임한 경우에 그 직무대행자는 단지 피대행자의 직무를 대행할 수 있는 임시의 지위에 놓여 있음에 불과하므로, **가처분결정에 다른 정함이 있는 경우 외에는** 학교법인을 종전과 같이 그대로 유지하면서 관리하는 한도 내의 **학교법인의 통상업무**에 속하는 사무만을 행할 수 있다. 가처분결정에 의하여 선임된 학교법인 이사 직무대행자가 그 가처분의 본안소송인 이사회결의 무효확인의 제1심 판결에 대하여 **항소권을 포기하는 행위**는 **학교법인의 통상업무에 속하지 않는다고 보아야 할 것이므로, 그 가처분결정에 다른 정함이 있거나 관할법원의 허가를 얻지 아니하고서는 이를 할 수 없다**(대판 2006.1.26, 2003다36225).

2. 이사장 직무대행자가 사단법인을 상대로 소송을 하는 것은 이익상반 사항에 해당

이사장 등 직무집행정지가처분에 의하여 선임된 사단법인의 이사장 직무대행자는 위 법인에 대하여 이사와 유사한 권리의무와 책임을 부담하므로, 위 **법인과의 사이에 이익이 상반하는 사항에 관하여는 민법 제64조가 준용**되고, 위 **법인의 이사장 직무대행자가 개인의 입장에서 원고가 되어 법인을 상대로 소송을 하는 경우에는 민법 제64조가 규정하는 이익상반 사항에 해당**함이 분명하다(대판 2003.5.27, 2002다69211).

---

03 감사

(1) 의의

> 제66조【감사】 법인은 정관 또는 총회의 결의로 감사를 둘 수 있다.

법인은 정관 또는 총회의 결의에 의해 1인 또는 수인의 감사를 둘 수 있다(제66조). 주식회사에서는 감사가 필요적 상설기관이지만(상법 제409조 제1항), 민법상의 법인에서는 임의기관으로 되어 있다. 그의 성명 · 주소는 등기사항이 아니다.

(2) 직무권한

> 제67조【감사의 직무】 감사의 직무는 다음과 같다.
> 1. 법인의 재산상황을 감사하는 일
> 2. 이사의 업무집행의 상황을 감사하는 일
> 3. 재산상황 또는 업무집행에 관하여 부정, 불비한 것이 있음을 발견한 때에는 이를 총회 또는 주무관청에 보고하는 일
> 4. 전호의 보고를 하기 위하여 필요 있는 때에는 총회를 소집하는 일

04 사원총회

(1) 의의

사원총회는 사단법인의 사원 전원으로 구성되는 최고의 의사결정기관이다. 총회는 필요기관이므로 정관으로도 이를 폐지할 수 없다. 재단법인에는 사원이 없으므로 사원총회가 있을 수 없으며, 재단법인의 최고의사는 정관에 정하여져 있다. 사원총회는 집행기관이 아니고 의결기관이다.

(2) 총회의 권한

> 제68조【총회의 권한】 사단법인의 사무는 정관으로 이사 또는 기타 임원에게 위임한 사항 외에는 총회의 결의에 의하여야 한다.

① 사원총회는 정관으로 이사 기타 임원에게 위임한 사항을 제외하고는 법인의 사무 전부에 관하여 의결권을 갖는다(제68조). 정관변경(제42조), 임의해산(제77조 제2항)은 총회의 전권사항이며, 정관에 의해서도 박탈하지 못한다.

② 총회의 권한에도 일정한 한계가 있다. 즉, 강행법규 · 사회질서 · 법인의 본질 등에 반하는 사항은 결의할 수 없다. 정관의 규범적인 의미 내용과 다른 해석을 사원총회의 결의라는 방법으로 할 수도 없다(대판 2000.11.24, 99다12437). 소수사원권(제70조 제2항) · 사원의 결의권(제73조)과 같은 고유권은 총회의 결의에 의하여도 박탈할 수 없다.

(3) 총회의 종류

① 통상총회

> 제69조【통상총회】 사단법인의 이사는 매년 1회 이상 통상총회를 소집하여야 한다.

② 임시총회

> 제70조【임시총회】 ① 사단법인의 이사는 필요하다고 인정한 때에는 임시총회를 소집할 수 있다.
> ② 총사원의 5분의 1 이상으로부터 회의의 목적사항을 제시하여 청구한 때에는 이사는 임시총회를 소집하여야 한다. 이 정수는 정관으로 증감할 수 있다.
> ③ 전항의 청구 있는 후 2주간 내에 이사가 총회소집의 절차를 밟지 아니한 때에는 청구한 사원은 법원의 허가를 얻어 이를 소집할 수 있다.

임시총회 소집권자는 이사, 소수사원이다(제70조). 그 외에 재산상황 또는 업무집행에 관하여 부정, 불비한 것이 있음을 발견하여 이를 보고할 필요가 있는 때에는 감사는 임시총회를 소집할 수 있다(제67조 제4호).

(4) 총회의 소집

> 제71조【총회의 소집】 총회의 소집은 1주간 전에 그 회의의 목적사항을 기재한 통지를 발하고 기타 정관에 정한 방법에 의하여야 한다.

① 사원총회의 소집은 서면통지가 원칙이며 발신주의가 적용된다. 그 성질은 관념의 통지이며, 기간역산법에 의한다.

② 소집절차가 법률 또는 정관의 규정에 위반한 경우의 효과에 관하여 민법에는 아무런 규정이 없으나, 치유될 수 있는 하자가 아닌 한 총회의 결의는 무효라고 하여야 한다(대판 2007.9.6, 2007다34982). 즉, 총회는 소집권자(이사 · 감사 · 소수사원)에 의해 소집되어야 하며, 그 권한이 없는 자가 소집하여 한 결의는 무효이다.

(5) 총회의 결의

제72조 【총회의 결의사항】 총회는 전조의 규정에 의하여 통지한 사항에 관하여서만 결의할 수 있다. 그러나 정관에 다른 규정이 있는 때에는 그 규정에 의한다.

제73조 【사원의 결의권】 ① 각 사원의 결의권은 평등으로 한다.
② 사원은 서면이나 대리인으로 결의권을 행사할 수 있다.
③ 전2항의 규정은 정관에 다른 규정이 있는 때에는 적용하지 아니한다.

제74조 【사원이 결의권 없는 경우】 사단법인과 어느 사원과의 관계사항을 의결하는 경우에는 그 사원은 결의권이 없다.

제75조 【총회의 결의방법】 ① 총회의 결의는 본법 또는 정관에 다른 규정이 없으면 사원과반수의 출석과 출석사원의 결의권의 과반수로써 한다.
② 제73조 제2항의 경우에는 당해 사원은 출석한 것으로 한다.

총회가 성립하기 위한 의사정족수에 관해 민법은 정하고 있지 않은데, 통설은 정관에 따로 정함이 없는 한 2인 이상이 출석하면 되는 것으로 해석한다. 총회의 결의는 민법 또는 정관에 다른 규정이 없으면 사원 과반수의 출석과 출석사원의 결의권의 과반수로써 한다(제75조 제1항). 다만, 정관에 다른 정함이 없는 한, '정관변경'은 총사원의 3분의 2 이상(제42조 제1항), '임의해산'은 총사원의 4분의 3 이상(제78조)의 동의가 있어야 하는 것으로 규정한다.

(6) 사원권

제56조 【사원권의 양도, 상속금지】 사단법인의 사원의 지위는 양도 또는 상속할 수 없다.

① 사원권은 공익권과 자익권으로 나누어진다. 공익권은 사단의 관리 · 운영에 참가하는 것을 내용으로 하는 권리로서, 결의권 · 소수사원권 · 업무집행권 · 감독권 등이 이에 속한다. 자익권은 사원 자신이 이익을 누리는 것을 내용으로 하는 권리이며, 사단의 설비를 이용하는 권리 등이 이에 해당한다(영리법인에서는 이익배당청구권 · 잔여재산분배청구권 등이 자익권이다).

② 영리법인에서의 사원권은 자익권이 강하므로 양도나 상속이 허용되지만(상법 제335조 참조), 비영리법인에서는 공익권이 강하므로 양도나 상속이 허용되지 않는다(제56조). 그러나 사원권의 양도 · 상속을 부인하는 민법규정(제56조)은 강행규정이라고 할 수 없으므로, 비법인사단에서도 사원의 지위는 규약이나 관행에 의하여 양도 또는 상속될 수 있다(대판 1997.9.26, 95다6205).

제5관 법인에 관한 그 밖의 규정들

01 법인의 주소

> 제36조【법인의 주소】 법인의 주소는 그 주된 사무소의 소재지에 있는 것으로 한다.
>
> 제51조【사무소이전의 등기】 ① 법인이 그 사무소를 이전하는 때에는 구소재지에서는 3주간 내에 이전등기를 하고, 신소재지에서는 동기간 내에 제49조 제2항에 게기한 사항을 등기하여야 한다.
> ② 동일한 등기소의 관할구역 내에서 사무소를 이전한 때에는 그 이전한 것을 등기하면 된다.

02 정관의 변경

(1) 의의

정관의 변경이란 법인이 그 동일성을 유지하면서 그 조직을 변경하는 것을 말한다. 사원의 자주적인 의사결정에 따라 자율적으로 운영되는 사단법인은 정관의 변경이 원칙적으로 허용되지만, 설립자의 의사에 따라 타율적으로 운영되는 재단법인은 그 변경이 예외적으로 허용된다.

(2) 사단법인의 정관변경

> 제42조【사단법인의 정관의 변경】 ① 사단법인의 정관은 총사원 3분의 2 이상의 동의가 있는 때에 한하여 이를 변경할 수 있다. 그러나 정수에 관하여 정관에 다른 규정이 있는 때에는 그 규정에 의한다.
> ② 정관의 변경은 주무관청의 허가를 얻지 아니하면 그 효력이 없다.

① 요건: 사단법인이 정관을 변경하기 위해서는 사원총회에서 3분의 2 이상의 결의와 주무관청의 허가가 있어야 한다(제42조). 사단법인의 정관변경은 사원총회의 전권사항이다. 따라서 정관에서 이사회의 결의로써 정관변경을 할 수 있다고 정하였더라도 그것은 무효이다. 사단법인의 본질에 반하는 정관변경은 무효이다(대판 1978.9.26, 78다1435).

판례 사단법인 또는 법인 아닌 사단의 동일성 판단기준

사단법인은 일정한 목적을 위해 결합한 사람의 단체에 법인격이 인정된 것을 말하고, 사단법인에 있어 사원 자격의 득실변경에 관한 사항은 정관의 기재사항이므로(제40조 제6호), **어느 사단법인과 다른 사단법인이 동일한 것인지 여부는 그 구성원인 사원이 동일한지 여부에 따라 결정됨이 원칙**이다. 다만, **사원 자격의 득실변경에 관한 정관의 기재사항이 적법한 절차를 거쳐서 변경된 경우에는 구성원이 다르더라도 그 변경 전후의 사단법인은 동일성을 유지하면서 존속하는 것이고, 이러한 법리는 법인 아닌 사단에 있어서도 마찬가지이다**(대판 2008.9.25, 2006다37021).

② 정관변경의 한계

㉠ **정관변경의 금지**: 정관에서 그 정관을 변경할 수 없다고 규정한 경우에도 전사원의 동의로 변경이 가능하다.

㉡ **목적의 변경**: 비영리성을 유지하는 한 법인의 목적도 통상의 정관변경절차에 의하여 변경할 수 있다.

(3) 재단법인의 정관변경

① 요건

> **제45조 【재단법인의 정관변경】** ① 재단법인의 정관은 그 변경방법을 정관에 정한 때에 한하여 변경할 수 있다.
> ② 재단법인의 목적달성 또는 그 재산의 보전을 위하여 적당한 때에는 전항의 규정에 불구하고 명칭 또는 사무소의 소재지를 변경할 수 있다.
> ③ 제42조 제2항의 규정은 전2항의 경우에 준용한다.
>
> **제46조 【재단법인의 목적 기타의 변경】** 재단법인의 목적을 달성할 수 없는 때에는 설립자나 이사는 주무관청의 허가를 얻어 설립의 취지를 참작하여 그 목적 기타 정관의 규정을 변경할 수 있다.

㉠ 재단법인은 설립자가 정한 정관에 의하여 타율적으로 운영되기 때문에 그 정관을 변경할 수 없는 것이 원칙이다. **예외적으로 정관변경이 가능하다(제45조, 제46조).**

㉡ 이때에도 정관의 변경은 주무관청의 허가를 얻어야 효력이 생긴다(제45조 제3항, 제43조 제2항). 재단법인의 정관변경 '허가'는 법률행위의 효력을 보충해 주는 것이지 일반적 금지를 해제하는 것이 아니므로, 그 법적 성격은 '인가'라고 보아야 한다(대판 1996.5.16, 95누4810 전합).

② 기본재산의 처분 · 편입과 정관의 변경

㉠ 재단법인은 재산을 실체로 하므로, **재단법인의 기본재산을 처분하거나 증가시키는** 것은 중대한 조직변경을 의미하게 된다. 그 때문에 판례는 재단의 기본재산을 처분하거나(대판 1969.2.18, 68다2323), 증가시키는 경우(대판 1969.7.22, 67다568)도 정관의 변경에 해당한다고 볼 것이므로 **주무관청의 허가를 받아야 한다고** 한다(대판 1991.5.28, 90다8558). **재단의 채권자가 그 기본재산에 대하여 강제집행을 실시하여 경락이 된 경우**도 동일하다(대판 1965.5.18, 65다114). 주무관청의 허가는 반드시 사전에 얻어야 하는 것은 아니므로, 재단법인의 정관변경에 대한 주무관청의 허가는 경매개시요건은 아니고, **경락인의 소유권취득에 관한 요건이다**(대결 2018.7.20, 2017마1565).

㉡ 한편, 기본재산이 아닌 재산의 매각은 정관의 변경을 초래하는 것이 아니므로 주무부장관의 인가가 필요한 것이 아니다(대판 1967.12.19, 67다1357). 그리고 민법상 재단법인의 기본재산에 관한 저당권 설정행위는 특별한 사정이 없는 한 정관의 기재사항을 변경하여야 하는 경우에 해당하지 않으므로, 그에 관하여는 주무관청의 허가를 얻을 필요가 없다(대결 2018.7.20, 2017마1565). 나아가 민법상 재단법인의 정관에 기본재산은 담보설정 등을 할 수 없으나 주무관청의 허가·승인을 받은 경우에는 이를 할 수 있다는 취지로 정해져 있고, 정관 규정에 따라 주무관청의 허가·승인을 받아 민법상 재단법인의 기본재산에 관하여 근저당권을 설정한 경우, 그와 같이 설정된 근저당권을 실행하여 기본재산을 매각할 때에는 주무관청의 허가를 다시 받을 필요는 없다(대결 2019.2.28, 2018마800).

03 법인의 등기

제54조【설립등기 이외의 등기의 효력과 등기사항의 공고】① 설립등기 이외의 본절의 등기사항은 그 등기 후가 아니면 제3자에게 대항하지 못한다.
② 등기한 사항은 법원이 지체 없이 공고하여야 한다.

04 법인의 감독 및 벌칙

제37조【법인의 사무의 검사, 감독】법인의 사무는 주무관청이 검사, 감독한다.

제95조【해산, 청산의 검사, 감독】법인의 해산 및 청산은 법원이 검사, 감독한다.

기출예제

민법상 비영리법인에 관한 설명으로 옳지 않은 것은? (다툼이 있으면 판례에 따름) 제27회

① 법인은 법률의 규정에 의함이 아니면 성립하지 못한다.
② 감사의 임면에 관한 규정은 정관의 필요적 기재사항이므로 감사의 성명과 주소는 법인의 등기사항이다.
③ 법인과 이사의 이익이 상반하는 사항에 관하여는 그 이사는 대표권이 없다.
④ 사단법인의 사원의 지위는 정관에 별도의 정함이 있으면 상속될 수 있다.
⑤ 재단법인의 목적을 달성할 수 없는 경우, 설립자는 주무관청의 허가를 얻어 설립의 취지를 참작하여 그 목적에 관한 정관규정을 변경할 수 있다.

해설

감사의 임면에 관한 규정은 정관의 필요적 기재사항이 아니며(제40조 참조), 감사의 성명과 주소는 법인의 등기사항이 아니다(제49조 제2항 참조).

정답: ②

제6관 법인의 소멸

01 총설

법인의 소멸은 법인이 권리능력을 상실하는 것을 말하며, 자연인의 사망에 해당하는 것이다. 법인의 소멸은 일정한 절차를 거쳐 단계적으로 이루어지는데, 우선 '해산'에 의하여 법인은 본래의 활동을 정지하고, 이어서 재산을 정리하는 '청산'의 단계로 들어간다. 법인이 소멸하는 시점은 청산이 종료한 때이다.

02 법인의 해산

(1) 해산의 개념

법인이 그 본래의 활동을 정지하고 청산절차에 들어가는 것을 해산이라고 한다.

(2) 해산사유

> 제77조 【해산사유】 ① 법인은 존립기간의 만료, 법인의 목적의 달성 또는 달성의 불능 기타 정관에 정한 해산사유의 발생, 파산 또는 설립허가의 취소로 해산한다.
> ② 사단법인은 사원이 없게 되거나 총회의 결의로도 해산한다.
>
> 제38조 【법인의 설립허가의 취소】 법인이 목적 이외의 사업을 하거나 설립허가의 조건에 위반하거나 기타 공익을 해하는 행위를 한 때에는 주무관청은 그 허가를 취소할 수 있다.

비영리법인이 설립된 이후에 있어서의 그 법인에 대한 설립허가의 취소는 민법 제38조에 해당하는 경우에 한하여 가능하다(대판 1982.10.26, 81누363).

03 법인의 청산

(1) 의의

법인의 청산이란 해산한 법인이 잔무를 처리하고 재산을 정리하여 완전히 소멸할 때까지의 절차를 말한다. 청산이 종료한 때에 법인은 소멸한다(대판 1989.8.8, 88다카26123). 파산으로 해산하는 경우에는 채무자회생 및 파산에 관한 법률이 정하는 절차에 따라 청산을 하게 되고, 기타의 원인에 의한 경우 '민법'이 정하는 절차에 따른다. 위 청산절차는 강행규정이며(대판 1995.2.10, 94다13473), 정관에서 달리 정하더라도 무효이다.

(2) 청산법인의 능력

> 제81조 【청산법인】 해산한 법인은 청산의 목적범위 내에서만 권리가 있고 의무를 부담한다.

청산법인은 청산의 목적범위 내에서만 권리가 있고 의무를 부담한다(제81조). 해산 전의 본래의 적극적인 사업을 수행할 수는 없고, 청산의 목적과 관계없는 행위는 무효이다(대판 1980.4.8, 79다2036). 그 밖의 경우에는 해산 전의 법인과 그 동일성이 유지된다.

(3) 청산법인의 기관

① 의의: 청산법인은 해산 전의 법인과 동일성이 유지되므로, 해산 전의 기관, 즉 사원총회·감사 등의 기관은 그대로 존속하고, 이사는 청산인이 된다.

② 청산인

> **제82조 【청산인】** 법인이 해산한 때에는 파산의 경우를 제하고는 이사가 청산인이 된다. 그러나 정관 또는 총회의 결의로 달리 정한 바가 있으면 그에 의한다.
>
> **제87조 【청산인의 직무】** ① 청산인의 직무는 다음과 같다.
> 1. 현존사무의 종결
> 2. 채권의 추심 및 채무의 변제
> 3. 잔여재산의 인도
>
> ② 청산인은 전항의 직무를 행하기 위하여 필요한 모든 행위를 할 수 있다.

(4) 청산사무

민법은 청산인이 행하여야 할 청산사무를 열거하고 있다(제85조 이하). 그러나 이것이 전부는 아니다.

① 해산의 등기와 신고

> **제85조 【해산등기】** ① 청산인은 파산의 경우를 제하고는 그 취임 후 3주간 내에 해산의 사유 및 연월일, 청산인의 성명 및 주소와 청산인의 대표권을 제한한 때에는 그 제한을 주된 사무소 및 분사무소 소재지에서 등기하여야 한다.
>
> ② 제52조의 규정은 전항의 등기에 준용한다.
>
> **제86조 【해산신고】** ① 청산인은 파산의 경우를 제하고는 그 취임 후 3주간 내에 전조 제1항의 사항을 주무관청에 신고하여야 한다.
>
> ② 청산 중에 취임한 청산인은 그 성명 및 주소를 신고하면 된다.

② 현존사무의 종결(제87조 제1항 제1호)

③ 채권의 추심(제87조 제1항 제2호)

④ 채무의 변제(제87조 제1항 제2호)

제88조 【채권신고의 공고】 ① 청산인은 취임한 날로부터 2월 내에 3회 이상의 공고로 채권자에 대하여 일정한 기간 내에 그 채권을 신고할 것을 최고하여야 한다. 그 기간은 2월 이상이어야 한다.
② 전항의 공고에는 채권자가 기간 내에 신고하지 아니하면 청산으로부터 제외될 것을 표시하여야 한다.
③ 제1항의 공고는 법원의 등기사항의 공고와 동일한 방법으로 하여야 한다.

제89조 【채권신고의 최고】 청산인은 알고 있는 채권자에게 대하여는 각각 그 채권신고를 최고하여야 한다. 알고 있는 채권자는 청산으로부터 제외하지 못한다.

제90조 【채권신고기간 내의 변제금지】 청산인은 제88조 제1항의 채권신고기간 내에는 채권자에 대하여 변제하지 못한다. 그러나 법인은 채권자에 대한 지연손해배상의 의무를 면하지 못한다.

제91조 【채권변제의 특례】 ① 청산 중의 법인은 변제기에 이르지 아니한 채권에 대하여도 변제할 수 있다.
② 전항의 경우에는 조건 있는 채권, 존속기간의 불확정한 채권 기타 가액의 불확정한 채권에 관하여는 법원이 선임한 감정인의 평가에 의하여 변제하여야 한다.

제92조 【청산으로부터 제외된 채권】 청산으로부터 제외된 채권자는 법인의 채무를 완제한 후 귀속권리자에게 인도하지 아니한 재산에 대하여서만 변제를 청구할 수 있다.

⑤ 잔여재산의 인도(제87조 제1항 제3호)

제80조 【잔여재산의 귀속】 ① 해산한 법인의 재산은 정관으로 지정한 자에게 귀속한다.
② 정관으로 귀속권리자를 지정하지 아니하거나 이를 지정하는 방법을 정하지 아니한 때에는 이사 또는 청산인은 주무관청의 허가를 얻어 그 법인의 목적에 유사한 목적을 위하여 그 재산을 처분할 수 있다. 그러나 사단법인에 있어서는 총회의 결의가 있어야 한다.
③ 전2항의 규정에 의하여 처분되지 아니한 재산은 국고에 귀속한다.

민법상의 청산절차에 관한 규정은 모두 제3자의 이해관계에 중대한 영향을 미치기 때문에 이른바 **강행규정**이라고 해석되므로, 이에 반하는 잔여재산의 처분행위는 특단의 사정이 없는 한 무효라고 보아야 한다(대판 1995.2.10, 94다13473).

⑥ 파산신청(제93조)

제93조 【청산 중의 파산】 ① 청산 중 법인의 재산이 그 채무를 완제하기에 부족한 것이 분명하게 된 때에는 청산인은 지체없이 파산선고를 신청하고 이를 공고하여야 한다.
② 청산인은 파산관재인에게 그 사무를 인계함으로써 그 임무가 종료한다.
③ 제88조 제3항의 규정은 제1항의 공고에 준용한다.

⑦ 청산종결의 등기와 신고(제94조)

제94조【청산종결의 등기와 신고】 청산이 종결한 때에는 청산인은 3주간 내에 이를 등기하고 주무관청에 신고하여야 한다.

청산종결의 등기가 되었을지라도 청산사무가 종료되지 않은 경우에는 청산법인은 존속한다고 하여야 하며(대판 1980.4.8, 79다2036), 청산법인으로서 당사자능력도 가진다고 하여야 한다(대판 1997.4.23, 97다3408). 따라서 '비법인사단에 해산사유가 발생하였다고 하더라도 곧바로 당사자능력이 소멸하는 것이 아니라, 청산사무가 완료될 때까지 청산의 목적범위 내에서 권리 · 의무의 주체'가 된다(대판 2007.11.16, 2006다41297).

기출예제

민법상 비영리법인의 해산 및 청산에 관한 설명으로 옳은 것은? 제27회

① 재단법인은 사원이 없게 되거나 총회의 결의로도 해산한다.
② 해산한 법인의 재산은 정관으로 지정한 자에게 귀속하고, 정관에 정함이 없으면 출연자에게 귀속한다.
③ 해산한 법인은 청산의 목적범위 내에서만 권리가 있고 의무를 부담한다.
④ 청산인은 현존사무의 종결, 채권의 추심 및 채무의 변제, 잔여재산의 인도만 할 수 있다.
⑤ 청산인은 알고 있는 채권자에게 채권신고를 최고하여야 하고, 최고를 받은 그 채권자가 채권신고를 하지 않으면 청산으로부터 제외하여야 한다.

해설

③ 청산법인(제81조)
① 사단법인은 사원이 없게 되거나 총회의 결의로도 해산한다(제77조 제2항).
② 해산한 법인의 재산은 정관으로 지정한 자에게 귀속한다. 정관으로 귀속권리자를 지정하지 아니하거나 이를 지정하는 방법을 정하지 아니한 때에는 이사 또는 청산인은 주무관청의 허가를 얻어 그 법인의 목적에 유사한 목적을 위하여 그 재산을 처분할 수 있다. 그러나 사단법인에 있어서는 총회의 결의가 있어야 한다. 위 방법에 의하여 처분되지 아니한 재산은 국고에 귀속한다(제80조).
④ 청산인은 현존사무의 종결, 채권의 추심 및 채무의 변제, 잔여재산의 인도, 파산신청, 청산종결의 등기와 신고 등을 할 수 있다. 그러나 이것이 전부는 아니다.
⑤ 청산인은 알고 있는 채권자에게 대하여는 각각 그 채권신고를 최고하여야 한다. 알고 있는 채권자는 청산으로부터 제외하지 못한다(제89조).

정답: ③

마무리STEP 1 | OX 문제

01 사람은 생존하는 동안 권리와 의무의 주체가 된다. ( )

02 자연인의 권리능력은 출생이라는 사실에 의하여 취득하는 것이고, 출생신고에 의하여 취득하는 것은 아니다. ( )

03 태아 乙의 출생 전에 甲의 불법행위로 乙의 부(父)가 사망한 경우, 출생한 乙은 甲에 대하여 부(父)의 사망에 따른 자신의 정신적 손해에 대한 배상을 청구할 수 있다. ( )

04 태아는 유류분권에 관하여 이미 출생한 것으로 본다. ( )

05 태아는 증여와 유증에 관하여 이미 출생한 것으로 본다. ( )

06 운전자 甲의 과실에 의한 교통사고로 모(母)가 충격되어 태아가 사산(死産)된 경우, 모(母)는 태아의 甲에 대한 손해배상청구권을 상속받아 甲에게 행사할 수 있다. ( )

01 ○

02 ○

03 ○

04 ○

05 × 유증에 관하여 태아는 이미 출생한 것으로 본다(제1064조). 그러나 판례는 의용민법하의 사건에 관하여 태아의 수증능력을 인정할 수 없다고 한다(대판 1982.2.9, 81다534).

06 × 판례는 "태아로 있는 동안은 권리능력을 취득할 수 없으므로, 살아서 출생한 때에 출생시기가 문제의 사건의 시기까지 소급하여 그때에 태아가 출생한 것과 같이 법률상 보아준다고 해석하여야 상당하다."라고 하여 정지조건설의 입장이다(대판 1976.9.14, 76다1365; 대판 1982.2.9, 81다254). 운전자 甲의 과실에 의한 교통사고로 모(母)가 충격되어 태아가 사산(死産)된 경우, 권리능력을 갖지 못한다. 따라서 모(母)는 태아의 甲에 대한 손해배상청구권을 상속받을 수 없다.

07 동시사망의 추정은 사실상의 추정이 아니라 법률상의 추정이다. ( )

08 인정사망 후 그에 대한 반증만으로 사망의 추정력이 상실되는 것은 아니다. ( )

09 미성년자의 법률행위에 대한 법정대리인의 동의는 묵시적으로도 할 수 있다. ( )

10 미성년자가 법정대리인의 동의 없이 시가보다 저렴한 가격으로 컴퓨터를 매수한 경우, 법정대리인은 이를 취소할 수 없다. ( )

11 법정대리인이 범위를 정하여 처분을 허락한 재산은 미성년자가 임의로 처분할 수 있다. ( )

12 미성년자는 법정대리인으로부터 허락을 얻은 특정한 영업에 관하여 성년자와 동일한 행위능력이 있다. ( )

13 미성년자는 타인의 임의대리인이 될 수 있다. ( )

14 의사무능력자는 성년후견개시의 심판 없이도 피성년후견인으로서 보호된다. ( )

07 ○

08 × 인정사망은 사망의제의 효력이 없으며 강한 사망추정적 효과가 있다. 따라서 반증에 의하여 이를 번복할 수 있다.

09 ○

10 × 미성년자가 법률행위를 함에는 법정대리인의 동의를 얻어야 한다. 그러나 권리만을 얻거나 의무만을 면하는 행위는 그러하지 아니하다(제5조 제1항). 어떤 행위에 의하여 미성년자가 권리만을 얻거나 의무만을 면하는지는 경제적인 관점이 아니고, 오로지 '법률적인 결과'만을 가지고 판단한다. 따라서 경제적으로 유리한 쌍무계약의 체결은 단독으로 할 수 없다.

11 ○

12 ○

13 ○

14 × 피성년후견인은 '질병, 장애, 노령 그 밖의 사유로 인한 정신적 제약으로 사무를 처리할 능력이 지속적으로 결여된 사람'으로서 일정한 자의 청구에 의하여 가정법원으로부터 '성년후견개시의 심판'을 받은 자이다(제9조 제1항). 사무처리능력이 지속적으로 결여된 사람이라도 성년후견개시의 심판을 받기 전에는 피성년후견인이 아니다(대판 1992.10.13, 92다6433 참조).

15 가정법원은 본인 등 일정한 자의 청구 또는 직권으로 성년후견개시의 심판을 한다. ( )

16 성년후견개시의 심판을 할 경우 본인의 의사를 고려하여야 하며, 가정법원이 직권으로 심판결정을 할 수 있다. ( )

17 가정법원은 성년후견개시의 심판을 할 때 본인의 의사를 고려할 필요가 없다. ( )

18 피성년후견인이 성년후견인의 동의를 얻어서 한 부동산 매도행위는 특별한 사정이 없는 한 취소할 수 없다. ( )

19 가정법원은 취소할 수 없는 피성년후견인의 법률행위의 범위를 정할 수 있다. ( )

20 피성년후견인의 법률행위는 일상생활에 필요하고 그 대가가 과도하지 않은 것이라도 성년후견인은 취소할 수 있다. ( )

21 한정후견인은 피한정후견인의 모든 법률행위에 대한 동의권, 대리권 및 취소권이 있다. ( )

15 × '본인, 배우자, 4촌 이내의 친족, 미성년후견인, 미성년후견감독인, 한정후견인, 한정후견감독인, 특정후견인, 특정후견감독인, 검사 또는 지방자치단체의 장의 청구'가 있어야 한다(제9조). 가정법원이 직권으로 절차를 개시하는 것은 인정하지 않는다.

16 × 성년후견개시의 심판과 피한정후견개시의 심판은 본인의 의사를 고려하여 결정하며, 청구권자의 청구를 거쳐야 하기 때문에 가정법원이 직권으로 결정할 수 없다.

17 × 가정법원은 성년후견개시의 심판을 할 때 본인의 의사를 고려하여야 한다(제9조 제2항).

18 × 피성년후견인의 법률행위는 원칙적으로 취소할 수 있다(제10조 제1항). 즉, 성년후견인의 동의 없이 한 경우는 물론이고 그 동의를 얻어서 한 행위라도 취소할 수 있다.

19 ○

20 × 피성년후견인의 법률행위는 원칙적으로 취소할 수 있다(제10조 제1항). 그러나 일용품의 구입 등 일상생활에 필요하고 그 대가가 과도하지 아니한 법률행위는 성년후견인이 취소할 수 없다(제10조 제4항).

21 × 한정후견인은 원칙적으로 법률행위의 동의권·취소권이 없다. 그러나 동의가 유보된 경우에는 동의권과 취소권을 가진다. 그리고 대리권도 원칙적으로 없으며, 대리권을 수여하는 심판이 있을 경우에만 대리권을 가진다.

22 특정후견심판으로 특정후견인이 선임되더라도 피특정후견인의 행위능력은 제한되지 않는다. ( )

23 피성년후견인이 적극적으로 속임수를 써서 자기를 능력자로 믿게 한 경우에는 그 행위를 취소할 수 있다. ( )

24 피성년후견인이 법정대리인의 동의서를 위조하여 주택 매매계약을 체결한 경우, 성년후견인은 이를 취소할 수 있다. ( )

25 제한능력자와 계약을 맺은 상대방은 계약 당시에 제한능력자임을 알았을 경우에는 그 의사표시를 철회할 수 없다. ( )

26 미성년자의 단독행위는 추인이 있을 때까지 상대방이 선의·악의를 불문하고 거절할 수 있다. ( )

27 주소는 생활의 근거되는 곳을 말한다. ( )

28 주소는 동시에 두 곳 이상 있을 수 있다. ( )

29 외국에 장기 체류하더라도 그 소재가 분명하고 소유재산을 타인을 통하여 직접 관리하고 있는 자는 민법상 부재자라고 할 수 없다. ( )

22 ○
23 × 제한능력자(피성년후견인도 포함)가 속임수로써 자기를 능력자로 믿게 한 경우에는 그 행위를 취소할 수 없다(제17조 제1항).
24 ○
25 ○
26 ○
27 ○
28 ○
29 ○

30 법인은 부재자에 해당하지 않는다. ( )

31 법원이 선임한 부재자의 재산관리인은 일종의 법정대리인이므로 자유로이 사임할 수 없다. ( )

32 법원이 선임한 부재자의 재산관리인이 처분행위를 하기 위해서는 법원의 허가를 얻어야 한다. ( )

33 법원이 선임한 재산관리인이 법원의 허가 없이 부재자 소유의 부동산을 매각한 후에 법원의 허가를 얻었다면, 그 처분행위는 추인한 것으로 된다. ( )

34 부재자의 재산관리인으로 선임된 자가 타인과 매매계약을 체결하였는데 부재자가 그 이전에 사망한 것으로 판명되어도 부재자의 상속인은 동 매매계약의 무효를 주장할 수 없다. ( )

35 재산관리인이 법원의 처분허가를 얻어 부재자의 재산을 처분한 후 그 허가결정이 취소된 경우, 처분행위는 소급하여 효력을 잃는다. ( )

36 법원이 선임한 재산관리인이 부재자의 사망을 확인하였다면, 그 선임결정이 취소되지 않아도 재산관리인은 권한을 행사할 수 없다. ( )

30 ○

31 × 부재자 재산관리인은 일종의 법정대리인이다. 재산관리인은 언제든지 사임할 수 있고, 법원도 언제든지 재산관리인을 개임할 수 있다(가사소송규칙 제42조).

32 ○

33 ○

34 ○ 선임결정취소처분이 없는 한 부재자 재산관리인의 권한은 소멸되지 않으므로 매매계약은 유효하다. 따라서 상속인은 매매계약의 무효를 주장할 수 없다.

35 × 가정법원의 처분명령의 취소의 효력은 소급하지 않고 장래에 향하여서만 생기는 것이다(대판 1970.1.27, 69다719). 따라서 관리인이 법원의 허가를 얻어 부재자의 재산을 매각한 후, 법원이 관리인 선임결정을 취소하여도 관리인의 처분행위는 유효하며, 재산처분이 있은 뒤 법원의 허가결정이 취소된 때에도 마찬가지이다(대판 1960.2.4, 4291민상636).

36 × 재산관리인의 권한은, 그의 선임결정이 취소되지 않는 한, 설사 부재자에 대한 실종기간이 만료되거나(대판 1981.7.28, 80다2668), 부재자의 사망이 확인된 후에도(대판 1991.11.26, 91다11810) 소멸하지 않는다.

37 재산관리인을 둔 부재자의 생사가 분명하지 않은 경우, 법원은 재산관리인의 청구에 의하여 재산관리인을 개임할 수 있다. (   )

38 잠수장비를 착용하고 바다에 입수한 후 행방불명이 되었다고 하여 이를 특별실종의 원인 되는 사유에 해당한다고 할 수 없다. (   )

39 부재자의 후순위 재산상속인은 선순위 재산상속인이 있는 경우에도 실종선고를 청구할 수 있다. (   )

40 부재자가 실종선고를 받은 경우에 그 실종자는 그 선고일까지 생존한 것으로 본다. (   )

41 법인 아닌 사단이 타인간의 금전채무를 보증하는 행위는 총유물의 관리 · 처분행위에 해당한다. (   )

42 종중의 토지에 대한 수용보상금의 분배는 총유물의 처분에 해당한다. (   )

43 법인 아닌 사단의 채무에 대해 각 구성원은 개인재산으로 책임을 지지 않는다. (   )

44 구성원 개인은 총유재산의 보존을 위한 소를 제기할 수 없다. (   )

37 ○

38 ○

39 × 이해관계인이란 실종선고로 인하여 권리를 취득하거나 의무를 면하게 되는 자이며, 단순히 사실상의 이해관계만을 갖는 자는 포함되지 않는다. 부재자의 제1순위 상속인이 있는 경우에 후순위의 상속인(부재자의 형이나 자매 등)은 이해관계인이 될 수 없다(대결 1986.10.10, 86스20).

40 × 실종선고를 받은 경우에, 실종자는 그가 사망한 것으로 간주되는 시기(실종기간 만료시)까지는 생존한 것으로 간주된다(대판 1977.3.22, 77다81 · 82).

41 × 비법인사단이 타인간의 금전채무를 보증하는 행위는 총유물 그 자체의 관리 · 처분이 따르지 아니하는 단순한 채무부담행위에 불과하여 이를 총유물의 관리 · 처분행위라고 볼 수는 없다(대판 2007.4.19, 2004다60072 전합).

42 ○

43 ○

44 ○

45 종중이 법인 아닌 사단이 되기 위해서는 특별한 조직행위와 이를 규율하는 성문의 규약이 있어야 한다. ( )

46 사단법인의 정관은 자치법규이므로 해석 당시의 사원의 다수결에 의한 방법으로 자의적으로 해석될 수 있다. ( )

47 재단법인 설립시 출연자가 출연재산의 소유명의만을 재단법인에 귀속시키고 실질적 소유권은 자신에게 유보하는 부관을 붙여서 이를 기본재산으로 출연하는 것도 가능하다. ( )

48 출연재산이 부동산인 경우 법인의 설립등기만으로도 그 재산은 제3자에 대한 관계에서 법인에게 귀속된다. ( )

45 × 종중이란 공동선조의 후손들에 의하여 선조의 분묘수호 및 봉제사와 후손 상호간의 친목을 목적으로 형성되는 자연발생적인 종족단체로서 선조의 사망과 동시에 후손에 의하여 성립하는 것이며, 그 성립을 위해 특별한 조직행위를 필요로 하는 것이 아니고, 반드시 특별한 명칭의 사용 및 서면화된 종중규약이 있어야 하거나 종중대표자가 선임되어 있는 등 조직을 갖추어야 성립하는 것은 아니다(대판 1997.11.14, 96다25715).

46 × 사단법인의 정관은 이를 작성한 사원뿐만 아니라 그 후에 가입한 사원이나 사단법인의 기관 등도 구속하는 점에 비추어 보면 그 법적 성질은 계약이 아니라 자치법규로 보는 것이 타당하므로, 이는 어디까지나 객관적인 기준에 따라 그 규범적인 의미 내용을 확정하는 법규해석의 방법으로 해석되어야 하는 것이지, 작성자의 주관이나 해석 당시의 사원의 다수결에 의한 방법으로 자의적으로 해석될 수는 없다 할 것이어서, 어느 시점의 사단법인의 사원들이 정관의 규범적인 의미 내용과 다른 해석을 사원총회의 결의라는 방법으로 표명하였다 하더라도 그 결의에 의한 해석은 그 사단법인의 구성원인 사원들이나 법원을 구속하는 효력이 없다(대판 2000.11.24, 99다12437).

47 × 재단법인의 기본재산은 재단법인의 실체를 이루는 것이므로, 재단법인 설립을 위한 기본재산의 출연행위에 관하여 그 재산출연자가 소유명의만을 재단법인에 귀속시키고 실질적 소유권은 출연자에게 유보하는 등의 부관을 붙여서 출연하는 것은 재단법인 설립의 취지에 어긋나는 것이어서 관할 관청은 이러한 부관이 붙은 출연재산을 기본재산으로 하는 재단법인의 설립을 허가할 수 없다(대판 2011.2.10, 2006다65774).

48 × 출연재산이 부동산인 경우에도 출연자와 법인 사이에는 법인의 성립 외에 등기를 필요로 하는 것은 아니지만, 제3자에 대한 관계에 있어서, 출연행위는 법률행위이므로 출연재산의 법인에의 귀속에는 부동산의 권리에 관한 것일 경우 등기를 필요로 한다(대판 1979.12.11, 78다481 · 482 전합).

49 청산인은 법인의 대표기관이 아니므로 그 직무에 관하여는 법인의 불법행위가 성립하지 않는다. ( )

50 정관에 이사의 해임사유에 관한 규정이 있는 경우, 특별한 사정이 없는 한 정관에서 정하지 아니한 사유로 이사를 해임할 수 없다. ( )

51 법인의 정관에 규정된 대표권제한을 등기하지 않았더라도 그 제한으로 악의의 제3자에게 대항할 수 있다. ( )

52 법인의 이사는 법인의 제반 사무처리를 타인에게 포괄적으로 위임할 수 있다. ( )

53 이사의 결원으로 인하여 손해가 발생할 염려가 있는 경우, 법원의 직권으로 임시이사를 선임할 수 있다. ( )

54 사단법인의 사원의 지위는 양도 또는 상속할 수 없다는 민법의 규정은 강행규정이 아니다. ( )

49 × 대표기관으로는 이사 · 임시이사(제63조), 특별대리인(제64조), 청산인(제82조, 제83조), 직무대행자(제60조의2) 등이 있다. 따라서 청산인이 그 직무에 관하여 타인에게 손해를 가한 때에는 법인의 불법행위가 성립한다(제35조 제1항).

50 ○

51 × 법인의 정관에 법인 대표권의 제한에 관한 규정이 있으나 그와 같은 취지가 등기되어 있지 않다면 법인은 그와 같은 정관의 규정에 대하여 선의냐 악의냐에 관계없이 제3자에 대하여 대항할 수 없다(대판 1992. 2.14, 91다24564).

52 × 대표자는 타인으로 하여금 특정한 행위를 대리하게 할 수 있을 뿐, 제반 업무처리를 포괄적으로 위임할 수는 없다(대판 1996.9.6, 94다18522).

53 × 이사가 없거나 결원이 있는 경우에 이로 인하여 손해가 생길 염려가 있는 때에는 법원은 이해관계인이나 검사의 청구에 의하여 임시이사를 선임하여야 한다(제63조).

54 ○

55 사단법인의 정관변경은 총사원 3분의 2 이상의 동의가 있으면 주무관청의 허가가 없더라도 그 효력이 생긴다. ( )

56 재단법인의 기본재산이 경매절차에 의하여 매각된 경우, 주무관청의 허가가 없는 한 매수인은 소유권을 취득할 수 없다. ( )

57 법인의 목적달성이 불가능한 경우, 법인의 설립허가가 취소되어야 해산할 수 있다. ( )

58 청산절차에 관한 규정에 반하는 잔여재산의 처분행위는 특별한 사정이 없는 한 무효이다. ( )

59 법인의 해산 및 청산은 주무관청이 검사, 감독한다. ( )

60 청산이 종결한 때에는 감사는 3주간 내에 이를 등기하고 주무관청에 신고해야 한다. ( )

55 × 사단법인이 정관을 변경하기 위해서는 사원총회에서 3분의 2 이상의 결의와 주무관청의 허가가 있어야 한다(제42조).

56 ○

57 × 법인은 존립기간의 만료, 법인의 목적의 달성 또는 달성의 불능 기타 정관에 정한 해산사유의 발생, 파산 또는 설립허가의 취소로 해산한다(제77조 제1항). 따라서 법인의 목적달성이 불가능하면 법인설립허가 취소와 상관없이 해산한다.

58 ○

59 × 법인의 해산 및 청산은 법원이 검사, 감독한다(제95조).

60 × 청산이 종결한 때에는 청산인은 3주간 내에 이를 등기하고 주무관청에 신고하여야 한다(제94조).

마무리STEP 2 | 확인문제

2025 주택관리사(보) 민법

01 **권리능력에 관한 설명으로 옳지 않은 것은? (다툼이 있으면 판례에 따름)** 제24회

① 자연인의 권리능력을 제한하는 약정은 무효이다.
② 반려동물은 위자료 청구권의 귀속주체가 될 수 없다.
③ 태아는 증여와 유증에 관하여 이미 출생한 것으로 본다.
④ 사산한 태아에게는 포태시 그에게 가해진 불법행위에 대한 손해배상청구권이 인정되지 않는다.
⑤ 2인 이상이 동일한 위난으로 사망한 경우에는 동시에 사망한 것으로 추정한다.

02 **권리능력에 관한 설명으로 옳은 것은? (다툼이 있으면 판례에 따름)** 제26회

① 태아는 법정대리인에 의한 수증행위를 할 수 있다.
② 실종선고가 있더라도 당사자가 생존하는 한 권리능력이 상실되는 것은 아니다.
③ 인정사망 후 그에 대한 반증만으로 사망의 추정력이 상실되는 것은 아니다.
④ 출생 후 그 사실이 가족관계등록부에 기재되어야 권리능력이 인정된다.
⑤ 2인 이상이 동일한 위난으로 사망한 경우에는 동시에 사망한 것으로 간주된다.

정답 | 해설

01 ③ 유증에 관하여 태아는 이미 출생한 것으로 본다(제1064조). 그러나 판례는 의용민법하의 사건에 관하여 태아의 수증능력을 인정할 수 없다고 한다(대판 1982.2.9, 81다534).

02 ② ② 자연인에게는 사망이 유일한 권리능력의 소멸사유이다. 따라서 인정사망이나 실종선고가 있더라도 당사자가 생존하고 있는 한 권리능력을 잃게 되지는 않는다.
① 판례는 의용민법하의 사건에 관하여 태아의 수증능력을 인정할 수 없다고 한다(대판 1982.2.9, 81다534). 따라서 법정대리인에 의한 수증행위도 불가능하다.
③ 인정사망은 사망의제의 효력이 없으며 강한 사망추정적 효과가 있다. 따라서 반증에 의하여 이를 번복할 수 있다.
④ 사람의 권리능력은 출생으로 시작된다. 사람이 출생하면 출생신고를 하며, 이 출생신고는 보고적 신고이다.
⑤ 2인 이상이 동일한 위난으로 사망한 경우에는 동시에 사망한 것으로 추정한다(제30조).

03 권리능력에 관한 설명으로 옳지 않은 것은? (다툼이 있으면 판례에 따름) 제21회

① 사람은 생존하는 동안 권리와 의무의 주체가 된다.
② 민법은 일정한 사항에 대하여만 예외적으로 태아가 이미 출생한 것으로 본다.
③ 자연인의 권리능력은 출생이라는 사실에 의하여 취득하는 것이고, 출생신고에 의하여 취득하는 것은 아니다.
④ 운전자 甲의 과실에 의한 교통사고로 모(母)가 충격되어 태아가 사산(死産)된 경우, 모(母)는 태아의 甲에 대한 손해배상청구권을 상속받아 甲에게 행사할 수 있다.
⑤ 태아 乙의 출생 전에 甲의 불법행위로 乙의 부(父)가 사망한 경우, 출생한 乙은 甲에 대하여 부(父)의 사망에 따른 자신의 정신적 손해에 대한 배상을 청구할 수 있다.

04 권리능력에 관한 설명으로 옳은 것은? (다툼이 있으면 판례에 따름) 제20회

① 법인의 권리능력은 정관에 명시된 목적 자체에 국한된다.
② 제3자의 불법행위로 태아가 사산된 경우에는 모(母)가 태아의 손해배상청구권을 상속한다.
③ 동시사망의 추정은 사실상의 추정이 아니라 법률상의 추정이다.
④ 증여에 관하여는 태아의 수증능력이 인정되지 아니하나, 그 법정대리인에 의한 수증행위는 가능하다.
⑤ 권리능력은 사망신고에 의해 상실된다.

05 태아의 권리능력에 관한 설명으로 옳은 것은? (다툼이 있으면 판례에 따름) 제22회

① 태아는 유류분권에 관하여 이미 출생한 것으로 본다.
② 태아인 동안에는 모(母)가 법정대리인으로서 법률행위를 할 수 있다.
③ 태아가 타인의 불법행위로 인하여 사산된 경우, 태아의 손해배상청구권은 그 법정상속인에게 상속된다.
④ 태아를 피보험자로 하는 상해보험계약은 그 효력이 인정되지 않는다.
⑤ 태아에 대한 유증이 그 방식을 갖추지 못하여 무효이더라도 증여로서의 효력은 인정된다.

정답 | 해설

03 ④ 판례는 "태아로 있는 동안은 권리능력을 취득할 수 없으므로, 살아서 출생한 때에 출생시기가 문제의 사건의 시기까지 소급하여 그때에 태아가 출생한 것과 같이 법률상 보아준다고 해석하여야 상당하다."라고 하여 정지조건설의 입장이다(대판 1976.9.14, 76다1365; 대판 1982.2.9, 81다254). 운전자 甲의 과실에 의한 교통사고로 모(母)가 충격되어 태아가 사산(死産)된 경우, 권리능력을 갖지 못한다. 따라서 모(母)는 태아의 甲에 대한 손해배상청구권을 상속받을 수 없다.

04 ③ ③ 민법 제30조에 의하면, 2인 이상이 동일한 위난으로 사망한 경우에는 동시에 사망한 것으로 추정하도록 규정하고 있는바, 이 추정은 법률상 추정이다(대판 1998.8.21, 98다8974).

① 제34조에 의해 법인의 권리능력이 법률과 목적에 의해 제한됨이 분명하며, 그 외에 성질상 제한되기도 한다. 판례는, "그 목적범위 내의 행위라 함은 정관에 명시된 목적 자체에 국한되는 것이 아니라 그 목적을 수행하는 데 있어 직접, 간접으로 필요한 행위는 모두 포함된다."고 한다(대판 2009.12.10, 2009다63236).

② 판례는 "태아로 있는 동안은 권리능력을 취득할 수 없으므로, 살아서 출생한 때에 출생시기가 문제의 사건의 시기까지 소급하여 그때에 태아가 출생한 것과 같이 법률상 보아준다고 해석하여야 상당하다." 라고 하여 정지조건설의 입장이다(대판 1976.9.14, 76다1365; 대판 1982.2.9, 81다254). 즉, 태아가 최소한 살아서 출생하는 것을 전제로 하며, 태아가 사산된 경우에는 태아의 손해배상청구권은 인정되지 않으므로, 모(母)가 상속할 수 없다.

④ 판례는 의용민법하의 사건에 관하여 태아의 수증능력을 인정할 수 없다고 한다(대판 1982.2.9, 81다534). 따라서 법정대리인에 의한 수증행위도 불가능하다.

⑤ 자연인에게는 사망이 유일한 권리능력의 소멸사유이다. 출생신고 · 사망신고는 보고적 신고이다.

05 ① ① 유증에 관하여 태아는 이미 출생한 것으로 본다(제1064조).

② 판례는 정지조건설이다(대판 1976.9.14, 76다1365). 정지조건설은 태아로 있는 동안에는 아직 권리능력을 취득하지 못하나 살아서 출생한 때에는 권리능력 취득의 효과가 문제의 사건이 발생한 시기까지 소급한다고 하고(그래서 인격소급설이라고 한다), 태아인 동안에는 법정대리인이 있을 수 없다고 한다.

③ 판례는 "태아로 있는 동안은 권리능력을 취득할 수 없으므로, 살아서 출생한 때에 출생시기가 문제의 사건의 시기까지 소급하여 그때에 태아가 출생한 것과 같이 법률상 보아준다고 해석하여야 상당하다." 라고 하여 정지조건설의 입장이다(대판 1976.9.14, 76다1365; 대판 1982.2.9, 81다254). 즉, 태아가 최소한 살아서 출생하는 것을 전제로 하며, 태아가 사산된 경우에는 태아의 손해배상청구권은 인정되지 않으므로, 모(母)가 상속할 수 없다.

④ 상해보험계약을 체결할 때 약관 또는 보험자와 보험계약자의 개별 약정으로 태아를 상해보험의 피보험자로 할 수 있다. 따라서 계약자유의 원칙상 태아를 피보험자로 하는 상해보험계약은 유효하고, 그 보험계약이 정한 바에 따라 보험기간이 개시된 이상 출생 전이라도 태아가 보험계약에서 정한 우연한 사고로 상해를 입었다면 이는 보험기간 중에 발생한 보험사고에 해당한다(대판 2019.3.28, 2016다211224).

⑤ 증여에 관하여는 태아의 수증능력이 인정되지 아니하였고, 또 태아인 동안에는 법정대리인이 있을 수 없으므로 법정대리인에 의한 수증행위도 할 수 없다(대판 1982.2.9. 81다534).

06 미성년자에 관한 설명으로 옳지 않은 것은? (다툼이 있으면 판례에 따름) 제25회

① 미성년자가 제한능력을 이유로 자신의 법률행위를 취소한 경우, 악의인 미성년자는 받는 이익에 이자를 붙여 반환해야 한다.

② 미성년자는 타인의 임의대리인이 될 수 있다.

③ 법정대리인이 범위를 정하여 처분을 허락한 재산은 미성년자가 임의로 처분할 수 있다.

④ 미성년자의 법률행위에 대한 법정대리인의 동의는 묵시적으로도 할 수 있다.

⑤ 미성년자는 법정대리인으로부터 허락을 얻은 특정한 영업에 관하여 성년자와 동일한 행위능력이 있다.

07 미성년자가 단독으로 행한 행위 중 제한능력자의 행위임을 이유로 취소할 수 있는 것은? 제24회

① 만 17세 5개월 된 자의 유언행위

② 대리권을 수여받고 행한 대리행위

③ 법정대리인의 허락을 얻은 특정한 영업행위

④ 시가 300만원 상당의 물품을 100만원에 매수한 행위

⑤ 미성년자가 속임수를 써서 자신을 능력자로 상대방이 오신하게 하여 이루어진 법률행위

08 17세인 甲은 2020년 6월 10일 법정대리인 乙의 동의 및 처분허락 없이 자신의 노트북을 丙에게 50만원에 팔기로 하는 매매계약을 체결하였다. 이에 관한 설명으로 옳은 것은? 제23회

① 甲은 성년이 되기 전에는 매매계약을 취소할 수 없다.

② 乙은 甲이 성년이 되기 전에는 매매계약을 추인할 수 없다.

③ 2020년 6월 20일 丙은 甲에게 매매계약에 대한 추인 여부의 확답을 촉구할 수 있다.

④ 丙이 매매계약 체결 당시에 甲이 미성년자임을 알았던 경우에는 乙에게 추인 여부의 확답을 촉구할 수 없다.

⑤ 丙이 매매계약 체결 당시에 甲이 미성년자임을 몰랐다면 추인이 있기 전에 丙은 甲에 대하여도 철회의 의사표시를 할 수 있다.

정답 | 해설

06 ① 제한능력자는 선의·악의를 묻지 않고 취소된 행위에 의하여 받은 이익이 현존하는 한도에서 반환할 책임이 있다(제141조 단서).

07 ④ 어떤 행위에 의하여 미성년자가 권리만을 얻거나 의무만을 면하는지는 경제적인 관점이 아니고, 오로지 '법률적인 결과'만을 가지고 판단한다. 따라서 경제적으로 유리한 쌍무계약의 체결은 단독으로 할 수 없다.

08 ⑤ ⑤ 선의의 상대방이 제한능력자와 계약을 체결한 경우에, 제한능력자 쪽에서 '추인이 있을 때까지 상대방이 그 의사표시를 철회할 수 있다. 다만, 상대방이 계약 당시에 제한능력자임을 알았을 경우에는' 철회권이 인정되지 않는다(제16조 제1항). 이 철회의 의사표시는 '제한능력자에게도 할 수 있다'(제16조 제3항).

① 미성년자·피성년후견인·피한정후견인 등 제한능력자는 단독으로 법률행위를 취소할 수 있다(제140조).

② 추인은 추인권자가 취소원인이 소멸된 후에 하여야 하고(제144조 제1항), 그렇지 않으면 추인의 효력이 없다(대판 1982.6.8, 81다107). 그러나 법정대리인 또는 후견인은 언제라도 추인할 수 있다(제144조 제2항).

③ 제한능력자는 '능력자가 된 후에'만 확답촉구의 상대방이 될 수 있고(제15조 제1항), '아직 능력자가 되지 못한 경우에는 그의 법정대리인'이 상대방이 된다(제15조 제2항). 확답촉구의 상대방이 아닌 자(=제한능력자)에 대한 확답촉구는 무효이다.

④ 제한능력자의 상대방은 선의·악의 불문하고 확답촉구권을 행사할 수 있다(제15조 제1항).

09 **17세인 甲은 법정대리인 乙의 동의 없이 丙으로부터 고가의 자전거를 구입하는 계약을 체결하였다. 이에 관한 설명으로 옳은 것은?** 제26회

① 甲이 성년자가 되더라도 丙은 甲에게 계약의 추인 여부에 대한 확답을 촉구할 수 없다.

② 甲은 乙의 동의 없이는 자신이 미성년자임을 이유로 계약을 취소할 수 없다.

③ 乙은 甲이 미성년자인 동안에는 계약을 추인할 수 없다.

④ 丙이 계약체결 당시 甲이 미성년자임을 알았다면, 丙은 乙에게 추인 여부의 확답을 촉구할 수 없다.

⑤ 丙이 계약체결 당시 甲이 미성년자임을 몰랐다면, 丙은 추인이 있기 전에 甲에게 철회의 의사표시를 할 수 있다.

10 **2017년 6월 3일 15세인 甲이 친권자 乙의 동의 및 처분허락 없이 본인 소유의 자전거를 丙에게 30만원에 매도하였다. 이에 관한 설명으로 옳지 않은 것은? (다툼이 있으면 판례에 따름)** 제20회

① 甲은 乙의 동의 없이 매매계약을 취소할 수 있다.

② 2017년 7월 14일 甲이 乙의 동의 없이 丙에 대한 대금채권을 丁에게 양도한 후 丙에게 양도사실을 통지하였다면, 甲은 매매계약을 취소할 수 없다.

③ 甲과 丙이 제한능력자에 관한 규정의 적용을 배제하기로 약정하였더라도 乙은 매매계약을 취소할 수 있다.

④ 丙이 乙에게 1개월 이상의 기간을 정하여 매매계약에 대한 추인 여부의 확답을 촉구한 경우, 乙이 그 기간 내에 확답을 발송하지 아니하면 이를 추인한 것으로 본다.

⑤ 丙이 계약체결 당시 甲이 미성년자라는 사실을 알았다면, 丙은 乙의 추인 전이라도 자신의 의사표시를 철회할 수 없다.

11 **미혼인 18세의 甲은 친권자인 모(母) 乙과 생계를 같이하고 있으며, 이웃의 丙을 친 아버지처럼 의지하며 살고 있다. 이에 관한 설명으로 옳은 것은? (다툼이 있으면 판례에 따름)** 제22회

① 丙의 甲에 대한 수권행위가 있더라도 甲이 丙의 대리인으로 행한 법률행위는 미성년임을 이유로 취소할 수 있다.

② 甲은 자신의 재산을 丙에게 준다는 유언을 할 수 없다.

③ 乙이 甲에게 특정한 영업을 허락하였다면, 乙은 그 영업에 관한 법정대리권을 상실하므로 더 이상 그 영업에 대한 허락을 취소할 수 없다.

④ 甲이 법정대리인의 동의를 요하는 법률행위를 乙의 동의 없이 하였다면, 甲은 乙의 동의 없음을 이유로 그 행위를 취소할 수 없다.

⑤ 甲이 법정대리인의 동의를 요하는 법률행위를 하면서 상대방에게 단순히 자신이 능력자라고 사언(詐言)한 경우라면, 乙의 동의 없음을 이유로 그 행위를 취소할 수 있다.

정답 | 해설

09 ⑤ ⑤ 선의의 상대방이 제한능력자와 계약을 체결한 경우에, 제한능력자 쪽에서 '추인이 있을 때까지 상대방이 그 의사표시를 철회할 수 있다. 다만, 상대방이 계약 당시에 제한능력자임을 알았을 경우에는' 철회권이 인정되지 않는다(제16조 제1항).
① 제한능력자는 '능력자가 된 후에'만 확답촉구의 상대방이 될 수 있고(제15조 제1항), '아직 능력자가 되지 못한 경우에는 그의 법정대리인'이 상대방이 된다(제15조 제2항).
② 미성년자 · 피성년후견인 · 피한정후견인 등 제한능력자는 단독으로 법률행위를 취소할 수 있다(제140조).
③ 법정대리인 또는 후견인은 취소의 원인이 소멸하기 전에도 추인할 수 있다(제144조 제2항). 따라서 법정대리인 乙은 甲이 미성년자인 동안에도 추인할 수 있다.
④ 제한능력자의 상대방은 선의 · 악의 불문하고 확답촉구권을 행사할 수 있다. 이때 '1개월 이상의 기간을 정하여 그 취소할 수 있는 행위를 추인할 것인지 여부의 확답'을 요구하여야 한다(제15조 제1항).

10 ② 추인이나 법정추인은 추인권자가 취소원인이 소멸된 후에 하여야 하므로, 미성년자 甲은 성년자가 되거나 법정대리인의 동의를 받아서 하여야 한다. 따라서 미성년자 甲이 법정대리인 乙의 동의 없이 丙에 대한 대금채권을 丁에게 양도한 것은 법정추인이 되지 않으므로, 甲 또는 乙이 취소할 수 있다.

11 ⑤ ⑤ 속임수의 의미에 관하여, 판례는 '적극적인 기망수단'을 쓴 것을 말하고, '성년자로 군대 갔다 왔다'고 말하거나, '자기가 사장이라고 말한 것'만 가지고는 속임수(= 사술)라고 할 수 없다고 한다(대판 1955. 3.31, 4287민상77; 대판 1971.12.14, 71다2045).
① 대리인은 행위능력자임을 요하지 않는다(제117조). 따라서 대리권을 가진 미성년자는 대리행위를 단독으로 유효하게 할 수 있으며, 그 대리행위는 취소할 수 없다.
② 만 17세에 달한 미성년자는 단독으로 유언을 할 수 있다(제1061조).
③ 법정대리인은 그가 준 영업의 허락을 '취소 또는 제한'할 수 있다(제8조 제2항 본문).
④ 미성년자가 법정대리인의 동의 없이 법률행위를 한 경우, 그 법률행위는 일단은 유효하지만(유동적 유효), 미성년자나 그의 법정대리인이 취소할 수 있고(제5조 제2항, 제140조), 이 경우 그 법률행위는 소급하여 무효가 된다(제141조).

12 피성년후견인에 관한 설명으로 옳은 것은? 제21회

① 가정법원은 성년후견개시의 심판을 할 때 본인의 의사를 고려할 필요가 없다.
② 가정법원은 본인 등 일정한 자의 청구 또는 직권으로 성년후견개시의 심판을 한다.
③ 성년후견종료의 심판이 있으면 피성년후견인은 장래에 향하여 행위능력을 회복한다.
④ 피성년후견인이 속임수로써 자기를 능력자로 믿게 한 경우에도 그 행위를 취소할 수 있다.
⑤ 피성년후견인이 성년후견인의 동의를 얻어서 한 부동산 매도행위는 특별한 사정이 없는 한 취소할 수 없다.

13 제한능력자에 관한 설명으로 옳은 것은? 제26회

① 특정후견의 심판이 있으면 피특정후견인의 행위능력이 제한된다.
② 피성년후견인이 법정대리인의 동의서를 위조하여 주택 매매계약을 체결한 경우, 성년후견인은 이를 취소할 수 있다.
③ 가정법원은 피한정후견인에 대하여 한정후견의 종료 심판 없이 성년후견개시의 심판을 할 수 있다.
④ 의사능력이 없는 자는 성년후견개시의 심판 없이도 피성년후견인이 된다.
⑤ 피한정후견인이 동의를 요하는 법률행위를 동의 없이 하였더라도 그 후 한정후견심판이 종료되었다면 그 법률행위는 취소할 수 없다.

14 제한능력자 등에 관한 설명으로 옳은 것은? 제22회

① 성년후견인은 원칙적으로 피성년후견인의 재산상 법률행위에 대한 동의권, 대리권, 및 취소권이 있다.
② 피성년후견인의 법률행위는 일상생활에 필요하고 그 대가가 과도하지 않은 것이라도 성년후견인은 취소할 수 있다.
③ 한정후견인은 피한정후견인의 모든 법률행위에 대한 동의권, 대리권 및 취소권이 있다.
④ 특정후견심판으로 특정후견인이 선임되더라도 피특정후견인의 행위능력은 제한되지 않는다.
⑤ 특정후견의 심판을 하는 경우에 특정후견의 기간이나 사무범위를 정할 필요는 없다.

정답 | 해설

12 ③ ③ 성년후견종료의 심판이 있으면 피성년후견인은 '장래에 향하여' 완전한 행위능력자가 된다(소급효 부정).
① 가정법원은 성년후견개시의 심판을 할 때 본인의 의사를 고려하여야 한다(제9조 제2항).
② '본인, 배우자, 4촌 이내의 친족, 미성년후견인, 미성년후견감독인, 한정후견인, 한정후견감독인, 특정후견인, 특정후견감독인, 검사 또는 지방자치단체의 장의 청구'가 있어야 한다(제9조). 가정법원이 직권으로 절차를 개시하는 것은 인정하지 않는다.
④ 제한능력자가 속임수로써 자기를 능력자로 믿게 한 경우에는 그 행위를 취소할 수 없다(제17조 제1항).
⑤ 피성년후견인의 법률행위는 원칙적으로 취소할 수 있다(제10조 제1항). 즉, 성년후견인의 동의 없이 한 경우는 물론이고 그 동의를 얻어서 한 행위라도 취소할 수 있다.

13 ② ② 미성년자나 피한정후견인이 법정대리인의 동의가 있는 것으로 믿게 하려고 한 경우에는 그 행위를 취소할 수 없다(제17조 제2항, 피성년후견인은 제외된다). 피성년후견인은 법정대리인의 동의를 얻었더라도 단독으로 유효한 행위를 할 수 없으므로 언제나 취소할 수 있다.
① 특정후견의 심판이 있어도 피특정후견인은 행위능력에 전혀 영향을 받지 않는다.
③ 가정법원이 피한정후견인에 대하여 성년후견개시의 심판을 할 때에는 종전의 한정후견의 종료 심판을 한다(제14조의3 제1항).
④ 피성년후견인은 '질병, 장애, 노령 그 밖의 사유로 인한 정신적 제약으로 사무를 처리할 능력이 지속적으로 결여된 사람'으로서 일정한 자의 청구에 의하여 가정법원으로부터 '성년후견개시의 심판'을 받은 자이다(제9조 제1항). 사무처리능력이 지속적으로 결여된 사람이라도 성년후견개시의 심판을 받기 전에는 피성년후견인이 아니다(대판 1992.10.13, 92다6433 참조).
⑤ 한정후견인의 동의가 필요한 법률행위를 피한정후견인이 한정후견인의 동의 없이 하였을 때에는 그 법률행위를 취소할 수 있다(제13조 제4항). 다만, '한정후견심판이 종료하고 3년과 법률행위를 한 날로부터 10년'의 두 기간 가운데 먼저 만료되는 기간에 취소권은 소멸한다.

14 ④ ④ 특정후견의 심판이 있어도 피특정후견인은 행위능력에 전혀 영향을 받지 않는다. 그리고 특정한 법률행위를 위하여 특정후견인이 선임되고 법정대리권이 부여된 경우에도 행위능력은 제한되지 않는다.
① 성년후견인은 원칙적으로 동의권은 없고(제10조 제1항), 대리권만 가진다(제949조). 그러나 예외적으로 일정한 친족법상의 행위에 관하여는 동의권도 가진다. 그 외에 취소권도 있다(제10조 제1항, 제140조).
② 피성년후견인의 법률행위는 원칙적으로 취소할 수 있다(제10조 제1항). 그러나 일용품의 구입 등 일상생활에 필요하고 그 대가가 과도하지 아니한 법률행위는 성년후견인이 취소할 수 없다(제10조 제4항).
③ 한정후견인은 원칙적으로 법률행위의 동의권·취소권이 없다. 그러나 동의가 유보된 경우에는 동의권과 취소권을 가진다. 그리고 대리권도 원칙적으로 없으며, 대리권을 수여하는 심판이 있을 경우에만 대리권을 가진다.
⑤ 가정법원이 특정후견의 심판을 하는 경우에는 특정후견의 기간 또는 사무의 범위를 정하여야 한다(제14조의2 제3항).

15 **제한능력자에 관한 설명으로 옳지 않은 것은?** 제25회

① 제한능력자의 단독행위에 대한 거절의 의사표시는 제한능력자에게도 할 수 있다.
② 가정법원은 취소할 수 없는 피성년후견인의 법률행위의 범위를 정할 수 있다.
③ 가정법원은 한정후견개시심판을 할 때 본인의 의사를 고려해야 한다.
④ 제한능력자와 계약을 맺은 상대방은 계약 당시에 제한능력자임을 알았을 경우에는 그 의사표시를 철회할 수 없다.
⑤ 피성년후견인이 적극적으로 속임수를 써서 자기를 능력자로 믿게 한 경우에는 그 행위를 취소할 수 있다.

16 **제한능력자의 법률행위에 관한 설명으로 옳은 것은? (다툼이 있으면 판례에 따름)** 제20회

① 피성년후견인이 속임수로써 법정대리인의 동의가 있는 것으로 계약 상대방을 믿게 한 경우에는 그 계약을 취소할 수 없다.
② 의사무능력자는 성년후견개시심판 없이도 피성년후견인으로서 보호된다.
③ 미성년자가 단순히 자기가 성년자라고 말하여 계약 상대방을 믿게 한 경우에는 그 계약을 취소할 수 있다.
④ 제한능력자의 법률행위가 취소된 경우, 제한능력자가 악의이면 그는 받은 이익 전부를 반환하여야 한다.
⑤ 미성년자가 법정대리인의 동의 없이 시가보다 저렴한 가격으로 컴퓨터를 매수한 경우, 법정대리인은 이를 취소할 수 없다.

17 **주소에 관한 설명으로 옳지 않은 것은?** 제23회

① 주소는 동시에 두 곳 이상 있을 수 없다.
② 주소를 알 수 없으면 거소를 주소로 본다.
③ 당사자는 특정한 행위에 관하여 가주소를 정할 수 있다.
④ 법인의 주소는 그 주된 사무소의 소재지에 있는 것으로 한다.
⑤ 국내에 주소가 없는 자에 대하여는 국내에 있는 거소를 주소로 본다.

18 부재자의 재산관리에 관한 설명으로 옳지 않은 것은? (다툼이 있으면 판례에 따름)

제26회

① 법원은 그가 선임한 재산관리인에 대하여 부재자의 재산으로 보수를 지급할 수 있다.
② 법원이 선임한 재산관리인은 언제든지 사임할 수 있다.
③ 법원이 선임한 재산관리인이 부재자의 사망을 확인하였다면, 그 선임결정이 취소되지 않아도 재산관리인은 권한을 행사할 수 없다.
④ 재산관리인을 둔 부재자의 생사가 분명하지 않은 경우, 법원은 재산관리인의 청구에 의하여 재산관리인을 개임할 수 있다.
⑤ 법원이 선임한 재산관리인이 법원의 허가 없이 부재자 소유의 부동산을 매각한 후 법원의 허가를 얻어 소유권이전등기를 마쳤다면 그 매각행위는 추인된 것으로 본다.

정답 | 해설

15 ⑤ 제한능력자(피성년후견인도 포함)가 속임수로써 자기를 능력자로 믿게 한 경우에는 그 행위를 취소할 수 없다(제17조 제1항).

16 ③ ③ 제한능력자가 속임수로써 자기를 능력자로 믿게 한 경우에는 그 행위를 취소할 수 없다(제17조 제1항). 속임수의 의미에 관하여, 판례는 '적극적인 기망수단'을 쓴 것을 말하고, '성년자로 군대 갔다 왔다'고 말하거나, '자기가 사장이라고 말한 것'만 가지고는 속임수(= 사술)라고 할 수 없다고 한다(대판 1955.3.31, 4287민상77; 대판 1971.12.14, 71다2045).
① 미성년자나 피한정후견인이 법정대리인의 동의가 있는 것으로 믿게 하려고 한 경우에는 그 행위를 취소할 수 없다(제17조 제2항, 피성년후견인은 제외된다). 피성년후견인은 법정대리인의 동의를 얻었더라도 단독으로 유효한 행위를 할 수 없으므로 언제나 취소할 수 있다.
② 피성년후견인은 '질병, 장애, 노령 그 밖의 사유로 인한 정신적 제약으로 사무를 처리할 능력이 지속적으로 결여된 사람'으로서 일정한 자의 청구에 의하여 가정법원으로부터 '성년후견개시의 심판'을 받은 자이다(제9조 제1항). 사무처리능력이 지속적으로 결여된 사람이라도 성년후견개시의 심판을 받기 전에는 피성년후견인이 아니다(대판 1992.10.13, 92다6433 참조).
④ 제한능력자는 선의·악의를 묻지 않고 취소된 행위에 의하여 받은 이익이 현존하는 한도에서 반환할 책임이 있다(제141조 단서).
⑤ 미성년자가 법률행위를 함에는 법정대리인의 동의를 얻어야 한다. 그러나 권리만을 얻거나 의무만을 면하는 행위는 그러하지 아니하다(제5조 제1항). 어떤 행위에 의하여 미성년자가 권리만을 얻거나 의무만을 면하는지는 경제적인 관점이 아니고, 오로지 '법률적인 결과'만을 가지고 판단한다. 따라서 경제적으로 유리한 쌍무계약의 체결은 단독으로 할 수 없다.

17 ① 주소는 동시에 두 곳 이상 있을 수 있다(제18조 제2항). 민법은 주소에 관하여 실질주의, 복수주의를 채택하고 있다.

18 ③ 재산관리인의 권한은, 그의 선임결정이 취소되지 않는 한, 설사 부재자에 대한 실종기간이 만료되거나(대판 1981.7.28, 80다2668), 부재자의 사망이 확인된 후에도(대판 1991.11.26, 91다11810) 소멸하지 않는다.

19 부재자에 관한 설명으로 옳지 않은 것은? (다툼이 있으면 판례에 따름) 제23회

① 법인은 부재자에 해당하지 않는다.
② 법원이 선임한 부재자의 재산관리인은 일종의 법정대리인이다.
③ 법원에 의하여 재산관리인이 선임된 후에도 부재자는 스스로 재산관리인을 정할 수 있다.
④ 재산관리인이 법원의 처분허가를 얻어 부재자의 재산을 처분한 후 그 허가결정이 취소된 경우, 처분행위는 소급하여 효력을 잃는다.
⑤ 법원에 의하여 선임된 재산관리인이 있는 경우, 부재자 본인을 상대로 한 공시송달은 그 효력이 인정되지 않는다.

20 부재와 실종에 관한 설명으로 옳은 것은? (다툼이 있으면 판례에 따름) 제24회

① 생존하고 있음이 분명한 자는 부재자가 될 수 없다.
② 법원이 선임한 부재자의 재산관리인은 일종의 법정대리인이므로 자유로이 사임할 수 없다.
③ 법원이 선임한 부재자의 재산관리인은 법원에 의한 별도의 허가가 없더라도 부재자의 재산에 대한 처분행위를 자유롭게 할 수 있다.
④ 실종선고를 받은 자가 종전의 주소에서 새로운 법률행위를 하기 위해서는 실종선고를 취소하여야 한다.
⑤ 잠수장비를 착용하고 바다에 입수한 후 행방불명이 되었다고 하여 이를 특별실종의 원인 되는 사유에 해당한다고 할 수 없다.

21 **부재와 실종에 관한 설명으로 옳은 것은? (다툼이 있으면 판례에 따름)** 제25회

① 법원이 선임한 재산관리인은 법원의 허가 없이도 민법 제118조에서 정한 권한을 넘는 행위를 할 수 있다.

② 법원이 선임한 재산관리인에 대하여 법원은 부재자의 재산을 보존하기 위하여 필요한 처분을 명할 수 없다.

③ 부재자의 제1순위 상속인이 있는 경우에 제4순위의 상속인은 그 부재자에 대한 실종선고를 청구할 수 없다.

④ 실종선고가 확정되면 실종선고를 받은 자는 실종선고시에 사망한 것으로 본다.

⑤ 보통실종의 실종기간은 3년이다.

정답 | 해설

19 ④ ④ 가정법원의 처분명령의 취소의 효력은 소급하지 않고 장래에 향하여서만 생기는 것이다(대판 1970.1.27, 69다719). 따라서 관리인이 법원의 허가를 얻어 부재자의 재산을 매각한 후, 법원이 관리인 선임결정을 취소하여도 관리인의 처분행위는 유효하며, 재산처분이 있은 뒤 법원의 허가결정이 취소된 때에도 마찬가지이다(대판 1960.2.4, 4291민상636).

③ 부재자의 재산관리인이 선임되어 있는 경우에는 부재자를 위하여 그 재산관리인만이 또한 그 재산관리인에 대하여만 송달 등 소송행위를 할 수 있고, 비록 법원이 부재자에 대한 공시송달의 결정을 한 경우에도 이는 적법한 송달이라고 할 수 없다(서울 고판 1985.12.19, 84나4616).

20 ⑤ ⑤ 사망의 원인이 될 위난이라고 함은 화재 · 홍수 · 지진 · 화산폭발 등과 같이 일반적 · 객관적으로 사람의 생명에 명백한 위험을 야기하여 사망의 결과를 발생시킬 가능성이 현저히 높은 외부적 사태 또는 상황을 가리킨다. 따라서 甲이 잠수장비를 착용한 채 바다에 입수하였다가 부상하지 아니한 채 행방불명되었다 하더라도, 이는 '사망의 원인이 될 위난'이라고 할 수 없다(대결 2011.1.31, 2010스165).

① 부재자란 종래의 주소 또는 거소를 떠나 용이하게 돌아올 가능성이 없어서 그의 재산을 관리하여야 할 필요가 있는 자를 말한다. 따라서 부재자는 실종선고의 경우와는 달리 반드시 생사불명일 필요는 없다(대판 1971.10.22, 71다1636).

② 부재자 재산관리인은 일종의 법정대리인이다. 재산관리인은 언제든지 사임할 수 있고, 법원도 언제든지 재산관리인을 개임할 수 있다(가사소송규칙 제42조).

③ 재산관리인이 관리행위를 넘는 행위, 즉 처분행위를 할 경우에는 법원의 허가를 얻어야 한다(제25조).

④ 신주소에서의 법률관계나, 돌아온 후의 법률관계에 관하여는 사망의 효과가 미치지 않으며, 공법상의 법률관계는 실종선고와는 관계없이 결정된다.

21 ③ ③ 이해관계인이란 실종선고로 인하여 권리를 취득하거나 의무를 면하게 되는 자이며, 단순히 사실상의 이해관계만을 갖는 자는 포함되지 않는다. 부재자의 제1순위 상속인이 있는 경우에 후순위의 상속인(부재자의 형이나 자매 등)은 이해관계인이 될 수 없다(대결 1986.10.10, 86스20).

① 재산관리인이 관리행위를 넘는 행위, 즉 처분행위를 할 경우에는 법원의 허가를 얻어야 한다(제25조).

② 재산관리인의 권한은 법원의 명령에 의해 정해지지만, 그 정함이 없는 경우에는 제118조에 정한 이른바 관리행위만을 할 수 있는 것이 원칙이다.

④ 실종선고가 확정되면 실종선고를 받은 자, 즉 실종자는 실종기간 만료시에 사망한 것으로 간주된다(제28조).

⑤ 보통실종의 실종기간은 5년이며, 부재자의 생존을 증명할 수 있는 최후의 시기(최후의 소식이 있은 때)를 기산점으로 한다(제27조 제1항). 특별실종의 실종기간은 1년이다.

22 부재와 실종에 관한 설명으로 옳지 않은 것은? (다툼이 있으면 판례에 따름)

제22회

① 외국에 장기체류하더라도 그 소재가 분명하고 소유재산을 타인을 통하여 직접 관리하고 있는 자는 민법상 부재자라고 할 수 없다.
② 부재자에게 1순위 상속인이 있는 경우에 2순위 상속인은 특별한 사정이 없는 한, 실종선고를 청구할 수 있는 이해관계인이 아니다.
③ 실종선고를 받은 자가 생존해 있더라도 실종선고가 취소되지 않는 한 그 사망의 효과는 지속된다.
④ 부재자가 실종선고를 받은 경우에 그 실종자는 그 선고일까지 생존한 것으로 본다.
⑤ 부재자가 돌아올 가망이 전혀 없는 경우에도 생존해 있다는 사실이 증명되었다면 실종선고를 받을 수 없다.

23 부재와 실종에 관한 설명으로 옳지 않은 것은? (다툼이 있으면 판례에 따름)

제21회

① 실종선고를 받은 자는 실종기간이 만료한 때에는 사망한 것으로 본다.
② 부재자의 후순위 재산상속인은 선순위 재산상속인이 있는 경우에도 실종선고를 청구할 수 있다.
③ 법원은 자신이 선임한 부재자의 재산관리인으로 하여금 재산의 관리 및 반환에 관하여 상당한 담보를 제공하게 할 수 있다.
④ 실종기간이 만료한 때와 다른 시점에 사망한 사실이 증명되면, 법원은 이해관계인 또는 검사의 청구에 의하여 실종선고를 취소하여야 한다.
⑤ 법원이 선임한 부재자의 재산관리인은 그 부재자의 사망이 확인된 후이더라도 그 선임결정이 취소되지 않는 한 그 권한을 상실하는 것은 아니다.

24 **부재와 실종에 관한 설명으로 옳은 것은? (다툼이 있으면 판례에 따름)** 제20회

① 전쟁으로 인한 특별실종기간은 3년이다.

② 법원은 법원이 선임한 재산관리인에 대하여 부재자의 재산으로 보수를 지급할 수 없다.

③ 법원이 선임한 재산관리인은 그 부재자의 사망이 확인되면 선임결정이 취소되지 않더라도 관리인으로서의 권한이 소멸된다.

④ 법원이 선임한 재산관리인이 법원의 허가 없이 부재자 소유의 부동산을 매각한 후에 법원의 허가를 얻었다면, 그 처분행위는 추인한 것으로 된다.

⑤ 실종선고를 받은 자의 직계존속은 선순위 상속인이 있더라도 상속인으로서 실종선고의 취소를 청구할 수 있다.

정답 | 해설

22 ④ 실종선고를 받은 경우에, 실종자는 그가 사망한 것으로 간주되는 시기(실종기간 만료시)까지는 생존한 것으로 간주된다(대판 1977.3.22, 77다81 · 82).

23 ② 이해관계인이란 실종선고로 인하여 권리를 취득하거나 의무를 면하게 되는 자이며, 단순히 사실상의 이해관계만을 갖는 자는 포함되지 않는다. 부재자의 제1순위 상속인이 있는 경우에 후순위의 상속인(부재자의 형이나 자매 등)은 이해관계인이 될 수 없다(대결 1986.10.10. 86스20).

24 ④ ④ 법원의 허가는 장래의 처분행위뿐만 아니라 이미 한 처분행위를 추인하는 의미로도 할 수 있다(대판 1982.12.14, 80다1872 · 1873).

① 특별실종의 실종기간은 1년이며, 그 기산점은 전쟁실종의 경우 전쟁이 종지한 때부터 기산한다(제27조 제2항).

② 가정법원은 관리인에게 부재자의 재산에서 상당한 보수를 지급할 수 있다(제26조 제2항).

③ 재산관리인의 권한은, 그의 선임결정이 취소되지 않는 한, 설사 부재자에 대한 실종기간이 만료되거나(대판 1981.7.28, 80다2668), 부재자의 사망이 확인된 후에도(대판 1991.11.26, 91다11810) 소멸하지 않는다.

⑤ 이해관계인이란 실종선고로 인하여 권리를 취득하거나 의무를 면하게 되는 자이며, 단순히 사실상의 이해관계만을 갖는 자는 포함되지 않는다. 부재자의 제1순위 상속인이 있는 경우에 후순위의 상속인(부재자의 형이나 자매 등)은 이해관계인이 될 수 없다(대결 1986.10.10, 86스20).

25 민법상 법인에 관한 설명으로 옳은 것은? (다툼이 있으면 판례에 따름)

제24회

① 재단법인은 항상 비영리법인이다.
② 사단법인 설립행위는 법률행위이므로 특별한 방식이 요구되지 않는다.
③ 사단법인은 주무관청의 허가 없이 자유롭게 설립할 수 있다.
④ 재단법인 설립행위는 단독행위이므로 출연자라 하더라도 착오를 이유로 출연의 의사표시를 취소할 수 없다.
⑤ 법인의 목적 이외의 사업을 하더라도 주무관청은 설립허가 자체를 취소할 수 없다.

26 민법상 비영리법인에 관한 설명으로 옳은 것은?

제22회

① 법인의 설립은 법원의 허가를 요한다.
② 법인은 주무관청의 설립허가를 받음으로써 성립한다.
③ 법인의 해산 및 청산사무는 주무관청이 검사, 감독한다.
④ 사단법인의 사원의 지위는 특별한 사정이 없는 한, 양도 또는 상속할 수 없다.
⑤ 사단법인의 정관은 특별한 사정이 없는 한, 총사원 4분의 3 이상의 동의가 있는 때에 한하여 이를 변경할 수 있다.

27 민법상 재단법인에 관한 설명으로 옳지 않은 것은? (다툼이 있으면 판례에 따름)

제22회

① 1인의 설립자에 의한 재단법인설립행위는 상대방 없는 단독행위이다.
② 재단법인의 설립을 위해서는 반드시 재산의 출연이 있어야 한다.
③ 출연재산이 부동산인 경우 법인의 설립등기만으로도 그 재산은 제3자에 대한 관계에서 법인에게 귀속된다.
④ 재단법인의 설립을 위하여 서면에 의한 증여를 하였더라도, 착오에 기한 의사표시를 이유로 증여의 의사표시를 취소할 수 있다.
⑤ 법인 아닌 재단에도 부동산에 관한 등기능력이 인정될 수 있다.

28 법인 아닌 사단에 관한 설명으로 옳지 않은 것은? (다툼이 있으면 판례에 따름)

제26회

① 법인 아닌 사단이 타인간의 금전채무를 보증하는 행위는 총유물의 관리 · 처분행위에 해당한다.
② 고유한 의미의 종중의 경우에는 종중원이 종중을 임의로 탈퇴할 수 없다.
③ 법인 아닌 사단의 사원이 집합체로서 물건을 소유할 때에는 총유로 한다.
④ 구성원 개인은 특별한 사정이 없는 한 총유재산의 보존을 위한 소를 단독으로 제기할 수 없다.
⑤ 이사의 대표권제한에 관한 민법 제60조는 법인 아닌 사단에 유추적용될 수 없다.

정답 | 해설

25 ① ① 사단법인은 영리법인과 비영리법인이 있다. 그러나 재단법인은 언제나 비영리법인이다.
② 사단법인을 설립하려면, 2인 이상의 설립자가 일정한 사항을 기재한 정관을 작성하여 기명날인하여야 한다(제40조). 기명날인이 없는 정관은 무효이다. 사단법인의 설립행위는 요식행위이다.
③ 학술, 종교, 자선, 기예, 사교 기타 영리 아닌 사업을 목적으로 하는 사단 또는 재단은 주무관청의 허가를 얻어 이를 법인으로 할 수 있다(제32조).
④ 재단법인의 출연자가 착오를 원인으로 취소를 한 경우에는 출연자는 재단법인의 성립 여부나 출연된 재산의 기본재산인 여부와 관계없이 그 의사표시를 취소할 수 있다(대판 1999.7.9, 98다9045).
⑤ 비영리법인이 설립된 이후에 있어서의 그 법인에 대한 설립허가의 취소는 민법 제38조에 해당하는 경우에 한하여 가능하다 할 것이고, 민법 제38조에는 설립허가 취소사유로서 법인이 목적 이외의 사업을 하거나 설립허가의 조건에 위반하거나 기타 공익을 해하는 행위를 한 때라고 규정하고 있다(대판 1982.10.26, 81누363).

26 ④ ④ 비영리법인에서는 공익권이 강하므로 양도나 상속이 허용되지 않는다(제56조). 그러나 사원권의 양도 · 상속을 부인하는 민법규정(제56조)은 강행규정이라고 할 수 없으므로, 비법인사단에서도 사원의 지위는 규약이나 관행에 의하여 양도 또는 상속될 수 있다(대판 1997.9.26, 95다6205).
① 학술, 종교, 자선, 기예, 사교 기타 영리 아닌 사업을 목적으로 하는 사단 또는 재단은 주무관청의 허가를 얻어 이를 법인으로 할 수 있다(제32조).
② 법인은 그 주된 사무소의 소재지에서 설립등기를 함으로써 성립한다(제33조).
③ 법인의 해산 및 청산은 법원이 검사, 감독한다(제95조).
⑤ 사단법인이 정관을 변경하기 위해서는 사원총회에서 3분의 2 이상의 결의와 주무관청의 허가가 있어야 한다(제42조).

27 ③ 출연재산이 부동산인 경우에도 출연자와 법인 사이에는 법인의 성립 외에 등기를 필요로 하는 것은 아니지만, 제3자에 대한 관계에 있어서, 출연행위는 법률행위이므로 출연재산의 법인에의 귀속에는 부동산의 권리에 관한 것일 경우 등기를 필요로 한다(대판 1979.12.11, 78다481 · 482 전합).

28 ① 비법인사단이 타인간의 금전채무를 보증하는 행위는 총유물 그 자체의 관리 · 처분이 따르지 아니하는 단순한 채무부담행위에 불과하여 이를 총유물의 관리 · 처분행위라고 볼 수는 없다(대판 2007.4.19, 2004다60072 전합).

29 법인 아닌 사단에 관한 설명으로 옳지 않은 것은? (다툼이 있으면 판례에 따름)

제23회

① 법인 아닌 사단이 소유하는 물건은 사원의 총유에 속한다.

② 법인 아닌 사단에 대하여는 사단법인에 관한 민법규정 중 법인격을 전제로 하는 것을 제외한 규정을 유추적용한다.

③ 종중이 법인 아닌 사단이 되기 위해서는 특별한 조직행위와 이를 규율하는 성문의 규약이 있어야 한다.

④ 교회가 그 실체를 갖추어 법인 아닌 사단으로 성립한 후 교회의 대표자가 교회를 위하여 취득한 권리의무는 교회에 귀속된다.

⑤ 사단법인의 하부조직이라도 스스로 단체로서의 실체를 갖추고 독자적인 활동을 하고 있다면 사단법인과 별개의 독립된 법인 아닌 사단이 될 수 있다.

30 법인 아닌 사단에 관한 설명으로 옳지 않은 것은? (다툼이 있으면 판례에 따름)

제22회

① 특별한 사정이 없는 한, 구성원 개인은 총유재산의 보존을 위한 소를 단독으로 제기할 수 없다.

② 법인 아닌 사단의 채무에 대해서는 특별한 사정이 없는 한, 구성원 각자가 그 지분비율에 따라 개인재산으로 책임을 진다.

③ 구성원들의 집단적 탈퇴로 분열되기 전 사단의 재산이 분열된 각 사단의 구성원들에게 각각 총유적으로 귀속되는 형태의 분열은 허용되지 않는다.

④ 법인 아닌 사단이 그 소유토지의 매매를 중개한 중개업자에게 중개수수료를 지급하기로 한 약정은 총유물의 관리 · 처분행위에 해당하지 않는다.

⑤ 사원총회의 결의에 의하여 총유물에 대한 매매계약이 체결된 후, 그 채무의 존재를 승인하여 소멸시효를 중단시키는 행위는 총유물의 관리 · 처분행위에 해당하지 않는다.

31 **법인 아닌 사단에 관한 설명으로 옳지 않은 것은? (다툼이 있으면 판례에 따름)**

제20회

① 종중의 대표가 종중명의로 타인의 금전채무를 보증하는 행위는 총유물의 처분행위에 해당하므로 종중총회의 결의가 필요하다.
② 종중의 토지에 대한 수용보상금의 분배는 총유물의 처분에 해당한다.
③ 구성원 개인은 총유재산의 보존을 위한 소를 제기할 수 없다.
④ 법인 아닌 사단의 채무에 대해 각 구성원은 개인재산으로 책임을 지지 않는다.
⑤ 대표자가 직무에 관하여 타인에게 불법행위를 한 경우, 법인 아닌 사단은 손해배상책임이 있다.

정답 | 해설

29 ③ 종중이란 공동선조의 후손들에 의하여 선조의 분묘수호 및 봉제사와 후손 상호간의 친목을 목적으로 형성되는 자연발생적인 종족단체로서 선조의 사망과 동시에 후손에 의하여 성립하는 것이며, 그 성립을 위해 특별한 조직행위를 필요로 하는 것이 아니고, 반드시 특별한 명칭의 사용 및 서면화된 종중규약이 있어야 하거나 종중대표자가 선임되어 있는 등 조직을 갖추어야 성립하는 것은 아니다(대판 1997.11.14, 96다25715).

30 ② 법인 아닌 사단의 채무는 총사원의 준총유이다. 그 결과 단체의 재산만이 책임을 지고, 각 구성원은 그의 고유재산으로 책임을 질 필요는 없다(구성원의 유한책임).

31 ① 비법인사단이 타인간의 금전채무를 보증하는 행위는 총유물 그 자체의 관리 · 처분이 따르지 아니하는 단순한 채무부담행위에 불과하여 이를 총유물의 관리·처분행위라고 볼 수는 없다(대판 2007.4.19, 2004다60072 전합).

32 **법인에 관한 다음 민법규정 중 비법인사단에 유추적용할 수 없는 것은? (다툼이 있으면 판례에 따름)**

제21회

① 이사의 대표권에 대한 제한은 등기하지 않으면 제3자에게 대항하지 못한다.
② 사단법인의 정관은 총사원 3분의 2 이상의 동의가 있는 때에 한하여 이를 변경할 수 있다.
③ 총회의 소집은 1주간 전에 그 회의의 목적사항을 기재한 통지를 발하고 기타 정관에 정한 방법에 의하여야 한다.
④ 총회의 결의는 민법 또는 정관에 다른 규정이 없으면 사원 과반수의 출석과 출석사원의 결의권의 과반수로써 한다.
⑤ 법인이 해산한 때에는 파산의 경우를 제하고는 이사가 청산인이 된다. 그러나 정관 또는 총회의 결의로 달리 정한 바가 있으면 그에 의한다.

33 **민법상 법인의 설립에 관한 설명으로 옳지 않은 것은? (다툼이 있으면 판례에 따름)**

제26회

① 법인은 법률의 규정에 의하지 않으면 성립하지 못한다.
② 사단법인 설립행위는 2인 이상의 설립자가 정관을 작성하여 기명날인하여야 하는 요식행위이다.
③ 사단법인의 정관변경은 총사원 3분의 2 이상의 동의가 있으면 주무관청의 허가가 없더라도 그 효력이 생긴다.
④ 법인의 설립등기는 특별한 사정이 없는 한 주된 사무소 소재지에서 하여야 한다.
⑤ 사단법인의 사원들이 정관의 규범적인 의미 내용과 다른 해석을 사원총회의 결의라는 방법으로 표명하였다 하더라도 그 결의에 의한 해석은 그 사단법인의 사원을 구속하는 효력이 없다.

34 민법상 법인에 관한 설명으로 옳지 않은 것은? (다툼이 있으면 판례에 따름)

제20회

① 사단법인의 사원의 지위는 정관에 의해 양도될 수 있다.
② 부동산의 생전처분으로 재단법인을 설립하는 경우, 법인의 성립 외에 부동산에 대한 등기가 있어야 법인은 제3자에 대한 관계에서 소유권을 취득한다.
③ 재단법인 설립시 출연자가 출연재산의 소유명의만을 재단법인에 귀속시키고 실질적 소유권은 자신에게 유보하는 부관을 붙여서 이를 기본재산으로 출연하는 것도 가능하다.
④ 재단법인의 목적을 달성할 수 없는 때에는 설립자나 이사는 주무관청의 허가를 얻어 설립의 취지를 참작하여 그 목적 기타 정관의 규정을 변경할 수 있다.
⑤ 법인의 이사가 수인인 경우에는 정관에 다른 규정이 없으면 법인의 사무집행은 이사의 과반수로써 결정한다.

정답 | 해설

32 ① 비법인사단의 경우에는 대표자의 대표권제한에 관하여 등기할 방법이 없으므로 이사의 대표권제한에 관한 민법 제60조도 유추적용될 수 없다(대판 2003.7.22, 2002다64780).

33 ③ 사단법인이 정관을 변경하기 위해서는 사원총회에서 3분의 2 이상의 결의와 주무관청의 허가가 있어야 한다(제42조).

34 ③ 재단법인의 기본재산은 재단법인의 실체를 이루는 것이므로, 재단법인 설립을 위한 기본재산의 출연행위에 관하여 그 재산출연자가 소유명의만을 재단법인에 귀속시키고 실질적 소유권은 출연자에게 유보하는 등의 부관을 붙여서 출연하는 것은 재단법인 설립의 취지에 어긋나는 것이어서 관할관청은 이러한 부관이 붙은 출연재산을 기본재산으로 하는 재단법인의 설립을 허가할 수 없다(대판 2011.2.10, 2006다65774).

35 민법상 법인의 정관에 관한 설명으로 옳지 않은 것은? (다툼이 있으면 판례에 따름)

제24회

① 사단법인의 정관의 법적 성질은 계약이 아니라 자치법규이다.
② 사원자격의 득실에 관한 규정은 사단법인 정관의 필요적 기재사항이다.
③ 재단법인의 목적을 달성할 수 없다고 하여 이사가 주무관청의 허가를 얻어 정관을 변경할 수는 없다.
④ 재단법인의 기본재산에 관한 저당권 설정행위는 특별한 사정이 없는 한 정관의 변경을 필요로 하지 않으므로 주무관청의 허가를 얻을 필요가 없다.
⑤ 재단법인의 설립자가 정관에서 이사의 임면방법을 정하지 않고 사망한 때에는 이해관계인 또는 검사의 청구에 의해 법원이 이를 정한다.

36 재단법인 정관의 필요적 기재사항이 아닌 것은?

제25회

① 목적
② 사무소의 소재지
③ 자산에 관한 규정
④ 이사의 임면에 관한 규정
⑤ 존립시기를 정하는 때에는 그 시기

37 민법상 법인의 정관에 관한 설명으로 옳은 것은? (다툼이 있으면 판례에 따름)

제20회

① 재단법인의 기본재산이 경매절차에 의하여 매각된 경우, 주무관청의 허가가 없는 한 매수인은 소유권을 취득할 수 없다.
② 사원총회의 결의에 의한 정관해석은 구성원인 사원들이나 법원을 구속한다.
③ 사단법인의 정관은 이를 작성한 사원 이외에 그 후에 가입한 사원은 구속하지 않는다.
④ 법인의 정관변경은 주무관청의 허가를 얻지 않더라도 효력이 발생한다.
⑤ 정관에 기재된 이사의 대표권제한을 등기하지 않았더라도, 법인은 대표권제한에 대해 알았던 제3자에게 대항할 수 있다.

38 민법상 법인의 불법행위능력에 관한 설명으로 옳지 않은 것은? (다툼이 있으면 판례에 따름)

제21회

① 청산인은 법인의 대표기관이 아니므로 그 직무에 관하여는 법인의 불법행위가 성립하지 않는다.
② 법인의 대표자가 직무에 관하여 타인에게 불법행위를 한 경우, 사용자책임에 관한 민법규정이 적용되지 않는다.
③ 법인의 대표자가 직무에 관하여 타인에게 불법행위를 한 경우, 그 법인은 불법행위로 인한 손해를 배상할 책임을 진다.
④ 비법인사단 대표자의 행위가 직무에 관한 행위에 해당하지 않음을 피해자가 중대한 과실로 알지 못한 경우에는 비법인사단에게 손해배상책임을 물을 수 없다.
⑤ 법인의 목적범위 외의 행위로 인하여 타인에게 손해를 가한 때에는 그 사항의 의결에 찬성하거나 그 의결을 집행한 사원, 이사 및 기타 대표자가 연대하여 배상하여야 한다.

정답 | 해설

35 ③ 재단법인의 목적을 달성할 수 없는 때에는 설립자나 이사는 주무관청의 허가를 얻어 설립의 취지를 참작하여 그 목적 기타 정관의 규정을 변경할 수 있다(제46조).

36 ⑤ 재단법인 정관의 필요적 기재사항은 '목적, 명칭, 사무소의 소재지, 자산에 관한 규정, 이사의 임면에 관한 규정'이며, 사원 자격의 득실에 관한 규정과 법인의 존립시기나 해산사유는 필요적 기재사항이 아니다(제43조, 제40조).

37 ① ① 재단법인의 기본재산처분은 정관변경행위이므로 주무관청의 허가를 받지 아니하면 그 효력이 없고 재단의 채권자가 그 기본재산에 대하여 강제집행을 실시하여 경락이 된 경우도 동일하다고 하여야 할 것이다(대판 1965.5.18, 65다114).
②③ 사단법인의 정관은 이를 작성한 사원뿐만 아니라 그 후에 가입한 사원이나 사단법인의 기관 등도 구속하는 점에 비추어 보면 그 법적 성질은 계약이 아니라 자치법규로 보는 것이 타당하므로, 이는 어디까지나 객관적인 기준에 따라 그 규범적인 의미 내용을 확정하는 법규해석의 방법으로 해석되어야 하는 것이지, 작성자의 주관이나 해석 당시의 사원의 다수결에 의한 방법으로 자의적으로 해석될 수는 없다 할 것이어서, 어느 시점의 사단법인의 사원들이 정관의 규범적인 의미 내용과 다른 해석을 사원총회의 결의라는 방법으로 표명하였다 하더라도 그 결의에 의한 해석은 그 사단법인의 구성원인 사원들이나 법원을 구속하는 효력이 없다(대판 2000.11.24, 99다12437).
④ 정관의 변경은 주무관청의 허가를 얻지 아니하면 그 효력이 없다(제42조 제2항).
⑤ 법인의 정관에 법인 대표권의 제한에 관한 규정이 있으나 그와 같은 취지가 등기되어 있지 않다면 법인은 그와 같은 정관의 규정에 대하여 선의냐 악의냐에 관계없이 제3자에 대하여 대항할 수 없다(대판 1992.2.14, 91다24564).

38 ① 대표기관으로는 이사 · 임시이사(제63조), 특별대리인(제64조), 청산인(제82조, 제83조), 직무대행자(제60조의2) 등이 있다. 따라서 청산인이 그 직무에 관하여 타인에게 손해를 가한 때에는 법인의 불법행위가 성립한다(제35조 제1항).

39 **민법상 법인의 이사에 관한 설명으로 옳은 것은? (다툼이 있으면 판례에 따름)**

제23회

① 이사가 없거나 결원이 있는 경우 이로 인하여 손해가 생길 염려 있는 때에는 법원은 특별대리인을 선임해야 한다.
② 이사가 여럿인 경우에는 정관에 다른 규정이 없으면 법인의 사무집행은 이사가 각자 결정한다.
③ 정관에 이사의 해임사유에 관한 규정이 있는 경우, 특별한 사정이 없는 한 정관에서 정하지 아니한 사유로 이사를 해임할 수 없다.
④ 법원의 직무집행정지 가처분결정으로 대표권이 정지된 대표이사가 그 정지기간 중에 체결한 계약은 후에 그 가처분신청이 취하되면 유효하게 된다.
⑤ 법인의 이사회 결의에 무효 등 하자가 있는 경우, 법률에 별도의 규정이 없으므로 이해관계인은 그 무효를 주장할 수 없다.

40 **민법상 법인의 이사에 관한 설명으로 옳지 않은 것은? (다툼이 있으면 판례에 따름)**

제22회

① 법원이 선임한 이사의 직무대행자는 특별한 사정이 없는 한, 법인의 통상사무만을 집행할 수 있다.
② 이사의 임면에 관한 사항은 정관의 필요적 기재사항이다.
③ 특별한 사정이 없는 한, 이사는 법인의 사무에 관하여 각자 법인을 대표한다.
④ 법인과 이사의 이익이 상반하는 사항에 관하여는 임시이사를 선임하여야 한다.
⑤ 이사의 대표권제한이 정관에 기재되었더라도 그에 대한 등기를 마치지 않으면 법인은 그 정관규정을 알고 있는 제3자에게 대항할 수 없다.

41 민법상 법인의 기관에 관한 설명으로 옳지 않은 것은? (다툼이 있으면 판례에 따름)

제24회

① 사단법인은 감사를 두지 않을 수 있다.
② 이사의 대표권에 대한 제한은 이를 정관에 기재하지 아니하면 그 효력이 없다.
③ 사원총회에서 사단법인과 어느 사원과의 관계사항을 의결하는 경우에는 그 사원은 결의권이 없다.
④ 사원총회의 소집통지에서 목적사항으로 기재하지 않은 사항에 관한 사원총회의 결의는 특별한 사정이 없는 한 무효이다.
⑤ 이사의 결원으로 인하여 손해가 발생할 염려가 있는 경우, 법원의 직권으로 임시이사를 선임할 수 있다.

정답 | 해설

39 ③ ③ 법인의 정관에 이사의 해임사유에 관한 규정이 있는 경우 법인으로서는 이사의 중대한 의무위반 또는 정상적인 사무집행 불능 등의 특별한 사정이 없는 이상, 정관에서 정하지 아니한 사유로 이사를 해임할 수 없다(대판 2013.11.28, 2011다41741).
① 이사가 없거나 결원이 있는 경우에 이로 인하여 손해가 생길 염려가 있는 때에는 법원은 이해관계인이나 검사의 청구에 의하여 임시이사를 선임하여야 한다(제63조).
② 이사가 수인인 경우에는 정관에 다른 규정이 없으면 법인의 사무집행은 이사의 과반수로써 결정한다(제58조 제2항).
④ 법원의 직무집행정지 가처분결정에 의해 회사를 대표할 권한이 정지된 대표이사가 그 정지기간 중에 체결한 계약은 절대적으로 무효이고, 그 후 가처분신청의 취하에 의하여 보전집행이 취소되었다 하더라도 집행의 효력은 장래를 향하여 소멸할 뿐 소급적으로 소멸하는 것은 아니라 할 것이므로, 가처분신청이 취하되었다 하여 무효인 계약이 유효하게 되지는 않는다(대판 2008.5.29, 2008다4537).
⑤ 민법상 법인의 이사회의 결의에 부존재 혹은 무효 등 하자가 있는 경우 법률에 별도의 규정이 없으므로 이해관계인은 언제든지 또 어떤 방법에 의하든지 그 무효를 주장할 수 있다(대판 2003.4.25, 2000다60197).

40 ④ 법인과 이사의 이익이 상반하는 사항에 관하여는 이사는 대표권이 없다. 이 경우에는 법원이 이해관계인이나 검사의 청구에 의하여 특별대리인을 선임하여야 한다(제64조).

41 ⑤ 이사가 없거나 결원이 있는 경우에 이로 인하여 손해가 생길 염려가 있는 때에는 법원은 이해관계인이나 검사의 청구에 의하여 임시이사를 선임하여야 한다(제63조).

42 민법상 법인의 기관에 관한 설명으로 옳지 않은 것은? (다툼이 있으면 판례에 따름)

제21회

① 법인은 이사를 두어야 한다.
② 재단법인은 감사를 둘 수 있다.
③ 법인과 이사의 이익이 상반하는 사항에 관하여 그 이사는 대표권이 없다.
④ 법인의 이사는 법인의 제반 사무처리를 타인에게 포괄적으로 위임할 수 있다.
⑤ 감사는 법인의 재산상황에 관하여 부정이 있음을 발견하면 이를 총회 또는 주무관청에 보고하여야 한다.

43 민법상 법인에 관한 설명으로 옳지 않은 것은? (다툼이 있으면 판례에 따름)

제23회

① 법인은 이사를 두어야 한다.
② 법인이 공익을 해하는 행위를 한 때에는 주무관청은 그 허가를 취소할 수 있다.
③ 재단법인의 정관에 감사의 임면방법을 정하지 않아도 그 정관은 무효가 되지 않는다.
④ 사단법인의 사원의 지위는 양도 또는 상속할 수 없다는 민법의 규정은 강행규정이 아니다.
⑤ 사단법인의 정관은 자치법규이므로 해석 당시의 사원의 다수결에 의한 방법으로 자의적으로 해석될 수 있다.

44 민법상 법인 등에 관한 설명으로 옳지 않은 것은? (다툼이 있으면 판례에 따름)

제25회

① 대표권이 없는 이사는 법인의 대표기관이 아니므로 그의 행위로 인하여 법인의 불법행위가 성립하지 않는다.

② 법인의 정관에 규정된 대표권제한을 등기하지 않았더라도 그 제한으로 악의의 제3자에게 대항할 수 있다.

③ 비법인사단의 정관에 대표자의 대표권이 제한되어 있어도 그 거래 상대방이 대표권 제한에 대해 선의·무과실이면 그 거래행위는 유효하다.

④ 이사는 정관 또는 사원총회의 결의로 금지하지 않은 사항에 한하여 타인으로 하여금 특정한 행위를 대리하게 할 수 있다.

⑤ 이사는 특별한 사정이 없는 한 법인의 사무에 관하여 각자 법인을 대표한다.

정답 | 해설

42 ④ 대표자는 타인으로 하여금 특정한 행위를 대리하게 할 수 있을 뿐 제반 업무처리를 포괄적으로 위임할 수는 없다(대판 1996.9.6, 94다18522).

43 ⑤ 사단법인의 정관은 이를 작성한 사원뿐만 아니라 그 후에 가입한 사원이나 사단법인의 기관 등도 구속하는 점에 비추어 보면 그 법적 성질은 계약이 아니라 자치법규로 보는 것이 타당하므로, 이는 어디까지나 객관적인 기준에 따라 그 규범적인 의미 내용을 확정하는 법규해석의 방법으로 해석되어야 하는 것이지, 작성자의 주관이나 해석 당시의 사원의 다수결에 의한 방법으로 자의적으로 해석될 수는 없다 할 것이어서, 어느 시점의 사단법인의 사원들이 정관의 규범적인 의미 내용과 다른 해석을 사원총회의 결의라는 방법으로 표명하였다 하더라도 그 결의에 의한 해석은 그 사단법인의 구성원인 사원들이나 법원을 구속하는 효력이 없다(대판 2000.11.24, 99다12437).

44 ② 법인의 정관에 법인 대표권의 제한에 관한 규정이 있으나 그와 같은 취지가 등기되어 있지 않다면 법인은 그와 같은 정관의 규정에 대하여 선의냐 악의냐에 관계없이 제3자에 대하여 대항할 수 없다(대판 1992.2.14, 91다24564).

45 민법상 법인에 관한 설명으로 옳지 않은 것은? 제21회

① 법원은 법인의 청산을 감독한다.
② 법원은 중요한 사유가 있는 때에 직권으로 청산인을 해임할 수 있다.
③ 정관에 다른 규정이 없는 한 사원은 서면으로 결의권을 행사할 수 없다.
④ 법인이 공익을 해하는 행위를 한 때에 주무관청은 설립허가를 취소할 수 있다.
⑤ 이사의 결원으로 인하여 손해가 생길 염려가 있는 때에는 법원은 이해관계인이나 검사의 청구에 의하여 임시이사를 선임하여야 한다.

46 민법상 사단법인과 재단법인에 공통된 해산사유가 아닌 것은? 제24회

① 파산
② 설립허가의 취소
③ 법인의 목적달성
④ 총사원 4분의 3 이상의 해산결의
⑤ 정관에 기재한 존립기간의 만료

47 민법상 법인의 해산과 청산에 관한 설명으로 옳지 않은 것은? (다툼이 있으면 판례에 따름) 제25회

① 법인의 해산 및 청산은 법원이 검사, 감독한다.
② 사단법인의 사원이 없게 되면 이는 법인의 해산사유가 될 뿐 이로써 곧 법인의 권리능력이 소멸하는 것은 아니다.
③ 청산 중의 법인은 변제기에 이르지 아니한 채권에 대하여 변제할 수 있다.
④ 법인의 목적달성이 불가능한 경우, 법인의 설립허가가 취소되어야 해산할 수 있다.
⑤ 해산한 법인이 정관에 반하여 잔여재산을 처분한 경우, 그 처분행위는 특단의 사정이 없는 한 무효이다.

48 **민법상 법인의 해산 및 청산에 관한 설명으로 옳은 것은? (다툼이 있으면 판례에 따름)** 제26회

① 재단법인의 목적 달성은 해산사유가 될 수 없다.
② 청산절차에 관한 규정에 반하는 잔여재산의 처분행위는 특별한 사정이 없는 한 무효이다.
③ 청산 중인 법인은 변제기에 이르지 않은 채권에 대하여 변제할 수 없다.
④ 재단법인의 해산사유는 정관의 필요적 기재사항이다.
⑤ 법인의 청산사무가 종결되지 않았더라도 법인에 대한 청산종결등기가 마쳐지면 법인은 소멸한다.

정답 | 해설

45 ③ 사원은 서면이나 대리인으로 결의권을 행사할 수 있다(제73조 제2항).

46 ④ 총사원 4분의 3 이상의 해산결의는 사단법인의 특유한 해산사유이다(제77조 제2항).

47 ④ 법인은 존립기간의 만료, 법인의 목적의 달성 또는 달성의 불능 기타 정관에 정한 해산사유의 발생, 파산 또는 설립허가의 취소로 해산한다(제77조 제1항). 따라서 법인의 목적달성이 불가능하면 법인설립허가 취소와 상관없이 해산한다.

48 ② ② 민법상의 청산절차에 관한 규정은 모두 제3자의 이해관계에 중대한 영향을 미치기 때문에 이른바 강행규정이라고 해석되므로, 이에 반하는 잔여재산의 처분행위는 특단의 사정이 없는 한 무효라고 보아야 한다(대판 1995.2.10, 94다13473).
① 법인은 존립기간의 만료, 법인의 목적의 달성 또는 달성의 불능 기타 정관에 정한 해산사유의 발생, 파산 또는 설립허가의 취소로 해산한다(제77조 제1항). 즉, 법인의 목적의 달성 또는 달성의 불능은 해산사유가 된다.
③ 청산 중의 법인은 변제기에 이르지 아니한 채권에 대하여도 변제할 수 있다(제91조 제1항).
④ 재단법인의 정관의 필요적 기재사항은 '목적, 명칭, 사무소의 소재지, 자산에 관한 규정, 이사의 임면에 관한 규정'이며, 사원 자격의 득실에 관한 규정과 법인의 존립시기나 해산사유는 필요적 기재사항이 아니다(제43조, 제40조).
⑤ 청산종결의 등기가 되었을지라도 청산사무가 종료되지 않은 경우에는 청산법인은 존속한다(대판 1980.4.8, 79다2036).

49 민법상 법인의 해산과 청산에 관한 설명으로 옳지 않은 것은? (다툼이 있으면 판례에 따름)

제23회

① 청산절차에 관한 규정은 강행규정이다.
② 법인의 해산 및 청산은 주무관청이 검사, 감독한다.
③ 사단법인의 청산인은 필요하다고 인정한 때에는 임시총회를 소집할 수 있다.
④ 청산 중의 법인은 변제기에 이르지 아니한 채권에 대하여도 변제할 수 있다.
⑤ 법인에 대한 청산종결등기가 마쳐졌더라도 청산사무가 종결되지 않은 범위 내에서는 청산법인으로서 존속한다.

50 법인의 등기에 관한 설명으로 옳지 않은 것은?

제25회

① 법인의 그 주된 사무소의 소재지에서 설립등기를 함으로써 성립한다.
② 법인설립의 허가가 있는 때에는 그 허가서가 도착한 날로부터 3주간 내에 설립등기를 해야 한다.
③ 대표권이 있는 이사의 성명과 주소는 등기사항이다.
④ 청산이 종결한 때에는 감사는 3주간 내에 이를 등기하고 주무관청에 신고해야 한다.
⑤ 법인이 동일한 등기소의 관할구역 내에서 사무소를 이전한 때에는 그 이전한 것을 등기하면 된다.

정답 | 해설

49 ② 법인의 해산 및 청산은 법원이 검사, 감독한다(제95조).

50 ④ 청산이 종결한 때에는 청산인은 3주간 내에 이를 등기하고 주무관청에 신고하여야 한다(제94조).

house.Hackers.com

제 4 장 물건

목차 내비게이션 민법총칙

민법총칙 서론

권리와 법률관계

권리의 주체

물건

제1절 권리의 객체 일반론
제2절 물건의 의의 및 종류
제3절 부동산과 동산
제4절 주물과 종물
제5절 원물과 과실

법률행위

기간

소멸시효

단원길라잡이

이 단원은 2문제 정도 출제된다. 물건은 물권의 객체로서 물권법과 관련하여 중요한 의미를 가지므로 소홀히 다룰 수 없는 부분이다. 나아가 재산권의 궁극적인 객체가 되는 것이므로 중요한 의미가 있다. 특히 부동산과 동산, 종물의 요건과 효과, 과실 등을 유의하여 학습하도록 한다.

출제포인트

- 물건
- 부동산과 동산
- 주물과 종물
- 원물과 과실

제1절 권리의 객체 일반론

(1) 권리는 일정한 이익을 누리게 하기 위하여 법이 인정하는 힘이다(권리법력설). 권리의 내용을 실현하기 위하여 필요한 대상을 권리의 객체라고 한다.

(2) 권리의 객체는 권리의 종류에 따라 다르다. 예컨대, 물권은 물건, 채권은 채무자의 일정한 행위(급부), 지식재산권은 저작·발명 등의 정신적 창작물, 친족권은 친족법상의 지위, 상속권은 상속재산, 인격권은 권리주체 자신, 형성권은 법률관계, 항변권은 항변의 대상이 되는 상대방의 청구권이 그 객체이다.

제2절 물건의 의의 및 종류

01 의의

제98조【물건의 정의】 본법에서 물건이라 함은 유체물 및 전기 기타 관리할 수 있는 자연력을 말한다.

(1) 물건의 요건

① **유체물이거나 자연력일 것**: 일반적 의미의 물건에는 형체가 있는 유체물(예 고체·액체·기체)과 형체가 없는 무체물이 있다. 보통의 물건은 유체물이며, 전기·열·빛·음향·에너지·전파·공기 등의 자연력은 무체물이다. 민법에 의하면 유체물은 모두 물건이나, 무체물은 관리가능한 자연력만이 물건이다. 권리는 자연력이라고 할 수 없으므로 물건이 아니다.

② **관리가능성(배타적 지배가능성)**: 이것은 배타적 지배를 할 수 있는 것을 말한다. 해·달·별·공기 등은 유체물이지만, 배타적 지배를 할 수 있는 것이 아니기 때문에 물건이 되지 못한다. 다만 해양의 경우에는, 행정행위 등에 의하여 일정한 범위를 구획하면 그 해면 위에 어업권·공유수면매립권 등의 권리가 성립할 수 있고, 이 한도에서 그 해면은 물건이 될 수 있다.

③ 사람의 신체가 아닐 것(외계의 일부, 비인격성)

㉠ 인격절대주의를 취하는 현대의 법률제도하에서는 물건은 사람이 아닌 외계의 일부이어야 한다. 인위적으로 인체에 부착시킨 의치 · 의수 · 의족 등도 신체에 부착되어 있는 한 신체의 일부가 된다. 그러나 인체의 일부이더라도 분리된 것, 예컨대 모발 · 치아 · 혈액 · 장기 등은 사회통념상 독립된 물건으로 취급하더라도 사회질서에 반하지 않는 경우에는 물건으로 인정된다(예 수혈 · 장기이식 등).

㉡ 사람의 유체 · 유골은 매장 · 관리 · 제사 · 공양의 대상이 될 수 있는 유체물로서, 분묘에 안치되어 있는 선조의 유체 · 유골은 민법 제1008조의3 소정의 제사용 재산인 분묘와 함께 그 제사주재자에게 승계되고, 피상속인 자신의 유체 · 유골 역시 위 제사용 재산에 준하여 그 제사주재자에게 승계된다(대판 2008.11.20, 2007다27670 전합).

④ 독립한 물건(독립성)

㉠ 물권의 객체인 물건은 배타적 지배에 복종해야 하므로 원칙적으로 독립성이 있어야 한다. 독립성이 있는지는 거래의 실태에 좇아서 사회통념 또는 거래관념에 따라 결정한다.

㉡ 물권의 객체는 하나의 물건으로 다루어지는 독립물이어야 하며, 물건의 일부나 구성부분 또는 물건의 집단은 원칙적으로 물권의 객체가 되지 못한다(일물일권주의). 그러나 물건의 일부나 집단에 대해 공시가 가능하고 하나의 물권을 인정하여야 할 사회적 필요성이 인정되면 하나의 물건이 될 수 있다.

㉢ 집합건물의 전유부분은 물건의 일부이면서도 구분소유권의 객체가 되며, 토지의 일부에 대하여 지상권 · 부동산의 일부에 대하여 전세권 등 용익물권이 인정되고, 그 밖에 특별법(공장저당법 · 광업재단저당법)에 의해 일정한 물건의 집단에 대해 공시를 전제로 하여 하나의 물건이 인정되는 경우가 있다. 또 미분리의 과실과 수목의 집단은 토지의 일부이지만 명인방법이라는 공시방법을 갖춘 때에는 독립한 부동산으로서 소유권의 객체가 된다.

판례 **유동집합물에 대한 양도담보설정계약이 유효하기 위한 목적물의 특정방법**

일반적으로 일단의 증감 변동하는 동산을 하나의 물건으로 보아 이를 채권담보의 목적으로 삼으려는 이른바 **집합물에 대한 양도담보설정계약 체결**도 가능하며 이 경우 **그 목적 동산이 담보설정자의 다른 물건과 구별될 수 있도록 그 종류, 장소 또는 수량지정 등의 방법에 의하여 특정**되어 있으면 **그 전부를 하나의 재산권으로 보아 이에 유효한 담보권의 설정**이 된 것으로 볼 수 있다(대판 1990.12.26, 88다카20224).

기출예제

물건에 관한 설명으로 옳지 않은 것은? (다툼이 있으면 판례에 따름) 제27회

① 권리의 객체는 물건에 한정된다.
② 사람은 재산권의 객체가 될 수 없으나, 사람의 일정한 행위는 재산권의 객체가 될 수 있다.
③ 사람의 유체 · 유골은 매장 · 관리 · 제사 · 공양의 대상이 될 수 있는 유체물로서, 분묘에 안치되어 있는 선조의 유체 · 유골은 그 제사주재자에게 승계된다.
④ 반려동물은 민법규정의 해석상 물건에 해당한다.
⑤ 자연력도 물건이 될 수 있으나, 배타적 지배를 할 수 있는 등 관리할 수 있어야 한다.

해설

권리의 객체는 권리의 종류에 따라 다르다. 예컨대, 물권은 물건, 채권은 채무자의 일정한 행위(급부), 지식재산권은 저작 · 발명 등의 정신적 창작물, 친족권은 친족법상의 지위, 상속권은 상속재산, 인격권은 권리주체 자신, 형성권은 법률관계, 항변권은 항변의 대상이 되는 상대방의 청구권이 그 객체이다. 정답: ①

(2) 물건의 개수

단일물 · 합성물 · 집합물

구분	내용
단일물	형체상 단일한 일체를 이루고 각 구성부분이 개성을 잃고 있는 물건으로서 당연히 한 개의 물건이다. 예컨대, 임야 내에 자연석을 조각하여 제작한 석불(대판 1970.9.22, 70다1494), 1필의 토지, 명인방법을 갖춘 미분리 천연과실이나 수목의 집단은 단일물이다.
물건의 일부	하나의 물건의 일부는 독립한 물건이 아니며, 따라서 그것은 원칙적으로 물권의 객체가 되지 못한다. 건물의 옥개부분(대판 1960.8.18, 4292민상859), 논의 논뚝(대판 1964.6.23, 64다120), 시설부지에 정착된 레일(대결 1972.7.27, 72마741)은 단일물이 아니고, 물건의 일부이다.
합성물	건물, 선박, 차량, 보석반지 등과 같이 구성부분이 개성을 잃지 않고 결합하여 단일한 형체를 이루는 것으로서, 법률상 하나의 물건으로 다루어진다. 첨부(부합 · 혼화 · 가공)규정에 의하여 소유권의 귀속을 규율한다.
집합물	경제적으로 단일한 가치를 가지는 수개의 물건의 집합으로서, 원칙적으로 한 개의 물건이 아니므로 1개 물권의 객체가 될 수 없다. 그러나 특별법(공장저당법, 공장재단저당법, 광업재단저당법 등)이 있는 경우, 특별법이 없더라도 경제적 독립성이 있고 공시방법이 갖추어져 그 범위를 특정할 수 있다면 물권의 성립을 인정할 수 있다(집합물 양도담보).

02 물건의 종류

<table>
<tr><td>민법상 분류</td><td colspan="3">부동산 · 동산(제99조), 주물 · 종물(제100조), 원물 · 과실(제101조, 제102조)</td></tr>
<tr><td rowspan="8">강학상 분류 (융통물 · 불융통물)</td><td>의의</td><td colspan="2">사법상 거래의 객체가 될 수 있는 물건을 융통물이라 하고, 그렇지 못한 것을 불융통물이라고 한다. 불융통물에는 공용물, 공공용물, 금제물이 있다.</td></tr>
<tr><td rowspan="4">융통물</td><td>가분물 · 불가분물</td><td>물건의 성질 또는 가치를 현저히 손상시키지 않고도 분할할 수 있는 물건이 가분물이고(예 금전, 곡물 등), 그렇지 않은 것이 불가분물이다(예 소, 건물 등).</td></tr>
<tr><td>대체물 · 부대체물</td><td>물건의 개성이라는 객관적 기준에 의하여 구별된다. 동종 · 동질 · 동량의 다른 물건으로 바꿀 수 있는지 여부에 따른다.</td></tr>
<tr><td>특정물 · 불특정물</td><td>당사자의 의사에 따른 주관적인 구별이다.</td></tr>
<tr><td>소비물 · 비소비물</td><td>소비물은 한 번 사용하면 동일한 용도로 다시 사용할 수 없는 물건이고, 비소비물은 반복하여 사용 · 수익할 수 있는 물건을 말한다. 소비대차 · 사용대차 · 임대차의 목적물과 관련하여 실익을 가진다.</td></tr>
<tr><td rowspan="3">불융통물</td><td>공용물</td><td>공용물(예 관공서의 건물 · 국공립학교의 건물)이란 국가나 공공단체의 소유에 속하며, 공적 목적을 위하여 국가나 공공단체 자신의 사용에 제공되는 물건이다.</td></tr>
<tr><td>공공용물</td><td>공공용물(예 도로 · 하천 · 공원 · 항만 등)은 일반공중의 공동사용에 제공되는 물건으로서, 공용물과 달라서 반드시 국가 · 공공단체의 소유에 속하여야 하는 것은 아니며, 사유공물인 도로처럼, 개인의 소유를 인정하면서 도로로 지정하여 그에 대한 사권의 행사를 금지하는 경우도 있다.</td></tr>
<tr><td>금제물</td><td>금제물(예 아편 · 아편흡식기구 · 음란문서 · 위조통화 · 국보 · 지정문화재 등)은 법령에 의해 거래가 금지되는 물건으로서, 거래뿐만 아니라 소유 내지 소지까지 금지되는 것과 소유는 허용되지만 거래가 금지 또는 제한되는 것이 있다.</td></tr>
</table>

제3절 부동산과 동산

01 의의(부동산 · 동산의 구별이유)

제99조【부동산, 동산】① 토지 및 그 정착물은 부동산이다.
② 부동산 이외의 물건은 동산이다.

부동산과 동산의 구별실익

구분	부동산	동산
공시방법(공시원칙)	등기	점유
공신력(공신의 원칙)	×	○(선의취득)
제한물권	지상권, 지역권, 전세권, 유치권, 저당권	유치권, 질권
임차권등기	○	×
습득 · 선점의 대상	×	○(제252조)
부합	① 원칙: 부동산 소유자가 부합물 소유권 취득 ② 예외: 권원에 의한 부속	① 원칙: 주된 동산 소유자가 부합물 소유권 취득 ② 예외: 주종 구별 안 되면 공유
혼화, 가공	×	○
취득시효기간	등기부(10년), 점유(20년)	단기(5년), 장기(10년)
상린관계	○	×
환매기간	5년	3년
강제집행절차	강제경매, 강제관리	압류
재판관할	부동산소재지 특별재판적	특별재판적 없음
구별이유	① 경제적 가치의 차이 ② 공시방법의 차이 ③ 선박(20t), 항공기, 중기, 자동차: 등기 · 등록	

02 부동산

(1) 서론

우리 민법은 부동산으로서 토지와 토지의 정착물 두 가지를 인정한다. 부동산의 공시방법은 등기이다. 그러나 수목의 집단이나 미분리의 과실의 소유권이 누구에게 속하고 있는지를 제3자에게 명백하게 인식할 수 있도록 하는 관습법상의 공시방법으로서 명인방법도 있다.

(2) 토지

① 물건으로서의 토지는 지적공부에 하나의 토지로 등록되어 있는 육지의 일부분이다. 이렇게 등록이 되면 토지는 독립성이 인정된다.

② 토지의 소유권은 정당한 이익이 있는 범위 내에서 그 지면의 상하에 미치므로(제212조), 암석이나 토사, 지중에 있는 지하수, 온천수와 같은 토지의 구성부분에도 미친다. 그러나 미채굴의 광물은 토지 소유권이 미치지 않으며, 광업권 또는 조광권의 객체이다.

③ 바다에 대한 사소유권은 부정되며(어업권은 성립할 수 있다), 바다와 토지의 경계는 만조수위선을 기준으로 한다. 하천도 국유에 속하며(하천법) 사소유권의 객체가 아니지만 관리청의 허가를 얻어 하천구역을 점용할 수 있다.

④ 독립한 토지의 개수는 '필(筆)'로서 표시된다. 1필의 토지를 여러 필로 분할하거나 여러 필의 토지를 1필로 합병하려면 분필 또는 합필의 절차를 밟아야 한다. 1필의 토지의 일부는 분필절차를 밟기 전에는 양도하거나 제한물권을 설정할 수 없다. 다만, 용익물권은 분필절차를 밟지 않아도 1필의 토지의 일부 위에 설정될 수 있다(부동산등기법 제136조 내지 제139조 참조). 그 외에도 구분소유적 공유, 점유취득시효가 인정된다.

(3) 토지의 정착물

① 개설

㉠ 토지의 정착물이란 토지에 고정적으로 부착되어 쉽게 이동할 수 없는 물건으로서, 건물 · 수목 · 다리 · 돌담 · 도로의 포장 등이 그 예이다. 그러나 판잣집 · 임시로 심어놓은 수목 · 토지나 건물에 충분히 정착되어 있지 않은 기계 등은 정착물이 아니다.

㉡ 토지의 정착물은 모두 부동산이지만, 그 가운데에는 토지와는 별개의 부동산이 되는 것(예 건물)도 있고, 토지의 일부에 불과한 것(예 다리 · 돌담 · 연못 · 도로의 포장 등)도 있다.

② 건물

㉠ 우리 법상 건물은 토지와는 별개의 부동산이다. 그리하여 토지등기부와 건물등기부를 따로 두고 있다(부동산등기법 제14조 제1항). 건물은 건축물대장에 등록되나, 토지와는 달리 등록에 의하여 독립성을 갖는 것은 아니며(대판 1997.7.8, 96다36517), 독립된 부동산으로서의 건물이라고 하기 위하여는 최소한의 기둥과 지붕 그리고 주벽이 이루어지면 된다(대판 2003.5.30, 2002다21592 · 21608). 한편, 건물의 소유권은 건물이 되는 시점에 당시의 건축주가 등기 없이 당연히 소유권을 원시취득한다(대판 2002.4.26, 2000다16350).

㉡ 독립한 건물의 개수는 '동(棟)'으로 표시한다. 건물의 개수는 토지와 달리 공부상의 등록에 의하여 결정되는 것이 아니라 사회통념 또는 거래관념에 따라 결정되는 것이다(대판 1997.7.8, 96다36517). 건물의 경우에는 1동의 건물의 일부가 독립하여 소유권의 객체가 될 수 있으며, 이를 구분소유권이라고 한다(제215조).

③ 수목의 집단

㉠ 토지에서 자라고 있는 수목은 본래 토지의 구성부분으로서 토지의 일부에 지나지 않는다(대결 1976.11.24, 76마275). 그러나 수목이 특별법이나 판례에 의하여 독립한 부동산으로 다루어지기도 한다.

㉡ **입목에 관한 법률(이하 '입목법'이라고 한다)에 의한 수목의 집단:** 입목법은 소유권보존등기를 받은 수목의 집단을 입목이라고 하면서(동법 제2조 제1항), 토지와는 별개의 부동산으로 다룬다(동법 제3조 제1항). 그리고 입목의 소유자는 입목을 토지와 분리하여 양도하거나 저당권의 목적으로 할 수 있다(동법 제3조 제2항).

㉢ **입목법의 적용을 받지 않는 수목의 집단:** 판례에 의하면, 입목법의 적용을 받지 않는 수목의 집단도 명인방법을 갖추면 독립한 부동산으로서 거래의 목적이 된다(대결 1998.10.28, 98마1817). 그러나 그것은 소유권의 객체가 될 뿐이고(양도담보는 가능) 저당권의 객체는 되지 못한다. 한편, 개개의 수목도 거래의 가치가 있는 것은 마찬가지로 다룬다.

④ **미분리의 과실:** 과일 · 잎담배 · 뽕잎 등과 같은 미분리의 과실은 수목의 일부에 지나지 않는다. 판례는 이것도 명인방법을 갖춘 때에는 독립한 물건으로서 거래의 목적이 될 수 있다고 한다.

⑤ 농작물

㉠ 토지에서 경작 · 재배되는 농작물은 토지의 일부이지만, 임차권과 같이 정당한 권원에 기하여 타인의 토지에서 경작 · 재배되는 농작물은 토지와 별개의 독립한 물건으로 다루어진다(제256조 단서).

㉡ 판례에 의하면, 농작물은 타인의 토지에서 소유자의 승낙을 경작하는 때는 물론이고(대판 1968.3.19, 67다2729), 남의 땅에서 아무런 권원 없이 위법하게 경작한 때에도 그 소유권은 경작자에게 있다고 한다(대판 1969.2.18, 68도906). 즉, 남의 땅에서 경작된 농작물은 언제나 토지와는 독립한 물건이며, 경작자의 소유에 속한다. 거기에는 명인방법도 요구되지 않는다(대판 1979.8.28, 79다784). 참고로 권원 없는 자가 수목을 식재한 경우에, 그것은 토지에 부합한다(대판 1989.7.11, 88다카9067).

핵심 콕! 콕!

토지의 정착물	토지와 독립된 부동산과 토지의 일부에 지나지 않는 것이 있다.
건물	토지로부터 완전히 독립한 별개의 부동산이다. 건물 여부의 판단은 사회관념에 의하여 결정하여야 할 것이며, 판례는 최소한의 '기둥 · 지붕 · 주벽' 시설이 이루어지면 된다고 한다(대판 2003.5.30, 2002다21592).
수목	• 토지로부터 분리되면 동산, 분리되지 않은 상태에서는 토지의 구성부분으로 토지의 일부가 된다. • 입목에 관한 법률에 의하여 소유권보존등기를 한 수목의 집단은 '입목'으로서 독립한 부동산, 토지와 분리하여 '소유권 · 저당권'의 객체가 된다(동법 제311조). • 입목에 관한 법률의 적용을 받지 않는 그 밖의 수목의 집단(개개의 수목 포함)이더라도 '명인방법'이라는 관습법상의 공시방법을 갖추면 독립한 부동산으로서 '소유권'의 객체가 된다. ∴ 양도 ○ ⇔ 저당 ×
미분리의 과실	수목의 일부이지만, 명인방법을 갖추면 토지와 독립하여 거래할 수 있다. 다수설 · 판례는 부동산으로 본다.
농작물	권원 없이 나아가 위법하게 타인의 토지에 농작물을 경작 · 재배한 경우에도, 그 농작물이 성숙하여 독립한 물건으로서의 존재를 갖추었다면 그 농작물의 소유권은 경작자에게 있다. 명인방법을 갖출 필요도 없다(판례).

03 동산

(1) 의의

부동산 외의 물건은 모두 동산이다(제99조 제2항). 따라서 전기 기타 관리할 수 있는 자연력도 동산이다. 한편, 무기명채권은 동산은 아니지만, 선의취득 등의 면에서 동산에 준하여 취급된다.

(2) 금전의 특수성(특수한 동산)

금전은 동산의 일종이긴 하지만, 가치 그 자체이기 때문에 동산에 적용되는 규정 중에서 금전에는 적용이 없다고 새겨야 할 것이 많다. 타인의 점유에 들어간 금전에 대해서는 물권적 청구권이 인정되지 않는다. 예컨대, 금전을 도난당한 경우에는 그 금전의 반환을 청구할 수 있는 것이 아니라, 채권으로서 부당이득반환청구 또는 불법행위로 인한 손해배상청구를 할 수 있을 뿐이다. 그러나 예외적으로 금전이 물건으로 다루어지는 경우도 있다(예 기념주화 등).

기출예제

동산과 부동산에 관한 설명으로 옳은 것은? (다툼이 있으면 판례에 따름) 제27회

① 건물은 토지와 별개의 독립한 동산이며, 이는 민법이 명문으로 규정하고 있다.
② 지하에 매장되어 있는 미채굴 광물인 금(金)에는 토지의 소유권이 미치지 않는다.
③ 토지에 식재된 입목에 관한 법률상의 입목은 토지와 별개의 동산이다.
④ 지하수의 일종인 온천수는 토지와 별개의 부동산이다.
⑤ 토지는 질권의 객체가 될 수 있다.

해설

② 미채굴의 광물은 토지소유권이 미치지 않으며, 광업권 또는 조광권의 객체이다.
① 우리 법상 건물은 토지와는 별개의 부동산이다. 그리하여 부동산등기법은 토지등기부와 건물등기부를 따로 두고 있다(부동산등기법 제14조 제1항).
③ 입목법은, 그 법에 따라 소유권보존등기를 받은 수목의 집단을 입목이라고 하면서(동법 제2조 제1항), 그것을 토지와는 별개의 부동산으로 다룬다(동법 제3조 제1항).
④ 판례는, 온천수는 그것이 용출되는 토지의 구성부분이지 독립한 물권의 객체가 아니며, 온천권이라는 관습법상의 물권은 인정되지 않는다고 한다(대판 1970.5.26, 69다1239).
⑤ 질권은 목적물에 따라서 동산질권과 권리질권으로 나누어진다. 현행 민법은 부동산질권을 인정하지 않는다.

정답: ②

제4절 주물과 종물

01 주물 · 종물의 의의

'물건의 소유자가 그 물건의 상용에 이바지(供)하기 위하여 자기 소유인 다른 물건을 이에 부속'하게 한 경우에, 그 물건을 주물이라고 하고 주물에 부속된 다른 물건을 종물이라고 한다(제100조 제1항). 배와 노, 시계와 시곗줄이 그 예이다.

종물 인정례	① 배와 노, 시계와 시곗줄, 가옥과 덧문, 안채와 사랑채, 농장과 농구소가옥은 주물 · 종물관계이다. ② 농지에 부속한 양수시설은 농지의 종물이다(대판 1967.3.7, 66누176). ③ 낡은 가재도구 등의 보관장소로 사용되고 있는 방과 연탄창고 및 공동변소는 본채에서 떨어져 축조되어 있기는 하나 본채의 종물이다(대판 1991.5.14, 91다2779). ④ 횟집으로 사용할 점포건물에 붙여서 생선을 보관하기 위하여 신축한 수족관건물은 점포건물의 종물이다(대판 1993.2.12, 92도3234).

	⑤ 백화점건물의 지하 2층 기계실에 설치되어 있는 전화교환설비는 10층 백화점의 효용과 기능을 다하기에 필요불가결한 시설물로서, 위 건물의 상용에 제공된 종물이라 할 것이다(대판 1993.9.13, 92다43142). ⑥ 주유소의 주유기는 주유소의 종물이다(대판 1995.6.29, 94다6345).
종물 부정례	① 주유소의 지하에 매설된 유류저장탱크를 토지로부터 분리하는 데 과다한 비용이 들고, 이를 분리하여 발굴하는 경우 그 경제적 가치가 현저히 감소할 것이 분명한 경우에 그 유류저장탱크는 토지에 부합된다(대판 1995.6.29, 94다6345). ② 정화조는 건물의 대지가 아닌 인접한 다른 필지의 지하에 설치되어 있다 하더라도 독립된 물건으로서 종물이라기보다는 건물의 구성부분으로 보아야 할 것이다(대판 1993.12.10, 93다42399). ③ 호텔의 각 방실에 시설된 텔레비전 · 전화기, 호텔세탁실에 시설된 세탁기 · 탈수기 · 드라이크리닝기, 호텔주방에 시설된 냉장고 · 제빙기, 호텔방송실에 시설된 브이티알(VTR) · 앰프 등은 적어도 호텔의 경영자나 이용자의 상용에 공여됨은 별론으로 하고, 주물인 부동산 자체의 경제적 효용에 직접 이바지하지 아니함은 경험칙상 명백하므로 위 부동산에 대한 종물이라고 할 수는 없다(대판 1985.3.26, 84다카269). ④ 신 · 구 폐수처리시설이 그 기능면에서는 전체적으로 결합하여 유기적으로 작용함으로써 하나의 폐수처리장을 형성하고 있지만, 신폐수처리시설이 구 폐수처리시설 그 자체의 경제적 효용을 다하게 하는 시설이라고 할 수 없다(대판 1997.10.10, 97다3750).

02 종물의 요건

(1) 주물의 상용에 이바지할 것

상용에 공한다는 것은 사회관념상 계속하여 주물 그 자체의 경제적 효용을 높이는 관계에 있는 것을 의미한다. 따라서 일시적으로 효용을 돕거나 주물 자체의 효용과는 직접 관계가 없는 물건, 예컨대 TV · 책상 등은 가옥의 종물이 아니다(대판 1985.3.26, 84다카269).

판례 종물에 해당 여부 판단기준

저당권의 효력이 미치는 저당부동산의 종물이라 함은 민법 제100조가 규정하는 종물과 같은 의미로서 어느 건물이 주된 건물의 종물이기 위하여는 주물의 상용에 이바지하는 관계에 있어야 하고, **주물의 상용에 이바지**한다 함은 **주물 그 자체의 경제적 효용을 다하게 하는 것**을 말하는 것으로서, **주물의 소유자나 이용자의 사용에 공여되고 있더라도 주물 그 자체의 효용과 직접 관계가 없는 물건은 종물이 아니다**(대결 2000.11.2, 2000마3530).

(2) 주물에 부속된 것일 것

주물과 종물 사이에 어느 정도 밀접한 장소적 관계에 있어야 한다(대판 1956.5.24, 4288민상526). 즉, 주물에 부속시킨 것으로 인정할 만한 정도의 장소적 관계가 있어야 한다.

(3) 주물로부터 독립된 물건일 것

종물은 주물로부터 독립한 물건이어야 하며, 주물의 구성부분은 종물이 아니다(대판 1993.12.10, 93다42399). 동산은 물론 부동산도 종물이 될 수 있다. 예컨대, 주택에 딸린 광이나 연탄창고, 화장실 건물 등은 부동산이지만 종물이다(대판 1991.5.14, 91다2779).

(4) 주물 · 종물 모두 동일한 소유자에게 속할 것

그러나 제3자의 권리를 해하지 않는 범위에서는 다른 소유자에게 속하는 물건도 종물이 될 수 있다고 할 것이다(통설). 그런데 판례는 주물의 소유자가 아닌 자의 물건은 종물이 될 수 없다고 한다(대판 2008.5.8, 2007다36933 · 36940).

02 종물의 효과

(1) 처분에 있어서의 수반성

① 종물은 주물의 처분에 따른다(제100조 제2항). 여기서 '처분'이라 함은 소유권 양도 · 제한물권 설정과 같은 물권적 처분뿐만 아니라 매매 · 대차와 같은 채권적 처분도 포함하는 넓은 의미이다. 그러나 점유 기타 사실관계에 기한 권리의 득실 · 변경에 대해서는 위 규정은 의미가 없다. 예컨대, 주물을 점유에 의하여 시효취득하여도 종물도 점유하지 않는 한 그 효력은 종물에 미치지 않는다.

② 저당권의 효력은 종물에도 미친다(제358조). 저당권이 설정된 후의 종물에도 저당권의 효력이 미친다(대결 1971.12.10, 71마757). 판례는, 제358조 본문의 규정은 저당부동산에 관한 '종된 권리'에도 유추적용되어, 건물에 대한 저당권의 효력은 그 대지이용권인 지상권이나(대판 1996.4.26, 95다52864) 임차권(대판 1993.4.13, 92다24950)에도 미친다고 한다.

③ 특별한 사정 없이 종물만에 대하여 강제집행을 할 수 없다. 왜냐하면 일괄매수하게 하는 것이 물건의 효용상 바람직하며, 또 그렇게 하더라도 채권자에게 특별히 불이익을 주는 것은 아니기 때문이다.

(2) 임의규정성

종물은 주물의 처분에 수반된다는 민법 제100조 제2항은 임의규정이므로, 당사자는 주물을 처분할 때에 특약으로 종물을 제외할 수 있고 종물만을 별도로 처분할 수도 있다(대판 2012.1.26, 2009다76546).

04 종물이론의 유추적용

(1) 주물 · 종물이론은 권리 상호간에도 유추적용되어야 한다(이설 없음). 어떤 권리를 다른 권리에 대하여 종된 권리라고 할 수 있으려면 종물과 마찬가지로 다른 권리의 경제적 효용에 이바지하는 관계에 있어야 한다(대판 2014.6.12, 2012다92159).

(2) 예컨대, 원본채권이 양도되면 이자채권도 함께 양도되고(대판 1992.7.14, 92다527), 구분건물의 전유부분에 대한 소유권보존등기만 행하여지고 대지지분에 대한 등기가 되기 전에 전유부분만에 대하여 내려진 가압류결정의 효력은 그 대지권에까지 미치며(대판 2006.10.26, 2006다29020), 건물이 양도되면 그 건물을 위한 대지의 임차권 내지 지상권도 함께 양도되는 것으로 해석된다(대판 1996.4.26, 95다52864).

판례 물에 대한 저당권의 효력이 임차권에도 미침

건물의 소유를 목적으로 하여 토지를 임차한 사람이 그 토지 위에 소유하는 건물에 저당권을 설정한 때에는 민법 **제358조 본문에 따라서 저당권의 효력이 건물뿐만 아니라 건물의 소유를 목적으로 한 토지의 임차권에도 미친다**고 보아야 할 것이므로, **건물에 대한 저당권이 실행되어 경락인이 건물의 소유권을 취득한 때**에는 특별한 다른 사정이 없는 한 건물의 소유를 목적으로 한 **토지의 임차권도 건물의 소유권과 함께 경락인에게 이전**된다(대판 1993.4.13, 92다24950).

제5절 원물과 과실

01 의의

(1) 물건으로부터 생기는 수익을 과실이라고 하고, 과실을 생기게 하는 물건을 원물이라고 한다. 과실은 물건이어야 하고, 또 물건인 원물로부터 생긴 것이어야 한다. 따라서 권리의 과실이나(예 주식배당금 · 특허권의 사용료 등), 임금과 같은 노동의 대가, 원물의 사용대가로서 노무를 제공받는 것 등은 민법상의 과실이 아니다(통설).

(2) 민법은 과실을 천연과실과 법정과실로 나눈다.

02 천연과실

(1) 의의

① '물건의 용법에 의하여 수취하는 산출물'을 천연과실이라고 한다(제101조 제1항). '물건의 용법'에 의한다는 것은 원물의 경제적 용도에 따른다는 의미이다. 천연과실에는 자연적 · 유기적인 것(예 과일 · 곡식 · 가축의 새끼 · 우유 등)뿐만 아니라 인공적 · 무기적인 것(예 석재 · 흙 · 모래 등)도 있다.

② 천연과실은 원물로부터 분리되기 전에는 원물의 구성부분에 지나지 않으나, 분리된 때에 독립한 물건으로 된다.

(2) 귀속

① '천연과실은 그 원물로부터 분리하는 때에 이를 수취할 권리자'에게 귀속된다(제102조 제1항). 임의규정이다.

② 과실수취권자는 원칙적으로 소유자(상속재산의 소유권을 취득한 자는 그 과실의 수취권이 있다; 대판 2007.7.26, 2006다83796)이지만(제211조), 예외적으로 선의의 점유자(제201조), 지상권자(제279조), 전세권자(제303조), 유치권자(제323조), 질권자(제343조, 제323조), 압류 후의 저당권자(제359조), 목적물을 인도하지 않은 매도인(제587조), 사용차주(제609조), 임차인(제618조), 친권자(제923조), 유증의 수증자(제1079조) 등이다. 그 밖에 양도담보제공자(대판 1996.9.10, 96다25463)와 소유권유보부 매매에서의 매수인도 수취권을 가진다.

03 법정과실

(1) 의의

법정과실이란 '물건의 사용대가로 받는 금전 기타 물건'을 말한다(제101조 제2항). 예컨대 임료, 지료, 이자 등이 법정과실이다. '국립공원의 입장료는 토지의 사용대가라는 민법상 과실이 아니라, 수익자 부담의 원칙에 따라 국립공원의 유지 · 관리비용의 일부를 국립공원 입장객에게 부담시키고자 하는 것'이다(대판 2001.12.28, 2000다27749).

(2) 귀속

법정과실은 수취할 권리의 존속기간 일수의 비율로 취득한다(제102조 제2항). 임의규정이므로 당사자가 이와 다른 약정을 하는 것도 유효하다.

(3) 원물 자체의 사용이익에의 유추적용

가옥에 거주하는 것과 같이 원물을 그대로 이용하는 경우, 즉 물건을 현실적으로 사용하여 얻는 이익을 '사용이익'이라고 한다. 그 실질은 과실과 다르지 않으므로, 과실에 관한 민법의 규정이 유추적용된다(통설 · 판례). 따라서 선의의 점유자는 비록 법률상 원인 없이 타인의 건물을 점유 사용하고 이로 말미암아 그에게 손해를 입혔다고 하더라도 그 점유 · 사용으로 인한 이득을 반환할 의무는 없다(대판 1996.1.26, 95다44290).

마무리STEP 1 | OX 문제

01 물건이란 유체물 및 전기 기타 관리할 수 있는 자연력을 말한다. ( )

02 분묘에 매장된 조상의 유골은 민법이 정하는 제사용 재산인 분묘와 함께 그 제사주재자에게 승계된다. ( )

03 토지를 구성하고 있는 토석(土石)은 특별한 경우를 제외하고는 토지와 분리하여 별도로 거래의 객체가 될 수 없다. ( )

04 지중(地中)에 있는 지하수는 토지소유권의 범위에 포함된다. ( )

05 최소한의 기둥과 지붕 그리고 주벽이 이루어지면 사회통념상 독립한 건물로 인정될 수 있다. ( )

06 건물의 신축공사를 도급받은 수급인이 사회통념상 독립한 건물이라고 볼 수 없는 정착물을 토지에 설치한 상태에서 공사가 중단된 경우, 그 정착물은 토지의 종물이 된다. ( )

07 건물의 개수는 공부상의 등록에 의하여 결정되는 것이 아니라, 건물의 상태 등 객관적 사정과 소유자의 의사 등 주관적 사정을 참작하여 결정된다. ( )

01 ○
02 ○
03 ○
04 ○
05 ○
06 × 건물의 신축공사를 도급받은 수급인이 사회통념상 독립한 건물이라고 볼 수 없는 정착물을 토지에 설치한 상태에서 공사가 중단된 경우에, 위 정착물은 토지의 부합물에 불과하다(대결 2008.5.30, 2007마98).
07 ○

08 수목의 집단도 명인방법을 갖추면, 소유권이나 저당권을 설정할 수 있다. ( )

09 농작물은 타인의 토지에 불법하게 경작되었더라도, 명인방법을 갖출 필요없이 독립한 부동산으로 취급되어 경작자에게 귀속한다. ( )

10 저당목적 토지 위의 건물은 특별한 사정이 없는 한 그 토지의 종물이다. ( )

11 건물의 구성부분은 그 건물의 종물이 될 수 있다. ( )

12 저당권이 설정된 건물의 상용에 이바지하기 위하여 타인 소유의 전화설비가 부속된 경우, 저당권 효력은 그 전화설비에도 미친다. ( )

13 종물을 주물의 처분에 따르도록 한 법리는 권리 상호간에는 적용되지 않는다. ( )

14 점유에 의하여 주물을 시효취득하면 종물을 점유하지 않아도 그 효력이 종물에 미친다. ( )

15 법정과실은 수취할 권리의 존속기간일수의 비율로 취득한다. ( )

08 × 소유권만 명인방법으로 공시할 수 있다. 반면, 입목등기를 갖추는 경우 소유권이나 저당권을 공시할 수 있다.

09 ○

10 × 우리 민법상 건물은 토지와는 별개의 부동산이다. 건물은 토지의 부합물이나 종물이 아니다.

11 × 종물은 주물로부터 독립한 물건이어야 하며, 주물의 구성부분은 종물이 아니다(대판 1993.12.10, 93다42399).

12 × 종물은 물건의 소유자가 그 물건의 상용에 공하기 위하여 자기 소유인 다른 물건을 이에 부속하게 한 것을 말하므로(제100조 제1항), 주물과 다른 사람의 소유에 속하는 물건은 종물이 될 수 없다(대판 2008.5.8, 2007다36933 · 36940).

13 × 민법 제100조 제2항의 종물과 주물의 관계에 관한 법리는 물건 상호간의 관계뿐 아니라 권리 상호간에도 적용되고, 위 규정에서의 처분은 처분행위에 의한 권리변동뿐 아니라 주물의 권리관계가 압류와 같은 공법상의 처분 등에 의하여 생긴 경우에도 적용되어야 한다(대판 2006.10.26, 2006다29020).

14 × 종물은 주물의 처분에 따른다(제100조 제2항). 그러나 점유 기타 사실관계에 기한 권리의 득실 · 변경에 대해서는 위 규정은 의미가 없다. 예컨대, 주물을 점유에 의하여 시효취득하여도 종물도 점유하지 않는 한 그 효력은 종물에 미치지 않는다.

15 ○

마무리STEP 2 | 확인문제

01 물건에 관한 설명으로 옳지 않은 것은? (다툼이 있으면 판례에 따름) 제25회

① 전기 기타 관리할 수 있는 자연력은 동산이다.
② 특정할 수 있는 집합물 전체를 하나의 재산권으로 하는 담보권을 설정할 수 있다.
③ 건물의 개수는 공부상의 등록에 의해서만 결정된다.
④ 전세권의 1필의 토지의 일부에도 설정될 수 있다.
⑤ 토지를 구성하고 있는 토석(土石)은 특별한 경우를 제외하고는 토지와 분리하여 별도로 거래의 객체가 될 수 없다.

02 물건을 분류할 때 연결이 옳은 것은? 제24회

① 등유 − 소비물
② 황소 − 가분물
③ 자동차 − 집합물
④ 유명화가의 특정작품 − 대체물
⑤ 아편 − 융통물

정답 | 해설

01 ③ 건물의 개수는 토지와 달리 공부상의 등록에 의하여 결정되는 것이 아니라 사회통념 또는 거래관념에 따라 물리적 구조, 거래 또는 이용의 목적물로서 관찰한 건물의 상태 등 객관적 사정과 건축한 자 또는 소유자의 의사 등 주관적 사정을 참작하여 결정되는 것이다(대판 1997.7.8, 96다36517).

02 ① ② 황소 − 불가분물
③ 자동차 − 합성물
④ 유명화가의 특정작품 − 부대체물
⑤ 아편 − 불융통물

03 물건에 관한 설명으로 옳지 않은 것은? (다툼이 있으면 판례에 따름) 제23회

① 부동산의 일부는 용익물권의 객체가 될 수 있다.
② 사람의 유체·유골은 매장·제사·공양의 대상이 될 수 있는 유체물이다.
③ 토지의 소유권은 정당한 이익이 있는 범위 내에서 토지의 상하에 미친다.
④ 최소한의 기둥과 지붕 그리고 주벽이 이루어지면 사회통념상 독립한 건물로 인정될 수 있다.
⑤ 건물의 신축공사를 도급받은 수급인이 사회통념상 독립한 건물이라고 볼 수 없는 정착물을 토지에 설치한 상태에서 공사가 중단된 경우, 그 정착물은 토지의 종물이 된다.

04 물건에 관한 설명으로 옳지 않은 것은? (다툼이 있으면 판례에 따름) 제20회

① 분묘에 매장된 조상의 유골은 민법이 정하는 제사용 재산인 분묘와 함께 그 제사주재자에게 승계된다.
② 농작물을 권원 없이 타인의 토지에서 경작하고 그 농작물이 성숙하여 독립한 물건이 되었으면 그에 대한 소유권은 경작자에게 있다.
③ 입목에 관한 법률에 의한 입목은 토지와 독립한 동산으로 본다.
④ 지상권은 1필의 토지의 일부에도 설정될 수 있다.
⑤ 건물은 토지와 독립한 별개의 부동산이다.

05 물건에 관한 설명으로 옳지 않은 것은? (다툼이 있으면 판례에 따름) 제22회

① 부합한 동산의 주종을 구별할 수 있는 경우, 특별한 사정이 없는 한 각 동산의 소유자는 부합 당시의 가액 비율로 합성물을 공유한다.
② 반려동물의 권리능력을 인정하는 관습법은 존재하지 않는다.
③ 제사주재자에게는 자기 유골의 매장장소를 지정한 피상속인의 의사에 구속되어야 할 법률적 의무가 없다.
④ 건물의 개수는 공부상의 등록에 의하여 결정되는 것이 아니라, 건물의 상태 등 객관적 사정과 소유자의 의사 등 주관적 사정을 참작하여 결정된다.
⑤ 분할이 가능한 토지의 일부에도 유치권이 성립할 수 있다.

06 물건에 관한 설명으로 옳지 않은 것은? (다툼이 있으면 판례에 따름) 제26회 수정

① 물건의 용법에 의하여 수취하는 산출물은 천연과실이다.
② 다른 물건과 구별되고 특정되어 있는 집합동산에 대하여 양도담보권을 설정할 수 있다.
③ 1필의 토지 일부는 분필절차를 거치지 않더라도 저당권의 객체로 할 수 있다.
④ 미분리 천연과실은 명인방법에 의해 소유권의 객체가 될 수 있다.
⑤ 최소한의 기둥과 지붕 그리고 주벽이 이루어지면 사회통념상 독립된 부동산으로서 건물로 인정될 수 있다.

07 물건에 관한 설명으로 옳지 않은 것은? (다툼이 있으면 판례에 따름) 제21회

① 온천에 관한 권리도 물권이 될 수 있다.
② 물건의 사용대가로 받은 금전 기타의 물건은 법정과실이다.
③ 물건이란 유체물 및 전기 기타 관리할 수 있는 자연력을 말한다.
④ 독립된 부동산으로서 건물이라고 하기 위해서는 최소한 기둥과 지붕 그리고 주벽이 있어야 한다.
⑤ 저당권이 설정된 건물이 증축된 경우, 그 증축부분이 독립성을 갖지 못하는 이상 저당권은 그 증축부분에도 효력이 미친다.

정답 | 해설

03 ⑤ 건물의 신축공사를 도급받은 수급인이 사회통념상 독립한 건물이라고 볼 수 없는 정착물을 토지에 설치한 상태에서 공사가 중단된 경우에 위 정착물은 토지의 부합물에 불과하다(대결 2008.5.30, 2007마98).

04 ③ 입목에 관한 법률에 의하여 소유권보존등기를 한 수목의 집단은 '입목'으로서 독립한 부동산이며, 토지와 분리하여 '소유권 · 저당권'의 객체가 된다(동법 제311조).

05 ① 동산과 동산이 부합하여 훼손하지 아니하면 분리할 수 없거나 그 분리에 과다한 비용을 요할 경우에는 그 합성물의 소유권은 주된 동산의 소유자에게 속한다. 부합한 동산의 주종을 구별할 수 없는 때에는 동산의 소유자는 부합 당시의 가액의 비율로 합성물을 공유한다(제257조).

06 ③ 민법이 인정하는 저당권의 객체는 원칙적으로 부동산(제356조)이다. 즉, 1필의 토지 · 1동의 건물이 저당권의 객체가 된다. 1필의 토지의 일부에는 저당권을 설정할 수 없다.

07 ① 온천에 관한 권리를 관습법상의 물권이라고 볼 수 없다(대판 1970.5.26, 69다1239).

08 토지소유권의 범위에 포함되는 것은? (다툼이 있으면 판례에 따름)

제24회

① 지중(地中)에 있는 지하수
② 지상권자가 식재한 수목
③ 완성된 미등기건물
④ 바다
⑤ 명인방법을 갖춘 미분리과실

09 동산에 해당하는 것을 모두 고른 것은? (다툼이 있으면 판례에 따름)

제20회

> ㉠ 관리할 수 있는 전기
> ㉡ 지중(地中)에 있는 지하수
> ㉢ 강제통용력을 상실한 주화(鑄貨)
> ㉣ 토지에 정착된 다리(橋)

① ㉠, ㉡
② ㉠, ㉢
③ ㉠, ㉣
④ ㉡, ㉢
⑤ ㉢, ㉣

10 주물과 종물에 관한 설명으로 옳지 않은 것은? (다툼이 있으면 판례에 따름)

제26회

① 부동산은 종물이 될 수 있다.
② 주물을 처분하면서 특약으로 종물을 제외할 수 있다.
③ 주물에 저당권이 설정된 경우, 특별한 사정이 없는 한 저당권의 효력은 그 설정 후의 종물에도 미친다.
④ 점유에 의하여 주물을 시효취득하면 종물을 점유하지 않아도 그 효력이 종물에 미친다.
⑤ 주유소건물의 소유자가 설치한 주유기는 주유소건물의 종물이다.

11 주물과 종물에 관한 설명으로 옳지 않은 것은? (다툼이 있으면 판례에 따름)

제23회

① 주물 그 자체의 효용과 직접 관계가 없는 물건은 종물이 아니다.
② 원본채권이 양도되면 특별한 사정이 없는 한 이미 변제기에 도달한 이자채권도 함께 양도된다.
③ 당사자가 주물을 처분하는 경우, 특약으로 종물을 제외할 수 있고 종물만을 별도로 처분할 수도 있다.
④ 저당부동산의 상용에 이바지하는 물건이 다른 사람의 소유에 속하는 경우, 그 건물에는 원칙적으로 부동산에 대한 저당권의 효력이 미치지 않는다.
⑤ 토지임차인 소유의 건물에 대한 저당권이 실행되어 매수인이 그 소유권을 취득한 경우, 특별한 사정이 없는 한 건물의 소유를 목적으로 한 토지임차권도 건물의 소유권과 함께 매수인에게 이전된다.

정답 | 해설

08 ① 토지소유권은 토지의 지표뿐만 아니라 지상의 공간 및 지하의 토석에까지 확장된다. 따라서 토사, 암석, 지하수, 온천수 등은 토지소유권의 범위에 포함된다.

09 ② ㉡ 토지의 소유권은 정당한 이익이 있는 범위 내에서 그 지면의 상하에 미치므로(제212조), 암석이나 토사와 같은 토지의 구성부분에도 미치며, 지하수의 일종인 온천수도 토지의 구성부분이다.
㉣ 토지 및 그 정착물은 부동산이다(제99조 제1항). 토지의 정착물이란 토지에 고정적으로 부착되어 쉽게 이동할 수 없는 물건으로서, 건물 · 수목 · 다리 · 돌담 · 도로의 포장 등이 그 예이다.

10 ④ 종물은 주물의 처분에 따른다(제100조 제2항). 그러나 점유 기타 사실관계에 기한 권리의 득실 · 변경에 대해서는 위 규정은 의미가 없다. 예컨대, 주물을 점유에 의하여 시효취득하여도 종물도 점유하지 않는 한 그 효력은 종물에 미치지 않는다.

11 ② 이자채권은 원본채권에 대하여 종속성을 갖고 있으나 이미 변제기에 도달한 이자채권은 어느 정도 독립성을 갖게 되는 것이므로, 원본채권이 양도된 경우 이미 변제기에 도달한 이자채권은 원본채권의 양도 당시 그 이자채권도 양도한다는 의사표시가 없는 한 당연히 양도되지는 않는다(대판 1989.3.28, 88다카12803).

12 주물과 종물에 관한 설명으로 옳지 않은 것은? (다툼이 있으면 판례에 따름)

제21회

① 주물과 별도로 종물만을 처분할 수 있다.
② 종물은 주물의 구성부분이 아닌 독립한 물건이어야 한다.
③ 주물의 소유자나 이용자의 사용에 공여되고 있더라도 주물 그 자체의 효용과 직접 관계가 없는 물건은 종물이 아니다.
④ 저당권이 설정된 건물의 상용에 이바지하기 위하여 타인 소유의 전화설비가 부속된 경우, 저당권 효력은 그 전화설비에도 미친다.
⑤ 건물에 대한 저당권이 실행되어 경매의 매수인이 건물소유권을 취득한 때에는 특별한 사정이 없는 한 그 건물소유를 목적으로 하는 토지의 임차권도 매수인에게 이전된다.

13 주물과 종물에 관한 설명으로 옳지 않은 것은? (다툼이 있으면 판례에 따름)

제20회

① 건물의 구성부분은 그 건물의 종물이 될 수 있다.
② 부동산도 종물이 될 수 있다.
③ 당사자는 주물을 처분할 때에 특약으로 종물을 제외할 수 있다.
④ 주물에 저당권이 설정된 경우, 다른 정함이 없으면 그 저당권설정 후 주물에 부속된 종물에도 저당권의 효력이 미친다.
⑤ 주물 자체의 효용을 일시적으로 돕거나 그 효용과 직접 관계가 없는 물건은 종물이 될 수 없다.

14 주물과 종물, 원물과 과실(果實)에 관한 설명으로 옳지 않은 것은? (다툼이 있으면 판례에 따름)

제25회

① 주물의 소유자의 사용에 공여되고 있더라도 주물 자체의 효용과 관계없는 물건은 종물이 아니다.
② 저당목적 토지 위의 건물은 특별한 사정이 없는 한 그 토지의 종물이다.
③ 천연과실은 그 원물로부터 분리하는 때에 이를 수취할 권리자에게 속한다.
④ 건물을 사용함으로써 얻는 이득은 그 건물과 과실에 준하는 것으로 본다.
⑤ 법정과실은 수취할 권리의 존속기간일수의 비율로 취득한다.

15 주물과 종물, 원물과 과실에 관한 설명으로 옳지 않은 것은? (다툼이 있으면 판례에 따름)

제22회

① 주물과 다른 사람의 소유에 속하는 물건은 원칙적으로 종물이 될 수 없다.
② 유치권자는 금전을 유치물의 과실로 수취한 경우, 이를 피담보채권의 변제에 충당할 수 있다.
③ 종물을 주물의 처분에 따르도록 한 법리는 권리 상호간에는 적용되지 않는다.
④ 매수인이 매매대금을 모두 지급하였다면 특별한 사정이 없는 한, 그 이후의 과실수취권은 매수인에게 귀속된다.
⑤ 주물 소유자의 사용에 공여되고 있더라도 주물 그 자체의 효용과 직접 관계가 없는 물건은 종물이 아니다.

정답 | 해설

12 ④ 종물은 물건의 소유자가 그 물건의 상용에 공하기 위하여 자기 소유인 다른 물건을 이에 부속하게 한 것을 말하므로(제100조 제1항), 주물과 다른 사람의 소유에 속하는 물건은 종물이 될 수 없다(대판 2008.5.8, 2007다36933 · 36940).

13 ① 종물은 주물로부터 독립한 물건이어야 하며, 주물의 구성부분은 종물이 아니다(대판 1993.12.10, 93다42399).

14 ② 우리 민법상 건물은 토지와는 별개의 부동산이다. 건물은 토지의 부합물이나 종물이 아니다.

15 ③ 민법 제100조 제2항의 종물과 주물의 관계에 관한 법리는 물건 상호간의 관계뿐 아니라 권리 상호간에도 적용되고, 위 규정에서의 처분은 처분행위에 의한 권리변동뿐 아니라 주물의 권리관계가 압류와 같은 공법상의 처분 등에 의하여 생긴 경우에도 적용되어야 한다(대판 2006.10.26, 2006다29020).

제 5 장 법률행위

목차 내비게이션 민법총칙

민법총칙 서론

권리와 법률관계

권리의 주체

물건

법률행위

제1절 권리변동의 일반이론
제2절 법률행위의 기초이론
제3절 법률행위의 종류
제4절 법률행위의 해석
제5절 법률행위의 목적
제6절 의사표시
제7절 법률행위의 대리
제8절 법률행위의 무효와 취소
제9절 법률행위의 부관(조건과 기한)

기간

소멸시효

단원길라잡이

법률행위는 범위가 매우 넓으므로 제1절 권리변동의 일반이론부터 제5절 법률행위의 목적까지 설명하고, 제6절 의사표시 이하는 별도로 설명하기로 한다. 이 단원은 4~5문제가 출제되어 출제 빈도가 매우 높다. 법률행위는 권리변동의 가장 중요한 원인으로서, 법률행위의 종류, 법률행위의 요건, 법률행위의 해석 등을 공부하여야 한다. 그리고 법률행위의 목적과 관련해서는 목적의 확정성 · 가능성 · 적법성 · 사회적 타당성과 불공정한 법률행위를 공부하여야 한다.

출제포인트

- 권리변동
- 법률행위의 종류
- 법률행위의 성립요건과 효력요건
- 법률행위의 해석
- 목적의 확정성
- 목적의 가능성
- 목적의 적법성
- 목적의 사회적 타당성
- 불공정한 법률행위

제1절 권리변동의 일반이론

01 서설(법률요건에 의한 법률효과의 발생)

일정한 원인이 있는 경우에 그 결과로 법률관계의 변동 내지 권리의 변동이 일어난다. 이러한 권리변동의 원인이 되는 것을 법률요건이라고 하며, 그 결과로 생기는 법률관계의 변동을 법률효과라고 한다. 권리변동, 즉 권리 · 의무의 발생 · 변경 · 소멸은 주로 법률행위에 의하여 발생하나, 법률의 규정에 의하는 경우도 있다.

02 권리변동(법률효과)의 모습

(1) 권리의 발생(취득) – 권리취득의 모습

구분			내용
원시취득			특정한 권리가 타인의 권리에 기초함이 없이 특정인에게 새롭게 발생하는 것이다. 예 신축건물 소유권취득 · 무주물선점 · 유실물습득 · 첨부 · 선의취득 · 시효취득 · 인격권 · 가족권 등
승계취득	이전적 승계	특정승계	개개의 권리가 각각의 취득원인에 의해서 취득되는 것을 말한다. 예 매매 · 경매에 의한 소유권취득 · 유증 · 사인증여 등
		포괄승계	하나의 취득원인에 의해 다수의 권리를 일괄해서 취득하는 것을 말한다. 예 상속 · 포괄유증 · 회사합병 등
	설정적 승계		소유권에 기초해 지상권 · 전세권 · 저당권을 설정하는 경우처럼, 구권리자는 그의 권리를 보유하면서 신권리자는 소유권이 가지는 권능 중 일부를 취득하는 것을 말한다.

(2) 권리의 변경 – 권리변경의 모습

구분		내용
주체변경		이전적 승계에 해당한다.
내용변경	질적 변경	선택채권의 선택, 물상대위, 대물변제, 일반채권의 손해배상채권화 등
	양적 변경	물건의 증감, 첨부, 소유권의 객체에 대한 제한물권의 설정 등
작용변경		저당권의 순위가 변동하는 경우, 대항력이 없던 부동산임차권의 등기완료 등

(3) 권리의 소멸

권리의 소멸로 기존의 권리가 완전히 없어지는 절대적 소멸(예 건물의 멸실, 소멸시효 · 변제 등에 의한 채권의 소멸 등)과 권리가 타인에게 이전되어 종래의 주체가 권리를 잃는 상대적 소멸이 있다.

03 권리변동의 원인(법률요건과 법률사실)

(1) 법률요건

법률효과가 발생하는 데 필요충분조건을 다 갖춘 것이 법률요건이다. 법률요건이란 권리변동을 생기게 하는 법적 원인으로서 의사표시를 요소로 하는 '법률행위'뿐만 아니라 준법률행위 · 불법행위 · 부당이득 등 '법률의 규정'을 포함한다.

(2) 법률사실

① 의의: 법률요건을 구성하는 개개의 사실을 법률사실이라고 한다. 법률요건은 하나의 법률사실로 구성될 수도 있으나, 보통 다수의 법률사실로 이루어진다. 법률사실은 크게 사람의 정신작용에 기초하는 사실(용태)과 그렇지 않은 사실(사건)의 둘로 나누어진다.

② 법률사실의 분류

<table>
<tr><td rowspan="7">용태</td><td rowspan="7">외부적 용태</td><td rowspan="6">적법행위</td><td>법률행위</td><td colspan="3">의사표시를 불가결의 요소로 하는 법률요건을 말한다. 단독행위, 계약, 합동행위(多) 등이 이에 속한다.</td></tr>
<tr><td rowspan="5">준법률행위</td><td rowspan="3">표현행위</td><td>의사의 통지</td><td>자기의 의사를 타인에게 통지하는 행위로서, 각종의 최고와 거절이 이에 속한다.</td></tr>
<tr><td>관념의 통지</td><td>현재 또는 과거의 사실을 알리는 것으로서, 사실의 통지라고도 한다. 사원총회소집통지, 채무승인, 채권양도통지 · 승낙, 공탁통지, 승낙연착통지 등이 있다.</td></tr>
<tr><td>감정의 표시</td><td>일정한 감정을 표시하는 행위로서, 용서(제556조 제2항, 제841조) 등이 있다.</td></tr>
<tr><td rowspan="2">비표현행위(사실행위)</td><td>순수사실행위</td><td>외부적 결과의 발생만 있으면 일정한 효과를 주는 것을 말하며, 매장물발견, 주소의 설정, 가공, 유실물습득, 특허법상의 발명 등이 있다.</td></tr>
<tr><td>혼합사실행위</td><td>외부적 결과의 발생 외에 어떤 의식과정이 따를 것을 요구하는 것으로서, 사무관리, 부부간 동거, 선점, 물건의 인도, 점유의 취득상실 등이 있다.</td></tr>
<tr><td>위법행위</td><td colspan="4">채무불이행(제390조 이하), 불법행위(제750조 이하)</td></tr>
</table>

	내부적 용태	관념적 용태	의식이 일정한 사실에 관한 관념 또는 인식으로서, 선의, 악의, 정당한 대리인이라는 인식(제126조)이 이에 속한다.
		의사적 용태	의식이 일정한 의사를 가지는 것으로서, 소유의 의사(제197조), 제3자의 변제에 있어서 채무자의 허용 · 불허용의 의사(제469조), 사무관리의 본인의 의사(제734조) 등이 있다.
사건	사람의 정신작용에 기하지 않는 법률사실로서, 사람의 출생과 사망, 실종, 시간의 경과, 물건의 자연적인 발생과 소멸, 사람에 의한 천연과실의 분리, 물건의 파괴, 혼화 · 부합, 부당이득 등이 있다.		

제2절 법률행위의 기초이론

01 법률행위의 의의 및 성질

법률행위는 의사표시를 불가결의 요소로 하는 법률요건을 말한다. 그 법률효과의 내용은 당사자가 의사표시에 의하여 표시한 대로이다.

02 사적자치와 법률행위제도

(1) 사적자치의 의의와 헌법적 기초

사적자치라 함은 개인이 법질서의 한계 내에서 자기의 의사에 기하여 법률관계를 형성할 수 있다는 원칙을 말한다.

(2) 사적자치의 발현형식

민법은 사적자치의 원칙에 터잡고 있다. 따라서 각자는 자기의 법률관계를 자기의 의사에 따라 자주적으로 형성할 수 있는데, 사적자치를 실현하는 법적 수단이 법률행위이다. 법률행위의 자유는 '계약의 자유 · 유언의 자유 · 단체설립의 자유'를 포함한다.

(3) 사적자치의 한계

사적자치 내지 법률행위의 자유는 법질서가 허용하는 한도에서만 인정된다.

03 법률행위의 요건

(1) 의의

① 법률행위가 그 효과를 발생하려면 먼저 법률행위로서 '성립'하여야 하고, 그리고 성립된 법률행위가 '유효'한 것이어야 한다.

② 법률행위의 성립요건은 법률행위의 효과를 주장하는 자가 증명하여야 하고, 그 효력요건의 부존재는 그 무효를 주장하는 자가 증명을 하여야 한다.

(2) 성립요건

① 일반성립요건: 법률행위의 성립에 일반적으로 요구되는 요건으로서, 당사자 · 목적 · 의사표시의 세 가지가 필요하다는 것이 통설이다.

② 특별성립요건: 개별적인 법률행위에서 법률이 그 성립에 관해 특별히 추가하는 요건으로서, 예컨대 질권설정계약에서 물건의 인도(제330조), 대물변제에서 물건의 인도(제466조), 혼인에서 신고(제812조) 등이 그러하다.

(3) 효력요건

① 일반효력요건

㉠ 당사자에게 권리능력 · 의사능력 · 행위능력이 있어야 한다.

㉡ 법률행위의 내용(목적)이 확정할 수 있어야 하고, 실현 가능하여야 하며, 강행법규에 위반하지 않아야 하고(적법성), 또 사회질서에 위반하지 않아야 한다.

㉢ 의사표시가 그 효과를 발생하기 위해서는 의사와 표시가 일치하는 것이어야 하며, 사기 · 강박에 의한 의사표시가 아니어야 한다. 또한 원칙적으로 수령능력 있는 상대방에게 도달하여야 한다.

② 특별효력요건 – 통설에 따른 성립 · 효력 요건

구분	일반요건			특별요건
성립요건	당사자	목적	의사표시	요식행위에 있어서 일정한 방식, 요물계약에 있어서의 목적물의 인도 기타 급부
효력요건	권리능력, 의사능력, 행위능력	확정, 가능, 적법, 사회적 타당성	의사와 표시가 일치하고, 사기 · 강박에 의한 의사표시가 아닐 것	대리행위에서 대리권의 존재, 미성년자 · 피한정후견인의 법률행위에 있어서 법정대리인의 동의, 조건부 · 기한부 법률행위에서 조건의 성취 또는 기한의 도래, 유언에서 유언자의 사망, 학교법인의 기본재산 처분에 있어서 관할청의 허가(사립학교법 제28조), 토지거래허가구역 내의 토지를 거래하는 경우에 당사자가 얻어야 하는 관할관청(시장 · 군수)의 허가

제3절 법률행위의 종류

01 서설

법률행위는 여러 기준에 의해 분류함으로써 그에 관하여 적용되는 법규정 및 법원리를 유형화할 수 있다.

02 단독행위 · 계약 · 합동행위

(1) 단독행위

① 단독행위는 하나의 의사표시만으로 성립하는 법률행위이며, 일방행위라고도 한다.

② 단독행위는 '상대방 있는 단독행위'(예 동의 · 철회 · 상계 · 추인 · 취소 · 해제 · 해지 · 채무면제 · 제한물권의 포기 · 시효이익의 포기 · 공유지분의 포기 · 합유지분의 포기 등)와 '상대방 없는 단독행위'(예 유언 · 재단법인 설립행위 · 상속의 포기 · 소유권의 포기 등) 두 가지가 있다.

③ 상대방 있는 단독행위는 상대방에 대하여 행하여지는 단독행위로서, 의사표시가 상대방에게 도달하여야 효력이 발생한다(제111조 제1항). 상대방 없는 단독행위는 상대방이 존재하지 않는 단독행위로서, 대체로 의사표시가 있으면 곧 효력이 발생하나, 관청의 수령이 있어야만 효력이 발생하는 것도 있다.

④ 단독행위는 민법이나 기타 특별한 규정이 있는 경우에 한하여 행하여질 수 있다(통설).

(2) 계약

① 두 개의 대립되는 의사표시의 합치(합의)에 의해 성립하는 법률행위로서, 의사표시가 둘이라는 점에서 단독행위와 다르고, 그 복수의 의사표시가 상호 대립하는 점에서 합동행위와 다르다.

② 좁은 의미의 계약은 채권계약만을 가리키나, 넓은 의미의 계약에는 채권계약뿐만 아니라 물권계약, 준물권계약, 가족법상의 계약 등도 포함된다.

(3) 합동행위

사단법인의 설립행위와 같이, 방향을 같이하는 두 개 이상의 의사표시가 합치하여 성립하는 법률행위를 말한다(다수설). 합동행위라는 개념을 인정할 필요가 없으며, 계약의 일종으로 다루면 된다는 소수설이 있다.

03 요식행위 · 불요식행위

법률행위의 자유는 방식의 자유를 포함하기 때문에 불요식행위가 원칙이다. 다만, 법률은 행위자로 하여금 신중하게 행위를 하게 하거나 또는 법률관계를 명확하게 하기 위하여 일정한 방식(예 서면 · 신고 등)을 요구하는 경우가 있는데, 법인의 설립행위(제40조, 제43조), 혼인(제812조), 인지(제859조), 유언(제1060조 이하) 등이 그러하다.

04 생전행위 · 사후행위

행위자의 사망으로 그 효력이 생기는 법률행위를 사후행위(死後行爲)라 하고, 유언(제1073조)과 사인증여(제562조)가 이에 속한다. 이를 사인행위라고도 한다. 이에 대해 보통의 법률행위를 생전행위라고 한다.

05 채권행위 · 물권행위 · 준물권행위

(1) 채권행위(의무부담행위)

채권행위는 채권 · 채무를 발생시키는 법률행위이다. 이런 점에서 의무부담행위라고도 하며, 이는 이행의 문제가 남아 있지 않은 물권행위 · 준물권행위와 구별된다.

(2) 처분행위

① 물권행위: 직접 물권의 변동을 가져오는 법률행위로서 이행의 문제를 남기지 않는다. 처분행위가 유효하기 위해서는 처분자에게 처분권한이 있어야 하고, 그렇지 않은 경우에는 그 행위는 무효이다.

② 준물권행위: 물권 이외의 권리의 변동을 직접 가져오는 법률행위로서, 채권양도 · 지식재산권의 양도 · 채무면제 등이 이에 속한다.

06 재산행위 · 가족법상의 행위

법률행위는 그것이 재산상의 법률관계에 관한 것인가, 가족법상의 법률관계에 관한 것인가에 따라 재산행위와 가족법상의 행위로 나누어진다. 가족법상의 행위는 신분행위라고도 한다.

07 출연행위 · 비출연행위

(1) 의의

재산행위는 출연행위와 비출연행위로 나누어진다. 출연행위는 자기의 재산을 감소시키고 타인의 재산을 증가하게 하는 법률행위이고, 비출연행위는 타인의 재산을 증가하게 하지는 않고 자기의 재산을 감소시키거나 또는 직접 재산의 증감을 일어나게 하지 않는 행위이다.

(2) 유상행위 · 무상행위

자기의 출연과 대가적으로 상대방의 출연이 있는 것이 유상행위이고(예 매매 · 임대차 등), 그러한 대가관계가 없는 것이 무상행위이다(예 증여 · 사용대차 등). 대가라 함은 출연과 교환적으로 행하여지는 것으로, 행위자의 출연을 전보하는 의의를 가진 상대방의 출연을 말한다. 유상행위에는 매매에 관한 규정이 준용되고(제567조), 담보책임은 원칙적으로 유상행위에 인정된다(제559조 참조).

(3) 유인행위 · 무인행위

법률행위의 효력이 그 전제가 되는 원인의 존부에 영향을 받는 경우에 그 법률행위는 유인이라고 하고(유인행위), 그 원인의 존부와 관계없이 효력이 인정되는 경우에 그 법률행위는 무인이라고 한다(무인행위). 출연행위는 유인행위임이 원칙이다. 목적물의 소유권이전에 있어서 매매계약은 원인이 되므로 소유권이전에 대한 물권적 합의는 유인행위이다(판례의 태도). 무인행위의 전형적인 것은 어음행위이다.

08 신탁행위 · 비신탁행위

신탁자는 자신이 의도하는 경제적 목적의 달성에 필요한 한도를 넘는 권리를 수탁자에게 부여하지만, 수탁자는 그 목적의 범위 안에서 그 권리를 행사할 의무를 부담하는 행위를 신탁행위라고 한다. 예컨대, 적법한 명의신탁, 양도담보, 추심을 위한 채권양도 등이 이에 속한다.

09 기타의 분류

(1) 독립행위 · 보조행위

독립행위는 직접 법률관계의 변동을 일어나게 하는 법률행위로서, 보통의 법률행위가 이에 속한다. 보조행위는 다른 법률행위의 효과를 보충하거나 확정하는 법률행위로서, 동의 · 추인 · 수권행위 등이 이에 속한다.

(2) 주된 행위 · 종된 행위

법률행위가 유효하게 성립하기 위하여 다른 법률행위의 존재를 전제로 하는 법률행위를 '종된 행위'라 하고, 그 전제가 되는 행위를 '주된 행위'라고 한다. 예컨대, 보증계약이나 저당권설정계약은 금전소비대차계약의 종된 계약이고, 부부재산계약은 혼인의 종된 계약이다. 종된 행위는 주된 행위와 법률상 운명을 같이한다.

제4절 법률행위의 해석

01 총설

(1) 의의

① 법률행위의 해석은 법률행위의 내용을 확정하는 작업이다. 궁극적으로 표시로부터 출발하여 의사표시를 한 자의 의사를 밝히는 작업이다. 법률행위의 해석은 의사표시가 존재하는지 여부의 검토를 포함한다.

② 법률행위의 해석은 법률행위의 성립과 유효 여부를 판단하는 데 선행되는 작업이다. 착오에 의한 취소의 경우에는, '법률행위의 해석은 취소에 앞선다'라는 명제가 있다. 이는 의사와 표시가 외형상 불일치하더라도 법률행위의 해석을 통해 일치하는 것으로 확정되면 착오(제109조)의 문제는 발생하지 않는다는 것이다.

③ 계약의 당사자가 누구인지는 계약에 관여한 당사자의 의사해석 문제이다(대판 2019.9.10, 2016다237691).

(2) 법률행위 해석의 목표

판례에서 과거에는 당사자의 진의를 탐구하여 해석하여야 하는 것이라고 하였으나(대판 1962.4.18, 4294민상1236), 근래에는 당사자가 표시행위에 부여한 객관적인 의미를 명백하게 확정하는 것이라고 하였다(대판 2000.10.6, 2000다27923).

판례 처분문서의 해석

1. 처분문서의 해석과 상대방에게 중대한 책임을 부과하게 되는 경우의 해석
계약당사자 사이에 어떠한 계약내용을 처분문서인 서면으로 작성한 경우에 **문언의 객관적인 의미가 명확하다면, 특별한 사정이 없는 한 문언대로의 의사표시의 존재와 내용을 인정**하여야 하지만, 그 문언의 객관적인 의미가 명확하게 드러나지 않는 경우에는 그 문언의 내용과 계약이 이루어지게 된 동기 및 경위, 당사자가 계약에 의하여 달성하려고 하는 목적과 진정한 의사, 거래의 관행 등을 종합적으로 고찰하여 사회정의와 형평의 이념에 맞도록 논리와 경험의 법칙, 그리고 사회일반의 상식과 거래의 통념에 따라 계약내용을 합리적으로 해석하여야 하고, 특히 당사자 일방이 주장하는 **계약의 내용이 상대방에게 중대한 책임을 부과하게 되는 경우에는 그 문언의 내용을 더욱 엄격하게 해석**하여야 한다(대판 2002.5.24, 2000다72572).

2. 처분문서의 기재내용과 다른 약정이 있는 경우
처분문서라 할지라도 그 **기재내용과 다른 명시적 · 묵시적 약정이 있는 사실이 인정될 경우에는 그 기재내용과 다른 사실을 인정**할 수는 있으나, 그와 같은 경우에도 주채무에 관한 계약과 연대보증계약은 별개의 법률행위이므로 처분문서의 기재내용과 다른 명시적 · 묵시적 약정이 있는지 여부는 주채무자와 연대보증인에 대하여 개별적으로 판단하여야 한다(대판 2011.1.27, 2010다81957).

---

(3) 법률행위 해석의 주체 · 객체

① **주체**: 법률행위 해석은 궁극적으로 법원, 즉 법관에 의하여 행하여진다. 따라서 매매계약서에 계약사항에 대한 이의가 생겼을 때에는 매도인의 해석에 따른다는 조항이 있더라도 법원의 법률행위 해석권을 구속하는 조항이라고 볼 수 없다(대판 1974.9.24, 74다1057).

② **객체**: 표시행위가 해석의 객체이다. 즉, 법률행위의 해석은 당사자가 그 표시행위에 부여한 객관적인 의미를 명백하게 확정하는 것으로서, 사용된 문언에만 구애받는 것은 아니지만, 어디까지나 당사자의 내심의 의사가 어떤지에 관계없이 그 문언의 내용에 의하여 당사자가 그 표시행위에 부여한 객관적 의미를 합리적으로 해석하여야 한다(대판 2015.11.17, 2013다61343).

02 해석의 방법

(1) 의의

법률행위 해석의 방법은 '자연적 해석', '규범적 해석', '보충적 해석'으로 나누어진다. 유언과 같은 상대방 없는 의사표시의 경우에는 표의자의 진정한 의사가 탐구되어야 한다. 상대방 있는 의사표시의 경우, 우선 의사표시의 당사자가 표시를 사실상 같은 의미로 이해한 경우에는 표의자와 상대방이 일치하여 생각한 의미대로 확정되어야 한다(자연적 해석). 그리고 자연적 해석이 행하여질 수 없는 경우 표시의 객관적 · 규범적 의미가 탐구되어야 하고(규범적 해석), 의사표시에 틈이 발견되면 마지막으로 그것을 채우는 해석을 한다(보충적 해석).

(2) 자연적 해석

어떤 일정한 표시에 관하여 당사자가 사실상 일치하여 이해한 경우에는, 그 의미대로 인정하여야 하는데, 이를 자연적 해석이라고 한다. 이에 의하면 사실상 일치하여 의욕된 것은 문언의 의미에 우선한다. 이러한 자연적 해석은 로마 상속법에서 인정되었던 '그릇된 표시는 해가 되지 않는다'(falsa demonstratio non nocet)는 법리가 발전된 것으로, '오표시 무해의 원칙'으로 불린다. 자연적 해석의 경우에는 그릇된 표시에도 불구하고 당사자가 일치하여 생각한 의미로 효력이 생기기 때문에(의사와 표시의 일치), 착오 취소는 인정될 여지가 없다. 즉, 계약 내용이 명확하지 않은 경우 계약서의 문언이 계약 해석의 출발점이지만, 당사자들 사이에 계약서의 문언과 다른 내용으로 의사가 합치된 경우에는 의사에 따라 계약이 성립한 것으로 해석하여야 한다. 계약당사자 쌍방이 모두 동일한 물건을 계약의 목적물로 삼았으나 계약서에는 착오로 다른 물건을 목적물로 기재한 경우 계약서에 기재된 물건이 아니라 쌍방 당사자의 의사합치가 있는 물건에 관하여

계약이 성립한 것으로 보아야 한다. 이러한 법리는 계약서를 작성하면서 계약상 지위에 관하여 당사자들의 합치된 의사와 달리 착오로 잘못 기재하였는데 계약당사자들이 오류를 인지하지 못한 채 계약상 지위가 잘못 기재된 계약서에 그대로 기명날인이나 서명을 한 경우에도 동일하게 적용될 수 있다(대판 2018.7.26, 2016다242334).

판례

1. 오표시 무해(誤表示無害)의 원칙
부동산의 매매계약에 있어 **쌍방당사자가 모두 특정의 X토지를 계약의 목적물로 삼았으나 그 목적물의 지번 등에 관하여 착오를 일으켜 계약을 체결함에 있어서는 계약서상 그 목적물을 X토지와는 별개인 Y토지로 표시**하였다 하여도 X토지에 관하여 이를 매매의 목적물로 한다는 쌍방당사자의 의사합치가 있은 이상 위 **매매계약은 X토지에 관하여 성립**한 것으로 보아야 할 것이고 Y토지에 관하여 매매계약이 체결된 것으로 보아서는 안 될 것이며, 만일 **Y토지**에 관하여 위 매매계약을 원인으로 하여 매수인 명의로 **소유권이전등기**가 경료되었다면 이는 원인이 없이 경료된 것으로서 **무효**이다(대판 1993.10.26, 93다2629).

2. 계약당사자의 확정
계약을 체결하는 행위자가 타인의 이름으로 법률행위를 한 경우에 행위자 또는 명의인 가운데 누구를 계약의 당사자로 볼 것인가에 관하여는, 우선 **행위자와 상대방의 의사가 일치하는 경우**에는 그 **일치한 의사대로** 행위자 또는 명의인을 계약의 당사자로 확정하여야 하고, 행위자와 상대방의 의사가 **일치하지 아니하는 경우**에는 그 계약의 성질 · 내용 · 목적 · 체결 경위 등 그 계약 체결 전후의 구체적인 제반사정을 토대로 **상대방이 합리적인 사람이라면 행위자와 명의자 중 누구를 계약의 당사자로 이해할 것인가**에 의하여 당사자를 결정하여야 한다(대판 2001.5.29, 2000다3897). 이는 그 타인이 허무인인 경우에도 마찬가지이다(대판 2012.10.11, 2011다12842).

(3) 규범적 해석

① 규범적 해석의 방법

㉠ 자연적 해석이 행하여질 수 없는 경우 규범적 해석이 행하여진다. 규범적 해석은 표시행위로부터 추단되는 표시상의 효과의사를 밝히는 것으로서, 상대방이 합리적인 자라면 제반사정하에서 표시행위를 어떻게 이해했을 것인가 하는 가상적 의사를 밝히는 것이다. 즉, 의사표시를 한 사람이 생각한 의미가 상대방이 생각한 의미와 다른 경우에는 의사표시를 수령한 상대방이 합리적인 사람이라면 표시된 내용을 어떻게 이해하였다고 볼 수 있는지를 고려하여 의사표시를 객관적 · 규범적으로 해석하여야 한다(대판 2017.2.15, 2014다19776 · 19783). 상대방의 신뢰보호와 자기책임의 원칙에서 그 근거를 찾을 수 있다. 표의자의 진의와 표시가 일치하지 않는 경우 표시된 대로 효력을 인정하되, 표의자는 제109조의 착오를 주장할 수 있다. 예컨대, 甲은 乙에게 X토지를 m^2당 980만원에 매도하려고 했는데 잘못하여

청약서에 m^2당 890만원으로 기재하였고, 이에 대해 乙이 승낙하면 매매계약은 m^2당 890만원에 성립한다.

ⓛ 판례는 '총완결'이라고 써 준 사안에서, 그것으로 모든 결제가 끝난 것으로 해석하는 것이 영수증 작성자의 의사에 부합한다고 보았으며(대판 1969.7.8, 69다563), 음식점 경영을 위한 임대차계약을 체결하면서 모든 경우의 화재에 대하여도 임차인이 그 손해를 부담하기로 특약을 맺은 사안에서, 위 '모든 경우의 화재'에는 불가항력의 경우도 포함하는 것이며(대판 1979.5.22, 79다508), '최대한 노력하겠다'는 문언을 기재한 경우는, 법적으로는 부담할 수 없지만 사정이 허락하는 한 그 이행을 하여 주겠다는 취지로 해석함이 상당하다고 보았다(대판 1994.3.25, 93다32668).

판례 **허무인 명의로 계약을 체결한 경우**

갑이 허무인 乙 명의의 자동차운전면허증과 인장을 위조한 후 이를 이용하여 증권회사인 丙 주식회사에 乙 명의의 계좌 개설을 신청하였고, 丙 회사는 위 자동차운전면허증으로 구 금융실명거래 및 비밀보장에 관한 법률에 따라 실명확인 절차를 진행하여 乙 명의로 증권위탁계좌를 개설한 사안에서, **丙 회사로서는 甲이 乙인 줄 알고 계약을 체결하기에 이르렀다**고 할 것이어서 甲과 丙 회사 사이에 행위자인 甲을 위 계좌 개설계약의 당사자로 하기로 하는 의사의 일치가 있었다고 볼 수 없고, 비록 乙에 대한 실명확인 절차가 허무인에 대한 것으로서 적법하지 않다고 하더라도 **乙이 허무인임을 알지 못한 丙 회사로서는 명의자인 乙을 계약당사자로 인식하여 계좌 개설계약을 체결한 것**이라고 봄이 타당하고 이러한 계약체결 당시 丙 회사의 계약당사자에 대한 인식은 사후에 乙이 허무인임이 확인되었다고 하여 달라지지 않으므로, 丙 회사의 계좌 개설계약의 상대방에 관한 의사가 위와 같은 이상 甲을 계약당사자로 한 계좌 개설계약이 체결되었다고 할 수 없고, 다만 계약당사자인 乙이 허무인인 이상 丙 회사와 乙 사이에서도 유효한 계좌 개설계약이 성립하였다고 볼 수 없으므로 위 계좌에 입고된 주식은 이해관계인들 사이에서 **부당이득반환 등의 법리에 따라 청산**될 수 있을 뿐이다(대판 2012.10.11, 2011다12842).

---

② 규범적 해석의 표준

㉠ 목적과 표시행위에 따르는 제반사정

ⓐ 계약서에 사용된 문자의 의미는 계약당사자가 의도하는 목적과 계약 당시의 제반사정을 참작하여 합리적으로 해석하여야 한다(대판 1965.9.28, 65다1519).

ⓑ 당사자가 의도한 목적이란 당사자가 그 법률행위에 의하여 달성하고자 하는 '사회적·경제적 목적'이고, 그 목적이 될 수 있는 대로 가능하도록 해석하여야 한다.

ⓛ 사실인 관습

ⓐ 법령 중의 선량한 풍속 기타 사회질서에 관계없는 규정과 다른 관습이 있는 경우에 당사자의 의사가 명확하지 아니한 때에는 그 관습에 의한다(제106조). 즉,

당사자의 의사가 명확하지 않을 때, 임의규정과 다른 관습이 있을 경우에는 그 사실인 관습이 법률행위 해석의 기준이 된다. 관습법은 바로 법원으로서 법령과 같은 효력을 갖는 관습으로서 법령에 저촉되지 않는 한 법칙으로서의 효력이 있는 것이며, 이에 반하여 사실인 관습은 법령으로서의 효력이 없는 단순한 관행으로서 법률행위의 당사자의 의사를 보충함에 그치는 것이다(대판 1983.6.14, 80다3231).

ⓑ 관습은 사적자치가 인정되는 분야, 즉 임의규정이 적용되는 영역에 관한 것이어야 하며, 강행규정에 위반하는 관습은 그 효력이 인정되지 않는다(대판 1983.6.14, 80다3231). 당사자가 관습의 존재를 알고 있을 필요는 없으며, 그 관습은 원칙적으로 표의자와 상대방에게 공통된 것이어야 한다.

ⓒ 증명책임에 관하여, 사실인 관습은 그 존재를 당사자가 주장 · 입증하여야 한다(대판 1983.6.14, 80다3231). 다만, 판례 중에는 사실인 관습은 일반생활에 있어서의 일종의 경험칙에 속한다 할 것이고, 법관은 당사자의 주장이나 입증에 구애받지 않고 법관 스스로 직권에 의하여 경험칙의 유무를 판단할 수 있다(대판 1976.7.13, 76다983)고 한 것이 있다.

ⓒ 임의규정: 제105조의 반대해석상 특별한 의사표시가 없는 경우 또는 의사표시가 불명료한 경우에는 임의법규가 법률행위 해석의 표준이 된다는 것이 통설이다(반대설 있음).

ⓔ 신의칙

ⓐ 신의성실의 원칙을 법률행위 해석의 기준으로 하는 명문의 규정은 없으나 우리 민법에 있어서도 법률행위 해석의 기준으로 인정해야 한다는 것이 통설이다.

ⓑ 예문해석이란 계약서로 관용되는 서식에 경제적 강자에게 일방적으로 유리한 조항이 인쇄 · 삽입되어 있는 경우 그러한 조항을 예문, 즉 단순한 예로서 늘어놓은 문언이라고 보아 당사자를 구속하는 힘이 없다고 보는 것으로 판례가 발전시킨 해석원칙이다.

(4) 보충적 해석

㉠ 법률행위의 내용에 '틈 또는 흠결'이 있는 경우에 이를 해석에 의하여 보충하는 해석방법이다. 보충은 모든 법률행위에서 이루어질 수 있지만 주로 계약에서 문제된다. 보충적 해석은 법률행위의 성립이 자연적 · 규범적 해석을 통하여 긍정된 후에 개시된다.

㉡ 우리 민법상 법률행위의 규율의 틈은 우리 민법은 제106조에 의하여 제1차적으로 관습에 의하여 보충되고, 관습이 없는 경우에는 임의규정에 의한다. 법률행위의 규율의 틈이 임의규정에 의하여 보충되지 못한 경우에 비로소 고유한 의미의 보충적인 해석이 이루어진다.

제5절 법률행위의 목적

01 총설

법률행위의 목적이란 법률행위를 하는 자가 그 행위에 의하여 발생시키려고 하는 법률효과를 말한다. 법률행위의 목적은 효과의사의 내용에 의하여 결정된다. 법률행위가 유효하기 위하여는 목적이 확정성, 실현가능성, 적법성, 사회적 타당성 요건을 갖추어야 한다(효력요건). 그 요건을 하나라도 갖추지 못하면 법률행위는 무효가 되며, 이 무효는 절대적이다.

02 목적(내용)의 확정성

법률행위의 해석에 의해 그 내용을 확정할 수 있어야 하며, 그 해석에 의해서도 그 내용을 확정할 수 없는 경우에는 그 법률행위는 무효이다. 법률행위의 성립 당시부터 확정성을 갖출 필요는 없으며, 이를 사후에라도 구체적으로 확정할 수 있는 방법과 기준이 정하여져 있으면 족하다(대판 1996.4.26, 94다34432). 따라서 매매대금은 시가에 따르기로 한다는 계약은 유효하다.

03 목적(내용)의 가능성

(1) 서설

① 법률행위의 내용은 실현이 가능하여야 한다. 법률행위 성립 당시에 내용의 실현이 불가능한 경우에는 그 법률행위는 무효이다(대판 1994.10.25, 94다18232). 실현불가능성에 관해 민법은 '불능'이라고 표현한다.

② 목적의 불능은 물리적 불능이나 법률적 불능뿐만 아니라 사회관념상의 불능도 포함한다. 따라서 한강에 가라앉은 반지를 찾아주기로 하는 약정은 무효이다. 그리고 불능은 확정적이어야 하며, 일시적으로는 불능이더라도 실현될 가능성이 있는 경우에는 불능이 아니다.

(2) 불능의 종류

① 불능사유의 발생시점에 따라 원시적 불능 · 후발적 불능, 불능의 범위에 따라 전부불능 · 일부불능, 법률적 불능 · 사실적 불능, 객관적 불능 · 주관적 불능으로 나누어진다.

② 원시적 · 전부 불능은 무효이지만, 계약체결상 과실책임이 문제될 수 있다(제535조). 원시적 · 일부 불능의 경우 불능인 부분은 당연히 무효이다. 불능이 아닌 부분은 제137조의 일부무효의 법리가 적용된다. 그리하여 원칙적으로 그 법률행위의 전부가 불능으로 되지만, 불능인 부분이 없더라도 법률행위를 하였으리라고 인정될 때에는 불능인 부분을 제외한 나머지 부분은 가능한 것으로 취급된다. 그 경우에는 계약은 유효이며, 매도인은 담보책임을 질 수도 있다(제574조, 제580조).

③ 후발적 불능은 주로 채권관계에서 문제되는데, 법률행위는 무효로 되지 않는다(즉, 유효). 그 불능이 채무자의 고의 · 과실에 의하여 발생한 경우에는 채무불이행으로서 이행불능이 성립하여 손해배상(제390조), 계약해제(제546조) 대상청구권(통설 · 판례)이 인정되며, 그렇지 않은 경우에는 위험부담이 문제된다(제537조, 제538조).

핵심 콕! 콕! 불능의 분류

1. 원시적 불능: 계약은 무효, 계약체결상 과실책임(신뢰이익배상 원칙)
2. 후발적 불능: 계약은 유효
   - 채무자의 귀책사유가 있으면, 채무불이행(이행불능) ⇨ 해제 · 손해배상(이행이익배상), 대상청구권
   - 채무자의 귀책사유가 없으면, 위험부담의 문제 ⇨ 채무자 위험부담주의 원칙

04 목적(내용)의 적법성

제105조【임의규정】법률행위의 당사자가 법령 중의 선량한 풍속 기타 사회질서에 관계없는 규정과 다른 의사를 표시한 때에는 그 의사에 의한다.

(1) 서설

① 법률행위가 유효하기 위하여서는 그 목적이 적법한 것이어야 한다. 즉, 강행규정은 사적자치의 한계를 이루고 이에 위반되는 법률행위는 부적법 · 위법한 것으로서 무효이다. 예컨대, 증권거래법 제52조는 증권회사 또는 그 임 · 직원의 부당권유행위를 금지하고 있는데, 이에 반하여 투자수익을 보장하거나 투자손실을 전보하기로 하는 약정은 무효이다(대판 1996.8.23, 94다38199).

② 목적의 적법성과 사회적 타당성의 관계에 관하여, 판례는 "부동산실권리자명의등기에 관한 법률이 규정하는 명의신탁약정은 … 그 자체로 선량한 풍속 기타 사회질서에 위반하는 경우에 해당한다고 단정할 수 없다."고 하여, 별개로 파악한다(대판 2003.11.27, 2003다41722). 나아가 "제746조가 규정하는 불법원인이라 함은 그 원인 되는 행위가 선량한 풍속 기타 사회질서에 위반하는 경우를 말하는 것으로서, 법률의 금지에 위반하는 경우라 할지라도 그것이 선량한 풍속 기타 사회질서에 위반하지 않는 경우에는 이에 해당하지 않는다."고 한다(대판 2011.1.13, 2010다77477).

(2) 강행규정

① 의의

㉠ 강행규정은 법령 중의 선량한 풍속 기타 사회질서에 관계있는 규정을 말하며(제105조), 당사자의 의사에 의하여 그 적용을 배제할 수 없다. 반면 법령 중의 선량한 풍속 기타 사회질서에 관계없는 규정을 임의규정이라고 하며, 당사자의 의사에 의하여 그 적용이 배제될 수 있다. 판례는 "일임매매에 관한 증권거래법 제107조 위반의 약정도 사법상으로는 유효하다고 보아야 하므로, 묵시적인 의사표시에 의한 포괄적인 매매일임도 유효"하다고 한다(대판 2002.3.29, 2001다49128).

㉡ 강행규정은 법률행위의 당사자 쌍방에 적용되는 것이 원칙이나, 법률행위의 일방 당사자에게 불리한 경우에만 이를 무효로 하는 것이 있는데, 이를 편면적 강행규정이라고 한다(예 제652조).

② 강행규정 판단의 기준 및 예

㉠ **민법총칙**: 법률질서의 기본구조에 관한 규정(권리능력, 행위능력, 법인제도, 소멸시효에 관한 규정), 사회의 윤리관을 반영하는 규정(제2조, 제103조 등)

㉡ **물권법**: 제3자의 이해관계에 영향을 크게 미치는 사항에 관한 규정(물권법정주의에 관한 규정 등)

㉢ **채권법**: 사회적 · 경제적 약자를 보호하는 규정(제607조, 제608조, 제652조 등), 거래안전을 보호하기 위한 규정(제508조, 제523조 이하 등)

㉣ **가족법**: 친족관계의 기본질서에 관한 규정(제4편 친족), 상속관계의 기본질서에 관한 규정(제5편 상속) 등

③ 단속법규와의 관계

㉠ 행정법규 중에는 국가가 일정한 행위를 금지 내지 제한하는 내용의 소위 단속법규를 정하는 것이 많이 있는데, 이것도 개인의 의사에 의해 배제할 수 없다는 점에서 강행규정으로서의 성질을 가진다. 문제는 다른 개인과 거래를 하였을 경우에 그 효력 여하이다. 여기서 단속법규를 '효력규정'과 '단속규정'으로 나눈다.

㉡ 행정법규 가운데 특히 경찰법규는 단순한 단속규정이며, 그에 위반하는 행위는 행정법상의 제재를 가하는 것으로 그치고 사법행위는 무효로 되지 않는다. 예컨대, 무허가음식점의 유흥 영업행위 또는 음식물 판매행위(식품위생법 제22조), 신고 없이 숙박업을 하는 행위(공중위생관리법 제3조), 공무원의 영리행위(국가공무원법 제64조), 허가 없이 하는 총포 화약류의 거래행위(총포 · 도검 · 화약류 등 단속법 제6조) 등이 그렇다. 판례에 나타난 예로는, 구 금융실명거래 및 비밀보장에 관한 긴급재정경제명령에 위반되는 비실명 금융거래계약(대판 2001.12.28, 2001다17565), 부동산등기 특별조치법 제2조 제2항에 위반한 중간생략등기의 합의(대판

1993.1.26, 92다39112), 공인중개사법이 금지하는 개업공인중개사 등이 중개의뢰인과 직접 거래를 하는 행위(대판 2017.2.3, 2016다259667) 등이 그렇다.

ⓒ 그에 비하여 효력규정에 위반하는 행위는 무효로 된다. 광업권의 대차[이른바 덕대계약(광업법 제11조)], 어업권의 임대차(수산업법 제33조), 증권회사의 명의대여계약(증권거래법 제63조), 토지거래허가구역 내에서 관할관청의 허가 없이 체결한 토지매매계약(국토이용법), 관할관청의 허가 없이 행한 학교법인의 기본재산 처분(사립학교법 제28조), 주무관청의 허가 없이 행한 공익법인의 기본재산의 처분(대판 2005.9.28, 2004다50044), 법령의 제한을 초과하는 부동산 중개수수료의 약정(부동산중개업법 제20조, 대판 2007.12.20, 2005다32159 전합), 공인중개사 자격이 없는 자가 중개사무소 개설등록을 하지 아니한 채 부동산중개업을 하면서 체결한 중개수수료 지급약정(대판 2010.12.23, 2008다75119[1]), 구 임대주택법 제14조 제1항 등 공공건설임대주택의 임대보증금과 임대료의 상한을 정한 규정에 위반하여 임차인의 동의절차를 올바르게 거치지 않고 일방적으로 상호전환의 조건을 제시하여 체결한 임대차계약(대판 2016.11.18, 2013다42236 전합), 세무사와 세무사 자격이 없는 사람 사이에 이루어진 세무대리의 동업 및 이익분배약정(대판 2015.4.9, 2013다35788[2]), 비의료인의 의료기관 개설에 관한 동업계약(대판 2003.4.22, 2003다2390 · 2406), 최종 퇴직시 발생하는 퇴직금청구권을 미리 포기하는 것[근로자가 퇴직하여 더 이상 근로계약관계에 있지 않은 상황에서 포기하는 것은 허용(대판 2018.7.12, 2018다21821)], 임대주택 임차인의 임차권 양도를 원칙적으로 금지한 구 임대주택법 제9조 등 관련 법령을 위반한 임차권의 양도(대판 2022.10.27, 2020다266535) 등이 그렇다.

1 다만, 공인중개사 자격이 없는 자가 우연한 기회에 단 1회 타인간의 거래행위를 중개한 경우 등과 같이 '중개를 업으로 한' 것이 아니라면 그에 따른 중개수수료 지급약정이 강행법규에 위배되어 무효라고 할 것은 아니다(대판 2012.6.14, 2010다86525).

2 나아가 그와 같이 무효인 약정을 종료시키면서 기왕의 출자금의 단순한 반환을 넘어 동업으로 인한 경제적 이익을 상호 분배하는 내용의 정산약정을 하였다면 이 또한 강행법규인 위 세무사법 규정의 입법취지를 몰각시키는 것으로서 무효이다.

(3) 강행규정 위반의 모습(탈법행위)

강행법규 가운데 효력규정에 위반하는 모습에는 직접적 위반과 간접적 위반(탈법행위)의 두 가지가 있다. 판례도 같다.

판례 탈법행위 긍정례

구 국유재산법 제7조가 같은 법 제1조의 입법취지에 따라 국유재산 처분사무의 공정성을 도모하기 위하여 관련사무에 종사하는 직원에 대하여 부정한 행위로 의심받을 수 있는 가장 현저한 행위를 적시하여 이를 엄격히 금지하는 한편, 그 금지에 위반한 행위의 사법상 효력에 관하여 이를 무효로 한다고 명문으로 규정하고 있는 점 등을 종합하여 보면, **국유재산에 관한 사무에 종사하는 직원이 타인의 명의로 국유재산을 취득하는 행위**는 강행법규인 같은 법 규정들의 적용을 잠탈하기 위한 **탈법행위로서 무효**이고, 나아가 같은 법이 거래안전의 보호 등을 위하여 그 무효를 주장할 수 있는 상대방을 제한하는 규정을 따로 두고 있지 아니한 이상 **그 무효는 원칙적으로 누구에 대하여서나 주장**할 수 있으므로, 그 규정들에 위반하여 취득한 국유재산을 제3자가 전득하는 행위 또한 당연무효이다(대판 1996.4.26, 94다43207).

(4) 강행규정 위반의 효과

① 강행규정에 위반하는 법률행위는 무효이다. 그 무효는 확정적 · 절대적이고, 추인이 있더라도 유효로 될 수 없다. 한편 그 기준이 되는 강행규정은 법률행위 당시의 것이며, 그 후에 강행규정이 폐지되거나 변경되더라도 유효한 것으로 되지 않는다(대결 1967.1.25, 66마1250).

② 법률행위의 일부만이 강행규정에 위반하는 경우에는 일부무효(제137조)의 법리에 따라 처리되어야 한다. 다만, 민법에서 그 행위의 효력을 일정한 범위 또는 기준까지 변경하여 인정하는 특별규정을 두고 있는 것이 있다(제280조 제2항, 제591조 제1항, 제651조 제1항).

05 목적(내용)의 사회적 타당성

제103조【반사회질서의 법률행위】 선량한 풍속 기타 사회질서에 위반한 사항을 내용으로 하는 법률행위는 무효로 한다.

제746조【불법원인급여】 불법의 원인으로 인하여 재산을 급여하거나 노무를 제공한 때에는 그 이익의 반환을 청구하지 못한다. 그러나 그 불법원인이 수익자에게만 있는 때에는 그러하지 아니하다.

1. 서설

(1) 법률행위가 강행규정에 위반하지 않더라도 '선량한 풍속 기타 사회질서'에 위반하면 무효이다(제103조). 선량한 풍속이란 사회의 건전한 도덕관념을 말하며, 사회질서란 사회의 평화와 질서를 유지하기 위하여 국민이 지켜야 할 공공적인 질서를 말한다.

(2) 공서양속이라고도 불리는 이 요건은 사회의 기초적 윤리규범에 반하는 법률행위의 효력을 부인하려는 것이다(계약자유의 원칙에 대한 한계). 구체적으로 무엇이 이에 해당하는지는 그 시대, 그 사회의 지배적 윤리의식에 따라 정해진다.

2. 민법 제103조(사회질서 위반)의 요건

(1) 요건

선량한 풍속 기타 사회질서는 부단히 변천하는 가치관념으로서 어느 법률행위가 이에 위반되어 민법 제103조에 의하여 무효인지는 법률행위가 이루어진 때를 기준으로 판단하여야 하고, 또한 그 법률행위가 유효로 인정될 경우의 부작용, 거래자유의 보장 및 규제의 필요성, 사회적 비난의 정도, 당사자 사이의 이익균형 등 제반 사정을 종합적으로 고려하여 사회통념에 따라 합리적으로 판단하여야 한다(대판 2015.7.23, 2015다200111 전합).

(2) 동기의 불법

예컨대, 살인을 위하여 흉기를 매매하거나 도박을 하기 위하여 금전을 빌리거나 또는 매춘(賣春)을 하기 위하여 가옥을 임차하는 경우에는 법률행위를 하게 된 동기만이 사회질서에 반하게 되는데, 이때 법률행위가 무효로 되는지 문제된다. 동기는 법률행위의 내용을 이루지 않으므로 고려할 것이 아니지만, '표시되거나 상대방에게 알려진 법률행위의 동기가 반사회질서적인 경우'에는 민법 제103조에 의하여 무효로 된다(대판 1984.12.11, 84다카1402).

3. 사회질서 위반행위의 유형화

(1) 서언

① 민법 제103조에 의하여 무효로 되는 반사회질서행위는 법률행위의 목적인 권리의무의 내용이 선량한 풍속 기타 사회질서에 위반되는 경우뿐만 아니라, 그 내용 자체는 반사회질서적인 것이 아니라고 하여도 법률적으로 이를 강제하거나 법률행위에 반사회질서적인 조건 또는 금전적인 대가가 결부됨으로써 반사회질서적 성질을 띠게 되는 경우를 포함한다. 따라서 행정기관에 진정서를 제출하여 상대방을 궁지에 빠뜨린 다음 이를 취하하는 조건으로 거액의 급부를 제공받기로 약정한 경우, 민법 제103조 소정의 반사회질서의 법률행위에 해당한다(대판 2000.2.11, 99다56833).

② 그러나 단지 법률행위의 성립과정에 강박이라는 불법적 방법이 사용된 데에 불과한 때에는 강박에 의한 의사표시의 하자나 의사의 흠결을 이유로 효력을 논의할 수는 있을지언정 반사회질서의 법률행위로서 무효라고 할 수는 없다(대판 2002.12.27, 2000다47361).

(2) 사회질서 위반의 모습

① 정의관념에 반하는 행위

㉠ 일반론

ⓐ 범죄 기타 부정행위를 권하거나 그에 가담하는 계약은 무효이다.

- 예컨대, 밀수입의 자금으로 사용하기 위한 대차 또는 그것을 목적으로 하는 행위는 무효이다(대판 1956.1.26, 4288민상96). 부동산 매도인의 배임행위에 제2매수인이 **적극가담**하여 이루어진 토지의 2중매매는 사회정의의 관념에 위배된 반사회적인 법률행위로서 무효이다(대판 1994.3.11, 93다55289). 범죄에 필요한 자금을 제공한 공범에게 자금제공에 대한 대가를 지급하거나 자금제공에 따른 손실을 보전하여 주기로 하는 공범간 약정(대판 2011.7.14, 2011도3180[1]), 사용자가 노동조합 간부에게 조합원의 임금인상 등의 요구가 있을 때에 이를 적당히 무마하여 달라는 부탁을 하면서 그에 대한 보수를 지급하기로 한 약정(대판 1956.5.10, 4289민상115), 당사자 일방이 상대방에 대하여 공무원의 직무에 관한 사항에 관하여 청탁을 하게 하고 그에 대한 보수를 지급할 것을 내용으로 하는 계약(대판 1971.10.11, 71다1645), 당초부터 오직 **보험사고를 가장하여 보험금을 취득**할 목적으로 체결한 생명보험계약(대판 2000.2.11, 99다49064), 보험계약자가 **다수의 보험계약을 통하여 보험금을 부정취득**할 목적으로 보험계약을 체결한 경우(대판 2005.7.28, 2005다23858), 수사기관에서 참고인으로서 **허위진술**을 해주는 대가로 작성된 각서(대판 2001.4.24, 2000다71999)도 사회질서에 반하여 무효이다. 금전소비대차계약과 함께 이자의 약정을 하는 경우에 그 이율이 사회통념상 허용되는 한도를 초과하여 고율로 정하여진 때에는 그 초과부분의 이자약정은 선량한 풍속 기타 사회질서에 반하는 것으로서 무효이다(대판 2007.2.15, 2004다50426 전합[2]).

1 공범 아닌 제3자가 그 무효인 약정에 기한 채무를 부담하거나 이행하기로 하는 약정도 역시 무효이다.
2 차주는 그 이자의 반환을 청구할 수 있다.

- 판례에 의하면, **양도소득세의 회피**를 목적으로 매매계약을 체결하거나(대판 1992.12.22, 91다35540) 또는 명의신탁을 한 경우(대판 1991.9.13, 91다16334), 양도소득세의 일부를 회피할 목적으로 매매계약서에 실제로 거래한 가액보다 낮은 금액을 매매대금으로 기재한 경우(대판 2007.6.14, 2007다3285), 양도소득세의 회피 및 투기의 목적으로 자신 앞으로 소유권이전등기를 하지 않고 미등기인 채로 체결한 매매계약(대판 1993.5.25, 93다296), 강제집행을 면할 목적으로 부동산에 허위의 근저당권설정등기를 한 행위(대

판 2004.5.28, 2003다70041), 반사회적 행위에 의하여 조성된 재산인 이른바 **비자금**을 소극적으로 은닉하기 위하여 **임치**한 것(대판 2001.4.10, 2000다49343), **전통사찰의 주지직을 거액의 금품을 대가로 양도 · 양수하기로 하는 약정이 있음을 알고도 한 종교법인의 주지임명행위**(대판 2001.2.9, 99다38613)는 **사회질서에 반하지 않는다**고 한다.

ⓑ 대가를 주고서 부정행위를 하지 않게 하는 계약도 당연한 일이 금전적 대가와 결합함으로써 사회질서 위반으로 된다. 명예훼손행위를 하지 않는다는 것을 조건으로 하여 금전을 지급하기로 한 약정이 그 예이다. 뿐만 아니라 반사회질서 행위는 범죄행위나 부정행위에 한하지 않으며, 경우에 따라서는 정당한 행위에 대한 사례금 지급약정도 그에 해당할 수 있다(대판 1972.1.31, 72다1455). 예컨대, 소송에서 **사실대로 증언**해 줄 것을 약정한 경우에는 **통상적으로 용인될 수 있는 수준**[1]**을 넘어서는** 대가를 제공받기로 하는 약정(대판 2010.7.29, 2009다56283), 대법원 판결 이후의 **형사사건에서의 성공보수약정**은 선량한 풍속 기타 사회질서에 위배되는 것으로 평가할 수 있다[종래 이루어진 보수약정의 경우에는 보수약정이 성공보수라는 명목으로 되어 있다는 이유만으로 민법 제103조에 의하여 무효라고 단정하기는 어렵다(대판 2015.7.23, 2015다200111 전합)].

1 증인에게 일당 및 여비가 지급되기는 하지만 증인이 증언을 위하여 법원에 출석함으로써 입게 되는 손해에는 미치지 못하는 경우 그러한 손해를 전보하여 주는 정도

ⓛ 이중양도의 경우

ⓐ 이중양도가 사회질서에 반하여 무효로 되기 위하여는 보통 **제2양수인이 양도인의 배임행위에 적극가담**하여야 한다(대판 1994.3.11, 93다55289). 적극가담이란 목적물이 다른 사람에게 양도된 사실을 제2양수인이 안다는 것만으로 부**족하고**(대판 1981.1.13, 80다1034), 양도인의 배임행위에 **공모 내지 협력**하거나 양도사실을 알면서 제2양도행위를 **요청**하거나 **유도**하여 계약에 이르게 하는 정도가 되어야 한다(대판 2002.9.6, 2000다41820). 대리인이 본인을 대리하여 부동산을 2중으로 매수한 경우에는 **대리인이 매도인의 배임행위에 적극 가담하였으면 본인이 그러한 사정을 몰랐더라도 무효**이다(대판 1998.2.27, 97다45532). 매도인과 제2매수인이 특수한 관계[가령 형제간(대판 1978.4.11, 78다274)이나 부부간]에 있으면, 일응 매도인의 배임행위에 적극가담한 것으로 추정된다(대판 1991.10.22, 91다26072).

ⓑ 이중양도로서 문제되는 것은 대부분 이중매매이지만, 그 밖에 매도된 부동산을 증여받은 경우(대판 1982.2.9, 81다1134), 매도된 부동산 위에 근저당권을 설정받은 경우(대판 1998.2.10, 97다26524), 채무담보를 위한 가등기 및 본등

기를 경료받은 경우(대판 1991.7.26, 91다8104), 상속재산의 협의분할(대판 1996.4.26, 95다54426) 등도 이에 해당한다.

사례 **부동산 이중매매**

甲이 자신의 X토지를 乙에게 매도하고 매매대금을 수령하였으나, X를 다시 丙에게 매도하여 丙의 명의로 소유권이전등기가 경료되었다. 이 경우 甲, 乙, 丙의 법률관계는?

1. 유효인 경우의 법률관계
   - 사적자치의 원칙상 **丙이 악의이더라도** 甲과 丙 사이의 이중매매는 **유효**이다. 따라서 丙은 **선·악을 불문**하고 소유권을 취득하고, 乙은 丙 명의로 이루어진 소유권이전등기의 말소를 청구할 수 없다.
   - 甲의 乙에 대한 소유권이전등기의무는 丙에게 소유권이전**등기(가등기 ×)**가 된 때에 **이행불능**이 된다.
   - 乙은 甲을 상대로 매매계약을 **즉시 해제**하고 X에 대한 소유권취득이 불가능하게 된 데 따른 **손해배상(이행이익)**을 청구할 수 있다(채무불이행책임).
2. 무효인 경우의 법률관계
   - 丙이 **甲의 배임행위**에 **적극 가담**한 때의 이중매매는 반사회질서행위로 **무효**가 된다(대리행위인 경우에는 대리인이 적극 가담할 때 무효).
   - 적극 가담하는 행위는 丙이 乙에게 매매목적물이 매도된 것을 **안다는 것만으로는 부족하고**, 적어도 그 매도사실을 **알고도** 매도를 **요청**하여 매매계약에 이르는 정도가 되어야 한다(대판 1994.3.11, 93다55289).
   - 丙 명의의 등기는 **甲이 추인하더라도 유효가 될 수 없다**.
   - 乙은 **甲을 대위**하여 丙을 상대로 **소유권이전등기의 말소를 청구할 수 있고**, 이에 기초하여 甲을 상대로 자신에게 소유권이전등기를 청구할 수 있다.
   - 乙은 丙에게 **직접 말소청구할 수 없고**, 진정명의회복을 원인으로 한 **이전등기를 청구할 수도 없다**. 또한 금전채권자가 아니므로 **채권자취소권을 행사할 수도 없다**.
   - 乙은 불법행위를 한 甲·丙에게 공동불법행위를 원인으로 **직접 손해배상을 청구할** 수 있다.
   - 선의의 丁이 丙으로부터 X토지를 전득한 경우라도 소유권을 취득하지 못한다(**절대적 무효**이기 때문).

② **윤리적 질서에 반하는 행위**: 친자간의 인륜이나 부부간의 인륜에 반하는 행위도 무효이다. 예컨대, 자녀가 부모에 대하여 손해배상을 청구하는 행위, 자녀가 부모와 동거하지 않겠다는 계약은 무효이다. 그리고 **첩계약은 무효**이며, 판례도 첩계약은 본처의 사전승인이 있었더라도 무효라고 한다(대판 1967.10.6, 67다1134). 부첩관계를 맺음에 있어서 처의 사망 또는 이혼이 있을 경우에 입적한다는 부수적 약정(대판 1955.7.14, 4288민상156)도 무효이다. **동거생활의 종료를 해제조건으로 하는 증여계약**은, 부첩관계를 유지시키고 부첩관계의 종료에 지장을 주는 조건이 붙은 행위로서, 사회질서에 반하므로 **무효**이다(대판 1966.6.21, 66다530). 그러나 **부첩관계를 해소하면서** 그 동

안의 첩의 희생에 대하여 배상하고 또 첩의 장래 생활대책을 위하여 금전을 지급하기로 한 약정은 **사회질서 위반이 아니다**(대판 1980.6.24, 80다458).

③ **개인의 자유를 심하게 제한하는 행위**: 개인의 정신적 · 신체적 자유를 제한하는 것과 경제적 자유를 제한하는 것이 있다. ㉠ 전자의 예로는 인신매매 · 매춘행위가 있으며 그것들은 당연히 사회질서에 반하여 무효이다. 그 밖에 독신계약, 예컨대 여자은행원을 채용하면서 근무기간 중 혼인하지 아니할 것을 정한 약관도 무효이다. 판례는 윤락행위 및 그것을 유인 · 강요하는 행위는 선량한 풍속 기타 사회질서에 위반되어 무효이며(대판 2004.9.3, 2004다27488), 윤락행위를 할 사람을 고용하면서 성매매의 유인 · 권유 · 강요의 수단으로 이용되는 선불금 등 명목으로 제공한 금품이나 그 밖의 재산상 이익 등은 불법원인급여에 해당하여 그 반환을 청구할 수 없다(대판 2013.6.14, 2011다65174). **그리고 어떤 일이 있어도 이혼하지 않겠다는 각서를 써주었다고 하더라도 그와 같은 의사표시는 신분행위의 의사결정을 구속하는 것으로서 무효라고 한다**(대판 1969.8.19, 69므18). **과도하게 무거운 위약벌의 약정도 무효라고 한다**(대판 1993.3.23, 92다46905). 그러나 **부정행위를 용서받는 대가로 처에게 부동산을 양도하되, 부부관계가 유지되는 동안에는 처가 임의로 처분할 수 없다는 제한을 붙인 약정은 사회질서에 반하지 않는다**고 한다(대판 1992.10.27, 92므204). ㉡ 후자의 예로는 어떤 자와 같은 종류의 영업을 하지 않겠다는 계약을 들 수 있다. 경제활동을 지나치게 제한하게 되면 무효이다. 그러나 합리적인 시간과 범위를 정하고 있으면 유효하다. 따라서 **해외파견된 근로자가 귀국일로부터 일정기간 소속회사에서 근무하여야 한다는 사규나 약정은 사회질서에 반하지 않는다**(대판 1982.6.22, 82다카90). 한편, 당사자 일방이 그의 독점적 지위 내지 우월적 지위를 악용하여 자기는 부당한 이득을 얻고 상대방에게는 과도한 반대급부 또는 기타의 부담을 과하는 법률행위는 무효이다(대판 1996.4.26, 94다34432).

판례 **도급인이 일방적으로 공기 단축을 요구한 후 지체상금을 물게 한 경우**

도급인의 지위에 있는 행정기관이 당초의 입찰이나 계약체결시에 약정한 공사기간을 그 후 행정상의 이유로 일방적으로, 수급인이 당초 전혀 예상하지 못했을 정도로 상당한 기간의 단축을 요구하여 수급인으로 하여금 이에 부득이 응하게 한 경우, 당초의 지체상금에 관한 약정을 그대로 적용하여 그와 같이 준공이 불가능할 정도로 단축된 준공기한을 기준으로 일률적으로 계산한 지체일수 전부에 대하여 **당초의 약정에 의한 지체상금의 배상을 그대로 물게 하는 것은 선량한 풍속 기타 사회질서에 비추어 허용할 수 없**으므로, 준공기한을 앞당기기로 하는 그 합의는 준공에 절대적으로 필요한 최소한의 기간에 해당하는 **지체상금 부분에 한하여 무효**이다(대판 1997.6.24, 97다2221).

---

④ 생존의 기초가 되는 재산의 처분행위: 예컨대, 어떤 자가 자신이 장차 취득할 재산을 모두 양도한다는 계약, 사찰이 그 존립에 필요불가결한 재산인 임야를 증여하는 행위(대판 1970.3.31, 69다2293)는 생존을 불가능하게 하는 행위로서 무효이다.

⑤ 지나치게 사행적인 행위

㉠ 요행을 바라는 사행계약은 그 정도가 지나친 경우에는 사회질서에 반한다. 도박계약이 그 예이다. 한편, 도박자금을 대여하는 계약(대판 1973.5.22, 72다2249), 도박으로 인한 채무의 변제로서 토지를 양도하는 계약(대판 1959.10.15, 4291민상262), 노름빚을 토대로 하여 그 노름빚을 변제하기로 한 계약(대판 1966.2.22, 65다2567)은 모두 무효이다. 이는 동기의 불법을 상대방이 알고 있었기 때문이다.

㉡ 다만, 도박채무의 변제를 위하여 채무자로부터 부동산의 처분을 위임받은 채권자가 그 부동산을 제3자에게 매도한 경우, 도박채무 부담행위 및 그 변제약정이 민법 제103조의 선량한 풍속 기타 사회질서에 위반되어 무효라 하더라도, … 부동산 처분에 관한 대리권을 도박 채권자에게 수여한 행위 부분까지 무효라고 볼 수는 없다(대판 1995.7.14, 94다40147).

⑥ 폭리행위(불공정한 법률행위): 후술한다(p. 234).

⑦ 기타: 판례에 의하면, 변호사 아닌 자가 승소를 조건으로 하여 그 대가로 소송당사자로부터 소송물의 일부를 받기로 한 약정(대판 1990.5.11, 89다카10514), 대출금채무의 담보를 위하여 제공한 주식을 보관하는 자가 별도의 차명대출을 받으면서 그 주식을 주주들의 동의 없이 무단으로 담보에 제공한 경우에 그와 같은 사정을 잘 알면서 그 주식을 담보로 제공받는 행위(대판 2005.11.10, 2005다38089), 친권 상실이나 관리권 상실을 청구할 수 있는 자가 그러한 청구권을 포기하는 것을 내용으로 하는 계약(대판 1977.6.7, 76므34)은 사회질서에 반하여 무효라고 한다. 청원권 행사의 일환으로 이루어진 진정을 이용하여 타인을 궁지에 빠뜨린 다음 이를 취하하는 것을 조건으로 거액의 급부를 제공받기로 한 약정은 반사회질서적인 조건 또는 금전적 대가가 결부됨으로써 반사회질서적 성질을 띠게 되는 경우에 해당한다고 한다(대판 2000.2.11, 99다56833).

판례

1. 전속적인 관할합의가 현저하게 불공정한 경우

전속적인 관할합의가 현저하게 불합리하고 불공정한 경우에는 그 관할합의는 공서양속에 반하는 법률행위에 해당하는 점에서도 무효이다(대판 2004.3.25, 2001다53349).

2. 업무상 재해로 인한 사망 등 일정한 사유가 발생하는 경우 조합원의 직계가족 등을 채용하기로 하는 내용의 단체협약

사용자가 노동조합과의 단체교섭에 따라 업무상 재해로 인한 사망 등 일정한 사유가 발생하는 경우 조합원의 직계가족 등을 채용하기로 하는 내용의 단체협약을 체결하였다면, **그와 같은 단체협약이 사용자의 채용의 자유를 과도하게 제한하는 정도에 이르거나 채용 기회의 공정성을 현저히 해하는 결과를 초래하는 등의 특별한 사정이 없는 한, 선량한 풍속 기타 사회질서에 반한다고 단정할 수 없다.** 이러한 단체협약이 사용자의 채용의 자유를 과도하게 제한하는 정도에 이르거나 채용 기회의 공정성을 현저히 해하는 결과를 초래하는지는 단체협약을 체결한 이유나 경위, 그와 같은 단체협약을 통해 달성하고자 하는 목적과 수단의 적합성, 채용대상자가 갖추어야 할 요건의 유무와 내용, 사업장 내 동종 취업규칙 유무, 단체협약의 유지기간과 준수 여부, 단체협약이 규정한 채용의 형태와 단체협약에 따라 채용되는 근로자의 수 등을 통해 알 수 있는 사용자의 일반 채용에 미치는 영향과 구직희망자들에게 미치는 불이익 정도 등 여러 사정을 종합하여 판단하여야 한다(대판 2020.8.27, 2016다248998 전합).

---

4. 사회질서 위반행위의 효과

(1) 법률행위의 무효

① 사회질서에 반하는 사항을 내용으로 하는 법률행위는 무효이다(제103조). 법률행위의 일부만이 사회질서에 반하는 경우에는 일부무효의 법리가 적용된다(제137조).

② 사회질서에 반하는 법률행위는 절대적 무효이어서 선의의 제3자에게도 대항할 수 있다(대판 1996.10.25, 96다29151). 예컨대, 부동산의 이중매매가 사회질서에 반하는 경우에 그 계약은 절대적으로 무효이므로, 그 부동산을 제2매수인으로부터 다시 취득한 제3자는, 설사 제2매수인이 당해 부동산의 소유권을 유효하게 취득한 것으로 믿었더라도, 이중매매계약이 유효라고 주장할 수 없다(대판 1996.10.25, 96다29151). 그 제3자는 제2매수인에 대하여 타인의 권리를 매도한 자로서의 담보책임을 물을 수 있을 뿐이다(제570조).

③ 법률행위가 사회질서에 반하여 무효인 경우에 추인의 법리가 적용될 수 없다(대판 1973.5.22, 72다2249).

(2) 무효에 따른 법률효과

① 이행 전: 사회질서에 위반된 법률행위는 무효이므로, 그에 기한 이행이 있기 전에는 이행할 필요가 없으며, 상대방도 그 이행을 청구할 수 없다.

② 이행 후: 이미 이행이 이루어졌다면 일반적인 경우에는 부당이득반환청구를 인정하지만, 반사회적 법률행위에 기한 경우에는 제746조의 불법원인급여에 해당하여 부당이

득반환청구를 부인한다. 나아가 소유권에 기한 반환청구도 인정하지 않는다(통설 · 판례). 가령 부첩계약의 대가로 토지의 소유권을 이전하여 주었다면 그 토지를 돌려받을 수 없게 된다.

판례 불법원인급여와 물권적 청구권의 행사 불가

민법 제746조는 단지 부당이득제도만을 제한하는 것이 아니라 동법 **제103조와 함께 사법의 기본이념**으로서, 결국 사회적 타당성이 없는 행위를 한 사람은 스스로 불법한 행위를 주장하여 복구를 그 형식 여하에 불구하고 소구할 수 없다는 이상을 표현한 것이므로, 급여를 한 사람은 그 원인행위가 법률상 무효라 하여 상대방에게 **부당이득반환청구를 할 수 없음**은 물론 급여한 물건의 소유권은 여전히 자기에게 있다고 하여 **소유권에 기한 반환청구도 할 수 없**고, 따라서 **급여한 물건의 소유권은 급여를 받은 상대방에게 귀속**된다(대판 1979.11.13, 79다483 전합).

기출예제

사회질서에 반하는 법률행위에 해당하는 것을 모두 고른 것은? (다툼이 있으면 판례에 따름)

제27회

㉠ 양도소득세의 회피 및 투기의 목적으로 자신 앞으로 소유권이전등기를 하지 아니하고 미등기인 채로 매매계약을 체결한 경우
㉡ 보험계약자가 다수의 보험계약을 통하여 보험금을 부정취득할 목적으로 보험계약을 체결한 경우
㉢ 전통사찰의 주지직을 거액의 금품을 대가로 양도 · 양수하기로 하는 약정이 있음을 알고도 이를 방조한 상태에서 한 종교법인의 주지임명행위

① ㉠
② ㉡
③ ㉠, ㉢
④ ㉡, ㉢
⑤ ㉠, ㉡, ㉢

해설

㉡ 보험계약자가 다수의 보험계약을 통하여 보험금을 부정취득할 목적으로 보험계약을 체결한 경우, 이러한 목적으로 체결된 보험계약에 의하여 보험금을 지급하게 하는 것은 보험계약을 악용하여 부정한 이득을 얻고자 하는 사행심을 조장함으로써 사회적 상당성을 일탈하게 될 뿐만 아니라, 또한 합리적인 위험의 분산이라는 보험제도의 목적을 해치고 위험발생의 우발성을 파괴하며 다수의 선량한 보험가입자들의 희생을 초래하여 보험제도의 근간을 해치게 되므로, 이와 같은 보험계약은 민법 제103조 소정의 선량한 풍속 기타 사회질서에 반하여 무효이다(대판 2005.7.28, 2005다23858).
㉠ 양도소득세의 회피 및 투기의 목적으로 자신 앞으로 소유권이전등기를 하지 아니하고 미등기인 채로 매매계약을 체결하였다 하여 그것만으로 그 매매계약이 사회질서에 반하는 법률행위로서 무효로 된다고 할 수 없다(대판 1993.5.25, 93다296).
㉢ 전통사찰의 주지직을 거액의 금품을 대가로 양도 · 양수하기로 하는 약정이 있음을 알고도 이를 묵인 혹은 방조한 상태에서 한 종교법인의 주지임명행위는 민법 제103조 소정의 반사회질서의 법률행위에 해당하지 않는다(대판 2001.2.9, 99다38613).

정답: ②

5. 불공정한 법률행위

제104조【불공정한 법률행위】당사자의 궁박, 경솔 또는 무경험으로 인하여 현저하게 공정을 잃은 법률행위는 무효로 한다.

(1) 의의

① 서론

㉠ 불공정한 법률행위는 약자적 지위에 있는 자의 궁박, 경솔 또는 무경험을 이용한 폭리행위를 규제하려는 데 그 목적이 있다(대판 1997.7.25, 97다15371).

㉡ 통설·판례는 불공정한 법률행위는 사회질서에 반하는 법률행위의 일종이며, 따라서 제104조는 제103조의 예시규정에 불과하다고 본다. 따라서 제104조의 요건을 갖추지 못한 경우에도 제103조에 의하여 무효로 될 수 있다고 할 것이다.

② 적용범위

㉠ 제104조가 매매 등 유상계약에 적용될 수 있음은 의문의 여지가 없다. 그러나 무상행위에는 적용될 수 없다. 즉, "불공정한 법률행위에 해당하기 위하여는 급부와 반대급부와의 사이에 현저히 균형을 잃을 것이 요구되므로 이 사건 증여와 같이 상대방에 의한 대가적 의미의 재산관계의 출연이 없이 당사자 일방의 급부만 있는 경우에는 급부와 반대급부 사이의 불균형의 문제는 발생하지 않는다(대판 1993.7.16, 92다41528)."

㉡ 판례는 단독행위인 채권포기행위에 대하여 제104조의 적용을 긍정한다. 즉, "채무자인 회사가 남편의 징역을 면하기 위하여 부정수표를 회수하려면 물품 외상대금 중 금 100만원을 초과하는 채권에 대한 포기서를 써야 된다는 강압적인 요구를 하므로 사회적 경험이 부족한 가정부인이 경제적·정신적 궁박상태하에서 구속된 자기남편을 석방 구제하는 데에는 위 수표의 회수가 필요할 것이라는 일념에서 회사에 대한 물품잔대금 채권이 얼마인지조차 확실히 모르면서 보관 중이던 남편의 인감을 이용하여 남편을 대리하여 위임장과 포기서를 작성하여 준 채권 포기행위는 거래관계에 있어서 현저하게 균형을 잃은 행위로서 사회적 정의에 반하는 불공정한 불법행위로 보는 것이 상당하다."(대판 1975.5.13, 75다92)고 한다.

㉢ 합동행위의 경우에도 대가관계를 상정할 수 있다면 제104조는 적용된다. 판례도 어촌계 총회의 결의가 폭리행위라고 판시한 적이 있다(대판 1999.7.27, 98다46167).

㉣ 경매에서는 불공정한 법률행위 또는 채무자에게 불리한 약정에 관한 것으로서 효력이 없다는 민법 제104조 및 제608조는 적용될 여지가 없다(대결 1980.3.21, 80마77).

판례 매매계약 등이 '불공정한 법률행위'에 해당하여 무효인 경우, 그 부제소합의의 효력(무효)

매매계약과 같은 쌍무계약이 급부와 반대급부와의 불균형으로 말미암아 민법 제104조에서 정하는 **'불공정한 법률행위'에 해당하여 무효**라고 한다면, 그 계약으로 인하여 불이익을 입는 당사자로 하여금 위와 같은 불공정성을 소송 등 사법적 구제수단을 통하여 주장하지 못하도록 하는 **부제소합의**의 역시 다른 특별한 사정이 없는 한 **무효**이다(대판 2010.7.15, 2009다50308).

(2) 요건

① 객관적 요건 – 급부와 반대급부 사이의 현저한 불균형

㉠ 불균형의 표준은 일정한 기준이 있지 않고, 산술적 개념이 아니며 법률행위의 내용, 시기, 장소, 기타 주위사정을 종합적으로 고려하여 판단할 수밖에 없다. 판례는, "그 판단에 있어서는 피해 당사자의 궁박 · 경솔 · 무경험의 정도가 아울러 고려되어야 하고, 당사자의 주관적 가치가 아닌 거래상의 객관적 가치에 의하여야 한다."고 한다(대판 2010.7.15, 2009다50308).

㉡ 법률행위가 불공정한 법률행위에 해당하는지는 법률행위시를 기준으로 판단하여야 한다(대판 2013.9.26, 2011다53683 전합).

판례 불공정한 법률행위인가 여부를 판단할 표준시기(논란이 있는 판례)

대물변제예약이 불공정한 법률행위가 되는 요건의 하나인 대차의 목적물가격과 대물변제의 목적물가격에 있어서의 불균형이 있느냐 여부를 결정할 시점은 **대물변제의 효력이 발생할 변제기 당시를 표준**으로 하여야 할 것임이 원칙이므로 채권액수도 역시 변제기까지의 원리액을 기준으로 하여야 할 것이다(대판 1965.6.15, 65다610).

② 주관적 요건

㉠ 당사자의 궁박 · 경솔 또는 무경험

ⓐ 민법 제104조에 있어서의 '궁박'이라 함은 '급박한 곤궁'을 의미하는 것으로서 경제적 원인에 기인할 수도 있고 정신적 또는 심리적 원인에 기인할 수도 있으며, 당사자가 궁박의 상태에 있었는지 여부는 그의 신분과 재산상태 및 그가 처한 상황의 절박성의 정도 등 제반 상황을 종합하여 구체적으로 판단하여야 한다(대판 1997.7.25, 97다15371).

ⓑ '경솔'이란 의사를 결정할 때에 그 행위의 결과나 장래에 관하여 보통인이 베푸는 고려를 하지 않는 심적 상태를 말하며, '무경험'이라 함은 '일반적인 생활체험의 부족을 의미하는 것으로서 어느 특정영역에 있어서의 경험부족이 아니라 거래 일반에 대한 경험부족'을 뜻한다(대판 2002.10.22, 2002다38927).

ⓒ 당사자 일방의 궁박, 경솔, 무경험은 모두 구비하여야 하는 요건이 아니고 그 중 어느 하나만 갖추어져도 충분하다(대판 1993.10.12, 93다19924). 대리인에 의한 불공정법률행위시 경솔·무경험은 그 대리인을 기준으로 판단하고 궁박상태 여부는 본인을 기준으로 판단한다(대판 1972.4.25, 71다2255).

ⓛ **폭리자의 악의**: 판례는 "상대방 당사자에게 위와 같은 피해 당사자측의 사정을 알면서 이를 이용하려는 의사, 즉 폭리행위의 악의가 없었다면 불공정법률행위는 성립하지 않는다."(대판 1997.7.25, 97다15371)고 하여 원칙적으로 폭리자의 악의를 요구한다.

③ **증명책임**: 불공정행위로서 무효를 주장하는 자는, 그가 궁박, 경솔, 무경험 등의 상태에 있었다는 사실, 상대방이 이 사실을 인식하고 있었다는 사실, 그리고 급부와 반대급부간에 현저한 불균형이 있음을 모두 증명하여야 한다(대판 1991.5.28, 90다19770). 즉, 법률행위가 현저하게 공정을 잃었다고 하여 곧 그것이 궁박, 경솔하게 이루어진 것으로 추정되지 않는다(대판 1969.12.30, 69다1873).

(3) 효과

① 불공정한 법률행위 내지 폭리행위는 절대적 무효이다. 따라서 폭리행위로 취득한 부동산을 전득한 제3자가 선의일지라도 그 소유권을 취득할 수 없다(대판 1963.11.7, 63다479). 불공정법률행위의 추인이 문제되나, 불공정한 법률행위로서 무효인 경우에는 추인에 의하여 무효인 법률행위가 유효로 될 수 없다(대판 1994.6.24, 94다10900). 판례는 "매매계약이 약정된 매매대금의 과다로 말미암아 민법 제104조에서 정하는 '불공정한 법률행위'에 해당하여 무효인 경우에도 무효행위의 전환에 관한 민법 제138조가 적용될 수 있다."고 한다(대판 2010.7.15, 2009다50308).

② 이행 전에는 채권의 효력이 발생하지 않으므로 이행할 필요가 없다. 그런데 이미 이행을 한 경우에는 불법원인이 폭리자에게만 있으므로 상대방은 급부한 것의 반환청구가 인정되며(제746조 단서), 폭리자는 제746조 본문이 적용되어 반환청구권이 인정되지 않는다[쌍방채무무효설(통설)].

기출예제

불공정한 법률행위에 관한 설명으로 옳지 않은 것을 모두 고른 것은? (다툼이 있으면 판례에 따름) 제27회

㉠ 공경매에 있어서도 불공정한 법률행위에 관한 민법 제104조가 적용된다.
㉡ 급부와 반대급부가 현저히 균형을 잃은 법률행위는 궁박, 경솔 또는 무경험으로 인해 이루어진 것으로 추정된다.
㉢ 대리인이 한 법률행위에 관하여 불공정한 법률행위가 문제되는 경우에 무경험은 대리인을 기준으로 판단하여야 한다.
㉣ 대물변제예약의 경우, 대차의 목적물가격과 대물변제의 목적물가격이 불균형한지 여부는 원칙적으로 대물변제예약 당시를 기준으로 결정한다.

① ㉠, ㉡
② ㉡, ㉢
③ ㉠, ㉡, ㉣
④ ㉠, ㉢, ㉣
⑤ ㉡, ㉢, ㉣

해설

㉠ 경매에서는 불공정한 법률행위 또는 채무자에게 불리한 약정에 관한 것으로서 효력이 없다는 민법 제104조 및 제608조는 적용될 여지가 없다(대결 1980.3.21, 80마77).
㉡ 법률행위가 현저하게 공정을 잃었다고 하여 곧 그것이 궁박, 경솔하게 이루어진 것으로 추정되지 않는다(대판 1969.12.30, 69다1873).
㉣ 대물변제예약이 불공정한 법률행위가 되는 요건의 하나인 대차의 목적물가격과 대물변제의 목적물가격에 있어서의 불균형이 있느냐 여부를 결정할 시점은 대물변제의 효력이 발생할 변제기 당시를 표준으로 하여야 할 것임이 원칙이므로 채권액수도 역시 변제기까지의 원리액을 기준으로 하여야 할 것이다(대판 1965.6.15, 65다610).

정답: ③

마무리STEP 1 | OX 문제

01 건물의 신축에 의한 소유권취득, 유실물의 습득에 의한 소유권취득, 무주물의 선점에 의한 소유권취득, 부동산점유취득시효에 의한 소유권취득은 원시취득에 해당한다. (　　)

02 기한의 정함이 없는 채무에 대한 이행의 최고, 시효중단을 위한 채무의 승인, 채권양도의 통지는 준법률행위에 해당한다. (　　)

03 매장물 발견, 유실물의 습득, 무주물의 선점은 사실행위로서 준법률행위에 해당한다. (　　)

04 한정후견인의 동의, 사기에 의한 매매계약의 취소, 계약의 해지, 공유지분의 포기는 상대방 있는 단독행위이다. (　　)

05 유언, 1인의 설립자에 의한 재단법인 설립행위는 상대방 없는 단독행위이다. (　　)

06 유언은 요식행위이다. (　　)

07 매매계약은 채권행위이다. (　　)

08 처분권이 없는 자의 처분행위는 원칙적으로 무효이다. (　　)

01 ○
02 ○
03 ○
04 ○
05 ○
06 ○
07 ○
08 ○

09 유언의 경우 우선적으로 규범적 해석이 이루어져야 한다. ( )

10 계약당사자 쌍방이 X토지를 계약목적물로 삼았으나, 계약서에는 착오로 Y토지를 기재하였다면, Y토지에 관하여 계약이 성립한 것이다. ( )

11 법률행위의 성립이 인정되는 경우에만 보충적 해석이 가능하다. ( )

12 사실인 관습은 법률행위 당사자의 의사를 보충할 뿐만 아니라 법칙으로서의 효력을 갖는다. ( )

13 법령에서 정한 한도를 초과하는 부동산 중개수수료 약정은 그 초과한 부분뿐만 아니라 약정 전체가 무효이다. ( )

14 강행규정 위반으로 인한 무효는 선의의 제3자에게 대항할 수 있다. ( )

15 부첩관계인 부부생활의 종료를 해제조건으로 하는 증여계약은 반사회적 법률행위로서 무효이다. ( )

09 × 유언과 같은 상대방 없는 의사표시의 경우에는 표의자의 진정한 의사가 탐구되어야 한다.

10 × 부동산의 매매계약에 있어 쌍방당사자가 모두 특정의 X토지를 계약의 목적물로 삼았으나 그 목적물의 지번 등에 관하여 착오를 일으켜 계약을 체결함에 있어서는 계약서상 그 목적물을 X토지와는 별개인 Y토지로 표시하였다 하여도 X토지에 관하여 이를 매매의 목적물로 한다는 쌍방당사자의 의사합치가 있은 이상 위 매매계약은 X토지에 관하여 성립한 것으로 보아야 할 것이다(대판 1993.10.26, 93다2629).

11 ○

12 × 관습법은 바로 법원으로서 법령과 같은 효력을 갖는 관습으로서 법령에 저촉되지 않는 한 법칙으로서의 효력이 있는 것이며, 이에 반하여 사실인 관습은 법령으로서의 효력이 없는 단순한 관행으로서 법률행위의 당사자의 의사를 보충함에 그치는 것이다(대판 1983.6.14, 80다3231).

13 × 부동산 중개수수료에 관한 규정들은 중개수수료 약정 중 소정의 한도를 초과하는 부분에 대한 사법상의 효력을 제한하는 이른바 강행법규에 해당하고, 따라서 구 부동산중개업법 등 관련 법령에서 정한 한도를 초과하는 부동산 중개수수료 약정은 그 한도를 초과하는 범위 내에서 무효이다(부동산중개업법 제20조, 대판 2007.12.20, 2005다32159 전합).

14 ○

15 ○

16 허위로 수사기관에 진술하고 대가를 받기로 하는 약정은 급부의 상당성 여부를 판단할 필요 없이 반사회적 행위로서 무효이다. ( )

17 당초부터 오로지 보험사고를 가장하여 보험금을 취득할 목적으로 생명보험계약을 체결한 경우, 변호사 아닌 자가 승소 조건의 대가로 소송당사자로부터 소송목적물 일부를 양도받기로 한 약정은 반사회적 행위로서 무효이다. ( )

18 법률행위의 성립과정에서 강박이라는 불법적 방법이 사용된 것에 불과한 경우, 부동산의 강제집행을 면할 목적으로 한 허위의 근저당권설정계약, 양도소득세의 일부를 회피할 목적으로 계약서에 실제로 거래한 가액보다 낮은 금액을 대금으로 기재하여 매매계약을 체결한 경우는 반사회적 법률행위로서 무효라고 할 수 없다. ( )

19 급부와 반대급부 사이의 '현저한 불균형' 여부의 판단은 당사자의 주관적 가치에 의해야 한다. ( )

20 불공정한 법률행위에서의 '궁박'에는 정신적 · 심리적 원인에 의한 것도 포함될 수 있다. ( )

21 대리행위가 불공정한 법률행위에 해당하는지를 판단함에 있어서 '무경험'은 대리인을 기준으로 한다. ( )

16 ○

17 ○

18 ○

19 × 급부와 반대급부 사이의 '현저한 불균형'은 단순히 시가와의 차액 또는 시가와의 배율로 판단할 수 있는 것은 아니고 구체적 · 개별적 사안에 있어서 일반인의 사회통념에 따라 결정하여야 한다. 그 판단에 있어서는 피해 당사자의 궁박 · 경솔 · 무경험의 정도가 아울러 고려되어야 하고, 당사자의 주관적 가치가 아닌 거래상의 객관적 가치에 의하여야 한다(대판 2010.7.15, 2009다50308).

20 ○

21 ○

22 토지매매가 불공정한 법률행위로 무효이면, 그 토지를 전득한 제3자는 선의이더라도 소유권을 취득하지 못한다. ( )

23 불공정한 법률행위로서 무효가 된 경우에는 무효행위의 전환에 관한 민법 제138조가 적용될 수 없다. ( )

24 불공정한 법률행위로서 무효인 경우, 특별한 사정이 없는 한 추인에 의하여 무효인 법률행위가 유효로 될 수 없다. ( )

25 무상증여에는 불공정한 법률행위에 관한 규정이 적용되지 않는다. ( )

26 경매절차에서 경매부동산의 매각대금이 시가에 비해 현저히 저렴한 경우에는 제104조가 적용될 수 있다. ( )

22 ○

23 × 매매계약이 약정된 매매대금의 과다로 말미암아 민법 제104조에서 정하는 '불공정한 법률행위'에 해당하여 무효인 경우에도 무효행위의 전환에 관한 민법 제138조가 적용될 수 있다(대판 2010.7.15, 2009다50308).

24 ○

25 ○

26 × 경매에서는 불공정한 법률행위 또는 채무자에게 불리한 약정에 관한 것으로서 효력이 없다는 민법 제104조 및 제608조는 적용될 여지가 없다(대결 1980.3.21, 80마77).

마무리STEP 2 | 확인문제

01 **권리의 원시취득에 해당하는 것을 모두 고른 것은? (다툼이 있으면 판례에 따름)**

제26회

㉠ 유실물을 습득하여 적법하게 소유권을 취득한 경우
㉡ 금원을 대여하면서 채무자 소유의 건물에 저당권을 설정받은 경우
㉢ 점유취득시효가 완성되어 점유자 명의로 소유권이전등기가 마쳐진 경우

① ㉠
② ㉡
③ ㉠, ㉡
④ ㉠, ㉢
⑤ ㉡, ㉢

02 **권리의 원시취득에 해당하지 않는 것은? (다툼이 있으면 판례에 따름)** 제25회

① 건물의 신축에 의한 소유권취득
② 유실물의 습득에 의한 소유권취득
③ 무주물의 선점에 의한 소유권취득
④ 부동산 점유취득시효에 의한 소유권취득
⑤ 근저당권 실행을 위한 경매에 의한 소유권취득

03 **승계취득에 해당하는 것은?** 제21회

① 첨부
② 상속
③ 건물의 신축
④ 유실물의 습득
⑤ 무주물의 선점

04 **권리변동의 원인과 그 성질이 올바르게 연결된 것을 모두 고른 것은? (다툼이 있으면 판례에 따름)** 제22회

> ㉠ 지명채권의 양도 – 준물권행위
> ㉡ 해약금(민법 제565조)으로서의 계약금계약 – 요물계약
> ㉢ 무권대리행위의 추인 – 단독행위
> ㉣ 점유취득시효에 의한 소유권의 취득 – 승계취득

① ㉠
② ㉠, ㉡
③ ㉢, ㉣
④ ㉠, ㉡, ㉢
⑤ ㉡, ㉢, ㉣

정답 | 해설

01 ④ ㉡ 금원을 대여하면서 채무자 소유의 건물에 저당권을 설정받은 경우, 설정적 승계이다.

02 ⑤ 근저당권 실행을 위한 경매에 의한 소유권취득은 승계취득이다.

03 ② 상속은 포괄승계로서 승계취득이다.

04 ④ ㉣ 부동산 점유취득시효는 20년의 시효기간이 완성한 것만으로 점유자가 곧바로 소유권을 취득하는 것은 아니고 민법 제245조에 따라 점유자 명의로 등기를 함으로써 소유권을 취득하게 되며, 이는 원시취득에 해당하므로 특별한 사정이 없는 한 원소유자의 소유권에 가하여진 각종 제한에 의하여 영향을 받지 아니하는 완전한 내용의 소유권을 취득하게 된다(대판 2004.9.24, 2004다31463).

05 준법률행위에 해당하는 것을 모두 고른 것은?

제24회

> ㉠ 기한의 정함이 없는 채무에 대한 이행의 최고
> ㉡ 시효중단을 위한 채무의 승인
> ㉢ 채권양도의 통지
> ㉣ 무주물의 선점
> ㉤ 유실물의 습득

① ㉠, ㉡, ㉢
② ㉢, ㉣, ㉤
③ ㉠, ㉡, ㉣, ㉤
④ ㉡, ㉢, ㉣, ㉤
⑤ ㉠, ㉡, ㉢, ㉣, ㉤

06 상대방 있는 단독행위에 해당하는 것을 모두 고른 것은?

제24회

> ㉠ 한정후견인의 동의
> ㉡ 사기에 의한 매매계약의 취소
> ㉢ 유언
> ㉣ 1인 설립자에 의한 재단법인 설립행위

① ㉠, ㉡
② ㉠, ㉣
③ ㉡, ㉢
④ ㉡, ㉣
⑤ ㉢, ㉣

07 상대방 없는 단독행위에 해당하는 것을 모두 고른 것은? (다툼이 있으면 판례에 따름)

제25회

> ㉠ 1인의 설립자에 의한 재단법인 설립행위
> ㉡ 공유지분의 포기
> ㉢ 법인의 이사를 사임하는 행위
> ㉣ 계약의 해지

① ㉠
② ㉠, ㉡
③ ㉢, ㉣
④ ㉠, ㉡, ㉢
⑤ ㉡, ㉢, ㉣

08 상대방 없는 단독행위에 해당하는 것을 모두 고른 것은? (다툼이 있으면 판례에 따름)

제20회

> ㉠ 계약의 해지
> ㉡ 1인의 설립자에 의한 재단법인 설립행위
> ㉢ 상속받은 골동품 소유권의 포기
> ㉣ 유언

① ㉠, ㉡
② ㉡, ㉢
③ ㉢, ㉣
④ ㉠, ㉡, ㉢
⑤ ㉡, ㉢, ㉣

정답 | 해설

05 ⑤ ㉠ 기한의 정함이 없는 채무에 대한 이행의 최고: 의사의 통지로서 준법률행위
㉡ 시효중단을 위한 채무의 승인: 관념의 통지로서 준법률행위
㉢ 채권양도의 통지: 관념의 통지로서 준법률행위
㉣ 무주물의 선점: 혼합사실행위로서 준법률행위
㉤ 유실물의 습득: 순수사실행위로서 준법률행위

06 ① ㉠㉡은 상대방 있는 단독행위이지만, ㉢㉣은 상대방 없는 단독행위이다.

07 ① ㉠ 재단법인의 설립행위는 상대방 없는 단독행위이다(대판 1999.7.9, 98다9045).
㉡㉢㉣은 상대방 있는 단독행위이다.

08 ⑤ ㉠ 계약의 해지는 상대방 있는 단독행위이다.
㉡㉢㉣은 상대방 없는 단독행위이다.

09 **법률행위에 관한 설명으로 옳지 않은 것은?** 제21회

① 유언은 요식행위이다.
② 매매계약은 채권행위이다.
③ 임대차계약은 재산행위이다.
④ 사용대차계약은 무상행위이다.
⑤ 재단법인의 설립행위는 상대방 있는 단독행위이다.

10 **법률행위의 해석에 관한 설명으로 옳은 것은? (다툼이 있으면 판례에 따름)** 제24회

① 사실인 관습은 법률행위 당사자의 의사를 보충할 뿐만 아니라 법칙으로서의 효력을 갖는다.
② 유언의 경우 우선적으로 규범적 해석이 이루어져야 한다.
③ 법률행위의 성립이 인정되는 경우에만 보충적 해석이 가능하다.
④ 처분문서가 존재한다면 처분문서의 기재내용과 다른 묵시적 약정이 있는 사실이 인정되더라도 그 기재내용을 달리 인정할 수는 없다.
⑤ 계약당사자 쌍방이 X토지를 계약목적물로 삼았으나, 계약서에는 착오로 Y토지를 기재하였다면, Y토지에 관하여 계약이 성립한 것이다.

11 **甲은 자신의 X토지를 乙에게 매도하기로 약정하였다. 甲과 乙은 계약서를 작성하면서 지번을 착각하여 매매목적물을 甲 소유의 Y토지로 표시하였다. 그 후 甲은 Y토지에 관하여 위 매매계약을 원인으로 하여 乙 명의로 소유권이전등기를 마쳐주었다. 이에 관한 설명으로 옳은 것은? (다툼이 있으면 판례에 따름)** 제21회

① 甲과 乙 사이의 매매계약은 무효이다.
② Y토지에 관한 소유권이전등기는 유효하다.
③ 甲은 착오를 이유로 乙과의 매매계약을 취소할 수 있다.
④ 乙은 甲에게 X토지의 소유권이전등기를 청구할 수 있다.
⑤ 甲은 乙의 채무불이행을 이유로 Y토지에 대한 매매계약을 해제할 수 있다.

정답 | 해설

09 ⑤ 재단법인의 설립행위는 상대방 없는 단독행위이다(대판 1999.7.9, 98다9045).

10 ③ ③ 보충적 해석은 법률행위의 성립이 자연적·규범적 해석을 통하여 긍정된 후에 개시된다.
① 관습법은 바로 법원으로서 법령과 같은 효력을 갖는 관습으로서 법령에 저촉되지 않는 한 법칙으로서의 효력이 있는 것이며, 이에 반하여 사실인 관습은 법령으로서의 효력이 없는 단순한 관행으로서 법률행위의 당사자의 의사를 보충함에 그치는 것이다(대판 1983.6.14, 80다3231).
② 유언과 같은 상대방 없는 의사표시의 경우에는 표의자의 진정한 의사가 탐구되어야 한다.
④ 처분문서의 진정성립이 인정되면 작성자가 거기에 기재된 법률상의 행위를 한 것이 직접 증명된다고 하겠으나, 처분문서라 할지라도 그 기재내용과 다른 명시적·묵시적 약정이 있는 사실이 인정될 경우에는 그 기재내용과 다른 사실을 인정할 수 있고, 작성자의 행위를 해석할 때에도 경험칙과 논리칙에 반하지 않는 범위 내에서 자유로운 심증으로 판단할 수 있다(대판 2013.1.16, 2011다102776).
⑤ 부동산의 매매계약에 있어 쌍방 당사자가 모두 특정의 X토지를 계약의 목적물로 삼았으나 그 목적물의 지번 등에 관하여 착오를 일으켜 계약을 체결함에 있어서는 계약서상 그 목적물을 X토지와는 별개인 Y토지로 표시하였다 하여도 X토지에 관하여 이를 매매의 목적물로 한다는 쌍방 당사자의 의사합치가 있은 이상 위 매매계약은 X토지에 관하여 성립한 것으로 보아야 할 것이다(대판 1993.10.26, 93다2629).

11 ④ ①② 부동산의 매매계약에 있어 쌍방 당사자가 모두 특정의 X토지를 계약의 목적물로 삼았으나 그 목적물의 지번 등에 관하여 착오를 일으켜 계약을 체결함에 있어서는 계약서상 그 목적물을 X토지와는 별개인 Y토지로 표시하였다 하여도 X토지에 관하여 이를 매매의 목적물로 한다는 쌍방 당사자의 의사합치가 있은 이상 위 매매계약은 X토지에 관하여 성립한 것으로 보아야 할 것이고 Y토지에 관하여 매매계약이 체결된 것으로 보아서는 안 될 것이며, 만일 Y토지에 관하여 위 매매계약을 원인으로 하여 매수인 명의로 소유권이전등기가 경료되었다면 이는 원인이 없이 경료된 것으로서 무효이다(대판 1993.10.26, 93다2629).
③ 자연적 해석의 경우에는 그릇된 표시에도 불구하고 당사자가 일치하여 생각한 의미로 효력이 생기기 때문에(의사와 표시의 일치), 착오 취소는 인정될 여지가 없다.
⑤ 甲과 乙은 Y토지에 대한 매매계약을 체결한 것이 아니므로, 채무불이행을 이유로 Y토지에 대한 매매계약을 해제할 수 없다.

12 법률행위의 목적 등에 관한 설명으로 옳은 것은? (다툼이 있으면 판례에 따름)

제22회

① 법원은 당사자의 주장이 없으면 신의칙에 반하는 것인지를 직권으로 판단할 수 없다.
② 법령에서 정한 한도를 초과하는 부동산 중개수수료 약정은 그 초과한 부분뿐만 아니라 약정 전체가 무효이다.
③ 반사회적 행위에 의하여 조성된 재산을 소극적으로 은닉하기 위한 임치계약은 반사회적 행위에 해당한다.
④ 허위로 수사기관에 진술하고 대가를 받기로 하는 약정은 급부의 상당성 여부를 판단할 필요 없이 반사회적 행위로서 무효이다.
⑤ 불공정한 법률행위에서 '궁박'이라 함은 경제적 원인에 기인한 것만을 의미하고, 정신적 또는 심리적 원인에 기인한 것은 포함하지 않는다.

13 사회질서에 반하는 법률행위에 해당하지 않는 것은? (다툼이 있으면 판례에 따름)

제26회

① 형사사건에서 변호사가 성공보수금을 약정한 경우
② 변호사 아닌 자가 승소를 조건으로 소송의뢰인으로부터 소송물 일부를 양도받기로 약정한 경우
③ 당초부터 오로지 보험사고를 가장하여 보험금을 취득할 목적으로 생명보험계약을 체결한 경우
④ 증인이 사실을 증언하는 조건으로 그 소송의 일방 당사자로부터 통상적으로 용인될 수 있는 수준을 넘어서는 대가를 지급받기로 약정한 경우
⑤ 양도소득세의 일부를 회피할 목적으로 계약서에 실제로 거래한 가액보다 낮은 금액을 대금으로 기재하여 매매계약을 체결한 경우

14 반사회질서의 법률행위에 해당하는 것은? (다툼이 있으면 판례에 따름) 제24회

① 양도세 회피를 목적으로 한 부동산에 관한 명의신탁약정
② 강제집행을 면할 목적으로 부동산에 허위의 근저당권설정등기를 경료하는 행위
③ 전통사찰의 주지직을 거액의 금품을 대가로 양도 · 양수하기로 하는 약정이 있음을 알고도 이를 묵인한 상태에서 이루어진 종교법인의 양수인에 대한 주지임명행위
④ 변호사 아닌 자가 승소 조건의 대가로 소송당사자로부터 소송목적물 일부를 양도받기로 한 약정
⑤ 도박채무의 변제를 위하여 채무자가 그 소유의 부동산 처분에 관하여 도박채권자에게 대리권을 수여한 행위

정답 | 해설

12 ④ ④ 수사기관에서 참고인으로 진술하면서 자신이 잘 알지 못하는 내용에 대하여 허위의 진술을 하는 경우에 그 허위진술행위가 범죄행위를 구성하지 않는다고 하여도 이러한 행위 자체는 국가사회의 일반적인 도덕관념이나 국가사회의 공공질서이익에 반하는 행위라고 볼 것이니, 그 급부의 상당성 여부를 판단할 필요 없이 허위진술의 대가로 작성된 각서에 기한 급부의 약정은 민법 제103조 소정의 반사회적 법률행위로 무효이다(대판 2001.4.24, 2000다71999).

① 신의성실의 원칙에 반하는 것 또는 권리남용은 강행규정에 위배되는 것이므로, 당사자의 주장이 없더라도 법원은 직권으로 판단할 수 있다(대판 1989.9.29, 88다카17181).

② 부동산 중개수수료에 관한 규정들은 중개수수료 약정 중 소정의 한도를 초과하는 부분에 대한 사법상의 효력을 제한하는 이른바 강행법규에 해당하고, 따라서 구 부동산중개업법 등 관련 법령에서 정한 한도를 초과하는 부동산 중개수수료 약정은 그 한도를 초과하는 범위 내에서 무효이다(부동산중개업법 제20조, 대판 2007.12.20, 2005다32159 전합).

③ 반사회적 행위에 의하여 조성된 재산인 이른바 비자금을 소극적으로 은닉하기 위하여 임치한 것은 사회질서에 반하는 법률행위로 볼 수 없다(대판 2001.4.10, 2000다49343).

⑤ '궁박'이라 함은 '급박한 곤궁'을 의미하는 것으로서 경제적 원인에 기인할 수도 있고, 정신적 또는 심리적 원인에 기인할 수도 있다(대판 1996.6.14, 94다46374).

13 ⑤ 양도소득세를 회피하기 위한 방법으로 매매계약을 체결하였더라도 그 때문에 매매계약이 민법 제103조의 반사회적 법률행위로서 무효라고 할 수 없다(대판 1992.12.22, 91다35540).

14 ④ 변호사 아닌 자가 승소를 조건으로 하여 그 대가로 소송당사자로부터 소송물의 일부를 받기로 한 약정은 강행법규인 변호사법 제78조 제2호에 위반되는 반사회적 법률행위로서 무효이다(대판 1990.5.11, 89다카10514).

15 반사회질서의 법률행위로 무효인 것은? (다툼이 있으면 판례에 따름) 제23회

① 양도소득세 회피 목적의 미등기 전매계약
② 부첩관계인 부부생활의 종료를 해제조건으로 하는 증여계약
③ 매매계약에서 매도인에게 부과될 공과금을 매수인이 책임진다는 취지의 특약
④ 강제집행을 면할 목적으로 자신의 아파트에 허위의 근저당권설정등기를 마치는 행위
⑤ 도박채무의 변제를 위하여 채무자로부터 부동산의 처분을 위임받은 도박채권자가 이를 모르는 제3자와 체결한 매매계약

16 반사회질서의 법률행위로 무효인 것은? (다툼이 있으면 판례에 따름) 제21회

① 부동산에 관한 명의신탁약정
② 무허가음식점의 음식물 판매행위
③ 민사사건을 수임하는 변호사의 성공보수 약정
④ 수사기관에서 허위진술을 하는 대가로 금전을 받기로 한 약정
⑤ 부동산의 강제집행을 면할 목적으로 한 허위의 근저당권설정계약

17 반사회적 법률행위로서 무효가 아닌 것은? (다툼이 있으면 판례에 따름) 제20회

① 도박으로 인한 채무의 변제를 위하여 토지를 양도하는 계약을 체결한 경우
② 법률행위의 성립과정에서 강박이라는 불법적 방법이 사용된 것에 불과한 경우
③ 혼인 외의 성관계를 유지하기 위하여 증여계약을 체결한 경우
④ 소송에서 사실대로 증언해 줄 것을 조건으로 통상적 수준을 현저하게 넘은 대가를 지급하기로 약정한 경우
⑤ 부동산의 제2매수인이 매도인의 배임행위를 적극 종용하여 이중매매를 한 경우

18 불공정한 법률행위(민법 제104조)에 관한 설명으로 옳지 않은 것은? (다툼이 있으면 판례에 따름)

제26회

① 무상계약에는 제104조가 적용되지 않는다.
② 대가관계를 상정할 수 있는 한 단독행위의 경우에도 제104조가 적용될 수 있다.
③ 경매절차에서 경매부동산의 매각대금이 시가에 비해 현저히 저렴한 경우에는 제104조가 적용될 수 있다.
④ 불공정한 법률행위에서 궁박, 경솔, 무경험은 법률행위 당시를 기준으로 판단하여야 한다.
⑤ 불공정한 법률행위는 추인에 의해서도 유효로 될 수 없다.

정답 | 해설

15 ② 부첩관계의 종료를 해제조건으로 하는 증여계약은 그 조건만이 무효인 것이 아니라 증여계약 자체가 무효이다(대판 1966.6.21, 66다530).

16 ④ 수사기관에서 참고인으로 진술하면서 자신이 잘 알지 못하는 내용에 대하여 허위의 진술을 하는 경우에 그 허위진술행위가 범죄행위를 구성하지 않는다고 하여도 이러한 행위 자체는 국가사회의 일반적인 도덕관념이나 국가사회의 공공질서이익에 반하는 행위라고 볼 것이니, 그 급부의 상당성 여부를 판단할 필요 없이 허위진술의 대가로 작성된 각서에 기한 급부의 약정은 민법 제103조 소정의 반사회적 법률행위로 무효이다(대판 2001.4.24, 2000다71999).

17 ① 도박채무의 변제를 위하여 채무자로부터 부동산의 처분을 위임받은 채권자가 그 부동산을 제3자에게 매도한 경우, 부동산 처분에 관한 대리권을 도박 채권자에게 수여한 행위 부분까지 무효라고 볼 수는 없다(대판 1995.7.14, 94다40147).

18 ③ 경매에서는 불공정한 법률행위 또는 채무자에게 불리한 약정에 관한 것으로서 효력이 없다는 민법 제104조 및 제608조는 적용될 여지가 없다(대결 1980.3.21, 80마77).

19 불공정한 법률행위에 관한 설명으로 옳지 않은 것은? (다툼이 있으면 판례에 따름)

제25회

① 무상증여에는 불공정한 법률행위에 관한 규정이 적용되지 않는다.
② 급부와 반대급부 사이의 '현저한 불균형' 여부의 판단은 당사자의 주관적 가치에 의해야 한다.
③ 불공정한 법률행위에 해당하여 무효인 경우에도 무효행위의 전환에 관한 민법 제138조가 적용될 수 있다.
④ 대리행위가 불공정한 법률행위에 해당하는지를 판단함에 있어서 '무경험'은 대리인을 기준으로 한다.
⑤ 불공정한 법률행위에서의 '궁박'에는 정신적 · 심리적 원인에 의한 것도 포함될 수 있다.

20 불공정한 법률행위에 관한 설명으로 옳은 것을 모두 고른 것은? (다툼이 있으면 판례에 따름)

제23회

㉠ 무상증여에는 불공정한 법률행위에 관한 규정이 적용되지 않는다. ㉡ 불공정한 법률행위로서 무효인 경우, 특별한 사정이 없는 한 추인에 의하여 무효인 법률행위가 유효로 될 수 없다. ㉢ 급부와 반대급부가 현저히 균형을 잃은 법률행위는 궁박·경솔 또는 무경험으로 인해 이루어진 것으로 추정된다. ㉣ 어떠한 법률행위가 불공정한 법률행위에 해당하는지는 이행기를 기준으로 판단해야 한다.

① ㉠, ㉡
② ㉠, ㉢
③ ㉡, ㉣
④ ㉠, ㉢, ㉣
⑤ ㉡, ㉢, ㉣

21 불공정한 법률행위에 관한 설명으로 옳지 않은 것은? (다툼이 있으면 판례에 따름)

제20회

① 대리인이 한 법률행위에 관하여 불공정한 법률행위가 문제되는 경우에 무경험은 대리인을 기준으로 판단하여야 한다.
② 불공정한 법률행위의 성립요건인 궁박, 경솔 또는 무경험은 그중 어느 하나만 갖추면 된다.
③ 급부와 반대급부 사이에 현저한 불균형이 있다고 하여 궁박, 경솔 또는 무경험에 기인한 것으로 추정되지 않는다.
④ 불공정한 법률행위의 궁박은 심리적 원인에 기인한 것일 수도 있다.
⑤ 불공정한 법률행위로서 무효가 된 경우에는 무효행위의 전환에 관한 민법 제138조가 적용될 수 없다.

정답 | 해설

19 ② 급부와 반대급부 사이의 '현저한 불균형'은 단순히 시가와의 차액 또는 시가와의 배율로 판단할 수 있는 것은 아니고 구체적 · 개별적 사안에 있어서 일반인의 사회통념에 따라 결정하여야 한다. 그 판단에 있어서는 피해 당사자의 궁박 · 경솔 · 무경험의 정도가 아울러 고려되어야 하고, 당사자의 주관적 가치가 아닌 거래상의 객관적 가치에 의하여야 한다(대판 2010.7.15, 2009다50308).

20 ① ㉢ 법률행위가 현저하게 공정을 잃었다고 하여 곧 그것이 궁박, 경솔하게 이루어진 것으로 추정되지는 않는다(대판 1969.12.30, 69다1873).
㉣ 법률행위가 불공정한 법률행위에 해당하는지는 법률행위시를 기준으로 판단하여야 한다(대판 2013.9.26, 2011다53683 전합).

21 ⑤ 매매계약이 약정된 매매대금의 과다로 말미암아 민법 제104조에서 정하는 '불공정한 법률행위'에 해당하여 무효인 경우에도 무효행위의 전환에 관한 민법 제138조가 적용될 수 있다(대판 2010.7.15, 2009다50308).

제6절 의사표시

제1관 흠 있는 의사표시

01 개관

(1) 법률행위가 유효하기 위하여는 의사표시에서 의사와 표시가 일치하여야 하며, 의사형성 과정에 하자가 있어서는 안 된다.

(2) 의사와 표시의 불일치에는 진의 아닌 의사표시(제107조), 통정허위표시(제108조), 착오(제109조)가 있다. 진의 아닌 의사표시와 허위표시는 표의자가 의사와 표시의 불일치를 알고 있는 경우이고, 착오는 표의자가 의사와 표시의 불일치를 알지 못하는 경우이다. 그리고 진의 아닌 의사표시, 통정허위표시는 표의자가 의사와 표시의 불일치를 알고 있는 점에서 같으나, 상대방과의 통정이 있었는지 여부에서 다르다.

(3) 하자 있는 의사표시에는 사기·강박에 의한 의사표시(제110조)가 있다. 이는 의사의 형성과정에 하자(부당한 간섭)가 존재하는 경우이다.

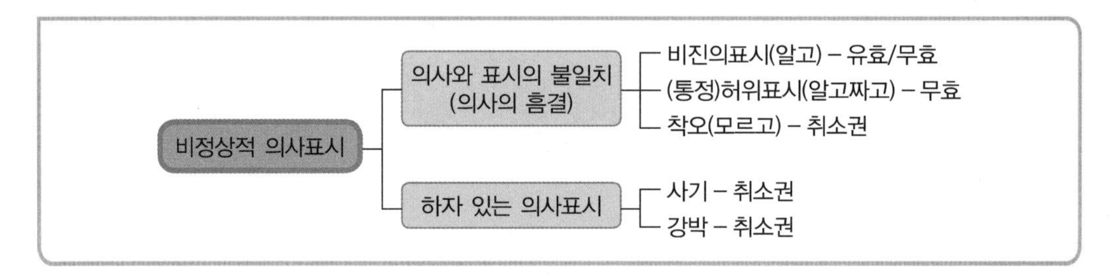

02 진의 아닌 의사표시(비진의표시, 심리유보)

> 제107조【진의 아닌 의사표시】 ① 의사표시는 표의자가 진의 아님을 알고 한 것이라도 그 효력이 있다. 그러나 상대방이 표의자의 진의 아님을 알았거나 이를 알 수 있었을 경우에는 무효로 한다.
> ② 전항의 의사표시의 무효는 선의의 제3자에게 대항하지 못한다.

(1) 의의

진의 아닌 의사표시라 함은 표시행위의 의미가 표의자의 진의와 다르다는 것, 의사와 표시의 불일치를 표의자 스스로 알면서 하는 의사표시를 말한다. 예컨대, 근로자들이 사용자의 지시에 좇아 사직서를 제출한 경우, 어떤 자가 식당에서 여자친구를 감탄시키기 위하여 값비싼 희귀요리를 그것이 없을 것이라고 기대하면서 주문의사 없이 주문하는 경우이다.

(2) 요건

① **의사표시의 존재**: 사교적인 명백한 농담, 배우의 무대 위에서의 대사처럼 법률관계의 발생을 원하지 않는 것이 명백한 경우에는, 그것은 의사표시가 아니며 비진의표시의 문제도 생기지 않는다. 그러나 표의자가 진의와 다른 표시를 상대방이 알 것이라고 기대하고서 하는 의사표시인 희언표시(예 농담 등)는 제107조가 적용된다(이설 없음).

② **진의와 표시의 불일치**

㉠ 이 점에서 비진의표시, 통정허위표시, 착오가 같고, 사기 · 강박에 의한 의사표시와 다르다(판례).

㉡ 판례는 "진의란 특정한 내용의 의사표시를 하고자 하는 표의자의 생각을 말하는 것이지 표의자가 진정으로 마음속에서 바라는 사항을 뜻하는 것은 아니라고 할 것이므로, 비록 재산을 강제로 뺏긴다는 것이 표의자의 본심으로 잠재되어 있었다 하여도 표의자가 강박에 의하여서나마 증여를 하기로 하고 그에 따른 증여의 의사표시를 한 이상 증여의 내심의 효과의사가 결여된 것이라고 할 수는 없다."고 하며(대판 1993.7.16, 92다41528), "근로자가 징계면직처분을 받은 후 당시 상황에서는 징계면직처분의 무효를 다투어 복직하기는 어렵다고 판단하여 퇴직금 수령 및 장래를 위하여 사직원을 제출하고 재심을 청구하여 종전의 징계면직처분이 취소되고 의원면직처리된 경우, 그 사직의 의사표시는 비진의의사표시에 해당하지 않는다."고 한다(대판 2000.4.25, 99다34475).

㉢ 실무에서 비진의표시인지가 문제된 주요 사안으로는 사직의 의사표시 및 명의대여가 있다.

ⓐ 판례는 사용자의 '지시 내지 강요'에 의하여 근로자가 사직서를 제출한 경우에 그 사직의 의사표시는 비진의표시에 해당하고, 나아가 그 사정을 사용자도 안 것으로 보아 그 사직의 의사표시는 제107조 제1항 단서에 해당하여 무효라고 한다(대판 1992.9.1, 92다26260). 근로자가 회사의 경영방침에 따라 사직원을 제출하고 이를 받아들여 퇴직처리하였으나 즉시 재입사하는 형식을 취함으로써 실질적인 근로관계의 단절이 없이 근로했다면 근로자는 퇴직의 의사 없이 사직의 의사표시를 한 것이고 사용자는 이를 알고 있는 것이므로 퇴직의 효과는 발생하지 않는다(대판 1988.5.10, 87다카2578).

ⓑ 판례는 학교법인이 사립학교법상의 제한규정 때문에 그 학교의 교직원의 명의를 빌려서 금전을 빌린 경우(대판 1980.7.8, 80다639), 법률상 또는 사실상의 장애로 자기 명의로 대출받을 수 없는 자를 위하여 대출금 채무자로서의 명의를 빌려주어 대출을 받게 한 경우(대판 1997.7.25, 97다8403)에 관하여, 명의대여자의 의사표시는 비진의표시가 아니고, 따라서 표시된 대로 효력이 생긴다고 한다.

ⓒ 그러나 실질적인 주채무자가 실제 대출받고자 하는 채무액에 대하여 제3자를 형식상의 주채무자로 내세우고, **금융기관도 이를 양해하여** 제3자에 대하여는 채무자로서의 책임을 지우지 않을 의도하에 제3자 명의로 대출관계서류를 작성받은 경우 … **통정허위표시에 해당하는 무효의** 법률행위이다(대판 2001.5.29, 2001다11765).

③ **표의자가 진의와 표시의 불일치를 알고 있을 것**: 이 점에서 **통정허위표시**와 같으며, 착오와 다르다.

④ **표의자의 동기**: 표의자가 진의와 다른 표시를 하는 이유나 동기는 **요건이 아니다.**

⑤ **증명책임**: 어떠한 의사표시가 비진의의사표시로서 무효라고 주장하는 경우에 그 입증책임은 그 주장자에게 있다(대판 1992.5.22, 92다2295).

(3) 효과

① **원칙**: 비진의표시는 상대방 있는 의사표시이든 상대방 없는 의사표시이든 표시한 대로 그 효과가 발생한다(제107조 제1항 본문). 즉, **유효**이다.

② **예외**

㉠ 상대방 있는 의사표시에서, 상대방이 표의자의 '진의 아님을 알았거나 알 수 있었을 경우'에는 무효이다(제107조 제1항 단서).

㉡ 비진의표시가 예외적으로 무효로 되는 경우에, 그 무효는 선의의 제3자에게 대항하지 못한다(제107조 제2항).

③ **제107조 제1항 단서 유추적용론**: 진의 아닌 의사표시가 대리인에 의하여 이루어지고 그 대리인의 진의가 본인의 이익이나 의사에 반하여 **자기 또는 제3자의 이익을 위한** 배임적인 것임을 그 상대방이 **알았거나** 알 수 있었을 경우에는 민법 제107조 제1항 단서의 유추해석상 그 대리인의 행위에 대하여 **본인은 아무런 책임을 지지 않는다**[대리권남용(대판 2006.3.24, 2005다48253)]. 판례는, 법정대리인인 친권자의 대리행위가 객관적으로 볼 때 미성년자 본인에게는 경제적인 손실만을 초래하는 반면, 친권자나 제3자에게는 경제적인 이익을 가져오는 행위이고 행위의 상대방이 이러한 사실을 알았거나 알 수 있었을 때에는 민법 제107조 제1항 단서의 규정을 유추적용하여 행위의 효과가 자(子)에게는 미치지 않는다고 해석함이 타당하나, 그에 따라 외형상 형성된 법률관계를 기초로 하여 새로운 법률상 이해관계를 맺은 선의의 제3자에 대하여는 같은 조 제2항의 규정을 유추적용하여 누구도 그와 같은 사정을 들어 대항할 수 없으며, 제3자가 악의라는 사실에 관한 주장 · 증명책임은 무효를 주장하는 자에게 있다고 한다(대판 2018.4.26, 2016다3201).

(4) 적용범위

① **적용되는 경우:** 제107조는 모든 종류의 의사표시에 적용된다. 상대방 있는 의사표시뿐만 아니라 상대방 없는 의사표시에도 적용된다. 그런데 상대방 없는 의사표시에 대하여 제1항 단서가 적용되는가에 관하여는 학설이 일치하지 않는다.

② **적용이 배제되는 경우:** 제107조는 가족법상의 행위(혼인, 입양 등), 공법행위[영업재개업신고(대판 1978.7.25, 76누276), 전역지원서(대판 1994.1.11, 93누10057), 공무원 사직(대판 1997.12.12, 97누13962)], 소송행위, 주식인수의 청약(상법 제302조 제3항) 등에는 적용되지 않는다.

판례 사인의 공법행위에 제107조 부적용

공무원이 사직의 의사표시를 하여 의원면직처분을 하는 경우 그 사직의 의사표시는 그 법률관계의 특수성에 비추어 외부적·객관적으로 표시된 바를 존중하여야 할 것이므로, 비록 사직원 제출자의 내심의 의사가 사직할 뜻이 아니었다고 하더라도 진의 아닌 의사표시에 관한 **민법 제107조는 그 성질상 사직의 의사표시와 같은 사인의 공법행위에는 준용되지 아니하므로 그 의사가 외부에 표시된 이상 그 의사는 표시된 대로 효력을 발한다**(대판 1997.12.12, 97누13962).

---

03 (통정)허위표시

제108조【통정한 허위의 의사표시】① 상대방과 통정한 허위의 의사표시는 무효로 한다.
② 전항의 의사표시의 무효는 선의의 제3자에게 대항하지 못한다.

(1) 의의

① **개념:** 허위표시라 함은 상대방과 통정하여 하는 허위의 의사표시를 말한다. 즉, 표의자가 허위의 의사표시를 하면서 그에 관하여 상대방과의 사이에 합의가 있는 경우이다(대판 1998.9.4, 98다17909). 허위표시를 요소로 하는 법률행위를 가리켜 가장행위라고 한다. 채무자가 자기 소유의 부동산에 대한 채권자의 강제집행을 면하기 위하여 타인과 상의하여 부동산을 그 자에게 매도한 것으로 하고 소유권이전등기를 한 경우가 그 예이다.

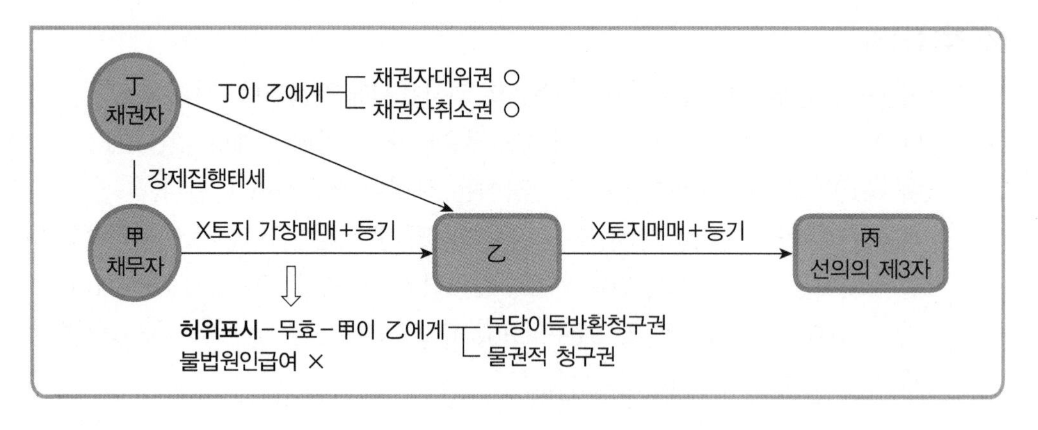

② 구별개념

㉠ 은닉행위: 법률행위를 함에 있어서 당사자가 가장된 외형행위에 의하여 진정으로 의욕한 다른 행위를 숨기는 경우가 있다. 그러한 경우에 숨겨진 행위를 은닉행위라고 한다. 증여를 하면서 매매를 가장하거나, 매매계약을 체결하면서 계약서에 매매대금을 실제로 합의된 것과 다르게 적는 경우가 그 예이다. 가장행위는 무효이나, 은닉행위의 경우에는 그 숨겨진 행위가 그에 요구되는 요건을 갖추고 있느냐에 따라 그 효력을 결정하여야 한다.

㉡ Falsa Demonstratio(잘못된 표시): Falsa Demonstratio의 경우에는 표시의 의미가 당사자의 일치하는 이해대로 확정되므로 의사와 표시는 일치한다. 따라서 '잘못된 표시'가 의식적으로 행하여졌을 경우에도 그것은 허위표시가 아니다(이른바 자연적 해석).

㉢ 신탁행위: 신탁행위란 일정한 경제적 목적을 달성하기 위하여 상대방에게 그 목적달성에 필요한 정도를 넘는 권리를 이전하고, 상대방으로 하여금 그 권리를 당사자의 경제적 목적의 범위 내에서만 행사하게 하는 행위이다. 양도담보나 추심을 위한 채권양도, 적법한 명의신탁(판례)이 그 예이다. 신탁행위는 허위표시가 아니다. 따라서 제3자는 가장행위와는 달리 악의일지라도 당연히 보호된다.

㉣ 허수아비행위: 배후조정자에 의하여 표면에 내세워진 자(허수아비)는 자신의 이름으로, 그리고 배후조정자의 이익과 계산으로 행위를 한다. 이 경우에 허수아비와 제3자가 행한 법률행위를 '허수아비행위'라고 한다. 허수아비행위에는 간접대리와 신탁관계가 존재할 수 있다. 예컨대, 甲으로부터 그림을 매수하고 싶지만 표면에 나서고 싶지 않은 乙이 丙(허수아비)을 내세워 丙으로 하여금 丙 자신의 이름으로 甲으로부터 그림을 매수하도록 하는 경우이다. 丙(허수아비)이 제3자 甲과 한 법률행위를 허수아비행위라고 하며, 허수아비행위는 가장행위가 아니다.

(2) 요건

① **의사표시의 존재**: 유효한 의사표시가 있는 것과 같은 외관이 있어야 한다.

② **진의와 표시의 불일치**: 신탁행위는 허위표시가 아니다.

③ **표의자가 진의와 표시의 불일치를 알고 있을 것**: 이 점에서 비진의표시와 같고 착오와 다르다.

④ **상대방과 통정이 있을 것**: 이 점에서 비진의표시와 다르다. 판례는, "명의신탁 부동산을 명의수탁자가 임의로 처분할 경우에 대비하여 명의신탁자가 명의수탁자와 합의하여 자신의 명의로, 혹은 명의신탁자 이외의 다른 사람 명의로 소유권이전등기청구권 보전을 위한 가등기를 경료한 것이라면 비록 그 가등기의 등기원인을 매매예약으로 하고 있으며 명의신탁자와 명의수탁자 사이에 그와 같은 매매예약이 체결된 바 없다 하더라도 그와 같은 가등기를 하기로 하는 명의신탁자와 명의수탁자의 합의가 통정허위표시로서 무효라고 할 수 없다."고 한다(대판 1997.9.30, 95다39526).

⑤ **표의자의 동기**: 허위표시는 보통 제3자를 속일 의도로 행하여지나, 그러한 의도는 요건이 아니다.

⑥ **증명책임**: 의사표시의 존재에 관하여는 법률효과를 발생시키려는 표의자가 주장 · 증명하여야 하나, 다른 요건들은 허위표시이어서 무효를 주장하는 자가 주장 · 증명하여야 한다.

(3) 효과

① 당사자간의 효과

㉠ 무효

ⓐ 허위표시는 당사자간에는 언제나 '무효'이다(제108조 제1항). 따라서 이행을 하지 않았으면 이행할 필요가 없고, **이행한 후이면 부당이득반환청구를 할 수 있다. 불법원인급여(제746조)의 적용은 없다**(통설 · 판례). 따라서 **소유권에 기한 물권적 청구권도 행사할 수 있다**(㉰ 등기말소청구 등). 그리고 **채권자는 채무자의 부당이득반환청구권을 대위행사할 수 있다.**

ⓑ 법률행위의 일부가 허위표시인 때에는 **일부무효의 법리**(제137조)에 의하여 법률행위의 효력이 결정되어야 한다.

ⓒ 무효인 법률행위는 그 법률행위가 성립한 당초부터 당연히 효력이 발생하지 않는 것이므로, **무효인 법률행위에 따른 법률효과를 침해하는 것처럼 보이는 위법행위나 채무불이행이 있다고 하여도 법률효과의 침해에 따른 손해는 없는 것이므로 그 손해배상을 청구할 수는 없다**(대판 2003.3.28, 2002다72125).

ⓒ **통정허위표시와 채권자취소권(제406조와의 관계)**: 허위표시가 민법 제406조의 요건을 충족한 경우에 허위표시를 한 채무자의 채권자는 채권자취소권을 행사할 수 있다(대판 2022.5.26, 2021다288020). 이른바 무효와 취소의 이중효에 근거한다. 한편, 채권자취소권의 대상으로 된 채무자의 법률행위라도 통정허위표시의 요건을 갖춘 경우에는 무효라고 할 것이다(대판 1998.2.27, 97다50985).

판례 **허위의 근저당권에 의하여 배당이 이루어진 경우**

허위의 근저당권에 대하여 배당이 이루어진 경우, 통정한 허위의 의사표시는 당사자 사이에서는 물론 제3자에 대하여도 무효이고, 다만 선의의 제3자에 대하여만 이를 대항하지 못한다고 할 것이므로, **배당채권자는 채권자취소의 소로써 통정허위표시를 취소하지 않았다 하더라도 그 무효를 주장하여 그에 기한 채권의 존부, 범위, 순위에 관한 배당이의의 소를 제기할 수 있다**(대판 2001.5.8, 2000다9611).

ⓒ **허위표시의 철회**: 허위표시는 당사자의 합의에 의하여 철회될 수 있다.

② 제3자에 대한 효력

㉠ 서언: 가장행위는 당사자 사이에서는 언제나, 제3자에 대해서도 원칙적으로 무효이다. 거래의 안전을 위하여 민법은 허위표시의 무효를 선의의 제3자에게 대항하지 못한다고 규정한다(제108조 제2항).

ⓛ 제3자의 범위: 일반적으로 제3자란 당사자와 그 포괄승계인 이외의 자를 말하지만, 제108조 제2항에서 말하는 제3자는 위와 같은 제3자 중 허위표시를 기초로 하여 실질적으로 새로운 이해관계를 맺은 자로 한정된다(통설 · 판례).

ⓐ 제3자에 해당하는 자는, 가장매매의 매수인으로부터 그 목적부동산을 다시 매수한 자(대판 1996.4.26, 94다12074), 가장매매의 매수인으로부터 매매계약에 의한 소유권이전등기청구권 보전을 위한 가등기를 취득한 자(대판 1970.9.29, 70다466), 가장매매의 매수인으로부터 저당권을 설정받은 자, 가장매수인과 목적물의 임대차계약을 체결한 자, 가장저당권설정행위에 의한 저당권의 실행에 의하여 부동산을 경락받은 자(대판 1957.3.23, 4289민상580), 가장근저당권설정행위에 기한 근저당권을 양수한 자, 가장 근저당권설정계약이 유효하다고 믿고 그 피담보채권을 가압류한 자(대판 2004.5.28, 2003다70041), 가장전세권에 대한 저당권자(대판 2008.3.13, 2006다29372), 가장전세권설정계약에 의하여 형성된 법률관계로 생긴 채권(전세권부채권)을 가압류한 자(대판 2010.3.25, 2009다35743), 가장매매에 기한 대금채권 또는 가장소비대차에 기한 대여금채권의 양수인[금융기관과 대출채무자 사이에서 통정허위표시에 의해 발생한 부실채권 등 자산을 양도받은 한국자산관리공사(대판

2004.1.15, 2002다31537)], 임대차보증금반환채권의 가장양수인의 채권자가 압류 및 추심명령을 받은 경우(대판 2014.4.10, 2013다59753), 임금채권의 가장양수인의 전부채권자(대판 1983.1.18, 82다594), 가장소비대차의 대주가 파산선고를 받았을 때의 파산관재인(대판 2006.11.10, 2004다10299), 허위의 보증채무를 이행하여 구상권을 취득한 보증인[보증인이 주채무자의 기망행위에 의하여 주채무가 있는 것으로 믿고 주채무자와 보증계약을 체결한 다음 그에 따라 보증채무자로서 그 채무까지 이행한 경우, 그 보증인은 주채무자에 대한 구상권취득에 관하여 법률상의 이해관계를 가지게 되었고 그 구상권취득에는 보증의 부종성으로 인하여 주채무가 유효하게 존재할 것을 필요로 한다는 이유로 결국 그 보증인은 주채무자의 채권자에 대한 채무부담행위라는 허위표시에 기초하여 구상권취득에 관한 법률상 이해관계를 가지게 되었다고 보아 민법 제108조 제2항 소정의 '제3자'에 해당한다고 한 사례(대판 2000.7.6, 99다51258)], 제3자로부터의 전득자 등이다.

판례 **보증보험계약의 주계약이 통정허위표시로서 무효인 경우**

상법 제644조에 의하면, 보험계약 당시에 보험사고가 발생할 수 없는 것인 때에는 보험계약의 당사자 쌍방과 피보험자가 이를 알지 못한 경우가 아닌 한 그 보험계약은 무효이다. 보증보험계약은 보험계약으로서의 본질을 가지고 있으므로, 적어도 계약이 유효하게 성립하기 위해서는 계약 당시에 보험사고의 발생 여부가 확정되어 있지 않아야 한다는 우연성과 선의성의 요건을 갖추어야 한다. 만약 **보증보험계약의 주계약이 통정허위표시로서 무효인 때에는 보험사고가 발생할 수 없는 경우에 해당하므로 그 보증보험계약은 무효**이다. 이때 보증보험계약이 무효인 이유는 보험계약으로서의 고유한 요건을 갖추지 못하였기 때문이므로, 보증보험계약의 보험자는 주계약이 통정허위표시인 사정을 알지 못한 **제3자에 대하여도 보증보험계약의 무효를 주장**할 수 있다(대판 2015.3.26, 2014다203229).

ⓑ 제3자에 해당하지 않는 자로는, 가장매매의 매수인으로부터 그 지위를 상속받은 자(포괄승계인), 가장행위로서의 '제3자를 위한 계약'에서 제3자(수익자), 대리인이나 대표기관이 상대방과 허위표시를 한 경우의 본인이나 법인, 재산권을 가장양도한 채무자의 권리를 대위행사하는 채권자, 가장양수인의 일반채권자, 주식이 가장양도되어 양수인 앞으로 명의개서된 경우의 회사, 저당권 등 제한물권이 가장포기된 경우의 기존의 후순위 제한물권자, 채권의 가장양수인으로부터 추심을 위하여 채권을 양수한 자, 허위표시의 당사자로부터 계약이전을 받은 자(대판 2004.1.15, 2002다31537) 등이다. 그리고 甲이 부동산의 매수자금을 丙으로부터 차용하고 담보조로 가등기를 경료하기로 약정한 후 채권자들의 강제집행을 우려하여 乙에게 가장양도한 후 丙 앞으로 가등기를 경료케

한 경우에 있어서 丙은 형식상은 가장양수인으로부터 가등기를 경료받은 것으로 되어 있으나 실질적인 새로운 법률원인에 의한 것이 아니므로 통정허위표시에서의 제3자로 볼 수 없다[본건 가등기는 실체관계에 부합된다(대판 1982.5.25, 80다1403)]. 또한 통정한 허위의 의사표시(매매예약)에 기하여 허위 가등기가 설정된 후 그 원인이 된 통정허위표시가 철회되었으나 그 외관인 허위 가등기가 제거되지 않고 잔존하는 동안에 가등기명의인인 소외인이 임의로 소유권이전의 본등기를 마친 다음, 다시 위 본등기를 토대로 원고에게 소유권이전등기가 마쳐진 사안에서, 원고는 제108조 제2항의 제3자에 해당하지 않는다(대판 2020.1.30, 2019다280375).

판례 **채권의 가장양도에서 채무자가 제3자에 해당하는지 여부**

이 사건 퇴직금 채무자는 원채권자인 甲이 乙에게 퇴직금채권을 양도했다고 하더라도 **그 퇴직금을 乙에게 지급하지 않고 있는 동안에 위 양도계약이 허위표시란 것이 밝혀진 이상 위 허위표시의 선의의 제3자임을 내세워 진정한 퇴직금전부 채권자에게 그 지급을 거절할 수 없다**(대판 1983.1.18, 82다594).

ⓒ 제3자의 선의

ⓐ 제108조 제2항의 선의라 함은 의사표시가 허위표시임을 알지 못하는 것이다. 제3자가 보호되기 위하여 선의이면 족하고, 무과실까지 요구하는 것은 아니다(대판 2004.5.28, 2003다70041). 제3자의 선의·악의의 주장 및 증명책임에 관하여, 제3자는 특별한 사정이 없는 한 선의로 추정할 것이므로, 제3자가 악의라는 사실에 관한 주장·증명책임은 그 허위표시의 무효를 주장하는 자에게 있다(대판 2006.3.10, 2002다1321).

ⓑ 선의의 제3자로부터 다시 권리를 전득한 자는 설사 전득시에 악의였을지라도 허위표시의 무효를 가지고 대항하지 못한다(이설 없음). 주의할 것은 제3자가 악의이고 전득자가 선의인 경우에는 동항에 의하여 전득자가 보호될 수 있다는 것이다. 따라서 甲이 乙의 임차보증금반환채권을 담보하기 위하여 통정허위표시로 乙에게 전세권설정등기를 마친 후 丙이 이러한 사정을 알면서도 乙에 대한 채권을 담보하기 위하여 위 전세권에 대하여 전세권근저당권설정등기를 마쳤는데, 그 후 丁이 丙의 전세권근저당권부 채권을 가압류하였다가 이를 본압류로 이전하는 압류명령을 받은 사안에서, 丁이 통정허위표시에 관하여 선의라면 비록 丙이 악의라 하더라도 허위표시자는 그에 대하여 전세권이 통정허위표시에 의한 것이라는 이유로 대항할 수 없다(대판 2013.2.15, 2012다49292).

판례 파산관재인의 제3자 여부 및 선의 판단기준

파산자가 상대방과 통정한 허위의 의사표시를 통하여 가장채권을 보유하고 있다가 파산이 선고된 경우 그 가장채권도 일단 파산재단에 속하게 되고, 파산선고에 따라 파산자와는 독립한 지위에서 **파산채권자 전체의 공동의 이익을 위하여 직무를 행하게 된 파산관재인은 그 허위표시에 따라 외형상 형성된 법률관계를 토대로 실질적으로 새로운 법률상 이해관계를 가지게 된 민법 제108조 제2항의 제3자에 해당**하는 것이다. 이때, 파산관재인의 선의·악의는 파산관재인 개인의 선의·악의를 기준으로 할 수는 없고, **총파산채권자를 기준으로 하여 파산채권자 모두가 악의로 되지 않는 한 파산관재인은 선의의 제3자**라고 할 수밖에 없다(대판 2007.1.11, 2006다9040).

㉣ 대항하지 못한다

ⓐ '대항하지 못한다'는 것은 허위표시의 무효를 주장할 수 없다는 뜻이다(상대적 무효). 즉 허위표시는 무효이지만, 선의의 제3자에 대하여는 허위표시의 당사자뿐만 아니라 그 누구도 허위표시의 무효를 대항하지 못하고, 따라서 선의의 제3자에 대한 관계에 있어서는 허위표시도 그 표시된 대로 효력이 있다(대판 1996.4.26, 94다12074).

ⓑ 선의의 제3자가 무효를 주장할 수 있는가? 다수설은 선의의 제3자가 무효를 주장하는 것은 무방하다고 한다.

(4) 적용범위

① 허위표시란 상대방과 통정하여 이루어진 것이므로, 제108조는 상대방 있는 법률행위에만 적용된다. 따라서 상대방 없는 단독행위나 합동행위에는 적용되지 않는다(다수설).

② 본인의 의사가 절대적으로 존중되는 가족법상의 행위에 대하여는 제108조가 적용되지 않는다. 가장의 혼인신고나 입양신고는 제815조 제1호와 제883조 제1호에 의하여 각 무효로 된다. 제3자에 대한 관계에서도 언제나 무효이다.

③ 소송행위는 소송요건을 갖추면 단지 가장적인 성질이 있다는 이유로 무효로 되지 않는다. 가장된 다툼에 의하여 판결이 선고된 경우에도 그 판결은 유효하다(통설). 또한 공법행위에도 원칙적으로 적용되지 않는다.

④ 유가증권에 관한 행위에 관하여 제108조의 적용을 인정하는 것이 판례이다. 발행인과 수취인이 통모하여 진정한 어음채무 부담이나 어음채권 취득에 관한 의사 없이 단지 발행인의 채권자에게서 채권추심이나 강제집행을 받는 것을 회피하기 위하여 형식적으로만 약속어음의 발행을 가장한 경우 이러한 어음발행행위는 통정허위표시로서 무효이다(대판 2017.8.18, 2014다87595).

기출예제

통정허위표시에 기초하여 새로운 법률상 이해관계를 맺은 제3자에 해당하는 경우를 모두 고른 것은? (다툼이 있으면 판례에 따름)

제27회

㉠ 가장소비대차에서 대주의 계약상 지위를 이전받은 자
㉡ 가장채권을 보유하고 있는 자가 파산선고를 받은 경우의 파산관재인
㉢ 가장전세권설정계약에 의하여 형성된 법률관계로 생긴 전세금반환채권을 가압류한 채권자

① ㉠
② ㉡
③ ㉠, ㉢
④ ㉡, ㉢
⑤ ㉠, ㉡, ㉢

해설

㉡ 파산관재인이 민법 제108조 제2항의 경우 등에 있어 제3자에 해당하는 것은, 파산관재인은 파산채권자 전체의 공동의 이익을 위하여 선량한 관리자의 주의로써 그 직무를 행하여야 하는 지위에 있기 때문이므로, 그 선의·악의도 파산관재인 개인의 선의·악의를 기준으로 할 수는 없고 총파산채권자를 기준으로 하여 파산채권자 모두가 악의로 되지 않는 한 파산관재인은 선의의 제3자라고 할 수밖에 없다(대판 2006.11.10, 2004다10299).
㉢ 가장전세권설정계약에 의하여 형성된 법률관계로 생긴 채권(전세권부 채권)을 가압류한 자는, 통정허위표시를 기초로 하여 새로이 법률상 이해관계를 가진 선의의 제3자에 해당한다(대판 2010.3.25, 2009다35743).
㉠ 계약이전을 받은 금융기관은 계약이전을 요구받은 금융기관과 대출채무자 사이의 통정허위표시에 따라 형성된 법률관계를 기초로 하여 새로운 법률상 이해관계를 가지게 된 민법 제108조 제2항의 제3자에 해당하지 않는다(대판 2004.1.15, 2002다31537).

정답: ④

04 착오로 인한 의사표시

제109조 【착오로 인한 의사표시】 ① 의사표시는 법률행위의 내용의 중요부분에 착오가 있는 때에는 취소할 수 있다. 그러나 그 착오가 표의자의 중대한 과실로 인한 때에는 취소하지 못한다.
② 전항의 의사표시의 취소는 선의의 제3자에게 대항하지 못한다.

(1) 의의

① 착오란 의사와 표시가 불일치하고 그 불일치를 표의자 자신이 모르는 것을 말한다(대판 1985.4.23, 84다카890). 의사표시를 함에 있어서 착오 때문에 표시가 표의자의 진의와 일치하지 않더라도, 일단 표의자는 그 의사표시에 구속된다. 그러나 진의 아닌 의사표시나 허위표시에서와 달리 표의자를 보호할 필요가 있다. 그리하여 표의자가 착오를 이유로 의사표시를 취소할 수 있는 것으로 하되, 그 요건을 제한한다(제109조 제1항).

② 의사표시에 착오가 있다고 하려면 법률행위를 할 당시에 실제로 없는 사실을 있는 사실로 잘못 깨닫거나 아니면 실제로 있는 사실을 없는 것으로 잘못 생각하듯이 의사표시자의 인식과 그러한 사실이 어긋나는 경우라야 한다. 의사표시자가 행위를 할 당시 장래에 있을 어떤 사항의 발생을 예측한 데 지나지 않는 경우는 의사표시자의 심리상태에 인식과 대조사실의 불일치가 있다고 할 수 없어 이를 착오로 다룰 수 없다(대판 2020.5.14, 2016다12175).

판례 착오의 의미

의사표시에 착오가 있다고 하려면 법률행위를 할 당시에 실제로 없는 사실을 있는 사실로 잘못 깨닫거나 아니면 실제로 있는 사실을 없는 것으로 잘못 생각하듯이 **표의자의 인식과 그 대조사실이 어긋나는 경우**라야 하므로, **표의자가 행위를 할 당시 장래에 있을 어떤 사항의 발생이 미필적임을 알아 그 발생을 예기한 데 지나지 않는 경우는 표의자의 심리상태에 인식과 대조의 불일치가 있다고 할 수 없어** 이를 착오로 다룰 수는 없다(대판 2012.12.13, 2012다65317).

---

(2) 착오의 한계

① 자연적 해석의 경우에는 그릇된 표시에도 불구하고 당사자가 일치하여 생각한 의미로 효력이 생기기 때문에(의사와 표시의 일치), 착오취소는 인정될 여지가 없다. 규범적 해석에 의하여 의사표시의 객관적인 의미가 탐구되어 표의자의 진정한 의사가 불일치가 있으면 착오로 되어, 표의자에 의한 취소가 고려된다.

② 계약에 있어서 불합의가 있는 경우, 표의자의 의사와 표시행위의 의미가 불일치할지라도 착오취소는 고려할 필요가 없다. 착오는 계약성립 이후의 문제이기 때문이다.

(3) 취소권발생의 요건(착오가 고려되기 위한 요건)

① 의사표시의 존재와 표의자의 착오의 존재: 우선 의사표시가 존재하고, 그 의사표시를 함에 있어서 표의자의 착오가 있어야 한다. 착오가 존재하는지 여부의 판단시점은 의사표시 당시이다. 판례는, "매매계약 당시 장차 도시계획이 변경되어 공동주택, 호텔 등의 신축에 대한 인·허가를 받을 수 있을 것이라고 생각하였으나 그 후 생각대로 되지 않은 경우, 이는 법률행위 당시를 기준으로 장래의 미필적 사실의 발생에 대한 기대나 예상이 빗나간 것에 불과할 뿐 착오라고 할 수는 없다."고 한다(대판 2007.8.23, 2006다15755).

② 법률행위 내용의 착오일 것

㉠ 동기의 착오

ⓐ 동기의 착오는 표시에 대응하는 내심의 의사가 존재하지만, 그 내심의 의사를 결정할 때의 동기 내지 내심의 의사를 결정하는 과정에 착오가 있는 경우이다. 즉, 동기의 착오는 의사형성과정에서의 착오이며, 내용의 착오가 아니므로 취소

할 수 없다. 예를 들면, 부동산 매매에서 시가에 대한 착오(대판 1992.10.23, 92다29337), 소를 키울 목적으로 우사를 짓기 위해 매수했으나 우사를 지을 수 없는 토지인 경우(대판 1984.10.23, 83다카1187), 공장에 쓰려고 토지를 매수했으나 그린벨트지역이었던 경우(대판 1993.6.29, 92다38881), 운수회사가 소속 차량 운전수의 과실로 피해자에게 상해를 입혔다고 오인하고 손해배상책임이 있는 것으로 착오를 일으켜 부상자의 병원에 대한 치료비지급채무를 연대보증한 경우(대판 1979.3.27, 78다2493), 반환소송을 당하게 되면 아무런 보상도 받지 못한 채 부동산을 반환하여야 할 것으로 착각하여 매도하는 매매계약을 체결한 것(대판 1991.11.12, 91다10732) 등이다.

ⓑ 동기의 착오에 관하여, 다수설은 동기가 표시되어 상대방이 알고 있는 경우에는 의사표시의 내용이 되므로 의사표시를 취소할 수 있다고 한다(동기표시설). 판례도 "동기의 착오가 법률행위의 내용의 중요부분의 착오에 해당함을 이유로 표의자가 법률행위를 취소하려면 그 동기를 당해 의사표시의 내용으로 삼을 것을 상대방에게 표시하고 의사표시의 해석상 법률행위의 내용으로 되어 있다고 인정되면 충분하고 당사자들 사이에 별도로 그 동기를 의사표시의 내용으로 삼기로 하는 합의까지 이루어질 필요는 없지만, 그 법률행위의 내용의 착오는 보통 일반인이 표의자의 입장에 섰더라면 그와 같은 의사표시를 하지 아니하였으리라고 여겨질 정도로 그 착오가 중요한 부분에 관한 것이어야 한다."라고 하여 원칙적으로 동기표시설의 입장이다(대판 2000.5.12, 2000다12259). 동기에 착오를 일으켜서 계약을 체결한 경우에는 당사자 사이에, 특히 그 동기를 계약의 내용으로 삼은 때에 한하여 이를 이유로 당해계약을 취소할 수 있다(대판 1984.10.23, 83다카1187).

ⓒ 다만, '동기가 상대방의 부정한 방법에 의해 유발된 경우'(대판 1987.7.21, 85다카2339) 또는 '동기가 상대방으로부터 제공된 경우'(대판 1978.7.11, 78다719)에는 동기가 표시되지 않았다고 하더라도 그 동기는 법률행위 내용의 중요부분의 착오에 해당한다고 한다. 예를 들면, 귀속재산이 아닌데도 공무원이 귀속재산이라고 하여 토지를 국가에 증여한 경우(대판 1978.7.11, 78다719), 공무원의 법규오해로 인해 토지소유자가 법률상 기부채납의무가 없는 휴게소부지의 16배나 되는 토지 전부와 휴게소건물을 시에 증여한 경우(대판 1990.7.10, 90다카7460), 협의매수의 대상이 아님에도 공무원이 포함된다고 하여 이를 믿고 협의매수에 응한 경우(대판 1991.3.27, 90다카27440), 신용보증에 있어 보증대상기업(주채무자)의 신용유무에 대해 신용보증기금(보증인)이 금융기관(채권자)에게 거래상황의 확인을 의뢰하였으나 채권자가 연체가 없는 것처

럼 기재한 경우(대판 1992.2.25, 91다38419) 등의 경우에는 취소할 수 있다고 한다.

판례 **동기의 착오를 이유로 보험계약을 취소할 수 있는 경우**

보험회사 또는 보험모집종사자가 **설명의무를 위반**하여 고객이 보험계약의 중요사항에 관하여 제대로 이해하지 못한 채 착오에 빠져 보험계약을 체결한 경우, 그러한 착오가 **동기의 착오에 불과하다고 하더라도 그러한 착오를 일으키지 않았더라면 보험계약을 체결하지 않았거나 아니면 적어도 동일한 내용으로 보험계약을 체결하지 않았을 것이 명백**하다면, 위와 같은 착오는 보험계약의 내용의 중요부분에 관한 것에 해당하므로 이를 이유로 보험계약을 취소할 수 있다(대판 2018.4.12, 2017다229536).

ⓛ 의미(내용)의 착오: 표의자가 표시행위 자체의 의미를 잘못 이해하는 내용상의 착오를 말한다. 즉, 표의자는 표시하고자 하는 것을 표시하지만 법적 의미를 잘못 이해하는 것으로, 의미의 착오라고도 한다. 예컨대, 달러($)와 파운드(£)가 동일한 것으로 오해하여 100£의 의사로 100$로 쓰는 것, 사용대차가 유상계약이라고 생각하면서 사용대차한다고 표시하는 경우에 의미의 착오가 존재한다.

ⓒ 표시상의 착오: 표의자가 외부적으로 자기가 표시한 것으로 나타난 바를 표시하려 하지 않았던 경우(예 오기, 오담)에 이 유형의 착오가 존재한다. 매도인이 100만원이라고 쓰려다가 10만원으로, 매수인이 10개라고 쓰려다가 100개라고 쓴 경우인데, 이는 행위내용의 착오이다.

ⓔ 표시기관의 착오: '표시기관의 착오'란 표의자가 사자 또는 우체국을 매개로 하여 표시행위를 하고, 이러한 매개자가 표의자의 의사와 다르게 표시행위를 하는 것을 말한다. 우리나라의 학설은 이를 표시상의 착오에 준하는 것으로 다루고 있다. 참고로 전달기관으로서의 사자는 의사표시의 부도달의 문제일 뿐이며, 대리인이 본인의 의사와 다르게 표시한 경우에는 착오에 준하여 판단하지 않고, 대리인을 기준으로 의사표시의 효과를 검토하게 된다.

③ 법률행위 내용의 중요부분의 착오

㉠ 중요부분의 착오란 표의자가 그러한 착오가 없었더라면 그 의사표시를 하지 않으리라고 생각될 정도로 중요한 것이어야 하고(주관적 현저성), 보통 일반인도 표의자의 처지에 섰더라면 그러한 의사표시를 하지 않았으리라고 생각될 정도로 중요한 것이어야 한다(객관적 현저성)(대판 1996.3.26, 93다55487).

ⓛ 판례는 "착오가 법률행위 내용의 중요부분에 있다고 하기 위하여는 표의자에 의하여 추구된 목적을 고려하여 합리적으로 판단하여 볼 때 표시와 의사의 불일치가 객관적으로 현저하여야 하고, 만일 그 착오로 인하여 표의자가 무슨 경제적인 불이익을 입은 것이 아니라고 한다면 이를 법률행위 내용의 중요부분의 착오라고 할 수

없다."고 한다(대판 1999.2.23, 98다47924). 예를 들면, 주채무자의 차용금반환 채무를 보증할 의사로 공정증서에 연대보증인으로 서명 · 날인하였으나 그 공정증서가 주채무자의 기존의 구상금채무 등에 관한 준소비대차계약의 공정증서이었던 경우(대판 2006.12.7, 2006다41457) 등이다.

ⓒ 한편, 판례는 상대방이 착오를 유발한 경우에 객관적으로 현저하지 않더라도 착오취소를 인정하는데(대판 1996.7.26, 94다25964), 이 경우에 상대방은 보호가치가 없고, 그 결과 표의자와 상대방의 정당한 이익이 충돌하지 않는다는 점에서 정당하다.

④ 표의자에게 중과실이 없을 것

㉠ 제109조 제1항 단서는 착오가 표의자의 중대한 과실에 기한 경우에 취소권을 배제한다. '중대한 과실'이라 함은 표의자의 직업, 행위의 종류, 목적 등에 비추어 보통 요구되는 주의를 현저히 결여한 것을 말한다(대판 1996.7.26, 94다25964). 그러나 상대방이 표의자의 착오를 알고 이를 이용한 경우에는 착오가 표의자의 중대한 과실로 인한 것이라고 하더라도 표의자는 의사표시를 취소할 수 있다(대판 2014.11.27, 2013다49794).

㉡ 판례는, 공장을 경영하는 자가 공장을 설립할 목적으로 토지를 매수함에 있어 토지상에 공장을 건축할 수 있는지 여부를 관할관청에 알아보지 아니한 경우(대판 1993.6.29, 92다38881), 대기업이 근로자들과 일정한 합의약정을 하면서 퇴직금지급규정 개정시 근로자집단의 동의를 받았는지를 제대로 확인하지 않은 경우(대판 1995.12.12, 94다22453), 신용보증기금의 신용보증서를 담보로 금융채권자금을 대출해 준 금융기관이 위 대출자금이 모두 상환되지 않았음에도 착오로 신용보증기금에 신용보증서 담보설정해지를 통지한 경우(대판 2000.5.12, 99다64995)에는 중대한 과실에 기한 경우라고 한다.

ⓒ 그러나 고려청자로 알고 매수한 도자기가 진품이 아닌 것으로 밝혀진 경우, 매수인이 도자기를 매수하면서 자신의 골동품 식별 능력과 매매를 소개한 자를 과신한 나머지 고려청자 진품이라고 믿고 소장자를 만나 그 출처를 물어 보지 아니하고 전문적 감정인의 감정을 거치지 아니한 채 그 도자기를 고가로 매수한 경우(대판 1997.8.22, 96다26657), 건물에 대한 매매계약 체결 직후 건물이 건축선을 침범하여 건축된 사실을 알았으나 매도인이 법률전문가의 자문에 의하면 준공검사가 난 건물이므로 행정소송을 통해 구청장의 철거 지시를 취소할 수 있다고 하여 매수인이 그 말을 믿고 매매계약을 해제하지 않고 대금지급의무를 이행한 경우(대판 1997.9.30, 97다26210), 중개업자가 매매계약의 목적물을 다른 점포로 오인한 채 매수인에게 알려준 경우(대판 1997.11.28, 97다32772)에는 중대한 과실로 평가할 수 없다고 한다.

⑤ **증명책임**: 적극요건인 착오의 존재와 그 착오가 법률행위 내용의 중요부분에 존재한다는 것은 표의자가 증명책임을 진다. 즉, "착오를 이유로 의사표시를 취소하는 자는 법률행위의 내용에 착오가 있었다는 사실과 함께 그 착오가 의사표시에 결정적인 영향을 미쳤다는 점, 다시 말해 만약 그 착오가 없었더라면 의사표시를 하지 않았을 것이라는 점을 증명하여야 한다(대판 2008.1.17, 2007다74188)." 반면 소극요건인 중대한 과실에 관한 주장과 입증책임은 의사표시를 취소하게 하지 않으려는 상대방에게 있다(대판 2005.5.12, 2005다6228).

(4) 고려되는 착오의 구체적인 모습

① **기명날인의 착오(서명의 착오)**: 기명날인의 착오란 어떤 자가 자기의 의사와 다른 내용을 담고 있는 법률문서를 읽지 않거나 잘못 읽고 그 문서에 기명날인 또는 서명하는 경우를 말한다. 예컨대, 위자료를 수령하면서 위자료의 수령에 따르는 보통문서인 것으로 오인하고 일체의 손해배상청구권을 포기하는 취지의 각서에 기명날인하는 경우(대판 1967.2.7, 66다2518), 신원보증서류에 서명날인한다는 착각에 빠진 상태로 연대보증의 서면에 서명날인한 경우로서(대판 2005.5.27, 2004다43824), 중요부분의 착오이다.

② **동일성의 착오**: 표의자가 생각하였던 사람 또는 물건과 실제의 사람 또는 물건이 다른 경우로서, 법률행위의 내용의 착오이다. 현실매매와 같이 상대방이 누구이냐를 중요시하지 않는 경우에는 중요부분의 착오가 아니다. 그러나 제3자를 위한 계약에서 제3자 또는 보증계약에서 주채무자(대판 1983.10.22, 93다14912), 근저당권설정계약에 있어서 채무자의 동일성에 관한 착오(대판 1995.12.22, 95다37087)는 일반적으로 법률행위 내용의 중요부분의 착오이다. 그리고 매수인이 매매목적물인 점포를 다른 점포로 오인한 것은 동기의 착오가 아니라 내용의 착오 중 목적물의 동일성에 대한 착오로서 중요부분의 착오에 해당한다(대판 1997.11.28, 97다32772 · 32789[1]).

1 그리고 부동산중개업자가 다른 점포를 매매목적물로 잘못 소개하여 매수인이 매매목적물에 관하여 착오를 일으킨 경우 매수인에게 중대한 과실이 없다.

③ **성질의 착오**

㉠ 성질의 착오는 법률행위에 관계하는 사람 또는 객체의 성질에 관한 착오를 말한다. 예컨대, 신용할 수 없는 사람을 신용할 수 있다고 믿고서 그에게 돈을 빌려주는 경우, 모조품을 진품으로 잘못 알고 매수하는 경우가 이에 속한다. 성질의 착오는 일반적으로는 동기의 착오이다(따라서 표시되지 않으면 고려되지 않음이 원칙이다). 따라서 일정한 사용목적을 위하여 토지를 매수하였는데 법령상의 제한으로 그 토지를 목적대로 사용할 수 없게 된 경우, 그러한 목적은 동기에 지나지 않으므로 매수인의 착오는 동기의 착오에 불과하다는 것이 판례의 입장이다(대판 1990.5.22, 90다카7026).

ⓛ 판례는 토지의 현황 · 경계에 관한 착오의 경우에 중요부분의 착오를 인정하여 취소를 인정한다. 가령, 토지 1,389평을 경작할 수 있는 농지인 줄 알고 매입하였으나 상당부분(600평)이 하천을 이루고 있거나(대판 1968.3.26, 67다2160) 농지로 알고 매수했으나 일부가 하천부지인 경우(대판 1974.4.23, 74다54)에 그렇다. 그리고 외형적인 경계(담장)를 기준으로 하여 인접토지에 관한 교환계약이 이루어졌으나 그 경계가 실제의 경계와 일치하지 않음으로써 그중 일방이 제공받기로 한 토지가 자신의 토지임이 밝혀진 경우(대판 1993.8.26, 93나31634), 인접대지의 경계선이 자신의 대지의 경계선과 일치하는 것으로 잘못 알고 그 경계선에 담장을 설치하기로 합의한 경우(대판 1989.7.25, 88다카9364)는 토지의 경계에 관한 착오이다.

ⓒ 특정된 토지 전부를 매수하였으나 표시된 지적이 실제면적보다 적은 경우라도 그 매매계약의 중요부분에 착오가 있다고 할 수 없으며(대판 1969.5.13, 69다196), 건물 및 그 부지를 현상대로 매매한 것인 경우 부지의 지분이 다소 부족하다 하더라도 매매계약의 중요부분에 착오로 보지 않는다(대판 1984.4.10, 83다카1328).

④ 법률(효과)의 착오

㉠ 법률에 관한 착오(양도소득세가 부과될 것인데도 부과되지 아니하는 것으로 오인)라도 그것이 법률행위의 내용의 중요부분에 관한 것인 때에는 표의자는 그 의사표시를 취소할 수 있다(대판 1981.11.10, 80다2475).

ⓛ 계약을 체결함에 있어 당해 계약으로 인한 법률효과에 관하여 제대로 알지 못하였다 하더라도 이는 계약체결에 관한 의사표시의 착오의 문제가 될 뿐이다(대판 2009.4.23, 2008다96291[1]).

1 계약서에 기재된 대로의 의사표시의 존재 및 내용을 인정하여야 한다.

(5) 고려되는 착오의 효과

① 착오의 효과로서 취소가능성

㉠ 착오에 의한 의사표시는 일단은 유효하다(잠정적 · 유동적 유효). 표의자는 착오에 의한 의사표시를 취소할 수 있다(제109조 제1항).

ⓛ 취소권은 권리자의 일방적인 의사표시에 의하여 당사자 사이의 법률관계를 변동케 하는 효력이 있으므로 형성권에 속한다.

ⓒ 제109조는 임의규정이다. 따라서 "당사자의 합의로 착오로 인한 의사표시 취소에 관한 민법 제109조 제1항의 적용을 배제할 수 있다(대판 2016.4.15, 2013다97694)." 그리고 착오자의 상대방이 착오자의 진의에 동의하는 경우에는, 착오자의 취소는 신의칙에 반하는 권리행사로서 허용되지 않는다. 판례는, 매매계약에 따

른 양도소득세와 관련하여 착오가 있었더라도 법령이 개정되어 착오로 인한 불이익이 소멸한 경우에는, 취소의 의사표시는 신의성실의 원칙상 허용될 수 없다고 한다(대판 1995.3.24, 94다44620).

② 취소의 효과

㉠ 법률행위의 소급적 무효

ⓐ 착오를 이유로 의사표시가 적법하게 취소되면, 그 의사표시를 요소로 하는 법률행위가 처음부터 무효인 것으로 간주된다(제141조 본문). 다만, 실행에 옮겨진 조합계약이나 노동이 개시된 고용에 있어서는 취소는 장래에 향하여서만 효력이 생긴다고 하여야 한다.

ⓑ 착오가 법률행위의 일부에만 관계된 경우에는 그 부분만이 취소되며, 효과에 대하여는 일부무효의 법리가 적용되어야 한다(대판 2002.9.4, 2002다18435).

㉡ 선의의 제3자: 제109조 제2항은 "전항의 의사표시의 취소는 선의의 제3자에게 대항하지 못한다."고 하여 착오취소에서 거래의 안전을 꾀하고 있다.

㉢ 취소자의 손해(신뢰이익)배상책임: 착오취소의 경우에 상대방의 보호가 문제된다. 판례는, 착오자에게 과실이 있었더라도, 착오에 빠진 것 자체가 위법하지는 않기 때문에 불법행위에 기한 손해배상이 피해자라고 할 상대방에게 반드시 인정되는 것은 아니라고 한다(대판 1997.8.22, 97다13023).

(6) 제109조의 적용범위

① 사법상의 의사표시

㉠ 제109조는 원칙적으로 모든 사법상의 의사표시에 적용된다. 그리하여 재단법인 설립행위와 같은 상대방 없는 단독행위에도 적용된다(대판 1999.7.9, 98다9045). 나아가 제109조는 준법률행위 중 의사의 통지, 관념의 통지 및 감정의 표시에 대해서도 원칙적으로 유추적용된다.

㉡ 가족법상의 행위에 대하여 예외가 인정된다. 즉, 통설은 당사자의 의사가 절대적으로 존중되어야 하기 때문에 착오에 기한 혼인 또는 입양은 무효이고, 그에 앞서 제816조 제2호, 제884조 제2호 등의 특칙이 적용된다.

㉢ 단체법상 행위에도 원칙적으로 제109조가 적용되지만, 거래의 안전을 위하여 일정한 경우에는 제한될 수 있다. 예컨대, 회사성립 후에 주식을 인수한 자는 착오를 이유로 그 인수를 취소하지 못한다(상법 제320조).

② 공법상의 행위 등

㉠ 착오에 빠진 행정처분(대판 1962.11.22, 62다655)과 같이 공법상의 행위에 대하여 원칙적으로 제109조가 적용되지 않는다(대판 1956.3.29, 4288민상448).

㉡ 소송행위에 대하여는, 그 내용의 중요부분에 착오가 있더라도 제109조가 적용되지 않는다(대판 1997.10.24, 95다11740). 예컨대, 소송행위(대판 1979.5.15, 78다1094), 소취하(대판 1997.6.27, 97다6124), 항소취하(대판 1964.9.15, 64다92), 처분금지가처분신청의 취소(대판 1984.5.29, 82다카963), 상소포기(대결 1980.4.4, 80모11)를 하여도 제109조에 근거하여 취소할 수 없다.

㉢ 판례는, "소취하 합의의 의사표시 역시 민법 제109조에 따라 법률행위의 내용의 중요부분에 착오가 있는 때에는 취소할 수 있을 것"이라고 한다(대판 2020.10.15, 2020다227523 · 227530).

(7) 제109조와 다른 규정의 경합 여부

① **제110조와의 경합 여부:** 타인의 기망행위에 의하여 표의자가 착오에 빠진 상태에서 한 의사표시가 착오와 사기의 요건을 모두 갖추는 경우, 표의자는 그 요건을 증명하여 선택적으로 사기 또는 착오에 의한 의사표시임을 주장할 수 있다(통설, 대판 1985.4.9, 85도167[1]). 그 사기로 인한 착오가 동기의 착오인가 행위내용의 착오인가는 묻지 않는다.

1 기망행위로 인하여 법률행위의 중요부분에 관하여 착오를 일으킨 경우뿐만 아니라 법률행위의 내용으로 표시되지 아니한 의사결정의 동기에 관하여 착오를 일으킨 경우에도 표의자는 그 법률행위를 사기에 의한 의사표시로서 취소할 수 있다.

② **담보책임과의 경합 여부:** 판례는, 매매계약 내용의 중요부분에 착오가 있는 경우 매수인은 매도인의 하자담보책임이 성립하는지와 상관없이 착오를 이유로 매매계약을 취소할 수 있다고 한다(대판 2018.9.13, 2015다78703).

③ **해제와 취소:** 매도인이 매수인의 중도금 지급채무 불이행을 이유로 매매계약을 적법하게 해제한 후라도 매수인으로서는 상대방이 한 계약해제의 효과로서 발생하는 손해배상책임을 지거나 매매계약에 따른 계약금의 반환을 받을 수 없는 불이익을 면하기 위하여 착오를 이유로 한 취소권을 행사하여 매매계약 전체를 무효로 돌리게 할 수 있다(대판 1996.12.6, 95다24982).

④ **화해계약에 있어서 착오의 문제(제733조):** 화해계약은 착오를 이유로 취소할 수 없다(제733조 본문). 그러나 화해당사자의 자격 또는 화해의 목적인 분쟁 이외의 사항에 착오가 있는 때에는 착오를 이유로 취소할 수 있다(제733조 단서). 따라서 환자가 의료과실로 사망한 것으로 전제하고 의사가 유족들에게 손해배상금을 지급하기로 하는 합의가 이루어졌으나 그 사인이 진료와는 관련이 없는 것으로 판명되었다면 위 합의는 그 목적이 아닌 망인의 사인에 관한 착오로 이루어진 화해이므로 착오를 이유로 취소할 수 있다(대판 1991.1.25, 90다12526).

기출예제

甲은 乙 소유의 X토지에 관하여 乙과 매매계약을 체결하였다. 이에 관한 설명으로 옳은 것은? (다툼이 있으면 판례에 따름) 제27회

① 甲이 乙에 의하여 유발된 동기의 착오로 매매계약을 체결한 경우, 甲은 체결 당시 그 동기를 표시한 경우에 한하여 그 계약을 취소할 수 있다.
② 甲이 착오를 이유로 매매계약을 취소하려는 경우, 乙이 이를 저지하려면 甲의 중대한 과실을 증명하여야 한다.
③ X의 시가에 대한 甲의 착오는 특별한 사정이 없는 한 법률행위의 중요부분에 대한 착오에 해당한다.
④ 乙이 甲의 중도금 지급채무 불이행을 이유로 매매계약을 적법하게 해제한 경우, 甲은 그 계약내용에 착오가 있었더라도 이를 이유로 취소권을 행사할 여지가 없다.
⑤ 법률행위 내용의 중요부분의 착오가 되기 위해서는 특별한 사정이 없는 한 착오에 빠진 甲이 그로 인하여 경제적 불이익을 입어야 하는 것이 아니다.

해설

② 민법 제109조 제1항 단서에서 규정하는 착오한 표의자의 중대한 과실 유무에 관한 주장과 입증책임은 착오자가 아니라 의사표시를 취소하게 하지 않으려는 상대방에게 있다(대판 2005.5.12, 2005다6228).
① '동기가 상대방의 부정한 방법에 의해 유발된 경우'(대판 1987.7.21, 85다카2339) 또는 '동기가 상대방으로부터 제공된 경우'(대판 1978.7.11, 78다719)에는 동기가 표시되지 않았다고 하더라도 그 동기는 법률행위 내용의 중요부분의 착오에 해당한다.
③ 부동산 매매에 있어서 시가에 관한 착오는 부동산을 매매하려는 의사를 결정함에 있어 동기의 착오에 불과할 뿐 법률행위의 중요부분에 관한 착오라고 할 수 없다(대판 1992.10.23, 92다29337).
④ 매도인이 매수인의 중도금 지급채무 불이행을 이유로 매매계약을 적법하게 해제한 후라도 매수인으로서는 상대방이 한 계약해제의 효과로서 발생하는 손해배상책임을 지거나 매매계약에 따른 계약금의 반환을 받을 수 없는 불이익을 면하기 위하여 착오를 이유로 한 취소권을 행사하여 매매계약 전체를 무효로 돌리게 할 수 있다(대판 1996.12.6, 95다24982).
⑤ 판례는 "착오가 법률행위 내용의 중요부분에 있다고 하기 위하여는 표의자에 의하여 추구된 목적을 고려하여 합리적으로 판단하여 볼 때 표시와 의사의 불일치가 객관적으로 현저하여야 하고, 만일 그 착오로 인하여 표의자가 무슨 경제적인 불이익을 입은 것이 아니라고 한다면 이를 법률행위 내용의 중요부분의 착오라고 할 수 없다."고 한다(대판 1999.2.23, 98다47924). 정답: ②

05 사기 · 강박에 의한 의사표시

제110조【사기 · 강박에 의한 의사표시】① 사기나 강박에 의한 의사표시는 취소할 수 있다.
② 상대방 있는 의사표시에 관하여 제3자가 사기나 강박을 행한 경우에는 상대방이 그 사실을 알았거나 알 수 있었을 경우에 한하여 그 의사표시를 취소할 수 있다.
③ 전2항의 의사표시의 취소는 선의의 제3자에게 대항하지 못한다.

(1) 의의

사기나 강박에 의한 의사표시는 의사표시가 타인의 부당한 간섭으로 말미암아 방해된 상태에서 자유롭지 못하게 행하여지는 것을 말한다. 사기나 강박이란 남을 속이거나 위협하여 그로 하여금 의사표시를 하게 하는 것을 말한다. 이러한 의사표시에 있어서는 의사와 표시의 불일치는 존재하지 않으며, 단지 의사의 형성과정에 하자가 존재한다(대판 2005.5.27, 2004다43824).

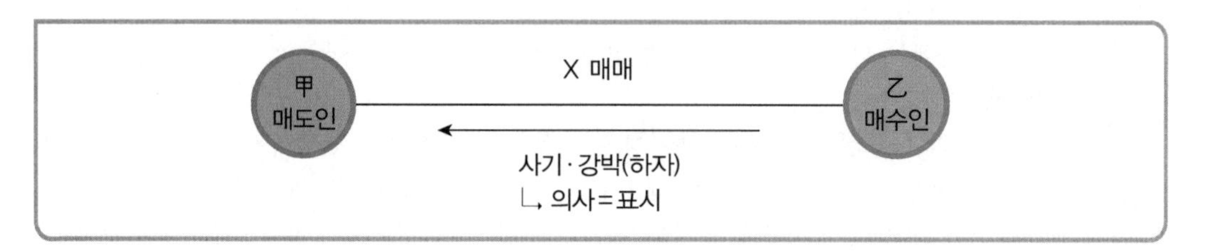

(2) 요건

① 사기에 의한 의사표시

㉠ **의사표시의 존재:** 사기에 의한 의사표시가 인정되려면, 그 당연한 전제로서 의사표시가 존재하여야 한다.

㉡ **사기자의 고의:** 여기서의 고의는 2단의 고의, 즉 표의자를 기망하여 착오에 빠지게 하려는 고의와 그 착오에 기하여 표의자로 하여금 의사표시를 하게 하려는 고의가 있어야 한다(통설).

㉢ **기망행위:** 기망행위란 표의자로 하여금 사실과 다른 그릇된 관념을 가지게 하거나 이를 강화 또는 유지하려는 모든 행위를 말한다. 따라서 "매수인이 매도인의 기망에 의하여 타인의 물건을 매도인의 것으로 알고 매수한다는 의사표시를 한 것이고 만일 타인의 물건인 줄 알았더라면 매수하지 아니하였을 사정이 있는 경우에는 매수인은 민법 제110조에 의하여 매수의 의사표시를 취소할 수 있다고 해석해야 할 것이다(대판 1973.10.23, 73다268)." 단순한 침묵은 원칙적으로 기망행위가 아니나, 신의칙 및 거래관념에 비추어 어떤 상황을 고지할 법률상의 의무가 있음에도 불구하고 이를 고지하지 않음으로써 표의자에게 실제와 다른 관념을 야기·강화·유지하게 하는 경우에는 기망행위로 된다고 할 것이다(대판 2002.9.4, 2000다54406). 판례는, 아파트 분양자는 아파트 단지 인근에 쓰레기 매립장이 건설예정인 사실(대판 2006.10.12, 2004다48515)이나 공동묘지가 조성되어 있는 사실(대판 2007.6.1, 2005다5812)을 분양계약자에게 고지할 신의칙상 의무를 부담하며, 따라서 이를 하지 않은 것은 기망행위가 된다는 것이다. 임차권의 양도에 있어서 그 임차권의 존속기간, 임대기간 종료 후의 재계약 여부, 임대인의 동의 여부는 그

계약의 중요한 요소를 이루는 것이므로 양도인으로서는 이에 관계되는 모든 사정을 양수인에게 알려주어야 할 신의칙상의 의무가 있는데, 임차권양도계약이 체결될 당시에 임차건물에 대한 임대차기간의 연장이나 임차권 양도에 대한 임대인의 동의 여부가 확실하지 않은 상태에서 몇 차례에 걸쳐 명도요구를 받고 있었던 임차권 양도인이 그 여부를 확인하여 양수인에게 설명하지 아니한 채 임차권을 양도한 행위는 기망행위에 해당한다(대판 1996.6.14, 94다41003). 그러나 교환계약의 당사자는 시가를 설명 내지 고지할 신의칙상의 주의의무가 없기 때문에 당사자 일방이 자기 소유 목적물의 시가를 묵비한 것은 기망행위가 아니라고 한다(대판 2002.9.4, 2000다54406).

㉣ **기망행위의 위법성**: 위법성의 유무는 개별적인 경우의 사정 위에서 신의칙 및 거래관념에 의하여 판단하여야 한다(대판 2014.1.29, 2011다107627). 예컨대, 시장 노점에서 물건을 사는 경우와 전문점에서 사는 경우에 그 진술은 평가가 다를 수 있다. 상품의 선전광고에 있어서 거래의 중요한 사항에 관하여 구체적 사실을 신의성실의 의무에 비추어 비난받을 정도의 방법으로 허위로 고지한 경우에는 기망행위에 해당한다고 할 것이나, 그 선전광고에 다소의 과장허위가 수반되는 것은 그것이 일반 상거래의 관행과 신의칙에 비추어 시인될 수 있는 한 기망성이 결여된다고 할 것이므로, 상가를 분양하면서 그곳에 첨단오락타운을 조성하고 전문경영인에 의한 위탁경영을 통하여 일정 수익을 보장한다는 취지의 광고를 하였다고 하여 이로써 상대방을 기망하여 분양계약을 체결하게 하였다거나 상대방이 계약의 중요부분에 관하여 착오를 일으켜 분양계약을 체결하게 된 것이라 볼 수 없다(대판 2001.5.29, 99다55601·55618). 그러나 대형백화점의 이른바 변칙세일은 기망행위에 해당하고, 그 사술의 정도가 사회적으로 용인될 수 있는 상술의 정도를 넘은 것이어서 위법성이 있다(대판 1993.8.13, 92다52665).

㉤ **인과관계**: 기망행위와 착오 사이에 인과관계가 있어야 한다. 또한 착오와 의사표시 사이에도 인과관계가 인정되어야 한다. 여기의 인과관계는 표의자의 주관적인 것이어도 무방하다(통설).

㉥ **증명책임**: 취소를 주장하는 자가 사기에 의한 의사표시의 모든 요건을 증명하여야 한다.

② 강박에 의한 의사표시

㉠ **의사표시의 존재**: 강박에 의한 의사표시가 인정되려면 먼저 의사표시가 존재하여야 한다. 어떤 자가 항거할 수 없는 물리적인 힘에 의하여 의사결정의 자유를 완전히 빼앗긴 상태에서 의사표시의 외관만을 만들어낸 경우에는 의사결정의 여지가 없다.

판례 **강박의 정도와 그에 의한 의사표시의 효력**

상대방 또는 제3자의 강박에 의하여 **의사결정의 자유가 완전히 박탈된 상태에서 이루어진 의사표시**는 효과의사에 대응하는 내심의 의사가 결여된 것이므로 **무효**라고 볼 수밖에 없으나, 강박이 의사결정의 자유를 완전히 박탈하는 정도에 이르지 아니하고 **이를 제한하는 정도에 그친 경우**에는 그 의사표시는 **취소**할 수 있음에 그치고 무효라고까지 볼 수 없다(대판 1984.12.11, 84다카1402).

ⓛ **강박의 고의**: 2단계의 고의가 필요하다. 즉, 상대방이 표의자로 하여금 공포심을 생기게 하고 이로 인하여 법률행위의사를 결정하게 할 고의가 있어야 한다[통설, 판례(대판 1975.3.25, 73다1048)].

ⓒ **강박행위**: 강박행위, 즉 해악을 가하겠다고 위협하여 공포심을 일으키게 하는 행위가 있어야 한다. 즉, '불법으로 어떤 해악을 고지'한 것이어야 하므로 '각서에 서명날인할 것을 강력히 요구'한 것만으로 곧 강박행위로 볼 수 없다(대판 1979.1.16, 78다1968).

ⓡ **강박행위의 위법성**: 강박행위의 위법성은 피강박자의 의사표시와 관련하여 문제되어야 한다. 또한 위법성의 유무는 강박에 의하여 달성하려고 한 목적과 수단인 강박행위의 양자를 상관적으로 고찰하여 강박자의 행위 내지 용태 전체로서의 위법성 유무를 판단하여야 한다(통설 · 판례). 일반적으로 부정행위에 대한 고소, 고발은 그것이 부정한 이익을 목적으로 하는 것이 아닌 때에는 정당한 권리행사가 되어 위법하다고 할 수 없으나, 부정한 이익의 취득을 목적으로 하는 경우에는 위법한 강박행위가 되는 경우가 있고 목적이 정당하다 하더라도 행위나 수단 등이 부당한 때에는 위법성이 있는 경우가 있을 수 있다(대판 1992.12.24, 92다25120).

ⓜ **인과관계**: 강박행위와 의사표시 사이에 인과관계가 있어야 한다. 그리하여 강박에 의한 의사표시라고 하려면 상대방이 불법으로 어떤 해악을 고지함으로 말미암아 공포를 느끼고 의사표시를 한 것이어야 한다(대판 2003.5.13, 2002다73708 · 73715).

ⓑ **증명책임**: 취소를 주장하는 자가 강박에 의한 의사표시의 모든 요건을 증명하여야 한다(대판 1969.12.9, 69다1818).

(3) 효과

① 취소권의 발생

㉠ **상대방의 사기 · 강박**: 의사표시의 상대방이 사기 또는 강박을 한 경우에 표의자는 그 의사표시를 취소할 수 있다(제110조 제1항).

㉡ 제3자의 사기 · 강박

ⓐ **상대방 없는 의사표시**: 상대방 없는 의사표시를 제3자의 사기나 강박으로 인해 한 때에는, 표의자는 언제나 그 의사표시를 취소할 수 있다(제110조 제1항). 제110조 제2항은 그 성질상 상대방 없는 의사표시에는 적용되지 않는다.

ⓑ **상대방 있는 의사표시**: 상대방 있는 의사표시를 제3자의 사기나 강박으로 인해 한 때에는, '상대방이 그 사실을 알았거나 알 수 있었을 때'에 한하여 그 의사표시를 취소할 수 있다(제110조 제2항). 여기의 제3자는 상대방과 동일시할 수 없는 자로서, 상대방의 피용자(대판 1998.1.23, 96다41496[1]), 담보제공자(보증인 · 물상보증인)에 대하여 사기 · 강박을 행한 채무자 등이다. 그러나 '상대방의 대리인 등 상대방과 동일시할 수 있는 자'는 제3자가 아니다(대판 1999.2.23, 98다60828[2]).

1 상호신용금고를 근저당권자로 하는 근저당권설정계약에 있어서 그 금고의 피용자인 기획감사실 과장은 금고에 대하여 제3자이다.

2 은행을 소비대주로 하는 소비대차에 있어서 은행의 출장소장은 은행에 대하여 제3자가 아니다.

② 취소의 효과

㉠ 사기 · 강박에 의한 의사표시가 취소되면 그 의사표시를 요소로 하는 법률행위가 소급적으로 무효가 된다(제141조).

㉡ 사기나 강박에 의한 의사표시의 취소는 선의의 제3자에게 대항하지 못한다(제110조 제3항). 특별한 사정이 없는 한 제3자는 선의로 추정된다. 따라서 제3자의 악의 여부를 표의자가 증명하여야 한다(대판 1970.11.24, 70다2155). 그리고 취소를 주장하는 자와 양립되지 아니하는 법률관계를 가졌던 것이 취소 이전에 있었던가 이후에 있었던가는 가릴 필요가 없다(대판 1975.4.9, 75다533).

판례 선의의 제3자의 범위

부동산의 양도계약이 사기에 의한 의사표시에 해당하는 경우에 있어서는 **공시방법인 소유권이전등기를 마친 기망행위자와 사이에 새로운 법률원인을 맺어 이해관계를 갖게 된 자만이 민법 제110조 제3항 소정의 제3자에 해당한다고 할 수 없다**(대판 1997.12.26, 96다44860).

---

(4) 적용범위

① 제110조는 특별규정이 없는 한 원칙적으로 모든 사법상의 의사표시에 적용된다. 그러나 신분행위에는 당사자의 의사가 존중되어야 하므로 적용되지 않으며, 재산행위일지라도 전형적인 거래행위나 단체적 행위에는 거래의 안전상 제110조는 적용되지 않는다(상법 제320조).

② 동조는 행정처분 · 소송행위에도 적용되지 않는다. 즉, 소 또는 항소취하(대판 1970. 6.30, 70후7), 가처분취하(대판 1980.5.27, 76다1828), 소송상 화해(대판 1979.5. 15, 78다1094), 귀속재산불하의 취소처분(대판 1959.10.1, 4292민상174) 등에는 적용되지 않는다.

(5) 제110조와 다른 규정의 경합 여부

① **화해계약과 제110조의 경합 여부**: 화해계약이 사기로 인하여 이루어진 경우에는 화해의 목적인 분쟁에 관한 사항에 착오가 있는 때에도 민법 제110조에 따라 이를 취소할 수 있다(대판 2008.9.11, 2008다15278).

② **담보책임과의 경합 여부**: 매수인은 담보책임과 제110조의 취소권을 선택적으로 행사할 수 있다[통설, 판례(대판 1973.10.23, 73다268)].

③ **불법행위책임과의 경합 여부**: 법률행위가 사기에 의한 것으로서 취소되는 경우에 그 법률행위가 동시에 불법행위를 구성하는 때에는 **취소의 효과로 생기는 부당이득반환청구권과 불법행위로 인한 손해배상청구권은 경합하여 병존**하는 것이므로, 채권자는 어느 것이라도 **선택하여** 행사할 수 있지만 **중첩적으로 행사할 수는 없다**(대판 1993.4. 27, 92다56087).

판례 **제3자에 의한 사기행위로 계약을 체결한 경우**

제3자의 사기행위로 인하여 피해자가 주택건설사와 사이에 주택에 관한 **분양계약을 체결하였다고 하더라도 제3자의 사기행위 자체가 불법행위를 구성**하는 이상, 제3자로서는 그 불법행위로 인하여 피해자가 입은 손해를 배상할 책임을 부담하는 것이므로, **피해자가 제3자를 상대로 손해배상청구를 하기 위하여 반드시 그 분양계약을 취소할 필요는 없다**(대판 1998.3.10, 97다55829).

기출예제

사기 · 강박의 의사표시에 관한 설명으로 옳지 않은 것은? (다툼이 있으면 판례에 따름)

제27회

① 교환계약의 당사자가 자기 소유 목적물의 시가를 묵비한 것은 특별한 사정이 없는 한 기망행위가 아니다.
② 매수인의 대리인이 매도인을 기망하여 매도인과 매매계약을 체결한 경우, 매수인이 그 대리인의 기망사실을 알 수 없었더라도 매도인은 사기를 이유로 의사표시를 취소할 수 있다.
③ 양수인의 사기로 의사표시를 한 부동산의 양도인이 제3자에 대하여 사기에 의한 의사표시의 취소를 주장하는 경우, 제3자는 특별한 사정이 없는 한 자신의 선의를 증명해야 한다.
④ 매매계약에 있어서 사기에 기한 취소권과 매도인의 담보책임이 경합하는 경우, 매도인으로부터 기망당한 매수인은 사기를 이유로 의사표시를 취소할 수 있다.
⑤ 강박에 의하여 의사결정의 자유가 완전히 박탈된 상태에서 이루어진 의사표시는 무효이다.

해설

사기의 의사표시로 인한 매수인으로부터 부동산의 권리를 취득한 제3자는 특별한 사정이 없는 한 선의로 추정할 것이므로 사기로 인하여 의사표시를 한 부동산의 양도인이 제3자에 대하여 사기에 의한 의사표시의 취소를 주장하려면 제3자의 악의를 입증할 필요가 있다(대판 1970.11.24, 70다2155). 정답: ③

제2관 의사표시의 효력발생

01 총설

상대방 없는 의사표시는 원칙적으로 표시행위가 완료된 때에 효력을 발생하며(표백주의), 특별한 문제가 없다. 그러나 상대방 있는 의사표시의 경우에는 표시행위에 의하여 효과의사가 외부에서 알 수 있는 상태로 됨으로써 충분한 것이 아니라, 표시행위가 바로 그 상대방을 향하여 행해져야 한다. 그 의사표시에 있어서는 의사표시의 효력발생시기, 의사표시의 수령능력, 상대방이 누구인지를 모르는 경우 등에 어떻게 하여야 하는가 등이 문제된다.

02 상대방 있는 의사표시의 효력발생시기

제111조【의사표시의 효력발생시기】① 상대방이 있는 의사표시는 상대방에게 도달한 때에 그 효력이 생긴다.
② 의사표시자가 그 통지를 발송한 후 사망하거나 제한능력자가 되어도 의사표시의 효력에 영향을 미치지 아니한다.

(1) 서설

상대방 있는 의사표시는 보통 표의자에 의한 '표백 ⇨ 발신 ⇨ 상대방에의 도달 ⇨ 상대방의 요지'의 단계를 거친다. 의사표시의 효력발생에 관한 입법주의로 표백주의, 발신주의[민법상 제15조, 제71조, 제131조, 제455조, 제531조. 상법상 격지자간 청약의 구속력, 청약의 낙부(諾否) 통지], 도달주의(우리 민법의 원칙), 요지주의가 있다.

(2) 도달주의

① 도달주의의 원칙: 상대방 있는 의사표시는 격지자이냐 또는 대화자이냐를 구별하지 않고 표시행위가 상대방에게 도달한 때로부터 그 효력이 생긴다(제111조 제1항).

② 도달주의의 내용

㉠ 도달이라 함은 사회관념상 채무자가 통지의 내용을 알 수 있는 객관적 상태에 놓여졌다고 인정되는 상태를 지칭한다고 해석되므로, 채무자가 이를 현실적으로 수령하였다거나 그 통지의 내용을 알았을 것까지는 필요로 하지 않는다(대판 1997.11.25, 97다31281). 그러므로 정당한 이유 없이 수령을 거절한 경우 상대방의 지배권 내에 들어가 사회통념상 일반적으로 요지할 수 있는 상태가 생겼다고 인정되는 때에 도달된 것으로 보아야 한다.

㉡ 의사표시가 상대방의 주소나 그 지정된 장소에서 그의 동거가족이나 피용인에게 교부된 경우, 그들이 상대방을 위해 수령한다는 사실을 이해할 수 있는 사실상의 정신능력이 있는 한 도달의 효력이 생긴다. 그러나 아파트 경비원이 집배원으로부터 우편물을 수령한 후 이를 우편함에 넣어 둔 사실만으로 수취인이 그 우편물을 수취하였다고 추단할 수 없다(대판 2006.3.24, 2005다66411).

㉢ 의사표시가 도달하였다는 점은 표의자가 증명하여야 한다. 도달이 효력발생요건이기는 하지만 민법이 도달을 요구하고 있기 때문이다. 판례에 의하면 내용증명 우편물 또는 등기로 발송한 우편물은 발송되고 반송되지 아니하였다면 특별한 사정이 없는 한 이는 그 무렵에 송달되었다고 볼 것이다(대판 1997.2.25, 96다38322; 대판 1992.3.27, 91누3819). 그러나 통상우편으로 발송된 경우에는 상당기간 내에 도달하였다고 추정할 수 없다고 한다(대판 2002.7.26, 2000다25002).

③ 도달주의의 효과

㉠ 도달한 때에 의사표시의 효력이 발생한다. 따라서 의사표시의 불착·연착은 모두 표의자의 불이익으로 돌아간다.

㉡ 의사표시가 상대방에게 도달하여 효력이 발생하면, 그 의사표시를 철회할 수 없다. 즉, 표의자는 그 의사표시에 구속된다. 그러나 의사표시의 발신 후 도달 전에는 그 의사표시를 철회할 수 있다[통설, 판례(대판 2000.9.5, 99두8657)]. 따라서 의사표시가 상대방에게 도달하기 전에, 또는 이와 동시에 철회의 통지가 상대방에게 도달하는 때에는 그 의사표시의 효력은 발생하지 않는다.

㉢ 의사표시 발신 후의 사정변경은 의사표시에 영향을 미치지 않는다. 따라서 의사표시가 도달하고 있는 한, '의사표시자가 그 통지를 발송한 후 사망하거나 제한능력자가 되어도 의사표시의 효력에 영향을 미치지 아니한다'(제111조 제2항).

(3) 도달주의에 대한 예외 – 발신주의

격지자간의 계약에서 청약에 대한 승낙의 의사표시는 의사표시를 발송한 때 그 효력을 발생하며, 그때 계약이 성립한다(제531조). 그 밖에 확답촉구 또는 최고의 효과도 보통 발신주의에 의한다. 또한 사원총회의 소집은 1주간 전에 그 통지를 발송하여야 한다(제71조).

핵심 콕! 콕! 발신주의에 의하는 경우

1. 제한능력자 상대방의 확답촉구에 대한 본인의 확답(제15조)
2. 무권대리에서 상대방의 최고에 대한 본인의 확답(제131조)
3. 채무인수에서 채무자의 최고에 대한 채권자의 확답(제455조 제2항)

03 의사표시의 효력발생과 관련된 몇 가지 문제

(1) 의사표시의 공시송달

> 제113조【의사표시의 공시송달】표의자가 과실 없이 상대방을 알지 못하거나 상대방의 소재를 알지 못하는 경우에는 의사표시는 민사소송법 공시송달의 규정에 의하여 송달할 수 있다.

공시송달은 법원서기관이나 서기가 송달할 서류를 보관하고, 그 사유를 법원게시장에 게시함으로써 한다(민사소송법 제195조). 게시한 날로부터 2주일이 경과하면 상대방에게 도달한 것으로 간주한다(동법 제196조 제1항). 외국에서 할 송달에 대한 공시송달은 2월이 경과한 후에 효력이 발생한다.

(2) 의사표시의 수령능력

> 제112조【제한능력자에 대한 의사표시의 효력】의사표시의 상대방이 의사표시를 받은 때에 제한능력자인 경우에는 의사표시자는 그 의사표시로써 대항할 수 없다. 다만, 그 상대방의 법정대리인이 의사표시가 도달한 사실을 안 후에는 그러하지 아니하다.

① 민법은 모든 제한능력자를 의사표시의 수령무능력자로 규정한다. 그리하여 '의사표시의 상대방이 의사표시를 받은 때에 제한능력자인 경우에는 의사표시자는 그 의사표시로써 대항할 수 없다. 다만, 그 상대방의 법정대리인이 의사표시가 도달한 사실을 안 후'에는 대항할 수 있다(제112조). 물론 제한능력자가 의사표시의 도달을 주장하는 것은 상관없다.

② 미성년자나 피한정후견인도 일정한 경우에는 행위능력이 인정되는데, 이때에는 수령능력이 있다고 본다(통설).

마무리STEP 1 | OX 문제

01 진의 아닌 의사표시는 상대방이 악의인 경우에만 무효이므로 상대방의 과실 여부는 그 효력에 영향을 미치지 않는다. ( )

02 진의 아닌 의사표시에서 '진의'란 표의자가 진정으로 마음속에서 바라는 사항을 뜻한다. ( )

03 근로자가 회사방침에 따라 사직서를 제출한 후 계속해서 근무하였다면 이는 비진의표시로서 퇴직의 효과는 발생하지 않는다. ( )

04 비진의 의사표시의 무효를 주장하는 자가 상대방의 악의 또는 과실에 대한 증명책임을 진다. ( )

05 진의 아닌 의사표시의 무효에 관한 규정은 공법행위에는 적용되지 않는다. ( )

06 통정허위표시가 성립하기 위해서는 표의자의 진의와 표시의 불일치에 관하여 상대방과의 사이에 합의가 있어야 한다. ( )

07 통정허위표시로 무효인 법률행위는 채권자취소권의 대상이 될 수 있다. ( )

01 × 의사표시는 표의자가 진의 아님을 알고 한 것이라도 그 효력이 있다. 그러나 상대방이 표의자의 진의 아님을 알았거나 이를 알 수 있었을 경우에는 무효로 한다(제107조 제1항). 표의자가 상대방의 악의 또는 과실을 입증하여 무효를 주장할 수 있다.

02 × 진의란 특정한 내용의 의사표시를 하고자 하는 표의자의 생각을 말하는 것이지 표의자가 진정으로 마음속에서 바라는 사항을 뜻하는 것은 아니라고 할 것이다(대판 1993.7.16, 92다41528).

03 ○

04 ○

05 ○

06 ○

07 ○

08 가장양수인으로부터 소유권이전등기청구권 보전을 위한 가등기를 경료받은 자는 특별한 사정이 없는 한 선의로 추정된다. ( )

09 민법 제108조 제2항에서 규정하고 있는 제3자에 대한 무효의 대항력 유무는 제3자의 선의만이 판단기준이며, 무과실은 요구되지 않는다. ( )

10 가장소비대차의 대주가 파산선고를 받은 경우 선의의 파산관재인은 허위표시의 무효로 대항할 수 없는 제3자에 해당한다. ( )

11 상속인, 채권의 가장양도에서 가장양수인에게 채무를 변제하고 있지 않던 채무자, 채권의 가장양수인으로부터 추심을 위하여 채권을 양수한 자, 허위표시의 당사자로부터 계약상 지위를 이전받은 자는 허위표시의 무효로 대항할 수 없는 제3자가 아니다. ( )

12 동기가 표시되지 않았더라도 상대방에 의하여 유발된 동기의 착오는 취소할 수 있다. ( )

13 착오로 인하여 표의자가 경제적인 불이익을 입은 것이 아니라면 이를 법률행위 내용의 중요부분의 착오라고 할 수 없다. ( )

14 부동산 매매계약에서 시가에 관한 착오는 원칙적으로 법률행위의 중요부분에 관한 착오가 아니다. ( )

15 표의자에게 중대한 과실이 있는지 여부에 관한 증명책임은 그 의사표시를 취소하게 하지 않으려는 상대방에게 있다. ( )

08 ○
09 ○
10 ○
11 ○
12 ○
13 ○
14 ○
15 ○

16 상대방이 표의자의 착오를 알면서 이를 이용한 경우, 표의자는 자신에게 중대한 과실이 있더라도 그 의사표시를 취소할 수 있다. ( )

17 매도인이 매매계약을 적법하게 해제한 경우, 매수인은 착오를 이유로 그 계약을 취소할 수 없다. ( )

18 물건의 하자로 매도인의 하자담보책임이 성립하는 경우, 매수인은 매매계약 내용의 중요부분에 착오가 있더라도 그 계약을 취소할 수 없다. ( )

19 출연재산이 재단법인의 기본재산인지 여부는 착오에 의한 출연행위의 취소에 영향을 주지 않는다. ( )

20 사기에 의한 의사표시에서 상대방에 대한 고지의무가 있는 경우, 고지의무의 부작위는 기망행위가 될 수 없다. ( )

21 교환계약의 당사자가 자기가 소유하는 목적물의 시가를 묵비하여 상대방에게 고지하지 않은 것은 특별한 사정이 없는 한 기망행위에 해당하지 않는다. ( )

22 어떤 해악의 고지가 없이 단지 각서에 서명날인할 것을 강력히 요구한 것만으로도 강박에 해당한다. ( )

16 ○

17 × 매도인이 매수인의 중도금 지급채무 불이행을 이유로 매매계약을 적법하게 해제한 후라도 매수인으로서는 착오를 이유로 한 취소권을 행사하여 매매계약 전체를 무효로 돌리게 할 수 있다(대판 1996.12.6, 95다24982).

18 × 매매계약 내용의 중요부분에 착오가 있는 경우 매수인은 매도인의 하자담보책임이 성립하는지와 상관없이 착오를 이유로 매매계약을 취소할 수 있다(대판 2018.9.13, 2015다78703).

19 ○

20 × 신의칙 및 거래관념에 비추어 어떤 상황을 고지할 법률상의 의무가 있음에도 불구하고 이를 고지하지 않음으로써 표의자에게 실제와 다른 관념을 야기·강화·유지하게 하는 경우에는 기망행위로 된다(대판 2002.9.4, 2000다54406).

21 ○

22 × '불법으로 어떤 해악을 고지'한 것이어야 하므로 '각서에 서명날인할 것을 강력히 요구'한 것만으로 곧 강박행위로 볼 수 없다(대판 1979.1.16, 78다1968).

23 상대방의 대리인은 상대방과 동일시되지 않으므로 그의 기망행위는 제3자의 기망행위에 해당한다. ( )

24 상대방의 피용자는 제3자에 의한 사기에 관한 민법 제110조 제2항에서 정한 제3자에 해당하지 않는다. ( )

25 의사표시가 상대방에게 도달한 후에도 상대방이 이를 알기 전이라면 특별한 사정이 없는 한 그 의사표시를 철회할 수 있다. ( )

26 의사표시를 보통우편으로 발송한 경우, 그 우편이 반송되지 않는 한 의사표시는 도달된 것으로 추정된다. ( )

27 격지자간의 계약은 승낙의 통지가 도달한 때 성립한다. ( )

28 의사표시의 상대방이 의사표시를 받은 때에는 피특정후견인인 경우에는 의사표시자는 그 의사표시로써 대항할 수 있다. ( )

23 × 상대방 있는 의사표시에 관하여 제3자가 사기나 강박을 한 경우에는 상대방이 그 사실을 알았거나 알 수 있었을 경우에 한하여 그 의사표시를 취소할 수 있으나, 상대방의 대리인 등 상대방과 동일시할 수 있는 자의 사기나 강박은 제3자의 사기·강박에 해당하지 아니한다(대판 1999.2.23, 98다60828).

24 × 민법 제110조 제2항에서 정한 제3자에 해당되지 아니한다고 볼 수 있는 자란 그 의사표시에 관한 상대방의 대리인 등 상대방과 동일시할 수 있는 자만을 의미하고, 단순히 상대방의 피용자이거나 상대방이 사용자책임을 져야 할 관계에 있는 피용자에 지나지 않는 자는 상대방과 동일시할 수는 없어 이 규정에서 말하는 제3자에 해당한다(대판 1998.1.23, 96다41496).

25 × 의사표시가 상대방에게 도달하여 효력이 발생하면, 그 의사표시를 철회할 수 없다. 즉, 표의자는 그 의사표시에 구속된다.

26 × 내용증명 우편물 또는 등기로 발송한 우편물은 발송되고 반송되지 아니하였다면 특별한 사정이 없는 한 이는 그 무렵에 송달되었다고 볼 것이다(대판 1997.2.25, 96다38322; 대판 1992.3.27, 91누3819). 그러나 통상우편으로 발송된 경우에는 상당기간 내에 도달하였다고 추정할 수 없다(대판 2002.7.26, 2000다25002).

27 × 격지자간의 계약은 승낙의 통지를 발송한 때에 성립한다(제531조).

28 ○

마무리STEP 2 | 확인문제

01 **묵시적 의사표시에 의해서도 그 효력이 발생하는 것을 모두 고른 것은? (다툼이 있으면 판례에 따름)** 제22회

> ㉠ 임대차계약에 대한 합의해지의 의사표시
> ㉡ 법률행위에 조건을 붙이는 의사표시
> ㉢ 무효인 법률행위를 추인하는 의사표시
> ㉣ 소멸시효의 진행을 중단시키는 승인의 의사표시

① ㉠
② ㉠, ㉣
③ ㉡, ㉢
④ ㉡, ㉢, ㉣
⑤ ㉠, ㉡, ㉢, ㉣

02 **진의 아닌 의사표시에 관한 설명으로 옳은 것을 모두 고른 것은? (다툼이 있으면 판례에 따름)** 제25회

> ㉠ 진의는 표의자가 진정으로 마음속에서 바라는 사항을 말한다.
> ㉡ 진의와 표시가 일치하지 않음을 표의자가 과실로 알지 못하고 한 의사표시는 진의 아닌 의사표시에 해당하지 않는다.
> ㉢ 어떠한 의사표시가 진의 아닌 의사표시로서 무효라고 주장하는 경우에 그 증명책임은 그 주장자에게 있다.

① ㉠
② ㉡
③ ㉠, ㉢
④ ㉡, ㉢
⑤ ㉠, ㉡, ㉢

03 의사와 표시의 불일치에 관한 설명으로 옳은 것은? (다툼이 있으면 판례에 따름)

제22회

① 진의 아닌 의사표시에서 '진의'란 표의자가 진정으로 마음속에서 바라는 사항을 뜻한다.

② 진의 아닌 의사표시는 상대방이 악의인 경우에만 무효이므로 상대방의 과실 여부는 그 효력에 영향을 미치지 않는다.

③ 통정허위표시에 기초하여 새로운 이해관계를 맺은 제3자는 특별한 사정이 없는 한 악의로 추정된다.

④ 부동산의 가장양수인으로부터 소유권이전등기청구권 보전의 가등기를 받은 자는 통정허위표시의 제3자에 해당하지 않는다.

⑤ 채무자의 법률행위가 채권자취소권의 대상이 되더라도 통정허위표시의 요건을 갖추면 무효이다.

정답 | 해설

01 ⑤ ㉠㉡㉢㉣ 불요식행위가 원칙이므로 의사표시는 명시적 또는 묵시적으로 할 수 있다.

02 ④ ㉠ 진의란 특정한 내용의 의사표시를 하고자 하는 표의자의 생각을 말하는 것이지, 표의자가 진정으로 마음속에서 바라는 사항을 뜻하는 것은 아니라고 할 것이다(대판 1993.7.16, 92다41528).

03 ⑤ ⑤ 채무자의 법률행위가 통정허위표시인 경우에도 채권자취소권의 대상이 되고, 한편 채권자취소권의 대상으로 된 채무자의 법률행위라도 통정허위표시의 요건을 갖춘 경우에는 무효라고 할 것이다(대판 1998.2.27, 97다50985).

① 진의란 특정한 내용의 의사표시를 하고자 하는 표의자의 생각을 말하는 것이지, 표의자가 진정으로 마음속에서 바라는 사항을 뜻하는 것은 아니라고 할 것이다(대판 1993.7.16, 92다41528).

② 진의 아닌 의사표시는 상대방이 표의자의 '진의 아님을 알았거나 알 수 있었을 경우'에는 무효이다(제107조 제1항 단서).

③ 제3자는 특별한 사정이 없는 한 선의로 추정할 것이므로, 제3자가 악의라는 사실에 관한 주장 · 증명책임은 그 허위표시의 무효를 주장하는 자에게 있다(대판 2006.3.10, 2002다1321).

④ 가장매매의 매수인으로부터 매매계약에 의한 소유권이전등기청구권 보전을 위한 가등기를 취득한 자는 통정허위표시의 제3자이다(대판 1970.9.29, 70다466).

04 **의사표시에 관한 설명으로 옳지 않은 것은? (다툼이 있으면 판례에 따름)** 제24회

① 허위표시에 의한 가장행위라 하더라도 사해행위의 요건을 갖춘 경우, 채권자취소권의 대상이 된다.
② 허위표시의 당사자는 선의의 제3자에게 과실이 있다면 의사표시의 무효를 그 제3자에게 주장할 수 있다.
③ 비진의 의사표시의 무효를 주장하는 자가 상대방의 악의 또는 과실에 대한 증명책임을 진다.
④ 사기에 의한 의사표시에서 상대방에 대한 고지의무가 없다면 침묵과 같은 부작위는 기망행위가 아니다.
⑤ 동기가 표시되지 않았더라도 상대방에 의하여 유발된 동기의 착오는 취소할 수 있다.

05 **의사표시에 관한 설명으로 옳지 않은 것은? (다툼이 있으면 판례에 따름)** 제20회

① 진의 아닌 의사표시의 무효에 관한 규정은 공법행위에는 적용되지 않는다.
② 사기에 의한 의사표시에서 상대방에 대한 고지의무가 있는 경우, 고지의무의 부작위는 기망행위가 될 수 없다.
③ 동기가 표시되지 않았더라도 상대방에 의하여 유발된 동기의 착오는 취소할 수 있다.
④ 파산자가 허위표시로 가장채권을 보유하고 있다가 파산이 선고된 경우, 파산관재인은 민법 제108조 제2항의 제3자에 해당한다.
⑤ 표의자가 과실 없이 상대방을 알지 못하는 경우, 의사표시는 민사소송법 공시송달의 규정에 의하여 송달할 수 있다.

06 **통정허위표시에 기초하여 새로운 법률상 이해관계를 맺은 '제3자'에 해당하지 않는 것은? (다툼이 있으면 판례에 따름)** 제26회

① 채권의 가장양수인으로부터 추심을 위하여 채권을 양수한 자
② 가장의 근저당설정계약이 유효하다고 믿고 그 피담보채권을 가압류한 자
③ 허위표시인 전세권설정계약에 기하여 등기까지 마친 전세권에 관하여 저당권을 취득한 자
④ 가장매매의 매수인으로부터 매매예약에 기하여 소유권이전청구권 보전을 위한 가등기권을 취득한 자
⑤ 임대차보증금 반환채권을 가장 양수한 자의 채권자가 그 채권에 대하여 압류 및 추심 명령을 받은 경우, 그 채권자

정답 | 해설

04 ② 제3자가 보호되기 위하여 선의이면 족하고, 무과실까지 요구하는 것은 아니다(대판 2004.5.28, 2003다70041).

05 ② 신의칙 및 거래관념에 비추어 어떤 상황을 고지할 법률상의 의무가 있음에도 불구하고 이를 고지하지 않음으로써 표의자에게 실제와 다른 관념을 야기·강화·유지하게 하는 경우에는 기망행위로 된다(대판 2002.9.4, 2000다54406).

06 ① 채권의 가장양수인으로부터 추심을 위하여 채권을 양수한 자는 통정허위표시에 기초하여 새로운 법률상 이해관계를 맺은 '제3자'에 해당하지 않는다.

07 **착오에 의한 의사표시에 관한 설명으로 옳지 않은 것은? (다툼이 있으면 판례에 따름)**

제26회

① 매도인이 매매계약을 적법하게 해제한 경우, 매수인은 착오를 이유로 그 계약을 취소할 수 없다.
② 착오로 인하여 표의자가 경제적인 불이익을 입은 것이 아니라면 이를 법률행위 내용의 중요부분의 착오라고 할 수 없다.
③ 상대방이 표의자의 착오를 알면서 이를 이용한 경우, 표의자는 자신에게 중대한 과실이 있더라도 그 의사표시를 취소할 수 있다.
④ 출연재산이 재단법인의 기본재산인지 여부는 착오에 의한 출연행위의 취소에 영향을 주지 않는다.
⑤ 표의자에게 중대한 과실이 있는지 여부에 관한 증명책임은 그 의사표시를 취소하게 하지 않으려는 상대방에게 있다.

08 **착오에 의한 의사표시에 관한 설명으로 옳지 않은 것은? (다툼이 있으면 판례에 따름)**

제25회

① 매도인이 매수인의 채무불이행을 이유로 매매계약을 적법하게 해제한 후에도 매수인은 착오를 이유로 그 매매계약을 취소할 수 있다.
② 물건의 하자로 매도인의 하자담보책임이 성립하는 경우, 매수인은 매매계약 내용의 중요부분에 착오가 있더라도 그 계약을 취소할 수 없다.
③ 부동산 매매계약에서 시가에 관한 착오는 원칙적으로 법률행위의 중요부분에 관한 착오가 아니다.
④ 상대방이 표의자의 착오를 알고 이용한 경우에는 착오가 표의자의 중대한 과실로 인한 것이라도 표의자는 그 의사표시를 취소할 수 있다.
⑤ 계약당사자의 합의로 착오로 인한 의사표시 취소에 관한 민법 제109조 제1항의 적용을 배제할 수 있다.

09 **甲은 乙 소유의 X토지를 매수하기로 乙과 합의하였다. 그 후 甲이 착오를 이유로 그 매매계약을 취소하고자 한다. 이에 관한 설명으로 옳은 것은? (다툼이 있으면 판례에 따름)** 제24회

① 착오로 인한 의사표시의 취소에 관한 민법 제109조 제1항은 강행규정이므로 그 적용을 배제하는 甲과 乙의 약정은 무효이다.

② X토지의 시가에 대한 착오는 특별한 사정이 없는 한 법률행위의 중요부분에 대한 착오에 해당한다.

③ 甲은 자신에게 착오가 있었다는 사실뿐만 아니라 착오가 의사표시에 결정적인 영향을 미쳤다는 점도 증명해야 한다.

④ 甲은 자신에게 중과실뿐만 아니라 경과실도 없음을 증명해야 한다.

⑤ 착오로 인한 甲의 불이익이 사후에 사정변경으로 소멸되었더라도 甲은 착오를 이유로 매매계약을 취소할 수 있다.

정답 | 해설

07 ① 매도인이 매수인의 중도금 지급채무 불이행을 이유로 매매계약을 적법하게 해제한 후라도 매수인으로서는 착오를 이유로 한 취소권을 행사하여 매매계약 전체를 무효로 돌리게 할 수 있다(대판 1996.12.6, 95다24982).

08 ② 매매계약 내용의 중요부분에 착오가 있는 경우 매수인은 매도인의 하자담보책임이 성립하는지와 상관없이 착오를 이유로 매매계약을 취소할 수 있다(대판 2018.9.13, 2015다78703).

09 ③ ③ 착오를 이유로 의사표시를 취소하는 자는 법률행위의 내용에 착오가 있었다는 사실과 함께 그 착오가 의사표시에 결정적인 영향을 미쳤다는 점, 즉 만약 그 착오가 없었더라면 의사표시를 하지 않았을 것이라는 점을 증명하여야 한다."(대판 2008.1.17, 2007다74188).

① 제109조는 임의규정이다. 따라서 "당사자의 합의로 착오로 인한 의사표시 취소에 관한 민법 제109조 제1항의 적용을 배제할 수 있다."(대판 2016.4.15, 2013다97694).

② 부동산 매매에 있어서 시가에 관한 착오는 부동산을 매매하려는 의사를 결정함에 있어 동기의 착오에 불과할 뿐 법률행위의 중요부분에 관한 착오라고 할 수 없다(대판 1992.10.23, 92다29337).

④ 중대한 과실에 관한 주장과 입증책임은 의사표시를 취소하게 하지 않으려는 상대방에게 있다(대판 2005.5.12, 2005다6228).

⑤ 판례는 매매계약에 따른 양도소득세와 관련하여 착오가 있었더라도 법령이 개정되어 착오로 인한 불이익이 소멸한 경우에는, 취소의 의사표시는 신의성실의 원칙상 허용될 수 없다고 한다(대판 1995.3.24, 94다44620).

10 **甲은 乙의 부동산을 매수하였는데 계약 내용의 중요부분에 착오가 있어 이를 이유로 매매계약을 취소하고자 한다. 이에 관한 설명으로 옳은 것은? (다툼이 있으면 판례에 따름)**

제23회

① 하자담보책임과 착오의 요건을 갖춘 경우, 甲은 하자담보책임을 물을 수 있을 뿐 착오를 이유로 매매계약을 취소할 수는 없다.

② 甲의 매매계약 취소가 인정되기 위해서는 甲은 자신에게 중대한 과실이 없었음을 주장·증명해야 한다.

③ 乙이 甲의 채무불이행을 이유로 매매계약을 적법하게 해제한 경우, 甲은 자신에게 중대한 과실이 없어도 취소권을 행사할 수 없다.

④ 경과실로 인해 착오에 빠진 甲이 매매계약을 취소한 경우, 乙은 甲에게 불법행위책임을 물을 수 있다.

⑤ 甲은 계약 내용에 착오가 있었다는 사실과 함께 만일 그 착오가 없었더라면 의사표시를 하지 않았을 것이라는 점도 증명해야 한다.

11 **甲은 자신의 부동산을 乙에게 매도하였다. 이에 관한 설명으로 옳지 않은 것은? (다툼이 있으면 판례에 따름)**

제21회

① 착오로 인한 의사표시 취소에 관한 민법규정의 적용을 배제하는 甲과 乙의 약정은 유효하다.

② 甲이 착오에 빠졌으나 경제적인 불이익을 입지 않았다면 이는 중요부분의 착오라고 할 수 없다.

③ 甲과 乙 사이의 계약이 반사회적 법률행위에 해당하는 경우, 추인에 의해서도 계약이 유효로 될 수 없다.

④ 甲과 乙 사이의 계약이 통정허위표시인 경우, 乙은 甲에게 채무불이행으로 인한 손해배상을 청구할 수 있다.

⑤ 乙의 대리인 丙이 甲을 기망하여 甲과 계약을 체결한 경우, 乙이 丙의 기망사실을 알 수 없었더라도 甲은 사기를 이유로 계약을 취소할 수 있다.

12 착오 또는 사기에 의한 의사표시에 관한 설명으로 옳지 않은 것은? (다툼이 있으면 판례에 따름)

제22회

① 당사자의 합의로 착오의 의사표시 취소에 관한 민법 제109조 제1항의 적용을 배제할 수 있다.

② 상대방의 대리인은 상대방과 동일시되지 않으므로 그의 기망행위는 제3자의 기망행위에 해당한다.

③ 출연재산이 재단법인의 기본재산인지 여부는 착오에 의한 출연행위의 취소에 영향을 주지 않는다.

④ 제3자의 기망행위로 불법행위가 성립한 경우, 피해자가 제3자에게 손해배상을 청구하기 위해서는 상대방과의 계약을 취소할 필요가 없다.

⑤ 착오로 인하여 표의자가 경제적인 불이익을 입지 않았다면 법률행위 내용의 중요부분에 대한 착오라고 할 수 없다.

정답 | 해설

10 ⑤ ⑤ 착오를 이유로 의사표시를 취소하는 자는 법률행위의 내용에 착오가 있었다는 사실과 함께 그 착오가 의사표시에 결정적인 영향을 미쳤다는 점, 즉 만약 그 착오가 없었더라면 의사표시를 하지 않았을 것이라는 점을 증명하여야 한다(대판 2008.1.17, 2007다74188).

① 매매계약 내용의 중요부분에 착오가 있는 경우 매수인은 매도인의 하자담보책임이 성립하는지와 상관없이 착오를 이유로 매매계약을 취소할 수 있다(대판 2018.9.13, 2015다78703).

② 중대한 과실에 관한 주장과 입증책임은 의사표시를 취소하게 하지 않으려는 상대방 乙에게 있다(대판 2005.5.12, 2005다6228).

③ 매도인이 매수인의 중도금 지급채무 불이행을 이유로 매매계약을 적법하게 해제한 후라도 매수인으로서는 착오를 이유로 한 취소권을 행사하여 매매계약 전체를 무효로 돌리게 할 수 있다(대판 1996.12.6, 95다24982).

④ 착오자에게 과실이 있었더라도, 착오에 빠진 것 자체가 위법하지는 않기 때문에 불법행위에 기한 손해배상이 피해자라고 할 상대방에게 반드시 인정되는 것은 아니다(대판 1997.8.22, 97다13023).

11 ④ 무효인 법률행위는 그 법률행위가 성립한 당초부터 당연히 효력이 발생하지 않는 것이므로, 무효인 법률행위에 따른 법률효과를 침해하는 것처럼 보이는 위법행위나 채무불이행이 있다고 하여도 법률효과의 침해에 따른 손해는 없는 것이므로 그 손해배상을 청구할 수는 없다(대판 2003.3.28, 2002다72125).

12 ② 상대방 있는 의사표시에 관하여 제3자가 사기나 강박을 한 경우에는 상대방이 그 사실을 알았거나 알 수 있었을 경우에 한하여 그 의사표시를 취소할 수 있으나, 상대방의 대리인 등 상대방과 동일시할 수 있는 자의 사기나 강박은 제3자의 사기·강박에 해당하지 아니한다(대판 1999.2.23, 98다60828).

13 **사기 · 강박에 의한 의사표시에 관한 설명으로 옳지 않은 것은? (다툼이 있으면 판례에 따름)** 제26회

① 매매계약의 일방 당사자가 목적물의 시가를 묵비하여 상대방에게 고지하지 않은 것은 특별한 사정이 없는 한 기망행위에 해당하지 않는다.
② 상대방의 피용자는 제3자에 의한 사기에 관한 민법 제110조 제2항에서 정한 제3자에 해당하지 않는다.
③ 제3자의 사기행위로 체결한 계약에서 그 사기행위 자체가 불법행위를 구성하는 경우, 피해자가 제3자에게 불법행위로 인한 손해배상을 청구하기 위하여 그 계약을 취소할 필요는 없다.
④ 타인의 기망행위에 의해 동기의 착오가 발생한 경우에는 사기와 착오의 경합이 인정될 수 있다.
⑤ 강박에 의한 의사표시가 취소된 동시에 불법행위의 성립요건을 갖춘 경우, 그 취소로 인한 부당이득반환청구권과 불법행위로 인한 손해배상청구권은 경합하여 병존한다.

14 **사기 또는 강박에 의한 의사표시에 관한 설명으로 옳지 않은 것은? (다툼이 있으면 판례에 따름)** 제25회

① 강박에 의하여 의사결정의 자유가 완전히 박탈된 상태에서 이루어진 의사표시는 무효이다.
② 교환계약의 당사자가 자기가 소유하는 목적물의 시가를 묵비하여 상대방에게 고지하지 않은 것은 특별한 사정이 없는 한 기망행위에 해당하지 않는다.
③ 어떤 해악의 고지가 없이 단지 각서에 서명날인할 것을 강력히 요구한 것만으로도 강박에 해당한다.
④ 제3자의 사기행위로 체결한 계약에서 그 사기행위 자체가 불법행위를 구성하는 경우, 피해자가 제3자에게 불법행위로 인한 손해배상을 청구하기 위하여 그 계약을 취소할 필요는 없다.
⑤ 상대방 있는 의사표시에 있어서 상대방과 동일시할 수 있는 자의 사기는 제3자의 사기에 해당하지 않는다.

15 **甲은 자신의 X토지를 매도할 것을 미성년자 乙에게 위임하고 대리권을 수여하였다. 乙은 甲을 대리하여 丙과 X토지의 매매계약을 체결하였는데, 계약체결 당시 丙의 위법한 기망행위가 있었다. 이에 관한 설명으로 옳은 것은? (다툼이 있으면 판례에 따름)**

제23회

① 乙이 사기를 당했는지 여부는 甲을 표준으로 하여 결정한다.
② 甲이 아니라 乙이 사기를 이유로 丙과의 매매계약을 취소할 수 있다.
③ 甲은 乙이 제한능력자라는 이유로 乙이 체결한 매매계약을 취소할 수 없다.
④ 甲은 특별한 사정이 없는 한 乙과의 위임계약을 일방적으로 해지할 수 없다.
⑤ 乙이 丙의 사기에 의해 착오를 일으켜 계약을 체결한 경우, 착오에 관한 법리는 적용되지 않고 사기에 관한 법리만 적용된다.

정답 | 해설

13 ② 민법 제110조 제2항에서 정한 제3자에 해당되지 아니한다고 볼 수 있는 자란 그 의사표시에 관한 상대방의 대리인 등 상대방과 동일시할 수 있는 자만을 의미하고, 단순히 상대방의 피용자이거나 상대방이 사용자책임을 져야 할 관계에 있는 피용자에 지나지 않는 자는 상대방과 동일시할 수는 없어 이 규정에서 말하는 제3자에 해당한다(대판 1998.1.23, 96다41496).

14 ③ '불법으로 어떤 해악을 고지'한 것이어야 하므로 '각서에 서명날인할 것을 강력히 요구'한 것만으로 곧 강박행위로 볼 수 없다(대판 1979.1.16, 78다1968).

15 ③ ③ 대리인은 행위능력자임을 요하지 않는다(제117조). 그 결과 제한능력자인 대리인이 대리행위를 한 때에도 그 행위는 취소할 수 없다.
①② 대리행위에서 '의사의 흠결, 사기, 강박 또는 어느 사정을 알았거나 과실로 알지 못한 것'은 '대리인 乙을 표준'으로 하여 결정하여야 한다(제116조 제1항). 따라서 본인 甲이 사기·강박을 당한 경우에는 취소권이 인정되지 않는다. 그러나 대리행위의 하자로 인하여 발생하는 효과는 원칙적으로 본인에게 귀속된다. 즉, 본인 甲이 취소권을 행사할 수 있다.
④ 위임에서는 기간의 정함이 있는지 여부에 관계없이 각 당사자는 언제든지 위임계약을 해지할 수 있다(제689조 제1항).
⑤ 타인의 기망행위에 의하여 표의자가 착오에 빠진 상태에서 한 의사표시가 착오와 사기의 요건을 모두 갖추는 경우, 표의자는 그 요건을 증명하여 선택적으로 사기 또는 착오에 의한 의사표시임을 주장할 수 있다(대판 1985.4.9, 85도167).

16 **의사표시의 효력발생에 관한 설명으로 옳은 것은? (다툼이 있으면 판례에 따름)**

제26회

① 격지자간의 계약은 승낙의 통지가 도달한 때 성립한다.
② 사원총회의 소집은 특별한 사정이 없는 한 1주간 전에 그 통지가 도달하여야 한다.
③ 표의자가 의사표시를 발신한 후 사망하더라도 그 의사표시의 효력에는 영향을 미치지 아니한다.
④ 의사표시를 보통우편으로 발송한 경우, 그 우편이 반송되지 않는 한 의사표시는 도달된 것으로 추정된다.
⑤ 의사표시가 상대방에게 도달한 후에도 상대방이 이를 알기 전이라면 특별한 사정이 없는 한 그 의사표시를 철회할 수 있다.

17 **의사표시의 효력발생에 관한 설명으로 옳은 것은? (다툼이 있으면 판례에 따름)**

제23회

① 의사표시자가 그 통지를 발송한 후 제한능력자가 된 경우, 그 의사표시는 효력이 없다.
② 보통우편의 방법으로 발송되었다는 사실만으로 그 우편물은 상당기간 내에 도달한 것으로 추정된다.
③ 의사표시가 상대방에게 도달하더라도 상대방이 그 내용을 알기 전에는 그 효력이 발생하지 않는다.
④ 의사표시의 상대방이 의사표시를 받은 때에는 피특정후견인인 경우에는 의사표시자는 그 의사표시로써 대항할 수 있다.
⑤ 이사의 사임 의사표시가 법인의 대표자에게 도달한 때에는 정관에 따라 사임의 효력이 발생하지 않았더라도 그 사임의사를 철회할 수 없다.

정답 | 해설

16 ③ ③ 의사표시자가 그 통지를 발송한 후 사망하거나 제한능력자가 되어도 의사표시의 효력에 영향을 미치지 아니한다(제111조 제2항).

① 격지자간의 계약은 승낙의 통지를 발송한 때에 성립한다(제531조).

② 총회의 소집은 1주간 전에 그 회의의 목적사항을 기재한 통지를 발하고 기타 정관에 정한 방법에 의하여야 한다(제71조).

④ 내용증명 우편물 또는 등기로 발송한 우편물은 발송되고 반송되지 아니하였다면 특별한 사정이 없는 한 이는 그 무렵에 송달되었다고 볼 것이다(대판 1997.2.25, 96다38322; 대판 1992.3.27, 91누3819). 그러나 통상우편으로 발송된 경우에는 상당기간 내에 도달하였다고 추정할 수 없다(대판 2002.7.26, 2000다25002).

⑤ 의사표시가 상대방에게 도달하여 효력이 발생하면, 그 의사표시를 철회할 수 없다. 즉, 표의자는 그 의사표시에 구속된다.

17 ④ ① 의사표시자가 그 통지를 발송한 후 사망하거나 제한능력자가 되어도 의사표시의 효력에 영향을 미치지 아니한다(제111조 제2항).

② 내용증명 우편물 또는 등기로 발송한 우편물은 발송되고 반송되지 아니하였다면 특별한 사정이 없는 한 이는 그 무렵에 송달되었다고 볼 것이다(대판 1997.2.25, 96다38322; 대판 1992.3.27, 91누3819). 그러나 통상우편으로 발송된 경우에는 상당기간 내에 도달하였다고 추정할 수 없다(대판 2002.7.26, 2000다25002).

③ 상대방이 있는 의사표시는 상대방에게 도달한 때에 그 효력이 생긴다(제111조 제1항). 도달이라 함은 사회관념상 채무자가 통지의 내용을 알 수 있는 객관적 상태에 놓여졌다고 인정되는 상태를 지칭한다고 해석되므로, 채무자가 이를 현실적으로 수령하였다거나 그 통지의 내용을 알았을 것까지는 필요로 하지 않는다(대판 1997.11.25, 97다31281).

⑤ 법인의 대표이사가 사임하는 경우에는 그 사임의 의사표시가 대표이사의 사임으로 그 권한을 대행하게 될 자에게 도달한 때에 사임의 효력이 발생하고 그 의사표시가 효력을 발생한 후에는 마음대로 이를 철회할 수 없으나, 사임서 제출 당시 그 권한 대행자에게 사표의 처리를 일임한 경우에는 권한 대행자의 수리행위가 있어야 사임의 효력이 발생하고, 그 이전에 사임의사를 철회할 수 있다(대판 2007.5.10, 2007다7256).

18 의사표시의 효력발생에 관하여 발신주의를 따른 것을 모두 고른 것은? 제21회

㉠ 이행불능으로 인한 계약의 해제 ㉡ 무권대리인의 상대방이 한 추인 여부의 최고에 대한 본인의 확답 ㉢ 제한능력자의 법률행위에 대한 법정대리인의 동의 ㉣ 제한능력자의 상대방이 한 추인 여부의 촉구에 대한 법정대리인의 확답

① ㉠, ㉡
② ㉡, ㉢
③ ㉡, ㉣
④ ㉢, ㉣
⑤ ㉠, ㉢, ㉣

정답 | 해설

18 ③ ㉡ 대리권 없는 자가 타인의 대리인으로 계약을 한 경우에 상대방은 상당한 기간을 정하여 본인에게 그 추인 여부의 확답을 최고할 수 있다. 본인이 그 기간 내에 확답을 발하지 아니한 때에는 추인을 거절한 것으로 본다(제131조).

㉣ 제한능력자의 상대방은 제한능력자가 능력자가 된 후에 그에게 1개월 이상의 기간을 정하여 그 취소할 수 있는 행위를 추인할 것인지 여부의 확답을 촉구할 수 있다. 능력자로 된 사람이 그 기간 내에 확답을 발송하지 아니하면 그 행위를 추인한 것으로 본다(제15조 제1항).

㉠ 이행불능으로 인한 계약의 해제, ㉢ 제한능력자의 법률행위에 대한 법정대리인의 동의는 상대방 있는 단독행위로서 도달주의 원칙이 적용된다.

제7절 법률행위의 대리

제1관 서설

01 대리의 의의

(1) 대리란 타인(대리인)이 본인의 이름으로 의사표시를 하거나 또는 의사표시를 받음으로써 그 법률효과가 직접 본인에 관하여 생기게 하는 제도이다. 이처럼 대리의 경우에는, 보통의 법률행위에서와 달리, 법률행위의 효과가 행위자 이외의 자에게 발생하는 예외적인 현상을 보인다.

(2) 통설은 대리의 본질적 작용은 사적자치의 확장이라는 기능에서 찾을 수 있고, 사적자치의 보충이라는 기능은 2차적 기능에 지나지 않는다고 한다. 사적자치를 확장하는 기능은 임의대리에서 강하게 나타나게 되며, 사적자치를 보충하는 작용은 법정대리에서 강하게 나타난다.

02 대리가 인정되는 범위

(1) 법률행위

① 대리는 원칙적으로 의사표시 또는 그것을 요소로 하는 법률행위에 한하여 인정된다(제114조 제1항).

② 혼인이나 유언 등과 같이 본인의 의사결정을 절대적으로 필요로 하는 신분행위는 일신전속적 행위로서 대리에 친하지 않은 행위이다. 그러나 부양청구권의 행사와 같이 재산행위로서의 성질도 가지는 행위에 관하여는 대리가 허용된다.

(2) 준법률행위

① 준법률행위는 그 성질상 대리가 허용되지 않음이 원칙이다. 그러나 의사의 통지나 관념의 통지와 같이 의사표시와 유사한 준법률행위(즉, 표현행위)에 대하여 의사표시에 관한 규정이 유추적용되므로 대리규정이 유추적용될 수 있다(이견 없음).

② 한편 사실행위, 즉 비표현행위에도 대리는 허용되지 않으며, 제3자의 협력이 있더라도 그것은 대리가 아니라 사실상의 보조행위라고 할 것이다. 현실의 인도는 사실행위이므로 대리가 허용되지 않는다.

(3) 불법행위

불법행위에는 대리가 인정될 수 없다. 대리인이 동시에 본인의 피용자인 경우에 대리인의 불법행위에 대하여 본인이 손해배상책임을 질 수도 있지만, 이는 제756조가 적용된 결과일 뿐이다.

03 대리와 구별되는 제도

(1) 간접대리

행위자가 타인의 계산으로, 그러나 자기의 이름으로 법률행위를 하고, 그 법률효과는 행위자 자신에게 생기며, 후에 그가 취득한 권리를 타인에게 이전하는 것이다. 위탁매매업(상법 제101조)이 그 예이다.

(2) 사자(使者)

사자는 본인에 의하여 완성된 의사표시를 전달하거나(전달기관으로서의 사자) 본인이 결정한 효과의사를 상대방에게 표시함으로써(표시기관으로서의 사자) 표시행위의 완성에 협력하는 자를 말한다. 대리와 비슷한 것은 후자인데, 어느 쪽이든 사자에 의한 의사표시는 본인이 그 효과의사를 결정한다는 점에서 대리인이 효과의사를 결정하는 대리와 다르다. 따라서 대리인은 행위능력이 없더라도(제117조 참조) 의사능력은 있어야 함에 반하여, 사자는 의사능력이 없더라도 무방하다. 그리고 법률행위의 요건, 특히 의사표시의 하자 유무가 대리에서는 대리인을 표준으로 결정되는 반면(제116조), 사자의 경우에는 본인을 표준으로 결정된다는 차이가 있다.

(3) 대표

법인의 경우에는 대표기관의 행위에 의하여 법인이 직접 권리 · 의무를 취득하는 점에서, 법인의 대표는 대리와 비슷하다. 그러나 대리인은 본인과 별개의 지위를 갖는 데 비하여, 대표기관은 법인과 별개의 지위를 갖지 않으며, 대표기관의 행위는 바로 법인의 행위로 간주된다. 대리와는 달리 대표는 사실행위나 불법행위에 관하여도 인정된다.

(4) 재산관리인

법원의 선임에 의해 재산을 관리하는 '재산관리인'의 지위에 관해서는(예 부재자의 재산관리인 · 상속재산관리인 · 유언집행자 등), 이를 일종의 법정대리인이라고 보는 것이 통설이다.

04 대리의 종류

(1) 임의대리와 법정대리

대리권이 본인의 의사에 기초하여 주어지는 것이 임의대리이고, 대리권이 법률의 규정에 의하여 주어지는 것이 법정대리이다.

(2) 능동대리와 수동대리

본인을 위하여 제3자에 대하여 의사표시를 하는 대리가 능동대리이고, 본인을 위하여 제3자의 의사표시를 수령하는 대리가 수동대리이다. 특별한 사정이 없는 한 대리인은 위 두 가지 대리권을 모두 가지는 것으로 해석된다.

(3) 유권대리와 무권대리

대리인으로 행동하는 자에게 대리권이 있는 경우가 유권대리이고, 대리권이 없는 경우가 무권대리이다.

05 대리의 3면관계

대리에서는 본인 · 대리인 · 상대방의 3면관계가 형성된다.

대리의 3면관계

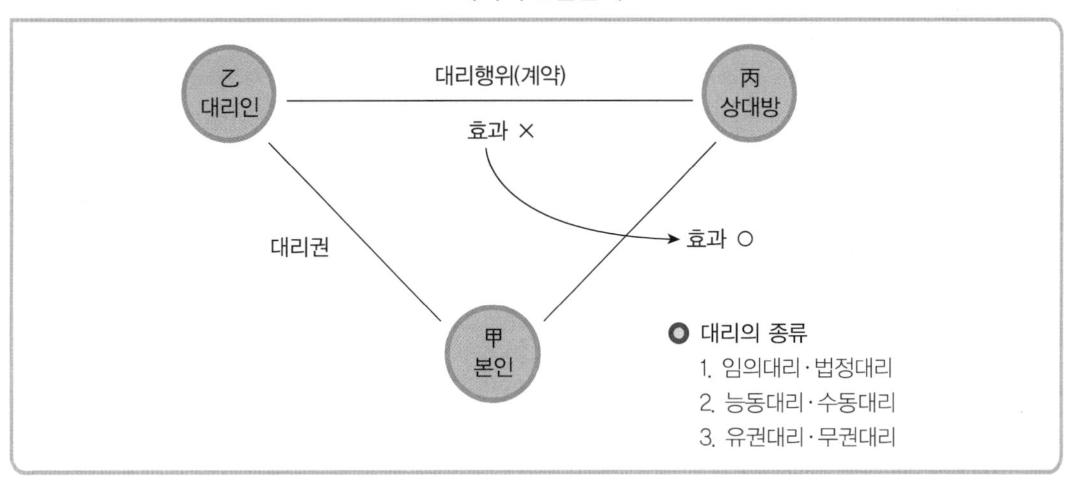

제2관 유권대리

제1항 대리권

01 대리권의 의의

대리권이란 타인(대리인)이 본인의 이름으로 의사표시를 하거나 또는 의사표시를 받음으로써 직접 본인에게 법률효과를 발생시키는 법률상의 지위 또는 자격이다. 대리권은 권리가 아니며 일종의 권한이다. 대리권이 있다는 점에 대한 입증책임은 그 효과를 주장하는 자에게 있다(대판 2008.9.25, 2008다42195).

02 대리권의 발생원인

(1) 법정대리권의 발생원인

법정대리권은 본인의 의사와는 관계없이 직접 법률의 규정에 의해 발생한다. 친권자 · 후견인, 법원이 선임한 부재자의 재산관리인 · 법원이 선임한 유언집행자 등이 있다.

(2) 임의대리권의 발생원인(수권행위)

임의대리권은 본인이 대리인에게 대리권을 수여하는 행위, 즉 대리권 수여행위에 의하여 발생한다. 대리권 수여행위는 수권행위라고도 하며, 상대방 있는 단독행위이다(다수설). 수권행위는 본인과 대리인 사이의 '내부적 법률관계'(원인된 법률관계라고도 한다. 예 위임 · 고용 등)에 수반하여 이루어지는 것이 보통이다. 그런데 판례는 '위임과 대리권수여는 별개의 독립된 행위'라고 하여 수권행위의 독자성을 인정한다(대판 1962.5.24, 4294민상251 · 252). 수권행위는 불요식의 행위로서 명시적인 의사표시에 의함이 없이 묵시적인 의사표시에 의하여 할 수도 있으며, 어떤 사람이 대리인의 외양을 가지고 행위하는 것을 본인이 알면서도 이의를 하지 아니하고 방임하는 등 사실상의 용태에 의하여 대리권의 수여가 추단되는 경우도 있다(대판 2016.5.26, 2016다203315).

03 대리권의 범위와 그 제한

1. 대리권의 범위

(1) 법정대리권의 범위

법정대리권의 범위는 각종의 법정대리인에 관한 규정의 해석에 의하여 결정된다.

(2) 임의대리권의 범위

① 일반론(수권행위의 해석)

㉠ 임의대리권은 수권행위에 의하여 주어지므로, 그 구체적 범위의 결정은 수권행위의 해석의 문제로서, 의사표시 해석의 일반원칙에 따라 이를 결정하여야 한다(통설 · 판례). 본인은 대리인에게 일정한 사항에 한정하거나(특정수권) 또는 일정범위의 사항에 관하여 포괄적으로 대리권을 줄 수 있다(포괄수권).

㉡ 수권행위의 해석과 관련한 우리 판례

ⓐ 통상의 임의대리권은 그 권한에 부수하여 필요한 한도에서 상대방의 의사표시를 수령하는 수령대리권을 포함한다(대판 1994.2.8, 93다39379).

ⓑ 매매계약을 체결할 대리권을 수여받은 대리인은 그 매매계약에 따른 중도금이나 잔금을 수령할 수도 있다(대판 1992.4.14, 91다43107). 매매계약의 체결과 이행에 관하여 포괄적으로 대리권을 수여받은 대리인은 특별한 다른 사정이 없는 한 상대방에 대하여 약정된 매매대금 지급기일을 연기하여 줄 권한도 가진다(대판 1992.4.14, 91다43107). 그러나 부동산을 매수할 권한을 수여받은 대리인은 부동산을 처분(전매)할 대리권은 없으며(대판 1991.2.12, 90다7364), 매매계약의 해제 등 일체의 처분권과 상대방의 의사를 수령할 권한까지 가지고 있다고 볼 수는 없다(대판 1997.3.25, 96다51271).

ⓒ 소비대차계약의 체결을 위한 대리권은 그 계약내용을 이루는 기한을 연기하고 이자와 대금을 수령할 권한이 있다(대판 1948.2.17, 4280민상236). 대여금의 영수권한만을 위임받은 대리인이 그 대여금 채무의 일부를 면제하기 위하여는 본인의 특별수권이 필요하다(대판 1981.6.23, 80다3221). 예금계약의 체결을 위임받은 자가 가지는 대리권에 당연히 그 예금을 담보로 하여 대출을 받거나 이를 처분할 수 있는 대리권이 포함되어 있는 것은 아니다(대판 1995.8.22, 94다59042). 금전소비대차계약과 그 담보를 위한 담보권설정계약을 체결할 대리권을 수여받은 것으로 인정되는 대리인에게 본래의 계약관계를 해제할 권한까지 당연히 가지고 있다고 볼 수는 없다(대판 1997.9.30, 97다23372).

ⓓ 부동산처분에 관한 소요서류를 교부하는 것은 특단의 사정이 없는 한 그 부동산의 처분에 관한 대리권을 준 것으로 해석한다(대판 1959.7.2, 4291민상329). 부동산의 소유자가 부동산 담보로 은행으로부터의 대부를 교섭하기 위하여 그 부동산의 등기부등본과 인감증명서를 제3자에게 주었다고 하여 그 부동산에 관한 처분의 대리권을 주었다고 할 수는 없는 것이다(대판 1962.10.11, 62다436). 주택이전용의 인감증명만을 교부하여 부동산매매의 알선을 부탁한데 그친 경우는 매매 기타 처분의 권한까지 수여한 것이라고 보기 어렵다(대판 1982.4.13, 81다408).

ⓔ 채권자가 채무의 담보의 목적으로 채무자를 대리하여 부동산에 관한 매매 등의 처분행위를 할 수 있는 권한을 위임받은 경우 자신의 개인적인 채무를 변제하기 위하여 그 채권자와의 사이에 임의로 부동산의 가치를 협의·평가하여 그 가액 상당의 채무에 대한 대물변제조로 양도할 권한이 있는 것은 아니다(대판 1997.9.9, 97다22720).

ⓕ 경매입찰의 대리권이 있는 자는 경락허가결정이 있은 후 경락인이 된 본인을 대리하여 채권자의 강제경매신청취하에 동의할 권한은 없다(대결 1983.12.2, 83마201).

ⓖ 소송상 화해나 청구의 포기에 관한 특별수권이 되어 있다면, 특별한 사정이 없는 한 그러한 소송행위에 대한 수권만이 아니라 그러한 소송행위의 전제가 되는 당해 소송물인 권리의 처분이나 포기에 대한 권한도 수여되어 있다고 봄이 상당하다(대결 2000.1.31, 99마6205).

ⓗ 어떠한 계약의 체결에 관한 대리권을 수여받은 대리인이 수권된 법률행위를 하게 되면 그것으로 대리권의 원인된 법률관계는 원칙적으로 목적을 달성하여 종료하는 것이고, 법률행위에 의하여 수여된 대리권은 그 원인된 법률관계의 종료에 의하여 소멸하는 것이므로(제128조), 그 계약을 대리하여 체결하였던 대리인이 체결된 계약의 해제 등 일체의 처분권과 상대방의 의사를 수령할 권한까지 가지고 있다고 볼 수는 없다(대판 2008.6.12, 2008다11276).

② 보충규정으로서 제118조

> 제118조【대리권의 범위】 권한을 정하지 아니한 대리인은 다음 각 호의 행위만을 할 수 있다.
> 1. 보존행위
> 2. 대리의 목적인 물건이나 권리의 성질을 변하지 아니하는 범위에서 그 이용 또는 개량하는 행위

제118조는 대리권은 있으나 그 범위가 분명하지 아니한 경우를 위한 보충적 규정이다. 동조에 의하면 관리행위만을 할 수 있고, 처분행위는 할 수 없다. 제118조는 수권행위의 해석에 관한 보충규정이므로 법정대리에는 적용되지 않으며, 대리권의 범위가 분명한 경우나 표현대리가 성립하는 경우에는 적용되지 않는다(대판 1964.12.8, 64다968).

<table>
<tr><th colspan="2">행위</th><th>의미</th><th>한계</th><th>구체적 사례</th></tr>
<tr><td rowspan="3">관리
행위</td><td>보존
행위</td><td>재산의 가치를 유지 · 보존하는 데 필요한 일체의 행위</td><td>무제한</td><td>주택의 수선, 소멸시효의 중단, 미등기부동산의 등기신청, 기한이 도래한 채무의 변제, 부패하기 쉬운 물건의 매각 등</td></tr>
<tr><td>이용
행위</td><td>재산을 사용 · 수익하는 행위</td><td rowspan="2">대리의 목적인 물건이나 권리의 성질이 변하지 않는 범위. 따라서 예금을 주식으로 바꾸거나, 은행예금을 찾아 개인에게 빌려주는 것은 할 수 없다.</td><td>물건의 임대, 금전을 이자부로 대여하는 행위 등</td></tr>
<tr><td>개량
행위</td><td>재산의 가치를 증가시키는 행위</td><td>이자 없는 채권을 이자부로 하거나 저당권의 부담을 해소하는 행위 등</td></tr>
<tr><td colspan="2">처분행위</td><td></td><td>불가능</td><td>매각행위, 저당권 설정행위 등</td></tr>
</table>

2. 대리권의 제한

(1) 자기계약 및 쌍방대리의 금지

> 제124조 【자기계약, 쌍방대리】 대리인은 본인의 허락이 없으면 본인을 위하여 자기와 법률행위를 하거나 동일한 법률행위에 관하여 당사자 쌍방을 대리하지 못한다. 그러나 채무의 이행은 할 수 있다.

① 개념 및 근거

㉠ 대리인이 본인을 대리하면서 다른 한편 자기 자신이 상대방이 되어 계약을 체결하는 것을 자기계약이라고 한다. 한편, 동일인이 하나의 법률행위에 관하여 당사자 쌍방의 대리인이 되어 대리행위를 하는 것을 쌍방대리라고 한다.

㉡ 자기계약과 쌍방대리는 원칙적으로 금지된다(제124조). 그것은 본인과 대리인 사이의 이해충돌 또는 본인간의 이해충돌을 막기 위해서이다(통설). 즉, 본인의 이익을 보호하기 위해서이다.

판례 1인이 2인 이상의 대리인이 된 경우

민법 제124조는 "대리인은 본인의 허락이 없으면 본인을 위하여 자기와 법률행위를 하거나 동일한 법률행위에 관하여 당사자 쌍방을 대리하지 못한다."고 규정하고 있으므로 **부동산 입찰절차에서 동일물건에 관하여 이해관계가 다른 2인 이상의 대리인이 된 경우에는 그 대리인이 한 입찰은 무효**이다(대결 2004.2.13, 2003마44).

---

② 금지의 예외

㉠ **본인의 허락**: 본인이 자기계약 또는 쌍방대리를 허락한 경우에는 그 대리행위는 유효하다(제124조, 대판 1969.6.24, 69다571).

㉡ **채무의 이행**: '채무의 이행'에 관하여도 자기계약 또는 쌍방대리가 허용된다(제124조 단서). 채무이행은 이미 확정되어 있는 법률관계를 단순히 결제하는 데 불과하고, 새로운 이해관계를 창설하는 것이 아니기 때문이다. 따라서 '채무의 이행'과 동일시할 수 있는 경우에도 허용된다(통설). '상계', '법무사가 등기권리자와 등기의무자 쌍방을 대리하여 등기를 신청하는 경우' 등은 그 예이다. 그러나 '대물변제 · 경개'는 새로운 이해관계의 변경을 수반하므로 여기서 말하는 이행에 해당하지 않으며, '다툼이 있는 채무의 이행 · 기한미도래 채무의 변제 · 항변권 있는 채무의 변제' 등도 허용되지 않는다.

③ **위반의 효과**: 제124조에 위반한 대리행위는 확정적 무효가 아니고 **무권대리**로 된다. 그럼에도 대표이사가 민법 제124조를 위반하여 영농조합법인을 대리한 경우에 그 행위는 무권대리행위로서 영농조합법인에 대하여 효력이 없다(대판 2018.4.12, 2017다271070). 즉, 본인에 대하여 무효이지만, 본인의 추인에 의하여 유효로 될 수 있다.

④ **적용범위**

㉠ **원칙**: 자기계약 · 쌍방대리의 금지는 임의대리와 법정대리에 모두 적용된다.

㉡ **제124조에 대한 특칙**

ⓐ 친권자와 그 자(子) 사이에 또는 친권에 따르는 수인의 자(子) 사이에 이해 상반되는 **행위**를 할 경우에 친권자는 그 자(子)의 특별대리인 또는 그 자(子) 일방의 **특별대리인**의 선임을 청구하여야 한다(제921조). 그러나 법정대리인인 친권자가 부동산을 매수하여 이를 그 **자(子)**에게 **증여**하는 행위는 미성년자인 자(子)에게 이익만을 주는 행위이므로 친권자와 자(子) 사이의 이해상반행위에 속하지 아니하고, 또 자기계약이지만 **유효**하다(대판 1981.10.13, 81다649).

ⓑ 법인과 이사의 이익이 상반하는 사항에 관하여 이사는 대표권이 없고, 법원이 선임한 **특별대리인**이 법인을 대표한다(제64조).

(2) 공동대리

> **제119조 【각자대리】** 대리인이 수인인 때에는 각자가 본인을 대리한다. 그러나 법률 또는 수권행위에 다른 정하는 바가 있는 때에는 그러하지 아니하다.
>
> **제909조 【친권자】** ① 부모는 미성년자인 자의 친권자가 된다. 양자의 경우에는 양부모(養父母)가 친권자가 된다.
> ② 친권은 부모가 혼인 중인 때에는 부모가 공동으로 이를 행사한다. 그러나 부모의 의견이 일치하지 아니하는 경우에는 당사자의 청구에 의하여 가정법원이 이를 정한다.
> ③ 부모의 일방이 친권을 행사할 수 없을 때에는 다른 일방이 이를 행사한다.

① **의의 및 취지**

㉠ 대리인이 수인인 경우에는 원칙적으로 대리인 각자가 본인을 대리한다(**각자대리**, 제119조 본문). 즉, **단독대리가 원칙**이다. 그러나 법률 또는 수권행위에서 수인의 대리인이 공동으로만 대리할 수 있는 것으로 정한 경우에는 공동으로 대리하여야 한다.

㉡ 공동대리에서 '공동'은 의사결정의 공동을 의미하며, 따라서 공동대리인간에 의사의 합치가 있는 이상 반드시 전원이 공동으로 의사표시를 할 필요는 없다(다수설).

② **위반의 효과**: 공동대리에 위반한 대리행위는 무권대리가 된다. 다만 본인의 추인이 있으면 유효로 되고, 나아가 제126조의 표현대리가 성립할 여지가 많을 것이다.

04 대리권의 남용

(1) 서설

대리인이 대리권의 범위 내에서 대리행위를 하였으나, 본인의 이익을 위해서가 아니라 자기 또는 제3자의 이익을 꾀하기 위하여 대리행위를 하는 등 본인과 대리인 사이의 내부적 기초관계에 위반하여 대리권이 남용된 경우에 그 효력과 근거가 문제된다. 대표권의 남용에서도 같은 이론이 적용되어야 한다.

(2) 학설 및 판례

대리권의 남용에 관해서 판례는 제107조 제1항 단서 유추적용설을 일관하고 있지만, 주식회사의 대표이사의 대표권 남용에 대해서는 신의칙설에 따라 판단한 것도 있다(대판 1987.10.13, 86다카1522[1]).

1 상대방이 그와 같은 정을 알았던 경우에는 그로 인하여 취득한 권리를 회사에 대하여 주장하는 것이 신의칙에 반한다.

판례 대리권의 남용

1. 제107조 제1항 단서 유추적용설
진의 아닌 의사표시가 대리인에 의하여 이루어지고 그 대리인의 진의가 본인의 이익이나 의사에 반하여 **자기 또는 제3자의 이익을 위한 배임적인 것임을 그 상대방이 알았거나 알 수 있었을 경우**에는, 민법 **제107조 제1항 단서의 유추해석상** 그 대리인의 행위는 본인의 대리행위로 성립할 수 없으므로 **본인은 대리인의 행위에 대하여 아무런 책임을 지지 않는다**고 보아야 하고, 상대방이 대리인의 표시의사가 진의 아님을 알았거나 알 수 있었는지는 표의자인 대리인과 상대방 사이에 있었던 의사표시 형성과정과 내용 및 그로 인하여 나타나는 효과 등을 객관적인 사정에 따라 합리적으로 판단하여야 한다. 그리고 미성년자의 **법정대리인인 친권자의 법률행위에서도 마찬가지**라 할 것이므로, 법정대리인인 친권자의 대리행위가 객관적으로 볼 때 **미성년자 본인에게는 경제적인 손실만을 초래하는 반면, 친권자나 제3자에게는 경제적인 이익을 가져오는 행위이고 그 행위의 상대방이 이러한 사실을 알았거나 알 수 있었을 때**에는 민법 제107조 제1항 단서의 규정을 유추적용하여 행위의 효과가 자(子)에게는 미치지 않는다고 해석함이 타당하다(대판 2011.12.22, 2011다64669).

2. 신의칙설
주식회사의 대표이사가 대표권의 범위 내에서 한 행위는 설사 대표이사가 회사의 영리목적과 관계없이 자기 또는 제3자의 이익을 도모할 목적으로 권한을 남용한 것이라도 일응 회사의 행위로서 **유효**하다. 그러나 행위의 **상대방이 그와 같은 정을 알았던 경우**에는 그로 인하여 취득한 권리를 회사에 대하여 주장하는 것이 신의칙에 반하므로 회사는 상대방의 악의를 입증하여 행위의 **효과를 부인**할 수 있다(대판 2016.8.24, 2016다222453).

---

05 대리권의 소멸

(1) 서설

대리권의 소멸원인에는 임의대리와 법정대리에 공통한 것과, 이들 각자에 특유한 것이 있다. 그 가운데 법정대리에 특유한 소멸원인은 각각의 법정대리에 관하여 규정하고 있고(제22조 제2항, 제23조, 제924조, 제925조, 제927조, 제937조, 제939조, 제957조 등), 민법총칙에서는 법정대리 · 임의대리에 공통한 소멸원인과 임의대리에 특유한 소멸원인을 규정하고 있다.

(2) 법정대리 · 임의대리에 공통한 소멸원인

> 제127조【대리권의 소멸사유】 대리권은 다음 각 호의 어느 하나에 해당하는 사유가 있으면 소멸된다.
> 1. 본인의 사망
> 2. 대리인의 사망, 성년후견의 개시 또는 파산

(3) 임의대리에 특유한 소멸원인

> 제128조【임의대리의 종료】 법률행위에 의하여 수여된 대리권은 전조의 경우 외에 그 원인된 법률관계의 종료에 의하여 소멸한다. 법률관계의 종료 전에 본인이 수권행위를 철회한 경우에도 같다.

제2항 대리행위

01 현명주의

> 제114조【대리행위의 효력】 ① 대리인이 그 권한 내에서 본인을 위한 것임을 표시한 의사표시는 직접 본인에게 대하여 효력이 생긴다.
> ② 전항의 규정은 대리인에게 대한 제3자의 의사표시에 준용한다.
>
> 제115조【본인을 위한 것임을 표시하지 아니한 행위】 대리인이 본인을 위한 것임을 표시하지 아니한 때에는 그 의사표시는 자기를 위한 것으로 본다. 그러나 상대방이 대리인으로서 한 것임을 알았거나 알 수 있었을 때에는 전조 제1항의 규정을 준용한다.

(1) 의의

① 대리인은 대리행위를 함에 있어서 '본인을 위한 것임을 표시'하여야 하고(제114조), 이를 현명주의라고 한다. 수동대리에서는 상대방 쪽에서 본인에 대한 의사표시임을 표시하여야 한다(통설).

② '본인을 위한 것임을 표시'하여야 한다는 것은 본인을 밝혀서, 즉 '본인의 이름으로' 법률행위를 하라는 의미이지, '본인의 이익을 위해서' 하라는 것은 아니다. 따라서 대리인이 본인의 이름으로 행위를 하였으면, 설사 대리인이 자신의 이익을 꾀하여 행위하였을지라도 유효한 대리행위로 되는 데 지장이 없다.

(2) 현명의 방식

① 현명의 방식에는 제한이 없다(대판 1946.2.1, 4278민상205). 즉, 대리의사가 반드시 명시적으로 표시되어야 하는 것은 아니며, 묵시적으로도 가능하다. 대리의사는 '甲의 대리인 乙'이라고 표시하지만, 해석을 통하여 대리의사를 인정할 수 있으면 족하다. 그러므로 대리인이 자신의 이름만을 기재한 경우에도 '매매위임장을 제시하고 매매계약을 체결하는 자는 특단의 사정이 없는 한 소유자를 대리하여 매매행위하는 것'이라고 보아야 한다(대판 1982.5.25, 81다1349 · 81다카1209).

② 대리인은 반드시 대리인임을 표시하여 의사표시를 하여야 하는 것이 아니고 본인명의로도 할 수 있고(대판 1963.5.9, 63다67), 여러 사정을 종합하여 대리행위로 인정되는 한 대리의 성립을 긍정하여야 한다. 다만, 본인의 이름을 사용하면서 대리인이 본인처럼 행세하고 상대방도 대리인을 본인으로 안 경우에는 대리인 자신이 법률효과의 당사자가 된다(대판 1974.6.11, 74다165).

③ 민법상 조합의 경우 법인격이 없어 조합 자체가 본인이 될 수 없으므로, 이른바 조합대리에 있어서는 본인에 해당하는 모든 조합원을 위한 것임을 표시하여야 하나, 반드시 조합원 전원의 성명을 제시할 필요는 없고, 상대방이 알 수 있을 정도로 조합을 표시하는 것으로 충분하다(대판 2009.1.30, 2008다79340).

(3) 현명하지 않은 대리행위의 효과

① 대리인이 본인을 위한 것임을 표시하지 아니한 때에는 그 의사표시는 자기를 위한 것으로 본다(제115조 본문). 따라서 대리인이 법률관계의 당사자로 간주되므로 내심의 의사와 표시가 일치하지 않음을 근거로 착오를 주장하지 못한다. 그러나 '상대방이 대리인으로서 한 것임을 알았거나 알 수 있었을 때'에는 대리행위로서 본인에게 효력을 발생한다(제115조 단서).

② 수동대리에는 제115조가 적용되지 않는다. 따라서 상대방이 본인에게 미칠 의사로써, 이를 표시하지 않고 대리인에게 의사표시를 한 때에는 의사표시의 해석 및 의사표시의 도달의 문제로 해결하여야 한다.

(4) 현명주의의 예외

상거래에서는 당사자의 개성이 중시되지 않기 때문에, 상행위의 대리에 관하여 현명이 요구되지 않는다(상법 제48조).

02 대리행위의 하자(흠)

> 제116조 【대리행위의 하자】 ① 의사표시의 효력이 의사의 흠결, 사기, 강박 또는 어느 사정을 알았거나 과실로 알지 못한 것으로 인하여 영향을 받을 경우에 그 사실의 유무는 대리인을 표준으로 하여 결정한다.
> ② 특정한 법률행위를 위임한 경우에 대리인이 본인의 지시에 좇아 그 행위를 한 때에는 본인은 자기가 안 사정 또는 과실로 인하여 알지 못한 사정에 관하여 대리인의 부지를 주장하지 못한다.

(1) 원칙

① 대리에서 법률행위를 하는 자는 대리인이므로, 대리행위에서 '의사의 흠결, 사기, 강박 또는 어느 사정을 알았거나 과실로 알지 못한 것'은 '대리인을 표준'으로 하여 결정하여야 한다(제116조 제1항). 따라서 본인이 사기 · 강박을 당한 경우에는 취소권이 인정되지 않는다. 그러나 대리행위의 하자로 인하여 발생하는 효과는 원칙적으로 본인에게 귀속된다. 이때 대리인이 취소권 등을 행사할 수 있는지 여부는 수권행위의 해석에 의하여 결정된다(통설).

② 대리인이 매도인의 배임행위에 적극 가담하여 부동산 2중매매계약을 체결한 경우에 대리행위의 하자 유무는 대리인을 표준으로 판단하여야 하므로, 본인이 이를 몰랐거나 반사회성을 야기하지 않았을지라도 반사회질서행위가 부정되지 않는다(대판 1998.2.27, 97다45532).

(2) 예외

대리의 경우 본인은 법률행위의 당사자는 아니지만 법률효과는 직접 본인에게 생기므로, 대리인이 선의일지라도 본인이 악의인 때에는 본인을 보호할 필요가 없다. 그리하여 민법은 "특정한 법률행위를 위임한 경우에 대리인이 본인의 지시에 좇아 그 행위를 한 때에는 본인은 자기가 안 사정 또는 과실로 인하여 알지 못한 사정에 관하여 대리인의 부지를 주장하지 못한다."고 규정한다(제116조 제2항). 판례는 "폭리행위 여부를 판단함에 있어서는 매도인이 궁박상태에 있었는지 여부는 매도인 본인을 표준으로 하여야 한다."고 한다(대판 1972.4.25, 71다2255[1]).

1 경솔 · 무경험은 대리인 표준

03 대리인의 능력

제117조 【대리인의 행위능력】 대리인은 행위능력자임을 요하지 아니한다.

(1) 대리인의 행위능력

대리인은 행위능력자임을 요하지 않는다(제117조). 그 결과 미성년자 · 피성년후견인 · 피한정후견인 등 제한능력자인 대리인이 대리행위를 한 때에도 그 행위는 취소할 수 없다. 물론 적어도 의사능력은 가지고 있어야 한다.

(2) 제한능력자인 대리인과 본인의 관계

제117조는 대리인이 제한능력자라는 이유로 본인이 대리행위를 취소하지 못한다는 의미이며, 제한능력자인 대리인과 본인 사이의 내부적 관계는 아무런 영향을 미치지 않는다.

제3항 대리의 효과

01 법률효과의 본인에의 귀속

(1) 대리인이 한 의사표시의 효과는 모두 '직접' 본인에게 생긴다(제114조). 예컨대, 대리인이 주택을 매수한 경우, 소유권이전등기청구권과 이에 부수하는 하자담보청구권, 계약 불이행시의 손해배상청구권 및 해제권[해제로 인한 원상회복의무는 대리인이 아니라 본인이 부담한다(대판 2011.8.18, 2011다30871)], 대리행위의 하자로 인한 취소권 등의 권리취득과 대금지급의무의 부담이 모두 본인에게 귀속된다.

판례 원상회복의무를 부담하는 자

대리인이 그 권한에 기하여 계약상 급부를 수령한 경우에, 그 법률효과는 계약 자체에서와 마찬가지로 직접 본인에게 귀속되고 대리인에게 돌아가지 아니한다. 따라서 계약상 채무의 불이행을 이유로 계약이 상대방 당사자에 의하여 유효하게 해제되었다면, **해제로 인한 원상회복의무는 대리인이 아니라 계약의 당사자인 본인이 부담**한다. 이는 **본인이 대리인으로부터 그 수령한 급부를 현실적으로 인도받지 못하였다거나 해제의 원인이 된 계약상 채무의 불이행에 관하여 대리인에게 책임 있는 사유가 있다고 하여도** 다른 특별한 사정이 없는 한 마찬가지라고 할 것이다(대판 2011.8.18, 2011다30871).

(2) 불법행위 혹은 사실행위의 대리는 원래 성립할 수 없으므로 불법행위와 사실행위의 효과는 본인이 아닌 행위자, 즉 대리인에게 직접 발생한다.

02 본인의 능력

본인은 스스로 법률행위를 하지 않기 때문에 의사능력이나 행위능력을 가질 필요가 없다. 그러나 대리행위의 효과가 본인에게 귀속되므로, 본인은 권리능력을 가져야 한다.

기출예제

대리에 관한 설명으로 옳지 않은 것은? (다툼이 있으면 판례에 따름) 제27회

① 민법상 조합은 법인격이 없으므로 조합대리의 경우에는 반드시 조합원 전원의 성명을 표시하여 대리행위를 하여야 한다.
② 매매계약을 체결할 대리권을 수여받은 대리인이 상대방으로부터 매매대금을 지급받은 경우, 특별한 사정이 없는 한 이를 본인에게 전달하지 않더라도 상대방의 대금지급의무는 소멸한다.
③ 임의대리의 경우, 대리권수여의 원인이 된 법률관계가 기간만료로 종료되었다면 원칙적으로 그 시점에 대리권도 소멸한다.
④ 매매계약의 체결과 이행에 관하여 포괄적으로 대리권을 수여받은 대리인은 특별한 사정이 없는 한 상대방에 대하여 약정된 매매대금 지급기일을 연기하여 줄 권한도 가진다.
⑤ 대여금의 영수권한만을 위임받은 대리인이 그 대여금채무의 일부를 면제하기 위하여는 본인의 특별수권이 필요하다.

해설

민법상 조합의 경우 법인격이 없어 조합 자체가 본인이 될 수 없으므로, 이른바 조합대리에 있어서는 본인에 해당하는 모든 조합원을 위한 것임을 표시하여야 하나, 반드시 조합원 전원의 성명을 제시할 필요는 없고, 상대방이 알 수 있을 정도로 조합을 표시하는 것으로 충분하다(대판 2009.1.30, 2008다79340). 정답: ①

제4항 복대리

01 서설

(1) 의의

복대리란 대리인의 수권행위에 의한 또 하나의 대리를 말한다. 복대리인은 대리인이 그의 권한 내의 행위를 행하게 하기 위하여 대리인 자신의 이름으로(즉, 대리인의 권한으로) 선임한 본인의 대리인이다. 이 선임권을 복임권, 선임행위를 복임행위라고 한다. 복임행위는 대리인의 대리행위가 아니다.

(2) 복대리인의 법적 성질

① 복대리인은 본인의 대리인이고, 대리인의 대리인이 아니다.
② 복대리인은 대리인이 자신의 권한 및 이름으로 선임한 자로서, 임의대리인이다.

③ 복대리인을 선임한 후에도 대리인의 대리권은 소멸하지 않고 복대리인의 복대리권과 병존한다.

02 대리인의 복임권과 책임

(1) 복임권

대리인이 임의대리인이냐 또는 법정대리인이냐에 따라 복임권의 유무와 책임범위를 달리한다.

(2) 임의대리인의 복임권과 그 책임

> 제120조 【임의대리인의 복임권】 대리권이 법률행위에 의하여 부여된 경우에는 대리인은 본인의 승낙이 있거나 부득이한 사유가 있는 때가 아니면 복대리인을 선임하지 못한다.
>
> 제121조 【임의대리인의 복대리인 선임의 책임】 ① 전조의 규정에 의하여 대리인이 복대리인을 선임한 때에는 본인에게 대하여 그 선임감독에 관한 책임이 있다.
> ② 대리인이 본인의 지명에 의하여 복대리인을 선임한 경우에는 그 부적임 또는 불성실함을 알고 본인에게 대한 통지나 그 해임을 태만한 때가 아니면 책임이 없다.

① 임의대리인의 복임권은 원칙적으로 인정되지 않으나, 본인의 승낙이 있거나 부득이한 사유가 있는 때에는 예외적으로 인정된다(제120조).

② 임의대리인은 예외적으로 복임권이 인정되기 때문에, 선임 · 감독에 관한 책임만을 지는 것이 원칙이다. 그러나 대리인이 본인의 지명에 의하여 복대리인을 선임한 경우에는 그 부적임 또는 불성실함을 알고 본인에 대한 통지나 그 해임을 태만히 한 때에 한하여 책임을 진다(제121조).

(3) 법정대리인의 복임권과 그 책임

> 제122조 【법정대리인의 복임권과 그 책임】 법정대리인은 그 책임으로 복대리인을 선임할 수 있다. 그러나 부득이한 사유로 인한 때에는 전조 제1항에 정한 책임만이 있다.

① 법정대리인은 언제든지 복임권이 인정된다.

② 선임, 감독에 있어서의 과실 유무를 묻지 않고 모든 책임을 진다. 다만, 부득이한 사유로 복대리인을 선임한 경우에는 선임, 감독에 관한 책임만을 부담한다(제122조).

임의대리인과 법정대리인의 복임권 비교

구분	복임권	책임
임의대리	원칙적으로 복임권 ×, 본인의 승낙 또는 부득이한 사유 ○	㉠ 복대리인의 선임 · 감독에 관한 과실책임 ㉡ 본인의 지명에 의한 경우, 복대리인의 부적임 · 불성실을 알고도 통지나 해임을 해태한 경우만 책임
법정대리	언제든지 복임권 ○	㉠ 선임 · 감독상의 과실유무에 관계없이 모든 책임 ㉡ 부득이한 사유로 선임한 경우, 선임 · 감독에 관한 과실책임

03 복대리인의 지위(복대리의 3면관계)

(1) 복대리인과 대리인의 관계

복대리인은 대리인의 감독을 받으며, 복대리인의 대리권은 그 범위나 존립에 있어서 대리인의 대리권에 의존한다. 따라서 그 범위는 대리인의 그것보다 클 수 없으며, 대리인의 대리권이 소멸하면 복대리인의 복대리권도 소멸한다. 반면, 대리인의 대리권은 복대리인의 선임에 의하여 소멸하지 않는다.

(2) 복대리인과 상대방의 관계

> 제123조 【복대리인의 권한】 ① 복대리인은 그 권한 내에서 본인을 대리한다.
> ② 복대리인은 본인이나 제3자에 대하여 대리인과 동일한 권리의무가 있다.

복대리인은 그 권한의 범위 내에서 직접 본인을 대리한다(제123조 제1항). 복대리인의 대리행위에 관하여는 대리의 일반원칙이 그대로 적용된다.

(3) 복대리인과 본인의 관계

본인과 대리인의 내부적 법률관계가 본인과 복대리인간의 내부적 · 기초적 법률관계로 의제된다(제123조 제2항). 따라서 대리인이 본인에 대하여 수임인으로서의 내부관계가 있는 경우에, 복대리인도 수임인으로서의 권리 · 의무를 가진다.

(4) 복대리인의 복임권

통설은 민법 제123조 제2항과 복대리인이 다시 복대리인을 선임하여야 할 필요성을 고려하여 복대리인의 복임권을 인정한다. 다만, 복대리인은 그 성질상 모두 임의대리인이므로 본인의 승낙이 있거나 부득이한 사유가 있는 때에 한하여 복대리인의 복임행위가 인정된다(이견 없음).

04 복대리권의 소멸

복대리권은 대리권 일반의 소멸원인(제127조), 대리인이 수여한 것이므로 대리인과 복대리인 사이의 내부적 법률관계의 종료 또는 수권행위의 철회(제128조), 복임행위의 하자에 의해서 소멸한다. 또한 복대리권은 대리인의 대리권을 전제로 하는 것이므로 대리권의 소멸에 의하여 복대리권도 소멸한다.

제3관 무권대리

제1항 총설

01 개관

(1) 대리인이 한 법률행위의 효과가 본인에게 귀속되기 위하여는 '대리인'이 '대리권의 범위 내에서' '대리행위'를 하여야 한다. 따라서 대리인이 대리권 없이 대리행위를 하거나 또는 대리권이 있더라도 대리권의 범위를 이탈하여 의사표시를 한 때에는 원칙적으로 대리의 효과가 발생할 수 없다. 이를 무권대리라고 한다.

(2) 민법은 제130조를 포함하여 7개 조항에서 무권대리의 효력에 관하여 규정하고 있으며, 제125조, 제126조 및 제129조에서 표현대리에 관하여 규정하고 있다. 즉, 이러한 무권대리에는 표현대리와 좁은 의미의 무권대리가 있다.

02 협의의 무권대리와 표현대리

통설은 표현대리와 협의의 무권대리를 포괄하는 상위개념으로서의 무권대리를 광의의 무권대리라고 한다. 광의의 무권대리에는 거래안전을 위해 상대방을 보호하여야 하는 경우가 생기고, 이를 위하여 민법은 표현대리규정을 두고 있다. 협의의 무권대리를 논하기 위해서는 논리적으로 표현대리규정의 적용가능성을 먼저 검토하여야 한다고 한다.

제2항 표현대리

01 표현대리 총설

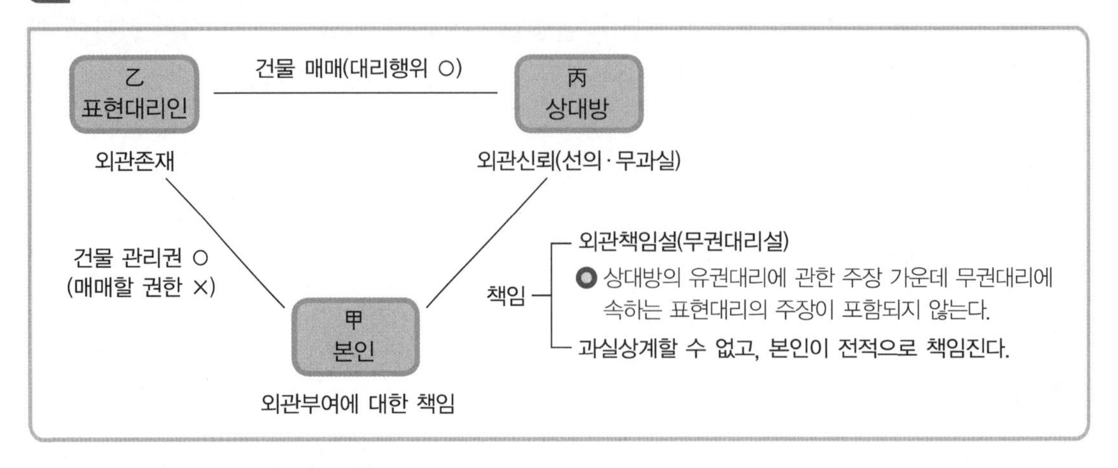

(1) 표현대리의 개념 및 유형

① **개념**: 표현대리제도는 대리제도의 신용을 유지하고 대리인과 거래하는 제3자의 이익을 보호하기 위한 것으로서, 당해 사항에 관하여 본인으로부터 직접 대리권을 수여받지 않았지만 상대방의 입장에서 대리권이 있는 것과 같은 외관이 있는 경우에 대리의 효과가 인정되는 것을 말한다.

② **표현대리의 유형**: 민법이 규정한 세 가지 유형 이외의 표현대리는 인정되지 않는다. 즉, 제3자에 대하여 타인에게 대리권 부여사실을 표시한 경우(제125조), 대리인이 그 권한 외의 행위를 하였을 경우(제126조), 대리권의 소멸을 모르는 제3자에게 대한 경우(제129조)에 한한다(대판 1955.7.7, 4287민상366).

(2) 표현대리의 법적 성질

표현대리의 법적 성질에 관하여 통설은 외관책임설(무권대리설)이다. 판례도, '표현대리의 법리는 거래의 안전을 위하여 어떠한 외관적 사실을 야기한 데 원인을 준 자는 그 외관적 사실을 믿음에 정당한 사유가 있다고 인정되는 자에 대하여는 책임이 있다는 일반적인 권리외관이론에 그 기초를 두고 있는 것'이라고 하여 통설과 같다(대판 1998.5.29, 97다55317).

판례 표현대리의 성질

표현대리가 성립된다고 하여 무권대리의 성질이 유권대리로 전환되는 것은 아니므로, 양자의 구성요건 해당사실, 즉 주요사실은 다르다고 볼 수밖에 없으니 **유권대리에 관한 주장 속에 무권대리에 속하는 표현대리의 주장이 포함되어 있다고 볼 수 없다**(대판 1983.12.13, 83다카1489 전합).

(3) 표현대리의 일반적 성립요건과 효과

① **일반적 성립요건**: 표현대리가 성립하기 위해서는 다음의 두 가지 요건이 필요하다.

㉠ 우선 대리인에게 대리권이 없음에도 불구하고 있는 것과 같은 외관이 존재하여야 한다. 그러한 외관은 대리권의 '성립 · 범위 · 존속'에 관하여 존재할 수 있다. 그리고 이러한 외관의 형성에 관해 본인에게 책임을 물을 만한 사정이 존재하여야 한다.

㉡ 상대방이 대리권의 외관을 믿은 것에 대해 보호할 만한 가치가 있어야 한다. 민법이 상대방의 '선의 · 무과실'(제125조, 제129조) 혹은 '정당한 이유'(제126조)를 요구하는 것은 그러한 표현이다.

② **일반적 효과**

㉠ **본인과 상대방의 관계**

ⓐ 본인은 표현대리인의 행위에 대하여 '책임이 있다'(제125조, 제126조), 제129조에서는 '대항하지 못한다'고 표현하고 있으나 같은 의미로 해석할 수 있다. 상대방이 표현대리를 주장하는 경우에 본인은 무권대리행위라는 이유로 그 효과가 자기에게 미치는 것을 거부할 수 없다.

ⓑ 그러므로 진정한 대리인의 행위와 마찬가지로 다루어지고, 그 효과는 본인에게 귀속한다. 그 결과, 본인은 상대방에 대하여 채무를 이행할 의무를 지게 되나, 동시에 채권 기타의 권리도 취득하게 된다. 표현대리행위가 성립하는 경우에 그 본인은 표현대리행위에 의하여 전적인 책임을 져야 하고, 상대방에게 과실이 있다고 하더라도 과실상계의 법리를 유추적용하여 본인의 책임을 경감할 수 없다(대판 1996.7.12, 95다49554).

㉡ **상대방과 대리인의 관계**: 무권대리인의 상대방에 대한 책임의 규정(제135조)이 적용되는가에 관하여, 통설은 소극적이다.

㉢ **본인과 대리인의 관계**: 본인은 표현대리인에 대하여 기초적 내부관계에 의하여 부담하는 의무의 위반 또는 불법행위를 이유로 손해배상을 청구할 수 있고, 경우에 따라서는 사무관리에 따른 책임을 물을 수도 있을 것이다.

02 대리권수여의 표시에 의한 표현대리(제125조)

제125조 【대리권수여의 표시에 의한 표현대리】 제3자에 대하여 타인에게 대리권을 수여함을 표시한 자는 그 대리권의 범위 내에서 행한 그 타인과 그 제3자간의 법률행위에 대하여 책임이 있다. 그러나 제3자가 대리권 없음을 알았거나 알 수 있었을 때에는 그러하지 아니하다.

(1) 의의

본인이 타인에게 대리권을 실제로는 주지 않았으나 본인이 제3자에 대하여 타인에게 대리권을 수여하였음을 표시함으로써 '성립의 외관'이 존재하는 경우에 관한 것이다.

(2) 성립요건

① 대리권수여의 표시

㉠ **표시의 법적 성질**: 관념의 통지(통설)이다.

㉡ **표시의 방법**: 수권표시를 하는 방법에는 제한이 없다. 따라서 서면으로 하든 구두로 하든, 특정인에 대한 것이든 신문광고에서와 같이 불특정인에 대한 것이든 문제될 바 없다. 본인이 직접 하지 않고 대리인을 통해서 할 수도 있다.

㉢ **명의대여의 문제**: 본인에 의한 대리권수여의 표시는 반드시 대리권 또는 대리인이라는 말을 사용하여야 하는 것이 아니라, 사회통념상 대리권을 추단할 수 있는 직함이나 명칭 등의 사용을 승낙 또는 묵인한 경우에도 대리권수여의 표시가 있은 것으로 볼 수 있다(대판 1998.6.12, 97다53762[1]).

1 호텔 등의 시설이용 우대회원 모집계약을 체결하면서 자신의 판매점, 총대리점 또는 연락사무소 등의 명칭을 사용하여 회원모집 안내를 하거나 입회계약을 체결하는 것을 승낙 또는 묵인하였다면 민법 제125조의 표현대리가 성립할 여지가 있다.

㉣ **표시의 철회**: 위 '표시'는 대리인이 대리행위를 하기 전에 철회할 수 있지만, 그 철회는 표시와 동일한 방법으로 상대방에게 알려야 한다.

② **표시된 대리권의 범위 내의 행위일 것**: 수권표시의 객관적인 범위를 넘는 행위가 있은 경우에 그 초과부분에 관하여는 제126조의 표현대리가 문제된다.

③ **대리행위의 상대방**: 대리행위는 **통지를 받은 상대방과의 사이에서 한 것이어야 한다.** 통지를 광고와 같은 방법으로 불특정 다수인에게 한 경우에는 문제가 없으나, 특정인에게 한 때에는 그 특정인만이 제125조의 보호를 받는다. 그 통지를 옆에서 보거나 우연히 알게 된 **제3자와 대리행위가 행하여졌더라도 제125조의 적용은 없다.**

④ **상대방의 선의, 무과실**: 제125조의 책임을 면하려는 본인이 상대방의 악의 또는 과실에 대한 증명책임을 진다(통설).

(3) 적용범위

① **법정대리**: 제125조는 임의대리에만 적용되고 **법정대리에는 적용되지 않는다**[통설, 판례(대판 1955.5.12, 4287민상208)].

② **복대리**: 판례는 매도인(원고)이 그 소유토지를 타인에게 매도한 후 그 매수인이 乙과 같이 매도인의 대리인 甲에게 와서 소유권이전등기를 할 수 있는 서류를 해주면 다른 곳에 융통하여서 잔대금을 갚겠다고 청함에 매도인의 대리인 甲이 그들에게 등기권리증 매도인의 인감증명, 주민등록표, 근저당권설정계약서 등의 서류를 해주어 乙이 위

토지에 대하여 丙(피고) 명의로 근저당권설정등기를 경료한 경우 丙은 위 乙을 매도인의 대리인으로 믿은 데는 정당한 사유가 있다(대판 1979.11.27, 79다1193)고 함으로써 대리권이 없는 복대리인의 무권대리행위에 대하여 제125조를 적용할 수 있다고 보았다.

③ **공법상 행위 및 소송행위**: 공법상 행위 혹은 소송행위에는 원칙적으로 표현대리규정이 적용될 수 없다(통설). 판례도 같은 태도이다. 즉, 이행지체가 있으면 즉시 강제집행을 하여도 이의가 없다는 강제집행 수락의사표시는 소송행위라 할 것이고, 이러한 소송행위에는 민법상의 표견대리규정이 적용 또는 유추적용될 수는 없다(대판 1983.2.8, 81다카621). 다만, 지방자치단체가 사경제의 주체로서 법률행위를 하였을 때에는 표현대리에 관한 법리가 적용된다고 한다(대판 1961.12.28, 4294민상204).

03 권한을 넘은 표현대리(제126조)

> 제126조【권한을 넘은 표현대리】 대리인이 그 권한 외의 법률행위를 한 경우에 제3자가 그 권한이 있다고 믿을 만한 정당한 이유가 있는 때에는 본인은 그 행위에 대하여 책임이 있다.

(1) 의의

제126조는 대리인이 대리권의 범위를 넘는 대리행위를 한 경우에, 일정한 요건하에 대리권의 범위 안에서 대리행위를 한 경우에서와 같은 법률관계를 인정한다. '범위의 외관'이 존재하는 경우이다.

(2) 성립요건

① 기본대리권의 존재

㉠ **기본대리권의 의미**: 기본대리권의 존재는 제126조 표현대리의 필요요건이다[통설, 판례(대판 1984.10.10, 84다카780)]. 즉, 제126조가 적용되기 위해서는 대리인은 최소한 일정한 범위의 대리권은 반드시 가지고 있어야 한다(대판 1992.5.26, 91다32190). 대리권이 전혀 존재하지 않는 경우에는 제126조의 표현대리는 성립하지 않는다(대판 1974.5.14, 73다148). 그런데 여기의 대리인은 본인으로부터 직접 대리권을 수여받은 자에 한하지 않으며, 그 대리인으로부터 권한을 수여받은 자(대판 1970.6.30, 70다908)나 복대리인이어도 무방하다(대판 1998.3.27, 97다48982).

㉡ 기본대리권으로서의 적격성이 문제되는 경우들

ⓐ **사실행위 또는 준법률행위에 관한 수권**: 사실행위에 관한 권한수여도 기본대리권이 될 수 있다는 견해가 다수설이다. 판례는 통일되어 있지 않다.

판례

1. 기본대리권의 존재 긍정례
   ① 표현대리의 법칙은 거래의 안전을 위하여서는 어떠한 표견적(表見的) 사실을 야기하는 데 원인을 준 자는 그 표견적 사실을 믿음이 있어 정당한 사유가 있다고 인정되는 자에 대하여는 책임이 있다는 일반적인 **권리표견이론**에 그 기초를 두고 있는 것이므로 **대리인이 아니고 사실행위를 위한 사자라 하더라도 외관상 그에게 어떠한 권한이 있는 것 같은 표시 내지 행동이 있어 상대방이 그를 믿었고 또 그를 믿음에 있어 정당한 사유가 있었다면 표현대리의 법리**에 의하여 본인에게 책임지워 상대방을 보호하여야 할 것이다(대판 1962.2.8, 4294민상192).
   ② **대리인이 사자 내지 임의로 선임한 복대리인을 통하여 권한 외의 법률행위를 한 경우, 상대방이 그 행위자를 대리권을 가진 대리인으로 믿었고 또한 그렇게 믿는 데에 정당한 이유가 있는 때**에는, 복대리인 선임권이 없는 대리인에 의하여 선임된 복대리인의 권한도 기본대리권이 될 수 있을 뿐만 아니라, 그 행위자가 사자라고 하더라도 대리행위의 주체가 되는 대리인이 별도로 있고 그들에게 본인으로부터 기본대리권이 수여된 이상, 민법 제126조를 적용함에 있어서 **기본대리권의 흠결문제는 생기지 않는다**(대판 1998.3.27, 97다48982).
2. 기본대리권의 존재 부정례
   민법 제126조의 표현대리가 성립하기 위하여는 무권대리인에게 **법률행위에 관한 기본대리권이 있어야** 하는바, **증권회사로부터 위임받은 고객의 유치, 투자상담 및 권유, 위탁매매약정실적의 제고 등의 업무는 사실행위에 불과**하므로 이를 기본대리권으로 하여서는 권한초과의 표현대리가 성립할 수 없다(대판 1992.5.26, 91다32190).

ⓑ 법정대리권: 민법 제126조 소정의 권한을 넘는 표현대리 규정은 거래의 안전을 도모하여 거래상대방의 이익을 보호하려는 데에 그 취지가 있으므로 법정대리라고 하여 임의대리와는 달리 그 적용이 없다고 할 수 없고, 따라서 한정치산자의 후견인이 친족회의 동의를 얻지 않고 피후견인의 부동산을 처분하는 행위를 한 경우에도 상대방이 친족회의 동의가 있다고 믿은 데에 정당한 사유가 있는 때에는 본인인 한정치산자에게 그 효력이 미친다(대판 1997.6.27, 97다3828).

ⓒ 일상가사대리권: 부부는 일상의 가사에 관하여 서로 대리권이 있다(제827조). 다수설 · 판례는 이 일상가사대리권을 기본대리권으로 하여서도 표현대리가 성립할 수 있다고 하여, 일상가사의 범위 내의 행위라고 오인될 수 있는 경우에 표현대리를 인정하였다(대판 1981.6.23, 80다609).

ⓓ 공법상의 대리권: 공법상의 대리권이 제126조의 기본대리권이 될 수 있는가에 관하여, 학설 · 판례는 대체로 이를 긍정한다. 즉, 등기신청의 대리권을 가진 자가 대물변제를 한 경우(대판 1978.3.28, 78다282), 자기명의의 영업허가를 구청에 내달라고 부탁하면서 인감도장을 교부하였는데 소유권이전등기를 한 경우(대판 1965.3.30, 65다44) 제126조의 표현대리가 성립할 수 있다.

ⓔ **제125조의 표현대리권 또는 제129조의 표현대리권:** 제125조의 표현대리 또는 제129조의 표현대리가 성립하는 범위를 넘어서서 법률행위를 한 경우, 즉 대리권수여의 통지를 한 때에 통지된 대리권의 범위를 넘어서서 행위를 하거나 또는 대리권이 존재하였으나 소멸한 때에 그 소멸한 대리권의 범위를 넘어서서 행위를 한 경우에도 제126조의 표현대리가 성립하는가? 긍정설이 압도적인 다수설이며, 판례는 제129조의 표현대리의 권한을 넘는 대리행위에 관하여 제126조의 표현대리가 성립할 수 있다고 한다[다수설, 판례(대판 1979.3.27, 79다234)].

② 권한을 넘은 대리행위의 존재

㉠ 대리인의 대리행위

ⓐ 제126조가 적용되기 위해서는 대리인의 대리행위가 있어야 한다. 따라서 종중으로부터 임야의 매각과 관련한 권한을 부여받은 甲이 임야의 일부를 실질적으로 자기가 매수하여 그 처분권한이 있다고 하면서 乙로부터 금원을 차용하고 그 담보를 위하여 위 임야에 대하여 양도담보계약을 체결한 경우, 이는 종중을 위한 대리행위가 아니어서 그 효력이 종중에게 미치지 아니하고, 민법 제126조의 표현대리의 법리가 적용될 수도 없다(대판 2001.1.19, 99다67598).

ⓑ 판례는, 현명을 요구하여 '단지 본인의 성명을 모용하여 자기가 마치 본인인 것처럼 기망하여 본인명의로 직접 모든 법률행위를 한 경우에는 특별한 사정이 없는 한 위 제126조를 적용할 수 없'으나(대판 1974.4.9, 74다78), 특별한 사정이 있는 경우에는 현명이 없더라도 제126조의 표현대리의 법리를 유추적용하여 본인에게 그 행위의 효력을 미치게 할 수 있다고 한다(대판 1993.2.23, 92다52436; 대판 1988.2.9, 87다카273; 대판 2000.3.23, 99다50385).

판례

1. 표현대리 법리를 유추적용한 경우

본인으로부터 아파트에 관한 **'임대 등 일체의 관리권한을 위임받아' 본인으로 가장하여 아파트를 임대한 바 있는 대리인이 다시 자신을 본인으로 가장하여 임차인에게 아파트를 매도하는 법률행위를 한 경우**에는 **권한을 넘은 표현대리의 법리를 유추적용**하여 본인에 대하여 그 행위의 효력이 미친다고 볼 수 있다(대판 1993.2.23, 92다52436).

2. 어음행위의 위조에 표현대리가 유추적용되기 위한 요건

다른 사람이 본인을 위하여 한다는 대리문구를 어음 상에 기재하지 않고 **직접 본인명의로 기명날인을 하여 어음행위를 하는 이른바 기관방식 또는 서명대리방식의 어음행위**가 권한 없는 자에 의하여 행하여졌다면 이는 **어음행위의 무권대리가 아니라 어음의 위조에 해당**하는 것이기는 하나, 그 경우에도 **제3자가 어음행위를 실제로 한 자에게 그와 같은 어음행위를 할 수 있는 권한이 있다고 믿을 만한 사유가 있고, 본인에게 책임을 질 만한 사유가 있는 때**에는 대리방식에 의한 어음행위의 경우와 마찬가지로 민법상의 **표현대리 규정을 유추적용**하여 본인에게 그 책임을 물을 수 있다(대판 2000.3.23, 99다50385).

ⓒ 표현대리행위가 무효인 때에는 본인에게 효과가 귀속될 여지가 없다. 즉, 강행법규에 반하는 표현대리행위는 확정적 무효가 된다(대판 1996.8.23, 94다38199[1]).

1 증권회사 또는 그 임직원의 부당권유행위를 금지하는 증권거래법 제52조 제1호는 공정한 증권거래질서의 확보를 위해 제정된 강행법규로서 이에 위배되는 주식거래에 관한 투자수익보장약정은 무효이고, 투자수익보장이 강행법규에 위반되어 무효인 이상 증권회사 지점장에게 그와 같은 약정을 체결할 권한이 수여되었는지 여부에 불구하고 그 약정은 여전히 무효이므로 표현대리 법리가 준용될 여지가 없다.

판례 교회의 대표자가 권한 없이 행한 교회재산의 처분행위

비법인사단인 **교회의 대표자는 총유물인 교회재산의 처분에 관하여 교인총회의 결의**를 거치지 아니하고는 이를 대표하여 행할 권한이 없다. 그리고 **교회의 대표자가 권한 없이 행한 교회재산의 처분행위에 대하여는 민법 제126조의 표현대리에 관한 규정이 준용되지 아니한다**(대판 2009.2.12, 2006다23312).

ⓛ 월권행위: 대리행위는 기본대리권과 동종·유사한 것을 요구하지 않는다[통설, 판례(대판 1978.3.28, 78다282)]. 나아가 그 행위가 대리권과 아무런 관계가 없어도 무방하다(대판 1963.11.21, 63다418). 가령, 임야 불하의 동업계약을 체결할 수 있는 대리권을 가지고 있는 자가 본인 소유의 부동산을 매도한 경우(대판 1963.11.21, 63다418), 등기신청의 대리권을 가지고 있는 자가 대물변제를 한 경우(대판 1978.3.28, 78다282)에도 제126조의 표현대리가 성립할 수 있다. 그러나 동종 또는 유사관련성은 정당한 이유의 유무에 관한 판단을 하는 데 큰 역할을 한다.

판례 월권행위가 범죄를 구성하는 경우에도 권한을 넘은 표현대리 성립

대리인이 본인의 인장을 위조하여 권한을 넘은 무권대리행위를 한 경우 그 인장의 위조나 행사가 범죄행위가 된다 하여도 권한을 넘는 표현대리를 인정할 수 있다(대판 1966.6.28, 66다845).

---

③ 정당한 이유의 존재

㉠ **정당한 이유의 의미**: '제126조의 규정에서 제3자라 함은 당해 표현대리행위의 직접 상대방이 된 자만을 지칭하는 것'이고, 전득한 자는 제3자에 해당하지 않는다(대판 1994.5.27, 93다21521). '정당한 이유'의 의미에 관하여, 판례는 전체적으로는 선의 · 무과실로 이해하는 범주에 속한다.

㉡ **정당한 이유의 판단시기**: 정당한 이유의 존부는 자칭 대리인의 대리행위가 행하여질 때에 존재하는 제반 사정을 객관적으로 관찰하여 판단하여야 하며(대판 2013.4.26, 2012다99617), 따라서 그 이후의 사정은 고려하지 않는다(대판 1997.6.27, 97다3828).

㉢ **증명책임**: 판례는 제126조에 의한 표현대리에 해당한다는 점의 주장 및 증명책임은 그것을 유효하다고 주장하는 자, 즉 상대방에게 있다고 한다(대판 1968.6.18, 68다694).

(3) 효과

① 대리인이 월권행위를 하였더라도 제126조의 요건이 충족되면 그 대리행위의 효과가 본인에게 미침은 다른 표현대리에서와 마찬가지다. 그러나 다른 유형의 표현대리에서와 달리, 제126조의 표현대리가 성립하지 않더라도 실재하는 대리권의 범위에서는 대리행위가 유효하다.

② 양적으로 가분인 월권행위가 있었지만 제126조의 요건을 충족하지 못한 경우에는, 일부무효의 법리에 따라 그 월권부분에 해당하는 법률행위가 없었더라도 나머지 부분에 대한 법률행위를 하였을 것으로 인정되면, 그 대리권 유월부분만을 무권대리로 보고 대리권 범위 내의 부분은 유권대리로서 유효한 법률행위로 인정하여야 한다는 것이 일반적이다.

판례 **가분적인 월권행위에 대한 책임**

어음행위의 대리 또는 대행권한을 수여받은 자가 그 수권의 범위를 넘어 어음행위를 한 경우에 본인은 **그 수권의 범위 내에서는 대리 또는 대행자와 함께 어음상의 채무를 부담**한다(대판 2001.2.23, 2000다45303 · 45310).

(4) 적용범위

① 임의대리, 법정대리 모두에 적용된다(다수설 · 판례).

② 복임권이 없는 대리인에 의하여 선임된 복대리인의 행위에도 제126조가 적용될 수 있다(대판 1998.3.27, 97다48982).

기출예제

표현대리에 관한 설명으로 옳은 것을 모두 고른 것은? (다툼이 있으면 판례에 따름)

제27회

㉠ 표현대리가 성립하여 본인이 이행책임을 지는 경우, 상대방에게 과실이 있더라도 과실상계의 법리가 유추적용되지 않는다.
㉡ 권한을 넘는 표현대리규정은 법정대리의 경우에도 적용된다.
㉢ 대리인의 권한을 넘는 행위가 범죄를 구성하는 경우에는 권한을 넘는 표현대리의 법리는 적용될 여지가 없다.

① ㉠
② ㉡
③ ㉠, ㉡
④ ㉡, ㉢
⑤ ㉠, ㉡, ㉢

해설

㉢ 대리인이 본인의 인장을 위조하여 권한을 넘은 무권대리행위를 한 경우 그 인장의 위조나 행사가 범죄행위가 된다 하여도 권한을 넘는 표현대리를 인정할 수 있다(대판 1966.6.28, 66다845). 정답: ③

04 대리권소멸 후의 표현대리(제129조)

제129조 【대리권소멸 후의 표현대리】 대리권의 소멸은 선의의 제3자에게 대항하지 못한다. 그러나 제3자가 과실로 인하여 그 사실을 알지 못한 때에는 그러하지 아니하다.

(1) 의의

① 제129조는 대리권이 소멸하여 대리권이 없게 된 자가 대리행위를 한 경우, 현재도 대리권이 있다고 믿은 상대방을 보호하기 위한 규정이다. 대리권 '존속의 외관'이 존재하는 경우이다.
② 제129조는 그 효과로 "제3자에 대항하지 못한다."라고 규정하는바, 표현이 제125조나 제126조와 다르지만, 그 의미는 마찬가지이다.

(2) 성립요건

① **이전에 존재하였던 대리권이 소멸하였을 것:** 처음부터 대리권이 없었던 경우에는 여기의 표현대리가 성립할 수 없다(대판 1984.10.10, 84다카780).
② **대리인이 권한 내의 행위를 하였을 것:** 민법 제129조의 대리권소멸 후의 표현대리로 인정되는 경우에, 그 표현대리의 권한을 넘는 대리행위가 있을 때에는 민법 제126조의 표현대리가 성립될 수 있다(대판 1979.3.27, 79다234).

③ 상대방의 선의 · 무과실: 대리인이 이전에는 대리권을 가지고 있었기 때문에 지금도 그 대리권이 계속 존재하는 것으로 상대방이 믿고, 또한 그와 같이 믿는 데 과실이 없어야 한다. 증명책임에 관하여 판례는 없다.

(3) 적용범위

① 대리권소멸 후의 표현대리에 관한 민법 제129조는 법정대리인의 대리권소멸에 관하여도 그 적용이 있다(대판 1975.1.28, 74다1199).

② 대리인이 대리권소멸 후 직접 상대방과 사이에 대리행위를 하는 경우는 물론 대리인이 대리권소멸 후 복대리인을 선임하여 복대리인으로 하여금 상대방과 사이에 대리행위를 하도록 한 경우에도, 상대방이 대리권 소멸사실을 알지 못하여 복대리인에게 적법한 대리권이 있는 것으로 믿었고 그와 같이 믿은 데 과실이 없다면 민법 제129조에 의한 표현대리가 성립할 수 있다(대판 1998.5.29, 97다55317).

제3항 협의의 무권대리

01 서설

무권대리 가운데 표현대리가 아닌 경우가 좁은 의미(협의)의 무권대리이다. 표현대리에 해당할지라도 상대방이 표현대리를 주장하지 않으면 협의의 무권대리이다.

민법은 계약에 있어서의 무권대리와, 단독행위에 있어서의 무권대리(제136조)를 구별하여 규정하고 있다.

02 계약의 무권대리

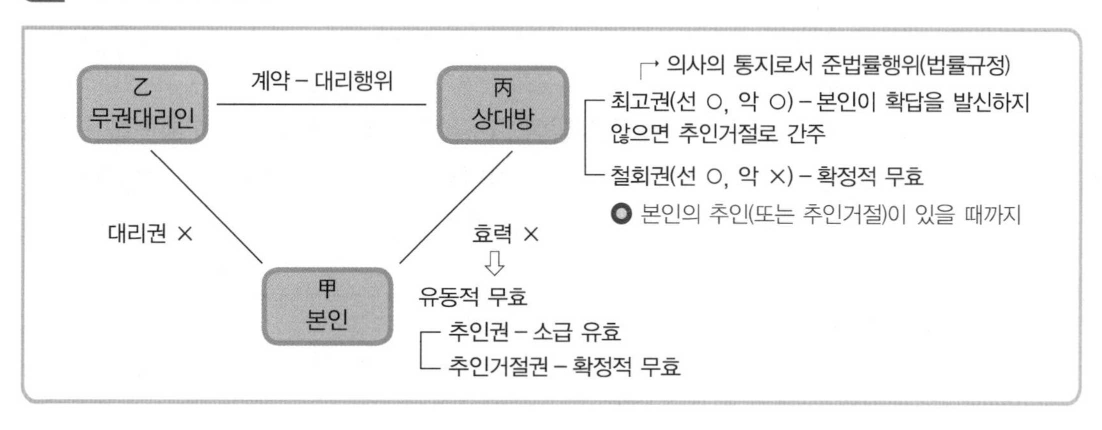

(1) 본인과 상대방 사이의 효과

> 제130조 【무권대리】 대리권 없는 자가 타인의 대리인으로 한 계약은 본인이 이를 추인하지 아니하면 본인에 대하여 효력이 없다.

① **원칙**: 무권대리는 확정적 무효가 아니고, 유동적 무효상태에 있다. 민법은 본인에게는 무권대리행위에 대한 추인권(제130조, 제132조, 제133조) 혹은 추인거절권(제132조)을, 상대방에게는 최고권(제131조) 혹은 철회권(제134조)을 인정한다.

② **본인의 추인권**

> 제132조 【추인, 거절의 상대방】 추인 또는 거절의 의사표시는 상대방에 대하여 하지 아니하면 그 상대방에 대항하지 못한다. 그러나 상대방이 그 사실을 안 때에는 그러하지 아니하다.

㉠ **추인의 성질**: 무권대리행위는 그 효력이 불확정상태에 있다가 본인의 추인 유무에 따라 본인에 대한 효력발생 여부가 결정되는 것인바, 그 추인은 무권대리행위가 있음을 알고 그 행위의 효과를 자기에게 귀속시키도록 하는 단독행위이다(대판 1995.11.14, 95다28090). 추인은 사후에 대리권을 수여하는 것이 아니며, 소급효를 지닌 일종의 형성권을 행사하는 것이다. 상대방 또는 무권대리인의 동의나 승낙을 필요로 하지 않는다.

㉡ **추인의 당사자**

ⓐ **추인권자**: 추인권자는 본인이지만, 본인이 사망한 경우에 상속인도 추인할 수 있고, 그 밖에 법정대리인(대판 1982.12.14, 80다1872)이나 본인으로부터 그에 관한 특별수권을 받은 임의대리인도 추인할 수 있다.

ⓑ **추인의 상대방**: 추인의 상대방은 상대방 및 승계인(대판 1981.4.14, 80다2314) · 무권대리인(대판 1991.3.8, 90다17088)이 될 수 있다. 그러나 무권대리인에 대하여 추인을 할 때에는 상대방이 그 사실을 알 때까지 추인의 효력을 주장할 수 없다(제132조 단서). 그러므로 상대방은 그때까지 철회할 수 있고(제134조), 또 무권대리인에게 추인이 있었음을 주장할 수도 있다(대판 1981.4.14, 80다2314).

㉢ **추인의 방법**

ⓐ 추인은 단독행위이므로 의사표시의 요건을 갖추어야 한다. 특별한 방식이 요구되지 않으므로, 명시적 · 묵시적으로 할 수 있다[통설, 판례(대판 1991.3.8, 90다17088)]. 판례에 의하면 매매대금의 일부를 받은 경우(대판 1963.4.11, 63다64), 임대인 명의의 영수증을 받고 차임의 일부를 지급한 경우(대판 1984.12.11, 83다카1531), 무권대리인이 차용한 금원의 변제기일에 채권자가 본인

에게 변제를 독촉하자 본인이 그 유예를 요청한 경우(대판 1973.1.30, 72다2309)에는 묵시적 추인이 있는 것으로 본다. 그러나 무권대리행위에 의하여 권리의 침해를 받은 자가 그 침해사실을 알고도 장기간 형사고소나 민사소송을 제기하지 않은 경우(대판 1967.12.18, 67다2294 · 2295), 본인이 무권대리행위의 사실을 알고 있으면서 이의를 제기하지 않았거나 상당기간 방치하였다는 것만으로는 추인이 되지 않는다(대판 2001.3.23, 2001다4880). 물론 추인은 구두에 의해서도 가능하며, 재판 외에서뿐만 아니라 재판상으로도 가능하다(대판 1974.2.26, 73다934).

ⓑ 추인은 의사표시 전부에 대하여 행하여져야 하고, 무권대리행위의 일부에 대하여 추인을 하거나 변경을 가하여 추인을 하는 것은 상대방의 동의가 없는 한 무효이다(대판 1982.1.26, 81다549).

판례

1. 묵시적 추인을 인정하기 위한 요건

무효행위 또는 무권대리행위의 추인은 무효행위 등이 있음을 알고 그 행위의 효과를 자기에게 귀속시키도록 하는 단독행위로서 묵시적인 방법으로도 할 수 있으므로, **본인이 그 행위로 처하게 된 법적 지위를 충분히 이해하고 그럼에도 진의에 기하여 그 행위의 결과가 자기에게 귀속된다는 것을 승인한 것으로 볼 만한 사정**이 있는 경우에는 묵시적으로 추인한 것으로 볼 수 있다(대판 2011.2.10, 2010다83199 · 83205).

2. 묵시적 추인 부인사례

① 무권대리행위에 대하여 본인이 그 직후에 그것이 자기에게 효력이 없다고 **이의를 제기하지 아니하고 이를 장시간에 걸쳐 방치**하였다고 하여 무권대리행위를 추인하였다고 볼 수 없다(대판 1990.3.27, 88다카181).

② 무권대리행위에 대한 추인은 무권대리행위로 인한 효과를 자기에게 귀속시키려는 의사표시이니만큼 무권대리행위에 대한 **추인이 있었다고 하려면 그러한 의사가 표시되었다고 볼 만한 사유가 있어야 하고**, 무권대리행위가 범죄가 되는 경우에 대하여 그 사실을 알고도 **장기간 형사고소를 하지 아니하였다** 하더라도 그 사실만으로 묵시적인 추인이 있었다고 할 수는 없다(대판 1998.2.10, 97다31113).

③ 타인의 형사책임을 수반하는 무권대리행위에 의하여 권리의 침해를 받은 자가 그 침해사실을 알고도 장기간 **형사고소나 민사소송을 제기하지 않은 경우**에 그 사실만으로 그 행위에 대하여 묵시적인 추인이 있었다고 단정할 수 없다(대판 1967.12.18, 67다2294 · 2295).

ⓔ 추인의 효과

> 제133조【추인의 효력】추인은 다른 의사표시가 없는 때에는 계약시에 소급하여 그 효력이 생긴다. 그러나 제3자의 권리를 해하지 못한다.

ⓐ 추인시에 새로운 계약이 체결된 것처럼 되는 것이 아니라, 무권대리인이 체결한 계약 당시로 소급하여 처음부터 유권대리행위와 동일한 효력이 당사자에게 발생하는 것이다(대판 1965.10.26, 65다1677). 추인의 소급효의 원칙에 대해서는 두 개의 예외가 있다. ㉮ '다른 의사표시가 있는 때'이다. 즉, 본인과 상대방 사이의 계약으로 장래에 향해 효력이 있는 것으로 약정한 때에는 추인의 소급효는 배제된다(제133조 본문). ㉯ 추인의 소급효는 '제3자의 권리를 해하지 못한다'(제133조 단서). 즉, 제3자의 권리를 해하는 한도에서는 추인의 소급효가 배제된다.

ⓑ 추인에 의해 무권대리행위가 계약시에 소급하여 효력이 발생한다는 법리(제133조)는 무권리자의 처분에도 유추된다(대판 1988.10.11, 87다카2238). 즉, 권리자가 무권리자의 처분을 추인하면 무권대리에 대해 본인이 추인을 한 경우와 당사자들 사이의 이익상황이 유사하므로, 무권대리의 추인에 관한 민법 제130조, 제133조 등을 무권리자의 추인에 유추적용할 수 있다. 따라서 무권리자의 처분이 계약으로 이루어진 경우에 권리자가 이를 추인하면 원칙적으로 계약의 효과가 계약을 체결했을 때에 소급하여 권리자에게 귀속된다고 보아야 한다(대판 2017.6.8, 2017다3499).

③ 본인의 추인거절권

㉠ **추인거절과 확정적 무효:** 추인을 거절하면 본인에 대하여 확정적 무효로 되며, 본인은 다시 추인할 수 없다. 상대방도 최고권이나 철회권을 행사할 수 없다. 추인의 거절은 추인의 의사가 없음을 외부에 표시하는 것이므로 '의사의 통지'로서 준법률행위이다. 추인거절의 상대방과 그 방법은 추인의 경우와 동일하다.

㉡ 무권대리인이 본인을 상속한 경우

판례 **무권대리인이 상속인으로서 자신의 대리행위가 무권대리 주장 가부**

乙이 대리권 없이 甲 소유 부동산을 丙에게 매도하여 부동산소유권이전등기 등에 관한 특별조치법에 의하여 소유권이전등기를 마쳐주었다면 **그 매매계약은 무효**이고 이에 터잡은 이전등기 역시 무효가 되나, 乙은 甲의 무권대리인으로서 민법 제135조 제1항의 규정에 의하여 매수인인 丙에게 부동산에 대한 소유권이전등기를 이행할 의무가 있으므로 그러한 지위에 있는 **乙이 甲으로부터 부동산을 상속**받아 그 소유자가 되어 소유권이전등기 이행의무를 이행하는 것이 가능하게 된 시점에서 자신이 소유자라고 하여 자신으로부터 부동산을 전전매수한 丁에게 원래 **자신의 매매행위가 무권대리행위여서 무효였다는 이유로 丁 앞으로 경료된 소유권이전등기가 무효의 등기라고 주장하여 그 등기의 말소를 청구하거나 부동산의 점유로 인한 부당이득금의 반환을 구하는 것은 금반언의 원칙이나 신의성실의 원칙에 반**하여 허용될 수 없다(대판 1994.9.27, 94다20617).

④ 상대방의 최고권

제131조【상대방의 최고권】 대리권 없는 자가 타인의 대리인으로 계약을 한 경우에 상대방은 상당한 기간을 정하여 본인에게 그 추인 여부의 확답을 최고할 수 있다. 본인이 그 기간 내에 확답을 발하지 아니한 때에는 추인을 거절한 것으로 본다.

상대방은 상당한 기간을 정하여 본인에게 무권대리행위의 추인 여부의 확답을 최고할 수 있다. 본인이 그 기간 내에 확답을 발하지 아니한 때에는(발신주의) 추인을 거절한 것으로 본다(제131조). 악의의 상대방도 최고할 수 있다.

제한능력자의 상대방의 확답촉구권과 무권대리 상대방의 최고권의 비교

구분	최고자	최고의 상대방	요건	효과	공통점
제한능력자의 상대방의 확답촉구권	선의·악의의 상대방	㉠ 제한능력자는 능력자가 된 후 확답촉구의 상대방이 될 수 있음(제한능력자에 대한 확답촉구는 무효) ㉡ 제한능력자인 동안에는 법정대리인이 확답촉구의 상대방이 됨	취소할 수 있는 행위를 적시하고, 1월 이상의 기간을 정하여, 추인 여부의 확답을 촉구	㉠ 확답이 있는 경우: 추인 또는 취소 ㉡ 확답이 없는 경우: 추인, 특별한 절차를 요하는 경우 취소 간주	㉠ 최고의 성질: 일종의 형성권, 의사의 통지 ㉡ 발신주의
무권대리 상대방의 최고권		본인	본인의 추인 또는 추인거절이 없는 경우, 문제의 무권대리행위를 적시하여, 상당기간을 정하여, 추인 여부의 확답을 요구	㉠ 확답이 있는 경우: 추인또는추인거절 ㉡ 확답이 없는 경우: 추인거절	

⑤ 상대방의 철회권

제134조【상대방의 철회권】 대리권 없는 자가 한 계약은 본인의 추인이 있을 때까지 상대방은 본인이나 그 대리인에 대하여 이를 철회할 수 있다. 그러나 계약 당시에 상대방이 대리권 없음을 안 때에는 그러하지 아니하다.

철회는 본인의 추인(또는 추인거절)이 있기 전에 한해 할 수 있다. 다만, 본인이 무권대리인에게 추인의 의사표시를 한 경우에는 상대방이 그 사실을 알 때까지는 철회할 수 있다(제132조 단서). 계약의 철회는 본인이나 무권대리인에 대하여 하여야 하며, 선의의 상대방만이 철회할 수 있다(제134조). 상대방이 철회를 하면 무권대리행위는 확정적으로 무효가 되어 그 후에는 본인이 무권대리행위를 추인할 수 없다. 한편, 상대방이 대리인에게 대리권이 없음을 알았다는 점에 대한 주장 · 입증책임은 철회의 효과를 다투는 본인에게 있다(대판 2017.6.29, 2017다213838).

(2) 무권대리인과 상대방 사이의 효과

제135조【상대방에 대한 무권대리인의 책임】① 다른 자의 대리인으로서 계약을 맺은 자가 그 대리권을 증명하지 못하고 또 본인의 추인을 받지 못한 경우에는 그는 상대방의 선택에 따라 계약을 이행할 책임 또는 손해를 배상할 책임이 있다.
② 대리인으로서 계약을 맺은 자에게 대리권이 없다는 사실을 상대방이 알았거나 알 수 있었을 때 또는 대리인으로서 계약을 맺은 사람이 제한능력자일 때에는 제1항을 적용하지 아니한다.

① **서설**: 민법은 상대방 및 거래의 안전을 보호하고 대리제도의 신용을 유지하기 위하여, 무권대리인에게 무거운 책임을 지우고 있다(제135조). 무권대리인의 이 책임은 과실을 요건으로 하지 않는 무과실의 법정책임이며(대판 1962.4.12, 61다1021), 무권대리행위가 제3자의 기망이나 문서위조 등 위법행위로 야기되었다고 하더라도 책임은 부정되지 아니한다(대판 2014.2.27, 2013다213038).

② **책임의 요건**

㉠ **대리인으로 계약을 한 자가 대리권을 증명하지 못할 것**: 이 요건은 상대방이 증명할 필요가 없고, 무권대리인이 그 책임을 면하려면 대리권 있음을 증명하여야 한다(통설 · 판례).

㉡ **본인의 추인을 얻지 못하고, 표현대리도 성립하지 않을 것**: 본인의 추인거절은 상대방이 이를 증명하여야 한다. 표현대리가 성립하는 경우는 책임을 물을 수 없다고 보는 것이 타당하다(다수설).

㉢ **상대방의 선의·무과실일 것**: '대리인으로서 계약을 맺은 자에게 대리권이 없다는 사실을 상대방이 알았거나 알 수 있었을 때'는 무권대리인에게 책임을 묻지 못한다(제135조 제2항). 판례는, 제135조 제2항은 무권대리인의 무과실책임원칙에 관한 규정인 제1항의 예외적 규정으로서, 상대방이 대리권이 없음을 알았다는 사실 또는 알 수 있었는데도 알지 못하였다는 사실에 관한 주장 · 증명책임은 무권대리인에게 있다고 한다(대판 2018.6.28, 2018다210775).

㉣ 상대방이 아직 철회권을 행사하지 않을 것

㉤ 무권대리인이 행위능력자일 것

③ 책임의 내용

㉠ 서설: 무권대리인은 상대방의 선택에 따라 계약을 이행할 책임 또는 손해를 배상할 책임이 있다(제135조 제1항).

㉡ 이행책임 또는 손해배상책임: 상대방이 계약의 이행을 선택한 경우 무권대리인은 계약이 본인에게 효력이 발생하였더라면 본인이 상대방에게 부담하였을 것과 같은 내용의 채무를 이행할 책임이 있다. 무권대리인은 마치 자신이 계약의 당사자가 된 것처럼 계약에서 정한 채무를 이행할 책임을 지는 것이다. 무권대리인이 계약에서 정한 채무를 이행하지 않으면 상대방에게 채무불이행에 따른 손해를 배상할 책임을 진다. 위 계약에서 채무불이행에 대비하여 손해배상액의 예정에 관한 조항을 둔 때에는 특별한 사정이 없는 한 무권대리인은 조항에서 정한 바에 따라 산정한 손해액을 지급하여야 한다. 이 경우에도 손해배상액의 예정에 관한 민법 제398조가 적용됨은 물론이다(대판 2018.6.28, 2018다210775).

㉢ 소멸시효: 상대방이 가지는 계약이행 또는 손해배상청구권의 소멸시효는 그 선택권을 행사할 수 있는 때로부터 진행한다 할 것이고, 또 선택권을 행사할 수 있는 때라고 함은 대리권의 증명 또는 본인의 추인을 얻지 못한 때라고 할 것이다(대판 1965.8.24, 64다1156).

(3) 본인과 무권대리인의 관계

본인이 추인한 경우 내부적 기초관계가 없다면, 일반원칙에 따라 사무관리(제734조 이하) · 부당이득(제741조 이하) · 불법행위(제750조 이하)의 문제로 취급하면 족하다(통설). 본인이 추인을 거절한 경우에는 본인에 대하여 효력이 없다.

03 단독행위의 무권대리

> 제136조【단독행위와 무권대리】단독행위에는 그 행위 당시에 상대방이 대리인이라 칭하는 자의 대리권 없는 행위에 동의하거나 그 대리권을 다투지 아니한 때에 한하여 전6조의 규정을 준용한다. 대리권 없는 자에 대하여 그 동의를 얻어 단독행위를 한 때에도 같다.

(1) 상대방 없는 단독행위

상대방 없는 단독행위는 언제나 무효이다. 본인의 추인이 있더라도 무효이다.

(2) 상대방 있는 단독행위

① 계약의 해제 · 채무의 면제 · 상계 등 상대방 있는 단독행위도 원칙적으로 무효이지만, 이 경우에는 무권대리인에게 대리권이 있다고 믿은 상대방을 보호할 필요가 있다. 그래서 제136조는 능동대리와 수동대리로 나누어 예외적으로 계약의 무권대리에 관한 규정을 준용한다(제136조).

② 능동대리의 경우 '상대방이 대리권 없는 행위에 동의하거나 또는 그 대리권을 다투지 아니한 경우'에는 계약의 무권대리의 규정이 준용된다(제136조 제1문).

③ 수동대리의 경우 '상대방이 대리권 없는 자에 대하여 그 동의를 얻어' 단독행위를 한 경우에는 계약의 무권대리의 규정이 준용된다(제136조 제2문).

마무리STEP 1 | OX 문제

01 소유자로부터 매매계약을 체결할 대리권을 수여받은 대리인은 특별한 사정이 없는 한 그 매매계약에서 정한 바에 따라 중도금을 수령할 수 있다. ( )

02 매매계약의 체결과 이행에 관한 포괄적 대리권을 수여받은 대리인은 특별한 사정이 없는 한 약정된 매매대금 지급기일을 연기해 줄 권한도 가진다. ( )

03 권한을 정하지 아니한 대리인은 대리의 목적인 미등기 부동산의 보존등기를 할 수 있다. ( )

04 대리인이 수인인 경우 대리인은 특별한 사정이 없는 한 각자가 본인을 대리한다. ( )

05 대리권은 대리인의 성년후견의 개시로 소멸된다. ( )

06 임의대리권은 원인된 법률관계의 종료에 의하여 소멸한다. ( )

07 대리인이 그 권한 내에서 본인을 위한 것임을 표시하지 아니하고 의사표시를 한 경우, 상대방이 대리인으로서 한 것임을 알았더라도 그 의사표시는 대리인 자신을 위한 것으로 본다. ( )

01 ○

02 ○

03 ○

04 ○

05 ○

06 ○

07 × 대리인이 본인을 위한 것임을 표시하지 아니한 때에는 그 의사표시는 자기를 위한 것으로 본다(제115조 본문). 그러나 '상대방이 대리인으로서 한 것임을 알았거나 알 수 있었을 때'에는 대리행위로서 본인에게 효력을 발생한다(제115조 단서).

08 본인이 특정한 법률행위를 위임한 경우, 임의대리인이 본인의 지시에 좇아 그 행위를 하였다면, 본인은 자기의 과실로 알지 못한 사정에 관하여 그 대리인의 부지를 주장하지 못한다. (　　)

09 임의대리인은 본인의 승낙이 있거나 부득이한 사유가 있는 때가 아니면 복대리인을 선임하지 못한다. (　　)

10 복대리인은 본인이나 제3자에 대하여 대리인과 동일한 권리의무가 있다. (　　)

11 유권대리에 관한 주장에는 표현대리의 주장이 포함되어 있다고 볼 수 있다. (　　)

12 표현대리가 성립하는 경우에는 상대방에게 과실이 있더라도 과실상계의 법리를 유추적용하여 본인의 책임을 경감할 수 없다. (　　)

13 사회통념상 대리권을 추단할 수 있는 직함이나 명칭 등의 사용을 승낙한 경우라도 특별한 사정이 없는 한 대리권수여의 표시가 있는 것으로 볼 수는 없다. (　　)

14 대리권수여의 표시에 의한 표현대리가 성립하기 위해서는 대리권이 없다는 사실에 대해 상대방은 선의 · 무과실이어야 한다. (　　)

08 ○

09 ○

10 ○

11 × 표현대리가 성립된다고 하여 무권대리의 성질이 유권대리로 전환되는 것은 아니므로, 양자의 구성요건 해당사실, 즉 주요사실은 다르다고 볼 수밖에 없으니 유권대리에 관한 주장 속에 무권대리에 속하는 표현대리의 주장이 포함되어 있다고 볼 수 없다(대판 1983.12.13, 83다카1489 전합).

12 ○

13 × 본인에 의한 대리권수여의 표시는 반드시 대리권 또는 대리인이라는 말을 사용하여야 하는 것이 아니라 사회통념상 대리권을 추단할 수 있는 직함이나 명칭 등의 사용을 승낙 또는 묵인한 경우에도 대리권수여의 표시가 있은 것으로 볼 수 있다(대판 1998.6.12, 97다53762).

14 ○

15 대리인이 사자(使者)를 통해 권한 외의 대리행위를 한 경우, 그 사자에게는 기본대리권이 없으므로 권한을 넘은 표현대리가 성립할 수 없다. ( )

16 강행법규 위반으로 무효인 법률행위에도 표현대리에 관한 법리가 준용될 수 있다. ( )

17 권한을 넘은 표현대리의 경우, 권한이 있다고 믿을 만한 정당한 이유가 있는지 여부는 대리행위 당시를 기준으로 해야 한다. ( )

18 대리인이 대리권소멸 후 복대리인을 선임하여 복대리인으로 하여금 상대방과 대리행위하도록 한 경우에도 대리권소멸 후의 표현대리가 성립할 수 있다. ( )

19 대리권 없는 자가 타인의 대리인으로 한 계약은 본인이 이를 추인하지 아니하면 본인에 대하여 효력이 없다. ( )

20 추인의 상대방은 무권대리행위의 직접 상대방뿐만 아니라 그 무권대리행위로 인한 권리의 승계인도 포함한다. ( )

21 무권대리행위의 내용을 변경하여 추인한 경우, 상대방의 동의를 얻지 못하면 그 추인은 효력이 없다. ( )

15 × 행위자가 사자라고 하더라도 대리행위의 주체가 되는 대리인이 별도로 있고 그들에게 본인으로부터 기본대리권이 수여된 이상, 민법 제126조를 적용함에 있어서 기본대리권의 흠결문제는 생기지 않는다(대판 1998.3.27, 97다48982).

16 × 표현대리행위가 무효인 때에는 본인에게 효과가 귀속될 여지가 없다. 즉, 강행법규에 반하는 표현대리행위는 확정적 무효가 된다(대판 1996.8.23, 94다38199).

17 ○

18 ○

19 ○

20 ○

21 ○

22 무권대리행위의 추인은 다른 의사표시가 없는 때에는 장래에 대하여 효력이 있다. ( )

23 대리권 없는 자가 타인의 대리인으로 계약을 한 경우, 상대방은 상당한 기간을 정하여 본인에게 그 추인 여부의 확답을 최고할 수 있다. ( )

24 대리권 없는 자가 타인의 대리인으로 계약하고 상대방이 계약 당시에 그 대리권 없음을 알지 못한 경우, 상대방은 본인의 추인이 있을 때까지 본인에 대하여 계약을 철회할 수 있다. ( )

25 무권대리행위가 제3자의 위법행위로 야기된 경우에는 무권대리인에게 귀책사유가 있어야 민법 제135조에 따른 무권대리인의 상대방에 대한 책임이 인정된다. ( )

26 상대방 없는 단독행위의 무권대리는 확정적 무효이다. ( )

22 × 추인은 다른 의사표시가 없는 때에는 계약시에 소급하여 그 효력이 생긴다. 그러나 제3자의 권리를 해하지 못한다(제133조).

23 ○

24 ○

25 × 무권대리인의 책임은 과실을 요건으로 하지 않는 무과실의 법정책임이며(대판 1962.4.12, 61다1021), 무권대리행위가 제3자의 기망이나 문서위조 등 위법행위로 야기되었다고 하더라도 책임은 부정되지 아니한다(대판 2014.2.27, 2013다213038).

26 ○

마무리STEP 2 | 확인문제

01 **대리에 관한 설명으로 옳지 않은 것은? (다툼이 있으면 판례에 따름)** 제23회

① 임의대리권은 원인된 법률관계의 종료에 의하여 소멸한다.
② 대리인은 본인의 허락이 없어도 쌍방을 대리하여 다툼이 없는 채무의 이행을 할 수 있다.
③ 복대리인이 그 권한 내에서 본인을 위한 것임을 표시한 의사표시는 직접 본인에게 효력이 생긴다.
④ 법률행위에 의해 대리권을 부여받은 대리인은 특별한 사정이 없는 한 복대리인을 선임할 수 있다.
⑤ 매매계약의 체결과 이행에 관한 포괄적 대리권을 수여받은 대리인은 특별한 사정이 없는 한 약정된 매매대금 지급기일을 연기해 줄 권한도 가진다.

정답 | 해설

01 ④ 대리권이 법률행위에 의하여 부여된 경우에는 대리인은 본인의 승낙이 있거나 부득이한 사유가 있는 때가 아니면 복대리인을 선임하지 못한다(제120조).

02 대리에 관한 설명으로 옳은 것은? 제22회

① 임의대리권은 대리인에 대한 한정후견개시에 의하여 소멸한다.
② 무권대리행위의 추인은 다른 의사표시가 없는 한 추인한 때부터 효력이 생긴다.
③ 법정대리인은 본인의 승낙이 있거나 부득이한 사유 있는 때가 아니면 복대리인을 선임하지 못한다.
④ 법률 또는 수권행위에 다른 정한 바가 없으면, 수인의 대리인은 공동으로 본인을 대리한다.
⑤ 본인이 특정한 법률행위를 위임한 경우, 임의대리인이 본인의 지시에 좇아 그 행위를 하였다면, 본인은 자기의 과실로 알지 못한 사정에 관하여 그 대리인의 부지를 주장하지 못한다.

03 대리에 관한 설명으로 옳지 않은 것은? (다툼이 있으면 판례에 따름) 제25회

① 대리권수여의 표시에 의한 표현대리는 어떤 자가 본인을 대리하여 제3자와 법률행위를 함에 있어서 본인이 그 자에게 대리권을 수여하였다는 표시를 그 제3자에게 한 경우에 성립할 수 있다.
② 대리인이 대리권소멸 후 복대리인을 선임하여 복대리인으로 하여금 상대방과 대리행위를 하도록 한 경우에도 대리권소멸 후의 표현대리가 성립할 수 있다.
③ 등기신청의 대리권도 권한을 넘은 표현대리의 기본대리권이 될 수 있다.
④ 매매계약을 체결할 권한을 수여받은 대리인이라도 특별한 사정이 없는 한 그 계약을 해제할 권한은 없다.
⑤ 무권대리행위가 제3자의 위법행위로 야기된 경우에는 무권대리인에게 귀책사유가 있어야 민법 제135조에 따른 무권대리인의 상대방에 대한 책임이 인정된다.

04 민법상 임의대리에 관한 설명으로 옳지 않은 것은? (다툼이 있으면 판례에 따름)

제20회

① 소유자로부터 매매계약을 체결할 대리권을 수여받은 대리인은 특별한 사정이 없는 한 그 매매계약에서 정한 바에 따라 중도금을 수령할 수 있다.
② 대리인이 그 권한 내에서 본인을 위한 것임을 표시하지 아니하고 의사표시를 한 경우, 상대방이 대리인으로서 한 것임을 알았더라도 그 의사표시는 대리인 자신을 위한 것으로 본다.
③ 권한을 정하지 아니한 대리인은 대리의 목적인 미등기 부동산의 보존등기를 할 수 있다.
④ 대리인은 본인의 승낙이 있거나 부득이한 사유가 있는 때가 아니면 복대리인을 선임하지 못한다.
⑤ 원인된 법률관계의 종료 전에 본인이 수권행위를 철회한 경우, 대리권은 소멸한다.

정답 | 해설

02 ⑤ ⑤ 특정한 법률행위를 위임한 경우에 대리인이 본인의 지시에 좇아 그 행위를 한 때에는 본인은 자기가 안 사정 또는 과실로 인하여 알지 못한 사정에 관하여 대리인의 부지를 주장하지 못한다(제116조 제2항).
① 대리권은 대리인에 대한 성년후견개시에 의하여 소멸한다(제127조 제2호).
② 추인은 다른 의사표시가 없는 때에는 계약시에 소급하여 그 효력이 생긴다. 그러나 제3자의 권리를 해하지 못한다(제133조).
③ 법정대리인은 그 책임으로 복대리인을 선임할 수 있다(제122조).
④ 대리인이 수인인 때에는 각자가 본인을 대리한다. 그러나 법률 또는 수권행위에 다른 정하는 바가 있는 때에는 그러하지 아니하다(제119조).

03 ⑤ 무권대리인의 책임은 과실을 요건으로 하지 않는 무과실의 법정책임이며(대판 1962.4.12, 61다1021), 무권대리행위가 제3자의 기망이나 문서위조 등 위법행위로 야기되었다고 하더라도 책임은 부정되지 아니한다(대판 2014.2.27, 2013다213038).

04 ② 대리인이 본인을 위한 것임을 표시하지 아니한 때에는 그 의사표시는 자기를 위한 것으로 본다(제115조 본문). 그러나 '상대방이 대리인으로서 한 것임을 알았거나 알 수 있었을 때'에는 대리행위로서 본인에게 효력을 발생한다(제115조 단서).

05 **甲이 乙에게 X토지를 매도 후 등기 전에 丁이 丙의 임의대리인으로서 甲의 배임행위에 적극 가담하여 甲으로부터 X토지를 매수하고 丙 명의로 소유권이전등기를 마쳤다. 이에 관한 설명으로 옳지 않은 것은? (다툼이 있으면 판례에 따름)** 제24회

① 수권행위의 하자 유무는 丙을 기준으로 판단한다.
② 대리행위의 하자 유무는 특별한 사정이 없는 한 丁을 기준으로 판단한다.
③ 대리행위의 하자로 인하여 발생한 효과는 특별한 사정이 없는 한 丙에게 귀속된다.
④ 乙은 반사회질서의 법률행위임을 이유로 甲과 丙 사이의 계약이 무효임을 주장할 수 있다.
⑤ 丁이 甲의 배임행위에 적극 가담한 사정을 丙이 모른다면, 丙 명의로 경료된 소유권이전등기는 유효하다.

06 **甲의 대리인 乙은 본인을 위한 것임을 표시하고 그 권한 내에서 丙과 甲 소유의 건물에 대한 매매계약을 체결하였다. 다음 중 甲과 丙 사이에 매매계약의 효력이 발생하는 경우는? (다툼이 있으면 판례에 따름)** 제21회

① 乙이 의사무능력상태에서 丙과 계약을 체결한 경우
② 乙과 丙이 통정한 허위의 의사표시로 계약을 체결한 경우
③ 乙이 대리권을 남용하여 계약을 체결하고 丙이 이를 안 경우
④ 甲이 乙과 丁으로 하여금 공동대리를 하도록 했는데, 乙이 단독의 의사결정으로 계약하였고 丙이 이러한 제한을 안 경우
⑤ 乙의 대리권이 소멸하였으나 이를 과실 없이 알지 못한 채 계약을 체결한 丙이 甲에게 건물의 소유권이전등기를 청구한 경우

07 甲의 임의대리인 乙은 甲의 승낙을 얻어 복대리인 丙을 선임하였다. 이에 관한 설명으로 옳은 것은? (다툼이 있으면 판례에 따름) 제26회

① 丙은 乙의 대리인이 아니라 甲의 대리인이다.
② 乙의 대리권은 丙의 선임으로 소멸한다.
③ 丙의 대리권은 특별한 사정이 없는 한 乙이 사망하더라도 소멸하지 않는다.
④ 丙은 甲의 지명이나 승낙 기타 부득이한 사유가 없더라도 복대리인을 선임할 수 있다.
⑤ 만약 甲의 지명에 따라 丙을 선임한 경우, 乙은 甲에게 그 부적임을 알고 통지나 해임을 하지 않더라도 책임이 없다.

정답 | 해설

05 ⑤ 대리인이 매도인의 배임행위에 적극 가담하여 2중매매계약을 체결한 경우에 대리행위의 하자 유무는 대리인을 표준으로 판단하여야 하므로, 본인이 이를 몰랐거나 반사회성을 야기하지 않았을지라도 반사회질서행위로서 무효이다(대판 1998.2.27, 97다45532).

06 ⑤ 乙의 대리권이 소멸하였으나 이를 과실 없이 알지 못한 채 계약을 체결한 丙이 甲에게 건물의 소유권이전등기를 청구한 경우, 제129조의 대리권소멸 후의 표현대리를 주장하는 것으로 甲은 그 책임을 져야 한다.

07 ① ① 복대리인은 본인의 대리인이지, 대리인의 대리인이 아니다.
② 복대리인을 선임한 후에도 대리인의 대리권은 소멸하지 않고 복대리인의 복대리권과 병존한다.
③ 대리인 乙이 사망하면 대리권은 소멸한다(제127조 제2호). 복대리권은 대리인의 대리권을 전제로 하는 것이므로 대리권의 소멸에 의하여 복대리권도 소멸한다.
④ 대리권이 법률행위에 의하여 부여된 경우에는 대리인은 본인의 승낙이 있거나 부득이한 사유가 있는 때가 아니면 복대리인을 선임하지 못한다(제120조).
⑤ 대리인이 본인의 지명에 의하여 복대리인을 선임한 경우에는 그 부적임 또는 불성실함을 알고 본인에게 대한 통지나 그 해임을 태만한 때가 아니면 책임이 없다(제121조 제2항).

08 **민법상 복대리권의 소멸사유가 아닌 것은?** 제25회

① 본인의 사망
② 대리인의 성년후견의 개시
③ 본인의 특정후견의 개시
④ 복대리인의 파산
⑤ 복대리인의 사망

09 **표현대리에 관한 설명으로 옳지 않은 것은? (다툼이 있으면 판례에 따름)** 제23회

① 대리권수여의 표시에 의한 표현대리가 성립하기 위해서는 대리권이 없다는 사실에 대해 상대방은 선의·무과실이어야 한다.
② 사실혼관계에 있는 부부간에도 일상가사에 관한 대리권이 인정되므로, 이를 기본대리권으로 하는 권한을 넘은 표현대리가 성립할 수 있다.
③ 대리인이 사자(使者)를 통해 권한 외의 대리행위를 한 경우, 그 사자에게는 기본대리권이 없으므로 권한을 넘은 표현대리가 성립할 수 없다.
④ 권한을 넘은 표현대리의 경우, 권한이 있다고 믿을 만한 정당한 이유가 있는지 여부는 대리행위 당시를 기준으로 해야 한다.
⑤ 대리인이 대리권소멸 후 복대리인을 선임하여 복대리인으로 하여금 상대방과 대리행위하도록 한 경우에도 대리권소멸 후의 표현대리가 성립할 수 있다.

10 표현대리에 관한 설명으로 옳은 것은? (다툼이 있으면 판례에 따름) 제26회

① 사회통념상 대리권을 추단할 수 있는 직함이나 명칭 등의 사용을 승낙한 경우라도 특별한 사정이 없는 한 대리권수여의 표시가 있는 것으로 볼 수는 없다.

② 복대리인의 권한은 권한을 넘은 표현대리의 기본대리권이 될 수 없다.

③ 대리행위가 강행법규에 반하여 무효인 경우에도 표현대리가 성립할 수 있다.

④ 유권대리에 관한 주장에는 표현대리의 주장이 포함되어 있다고 볼 수 있다.

⑤ 표현대리가 성립하는 경우에는 상대방에게 과실이 있더라도 과실상계의 법리를 유추적용하여 본인의 책임을 경감할 수 없다.

정답 | 해설

08 ③ ①③ 본인의 사망은 대리권 소멸사유이나, 본인의 특정후견의 개시는 대리권의 소멸사유가 아니다.

09 ③ 대리인이 사자 내지 임의로 선임한 복대리인을 통하여 권한 외의 법률행위를 한 경우, 상대방이 그 행위자를 대리권을 가진 대리인으로 믿었고 또한 그렇게 믿는 데에 정당한 이유가 있는 때에는, 복대리인 선임권이 없는 대리인에 의하여 선임된 복대리인의 권한도 기본대리권이 될 수 있을 뿐만 아니라, 그 행위자가 사자라고 하더라도 대리행위의 주체가 되는 대리인이 별도로 있고 그들에게 본인으로부터 기본대리권이 수여된 이상, 민법 제126조를 적용함에 있어서 기본대리권의 흠결문제는 생기지 않는다(대판 1998.3.27, 97다48982).

10 ⑤ ⑤ 표현대리행위가 성립하는 경우에 그 본인은 표현대리행위에 의하여 전적인 책임을 져야 하고, 상대방에게 과실이 있다고 하더라도 과실상계의 법리를 유추적용하여 본인의 책임을 경감할 수 없다(대판 1996.7.12, 95다49554).

① 본인에 의한 대리권수여의 표시는 반드시 대리권 또는 대리인이라는 말을 사용하여야 하는 것이 아니라, 사회통념상 대리권을 추단할 수 있는 직함이나 명칭 등의 사용을 승낙 또는 묵인한 경우에도 대리권수여의 표시가 있은 것으로 볼 수 있다(대판 1998.6.12, 97다53762).

② 복대리인 선임권이 없는 대리인에 의하여 선임된 복대리인의 권한도 기본대리권이 될 수 있다(대판 1998.3.27, 97다48982).

③ 표현대리행위가 무효인 때에는 본인에게 효과가 귀속될 여지가 없다. 즉, 강행법규에 반하는 표현대리행위는 확정적 무효가 된다(대판 1996.8.23, 94다38199).

④ 표현대리가 성립된다고 하여 무권대리의 성질이 유권대리로 전환되는 것은 아니므로, 양자의 구성요건 해당사실, 즉 주요사실은 다르다고 볼 수밖에 없으니 유권대리에 관한 주장 속에 무권대리에 속하는 표현대리의 주장이 포함되어 있다고 볼 수 없다(대판 1983.12.13, 83다카1489 전합).

11 **표현대리에 관한 설명으로 옳은 것은? (다툼이 있으면 판례에 따름)** 제22회

① 무권대리행위라도 표현대리가 성립하면 무권대리의 성질이 유권대리로 전환된다.
② 권한을 넘은 표현대리에서 정당한 이유의 존부는 대리행위가 행하여질 때를 기준으로 판단한다.
③ 강행법규 위반으로 무효인 법률행위에도 표현대리에 관한 법리가 준용될 수 있다.
④ 표현대리가 성립하는 경우, 상대방에게 과실이 있으면 과실상계의 법리를 유추적용하여 본인의 책임을 경감할 수 있다.
⑤ 유권대리에 관한 주장 속에는 표현대리의 주장이 포함되어 있다.

12 **표현대리에 관한 설명으로 옳은 것은? (다툼이 있으면 판례에 따름)** 제21회

① 대리행위가 강행법규에 위반하여 무효이더라도 표현대리의 법리가 적용될 수 있다.
② 표현대리가 성립하는 경우, 과실상계의 법리를 유추적용하여 본인의 책임을 경감할 수 없다.
③ 유권대리의 주장 속에는 무권대리에 속하는 표현대리의 주장이 포함되어 있다고 볼 수 있다.
④ 대리권소멸 후의 표현대리에 관한 규정은 법정대리인의 대리권소멸에 관하여 적용되지 않는다.
⑤ 대리권소멸 후 선임된 복대리인의 대리행위에 대하여는 대리권소멸 후 표현대리가 성립할 수 없다.

13 표현대리에 관한 설명으로 옳지 않은 것은? (다툼이 있으면 판례에 따름) 제20회

① 강행법규에 위반하여 무효인 법률행위에도 표현대리에 관한 규정이 적용된다.
② 권한을 넘은 표현대리에서 기본대리권은 권한을 넘은 행위와 반드시 같은 종류의 것일 필요는 없다.
③ 권한을 넘은 표현대리에서 정당한 이유의 유무는 대리행위시를 기준으로 판단한다.
④ 권한을 넘은 표현대리에 관한 규정에서 말하는 제3자는 대리행위의 직접 상대방이 된 자만을 가리킨다.
⑤ 처음부터 대리권이 없었던 경우에는 대리권소멸 후의 표현대리는 성립할 수 없다.

정답 | 해설

11 ② ② 정당한 이유의 존부는 자칭 대리인의 대리행위가 행하여질 때에 존재하는 제반 사정을 객관적으로 관찰하여 판단하여야 한다(대판 2013.4.26, 2012다99617).
①⑤ 표현대리가 성립된다고 하여 무권대리의 성질이 유권대리로 전환되는 것은 아니므로, 양자의 구성요건 해당사실, 즉 주요사실은 다르다고 볼 수밖에 없으니 유권대리에 관한 주장 속에 무권대리에 속하는 표현대리의 주장이 포함되어 있다고 볼 수 없다(대판 1983.12.13, 83다카1489 전합).
③ 표현대리행위가 무효인 때에는 본인에게 효과가 귀속될 여지가 없다. 즉, 강행법규에 반하는 표현대리행위는 확정적 무효가 된다(대판 1996.8.23, 94다38199).
④ 표현대리행위가 성립하는 경우에 그 본인은 표현대리행위에 의하여 전적인 책임을 져야 하고, 상대방에게 과실이 있다고 하더라도 과실상계의 법리를 유추적용하여 본인의 책임을 경감할 수 없다(대판 1996.7.12, 95다49554).

12 ② ② 표현대리행위가 성립하는 경우에 그 본인은 표현대리행위에 의하여 전적인 책임을 져야 하고, 상대방에게 과실이 있다고 하더라도 과실상계의 법리를 유추적용하여 본인의 책임을 경감할 수 없다(대판 1996.7.12, 95다49554).
① 표현대리행위가 무효인 때에는 본인에게 효과가 귀속될 여지가 없다. 즉, 강행법규에 반하는 표현대리행위는 확정적 무효가 된다(대판 1996.8.23, 94다38199).
③ 표현대리가 성립된다고 하여 무권대리의 성질이 유권대리로 전환되는 것은 아니므로, 양자의 구성요건 해당사실, 즉 주요사실은 다르다고 볼 수밖에 없으니 유권대리에 관한 주장 속에 무권대리에 속하는 표현대리의 주장이 포함되어 있다고 볼 수 없다(대판 1983.12.13, 83다카1489 전합).
④ 대리권소멸 후의 표현대리에 관한 민법 제129조는 법정대리인의 대리권소멸에 관하여도 그 적용이 있다(대판 1975.1.28, 74다1199).
⑤ 대리인이 대리권소멸 후 복대리인을 선임하여 복대리인으로 하여금 상대방과 사이에 대리행위를 하도록 한 경우에도, 민법 제129조에 의한 표현대리가 성립할 수 있다(대판 1998.5.29, 97다55317).

13 ① 표현대리행위가 무효인 때에는 본인에게 효과가 귀속될 여지가 없다. 즉, 강행법규에 반하는 표현대리행위는 확정적 무효가 된다(대판 1996.8.23, 94다38199).

14 **표현대리와 무권대리에 관한 설명으로 옳지 않은 것은? (다툼이 있으면 판례에 따름)**

제24회

① 표현대리가 성립된다고 하더라도 무권대리의 성질이 유권대리로 전환되는 것은 아니다.

② 표현대리가 성립하는 경우, 상대방에게 과실이 있다면 과실상계의 법리가 유추적용되어 본인의 책임이 경감될 수 있다.

③ 법정대리의 경우에도 대리권소멸 후의 표현대리가 성립할 수 있다.

④ 사실혼관계에 있는 부부의 경우, 일상가사대리권을 기본대리권으로 하는 권한을 넘은 표현대리가 성립할 수 있다.

⑤ 무권대리행위에 대해 본인이 이의를 제기하지 않고 장기간 방치해 둔 사실만으로 무권대리행위에 대한 추인이 있다고 볼 수 없다.

15 **협의의 무권대리에 관한 설명으로 옳지 않은 것은? (다툼이 있으면 판례에 따름)**

제23회

① 무권대리행위의 추인은 원칙적으로 의사표시의 전부에 대하여 해야 한다.

② 무권대리행위에 대한 본인의 추인 또는 추인거절이 없는 경우, 상대방은 최고권을 행사할 수 있다.

③ 추인의 상대방은 무권대리행위의 직접 상대방뿐만 아니라 그 무권대리행위로 인한 권리의 승계인도 포함한다.

④ 무권대리행위가 제3자의 기망 등 위법행위로 야기된 경우, 무권대리인의 상대방에 대한 책임은 부정된다.

⑤ 무권대리행위의 내용을 변경하여 추인한 경우, 상대방의 동의를 얻지 못하면 그 추인은 효력이 없다.

16 계약에 관한 무권대리의 설명으로 옳지 않은 것은? (표현대리는 고려하지 않고, 다툼이 있으면 판례에 따름)

제20회

① 대리권 없는 자가 타인의 대리인으로 한 계약은 본인이 이를 추인하지 아니하면 본인에 대하여 효력이 없다.

② 대리권 없는 자가 타인의 대리인으로 계약을 한 경우, 상대방은 상당한 기간을 정하여 본인에게 그 추인 여부의 확답을 최고할 수 있다.

③ 무권대리행위의 추인은 다른 의사표시가 없는 때에는 장래에 대하여 효력이 있다.

④ 무권대리인의 상대방에 대한 책임은 무과실책임으로서 대리인의 귀책사유가 있어야만 인정되는 것은 아니다.

⑤ 대리권 없는 자가 타인의 대리인으로 계약하고 상대방이 계약 당시에 그 대리권 없음을 알지 못한 경우, 상대방은 본인의 추인이 있을 때까지 본인에 대하여 계약을 철회할 수 있다.

정답 | 해설

14 ② 표현대리행위가 성립하는 경우에 그 본인은 표현대리행위에 의하여 전적인 책임을 져야 하고, 상대방에게 과실이 있다고 하더라도 과실상계의 법리를 유추적용하여 본인의 책임을 경감할 수 없다(대판 1996.7.12, 95다49554).

15 ④ 무권대리인의 이 책임은 과실을 요건으로 하지 않는 무과실의 법정책임이며(대판 1962.4.12, 61다1021), 무권대리행위가 제3자의 기망이나 문서위조 등 위법행위로 야기되었다고 하더라도 책임은 부정되지 아니한다(대판 2014.2.27, 2013다213038).

16 ③ 추인은 다른 의사표시가 없는 때에는 계약시에 소급하여 그 효력이 생긴다. 그러나 제3자의 권리를 해하지 못한다(제133조).

17 **甲의 무권대리인 乙이 甲을 대리하여 丙과 매매계약을 체결하였고, 그 당시 丙은 제한능력자가 아닌 乙이 무권대리인임을 과실 없이 알지 못하였다. 이에 관한 설명으로 옳지 않은 것은? (표현대리는 성립하지 않으며, 다툼이 있으면 판례에 따름)**

제26회

① 乙과 丙 사이에 체결된 매매계약은 甲이 추인하지 않는 한 甲에 대하여 효력이 없다.

② 甲이 乙에게 추인의 의사표시를 하였으나 丙이 그 사실을 알지 못한 경우, 丙은 매매계약을 철회할 수 있다.

③ 甲을 단독 상속한 乙이 丙에게 추인거절권을 행사하는 것은 신의칙에 반하여 허용될 수 없다.

④ 乙의 무권대리행위가 제3자의 위법행위로 야기된 경우, 乙은 과실이 없으므로 丙에게 무권대리행위로 인한 책임을 지지 않는다.

⑤ 丙이 乙에게 가지는 계약의 이행 또는 손해배상청구권의 소멸시효는 丙이 이를 선택할 수 있는 때부터 진행한다.

18 **甲으로부터 대리권을 수여받지 않은 乙이 甲을 대리하여 丙과 계약을 체결하였다. 이에 관한 설명으로 옳지 않은 것은? (표현대리는 성립하지 않았고, 다툼이 있으면 판례에 따름)**

제22회

① 乙의 무권대리를 丙이 안 경우, 丙은 상당한 기간을 정하여 甲에게 추인 여부의 확답을 최고할 수 있다.

② 계약 당시 乙의 무권대리를 丙이 알았다면, 丙은 甲을 상대로 계약을 철회할 수 없다.

③ 계약을 철회하고자 하는 丙은 乙에게 대리권이 없음을 알지 못하였다는 사실을 증명해야 한다.

④ 계약 당시 乙의 무권대리를 丙이 알지 못하였다면, 甲의 추인이 있을 때까지 丙은 乙을 상대로 계약을 철회할 수 있다.

⑤ 甲이 乙에게 무권대리행위에 대한 추인의 의사표시를 하였다면, 甲은 추인사실을 알지 못한 丙에 대하여 그 추인으로 대항할 수 없다.

정답 | 해설

17 ④ 무권대리인의 책임은 과실을 요건으로 하지 않는 무과실의 법정책임이며(대판 1962.4.12, 61다1021), 무권대리행위가 제3자의 기망이나 문서위조 등 위법행위로 야기되었다고 하더라도 책임은 부정되지 아니한다(대판 2014.2.27, 2013다213038).

18 ③ 상대방이 대리인에게 대리권이 없음을 알았다는 점에 대한 주장·입증책임은 철회의 효과를 다투는 본인에게 있다(대판 2017.6.29, 2017다213838).

제8절 법률행위의 무효와 취소

제1관 총설

01 서설

(1) 법률행위의 효력은 그 논리적 전제로서 확정된 내용을 가진 법률행위가 존재하여야 한다. 즉, 우선 법률행위가 성립하지 않고서는 그 효력 여부를 문제 삼을 수 없다. 이상과 같이 확정된 내용을 가지고 당사자들 사이에 법률행위가 성립하였더라도 법이 정한 유효요건을 갖추지 않으면 그 법률행위는 효력을 가질 수 없다. 즉, 무효 또는 취소의 효과가 생긴다.

(2) 법률행위가 유효하기 위해서는 적극적으로는 당사자들의 확정된 내용의 법률행위가 있어야 하고(성립의 문제), 소극적으로는 그 효력을 부인하는 무효 · 취소의 요건에 해당하지 말아야 한다(효력의 문제).

법률행위의 성립과 효력

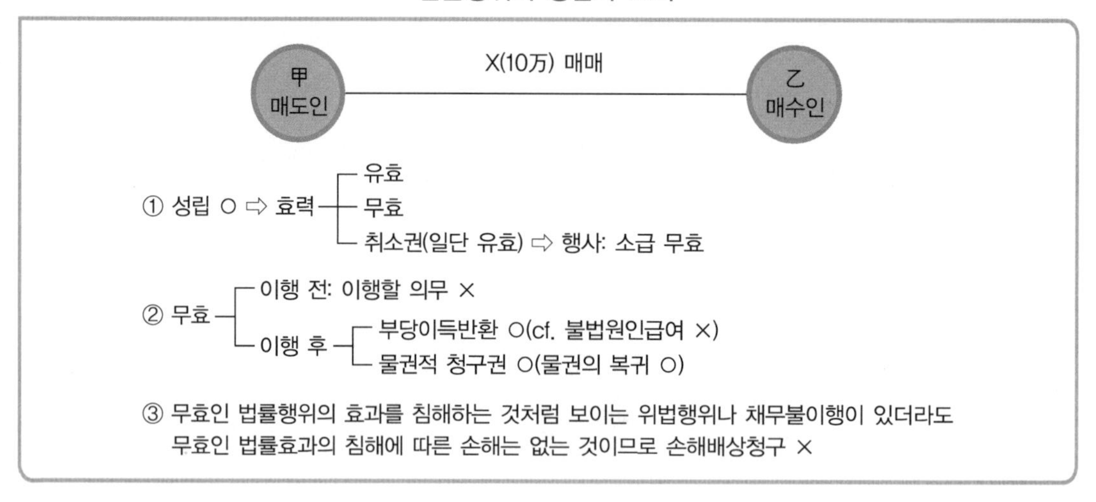

02 무효와 취소

(1) 개념

법은 효력부여가 거부되는 경우를, 법률행위를 무효로 할 권리를 가진 사람이 그 권리를 행사함으로써 비로소 무효로 되는 경우와 처음부터 무효인 경우로 나누고, 전자를 취소, 후자를 무효라고 한다.

(2) 무효와 취소의 차이

구분	법률행위의 무효	법률행위의 취소
주장권자 및 주장 요부	누구라도 주장할 수 있으며, 주장 유무를 불문하고 처음부터 당연히 효력이 발생하지 않는다.	취소권자에 한하여 주장할 수 있으며, 취소권자의 주장이 있어야 비로소 효력이 없어진다.
법률행위의 효력에 미치는 영향	처음부터 효력이 없는 것으로 다루어진다.	취소하기 전까지는 일단 유효한 것으로 다루어진다(단, 취소권행사 후에는 취소의 소급효로 인해 무효와 동일함).
추인의 허용 여부	원칙적으로 허용되지 않으며, 다만 당사자가 그 무효임을 알고 추인한 때에는 새로운 법률행위로 보며(제139조), 제3자의 권리를 해치지 않는 범위 내에서 소급적 추인을 할 수 있다(통설).	추인에 의해 법률행위는 확정적으로 유효로 되며(제143조), 또한 법정추인제도를 인정하여 일정한 경우 법률상 당연히 추인이 있었던 것으로 보는 경우도 있다(제145조).
시간의 경과에 따른 효력변동 여부	시간이 경과하더라도 효력의 변동이 생기지 않는다. 따라서 방치하더라도 무효원인이 치유되지는 않는다.	일정한 시간이 경과하면 취소권은 소멸하여 확정적으로 유효하게 된다(제146조에 의하면 추인가능한 날로부터 3년, 법률행위를 한 날로부터 10년).
민법규정 (사유)	① 의사무능력자의 법률행위 ② 원시적 불능인 법률행위 ③ 반사회질서행위(제103조) ④ 불공정한 법률행위(제104조) ⑤ 강행법규(효력규정) 위반의 법률행위(제105조) ⑥ 비진의표시(제107조 제1항 단서) ⑦ 허위표시(제108조) ⑧ 불법조건이 붙은 경우(제151조)	① 제한능력자의 행위(제5조, 제10조, 제13조) ② 착오에 의한 의사표시(제109조) ③ 사기 · 강박에 의한 의사표시(제110조)

(3) 무효와 취소의 이중효

어느 법률행위가 무효사유와 취소사유를 모두 포함하고 있는 경우에 양 사유는 경합한다. 즉, 무효인 법률행위라고 하여 아무것도 없는 상태인 것은 아니고, 무효와 취소는 단지 일정한 법률효과를 뒷받침하는 법률상의 근거에 지나지 않는다는 점에서 통설은 경합을 긍정한다. 이를테면 제한능력자가 의사무능력의 상태에서 법률행위를 한 경우가 그러하다. 판례도 같다. 통정허위표시가 채권자취소권의 대상이 되고(대판 1984.7.24, 84다카68), 매도인이 매매계약을 적법하게 해제한 후에도 매수인이 계약해제에 따른 불이익을 면하기 위하여 착오를 이유로 매매계약을 취소할 수 있으며(대판 1996.12.6, 95다24982), 유동적 무효상태에 있는 계약에 관하여 사기 또는 강박에 의한 취소를 인정한다(대판 1997.11.14, 97다36118).

제2관 법률행위의 무효

01 무효 일반

(1) 무효의 의의

법률행위의 무효란 법률행위가 성립한 때부터 법률상 당연히 그 효력이 발생하지 않는 것이 확정되어 있는 것을 말한다. 법률행위의 무효는 이른바 '법률행위의 부존재'와는 구별되어야 한다. 법률행위가 성립요건을 갖추지 못한 때를 '법률행위의 부존재'라고 하고, 성립요건을 갖추었으나 효력요건을 갖추지 못할 때를 '법률행위의 무효'라고 한다.

(2) 무효의 종류

① **절대적 무효와 상대적 무효**: 절대적 무효는 법률행위의 당사자뿐만 아니라 제3자에 대한 관계에서도 효력이 없다. 반면 상대적 무효는 당사자 사이에서는 무효이지만, 무효로써 선의의 제3자에게 대항하지 못하는 경우를 말한다(제107조 제2항, 제108조 제2항). 절대적 무효가 원칙이지만, 예외적으로 비진의표시가 무효인 경우(제107조 제2항) 또는 통정허위표시의 무효(제108조 제2항)는 상대적 무효이다.

② **당연무효와 재판상 무효**: 당연무효는 법률행위를 무효로 하기 위하여 어떤 특별한 행위나 절차가 필요하지 않은 무효이고, 재판상 무효는 소에 의하여서만 주장할 수 있는 무효이다. 재판상 무효는 원고적격과 출소기간이 제한되어 있다. 당연무효가 원칙이나, 회사설립의 무효(상법 제184조), 회사합병의 무효(상법 제236조)와 같이 재판상 무효의 경우도 있다.

③ **확정적 무효와 유동적 무효**: 법률행위의 무효는 확정적으로 효력이 발생하지 않는 것이 원칙이다. 유동적 무효는 법률행위의 효력이 무효이나 유효가 될 여지가 있는 유동적인 상태를 말하는 것으로 '불확정적 무효'를 의미한다. 무권대리행위나 무권리자의 처분행위가 그 예이다. 특히 판례는 구 국토이용관리법(현행 부동산 거래신고 등에 관한 법률)상 토지거래허가구역 내의 토지거래계약이 체결된 경우, 양 당사자는 관청의 허가를 얻어야 비로소 계약의 효력이 확정된다고 하는 '유동적 무효'의 법리를 전개하고 있다.

유동적 무효

<table>
<tr><td>확정적 무효와 유동적 무효의 구별</td><td colspan="2">㉠ 국토이용법상의 규제구역 내의 토지 등의 매매계약은 처음부터 허가를 배제하거나 잠탈하는 내용의 계약일 경우에는 확정적으로 무효로서 유효화될 여지가 없으나, 허가받을 것을 전제로 한 경우에는 관할관청의 허가를 받기 전에는 물권적 효력은 물론 채권적 효력도 발생하지 아니하여 유동적 무효의 상태에 있다(대판 1991.12.24, 90다12243 전합).
㉡ 허가를 받으면 그 계약은 소급해서 유효로 되므로 허가 후에 새로이 거래계약을 체결할 필요는 없다(대판 1991.12.24, 90다12243 전합).</td></tr>
<tr><td rowspan="3">유동적 무효상태의 법률관계</td><td>효력 발생 ×</td><td>㉠ 허가를 받기 전의 상태에서는 거래계약의 채권적 효력도 발생하지 않으므로 계약의 이행청구를 할 수 없어 매수인의 대금지급의무나 매도인의 소유권이전등기의무가 없다. 또한 허가가 있을 것을 조건으로 한 장래 이행의 소로서의 소유권이전등기청구는 할 수 없다(대판 1991.12.24, 90다12243 전합).
㉡ 허가가 있기 전에는 매수인이 이행지체에 빠지는 것이 아니고, 채무불이행을 이유로 거래계약을 해제하거나 그로 인한 손해배상을 청구할 수 없다(대판 2001.1.28, 99다40524).</td></tr>
<tr><td>확정적 무효 ×</td><td>유동적 무효상태의 매매계약을 체결하고 매수인이 이에 기하여 임의로 지급한 계약금은 그 계약이 유동적 무효상태로 있는 한 이를 부당이득으로 반환을 구할 수 없다(대판 1993.7.27, 91다33766).</td></tr>
<tr><td>협력 의무 ○</td><td>㉠ 규제지역 내의 토지에 대하여 거래계약이 체결된 경우에 서로 협력할 의무가 있음이 당연하므로, 계약의 쌍방 당사자는 공동으로 관할관청의 허가를 신청할 의무가 있고, 허가신청절차에 협력하지 않을 경우 협력의무의 이행을 소송으로써 구할 이익이 있다(대판 1991.12.24, 90다12243 전합). 협력의무 이행을 청구함에 있어 대금채무의 이행제공을 할 필요가 없고, 대금의 제공이 없었다는 이유로 협력의무의 이행을 거절할 수 없으며(대판 1996.10.25, 96다23825), 관할관청으로부터 허가를 받을 수 없을 것이라는 사유로 협력의무의 이행을 거절할 수 없다(대판 1992.10.27, 92다34414).
㉡ 토지매수인이 가지는 허가를 신청하는데 협력을 구할 수 있는 권리는 채권자대위권(대판 1996.10.25, 96다23825) 또는 처분금지가처분(대판 1998.12.22, 98다44376)에서의 피보전채권이 된다.
㉢ 협력의무를 부담하는 한도 내에서의 당사자의 의사표시까지 무효상태에 있는 것이 아니므로, 허가신청을 하여야 할 협력의무를 이행하지 아니하고 매수인이 그 매매계약을 일방적으로 철회함으로써 매도인이 손해를 입은 경우에 매수인은 이 협력의무 불이행과 인과관계가 있는 손해는 이를 배상하여야 할 의무가 있다(대판 1995.4.28, 93다26397). 당사자 일방이 토지거래허가를 받기 위한 협력 자체를 이행하지 아니하거</td></tr>
</table>

<table>
<tr><td></td><td></td><td>나 허가신청에 이르기 전에 매매계약을 철회하는 경우에 상대방에게 일정한 손해액을 배상하기로 하는 약정을 유효하게 할 수 있다(대판 1997.2.28, 96다49933). 협력할 의무를 이행하지 아니하였음을 들어 일방적으로 유동적 무효의 상태에 있는 거래계약 자체를 해제할 수 없다(대판 2006.1.27, 2005다52047).
● 계약금계약에 의한 해제는 가능하다(대판 1997.6.27, 97다9369).</td></tr>
<tr><td>전환</td><td>확정적 무효</td><td>㉠ 관할관청의 불허가처분이 확정된 경우, 당사자 쌍방이 허가신청협력을 하지 않기로 의사표시를 명백히 한 경우(대판 1993.7.27, 91다33766)에는 무효로 되나, 단지 일방 당사자만이 토지거래허가신청에 대한 불허가처분을 유도할 의도가 있는 경우라면 불허가처분이 있다는 사유만으로 확정적 무효상태에 이르렀다고 할 수 없다(대판 1997.11.11, 97다36965).
● 처음부터 허가를 배제 · 잠탈하는 계약을 체결한 경우에는 확정적 무효이며(대판 1991.12.24, 90다12243 전합), 중간생략등기의 합의와 최종매수인이 최초매도인 사이에 토지거래허가를 받아 이루어진 중간생략등기도 무효이다(대판 1997.11.11, 97다33218).
㉡ 그 토지거래가 표시와 불일치한 의사(비진의표시, 허위표시, 착오) 또는 사기 · 강박이 있는 의사에 의하여 이루어진 경우에는 이러한 사유를 주장하여 그 계약을 확정적으로 무효화하고 허가절차에 협력할 의무를 면할 수 있다(대판 1997.11.14, 97다36118). 정지조건부 계약에 있어서 그 정지조건이 허가 전에 불성취로 확정된 경우에는 확정적 무효로 된다(대판 1998.3.27, 97다36996).
㉢ 매매계약 체결 당시 일정한 기간 안에 토지거래허가를 받기로 약정하였다고 하더라도, 그 약정된 기간 내에 토지거래허가를 받지 못할 경우 계약해제 등의 절차 없이 곧바로 매매계약을 무효로 하기로 약정한 취지라는 등의 특별한 사정이 없는 한, 이를 쌍무계약에서 이행기를 정한 것과 달리 볼 것이 아니므로 위 약정기간이 경과하였다는 사정만으로 곧바로 매매계약이 확정적으로 무효가 된다고 할 수 없다(대판 2009.4.23, 2008다50615).
㉣ 거래계약이 확정적으로 무효가 된 경우에는 거래계약이 확정적으로 무효로 됨에 있어서 귀책사유가 있는 자라고 하더라도 그 계약의 무효를 주장할 수 있다(대판 1997.7.25, 97다4357). 매수인이 지급한 계약금은 그 계약이 확정적으로 무효로 되었을 때 부당이득으로 반환을 구할 수 있다(대판 1996.11.8, 96다35309).</td></tr>
</table>

	확정적 유효	㉠ 토지거래허가구역 지정의 해제, 허가구역 지정기간이 만료되었음에도 불구하고 허가구역 재지정을 하지 아니한 경우에는 허가구역 지정이 해제되기 전에 확정적 무효로 된 경우를 제외하고 확정적으로 유효로 된다(대판 2002.5.17, 2002다12635). 일단 유효로 된 이상 그 후 그 토지가 토지거래허가구역으로 재지정되었다 하여 다시 토지거래허가를 받아야 되는 것은 아니다(대판 2002.5.14, 2002다12635). ㉡ 토지거래허가가 이루어지면 새로운 매매계약을 다시 체결할 필요 없이 처음으로 소급하여 확정적 유효로 전환이 되므로 당사자의 약정에 따라 이행청구를 하면 된다. 또한 허가 후에는 채무불이행이 있으면 손해배상청구권과 해제권이 발생한다. ㉢ 계약금만 수수한 상태에서 관할관청으로부터 그 허가를 받았다 하더라도, 그러한 사정만으로는 아직 이행의 착수가 있다고 볼 수 없어 매도인으로서는 민법 제565조에 의하여 계약금의 배액을 상환하여 매매계약을 해제할 수 있다(대판 2009.4.23, 2008다62427).

판례

1. 매매계약 체결일이 규제구역으로 지정고시되기 전인 때
   국토이용관리법상의 규제구역 내에 있는 토지에 관한 매매계약 체결일이 규제구역으로 지정고시되기 이전인 때에는 그 매매계약에 관하여 **관할관청의 허가를 받을 필요가 없다**(대판 1993.4.13, 93다1411).

2. 매수인 지위의 인수시 허가는 필요
   유동적 무효상태에 있는 매매계약에 관하여 **매도인과 매수인 및 제3자 사이에 제3자가 매수인의 지위를 이전받기로 하는 합의**를 하였다고 하더라도, 국토이용관리법상 토지거래 계약허가제도의 입법취지에 비추어 위 합의는 매도인과 매수인 사이의 매매계약에 대한 **관할관청의 허가가 있어야 비로소 효력이 발생**하는 것이지, 그와 같은 허가 없이 매도인과 매수인 및 제3자 사이의 합의만으로 유동적 무효상태의 매매계약상의 매수인 지위가 매수인으로부터 제3자에게 이전한다고 할 수 없다(대판 2000.10.27, 98두13492).

3. 토지 매도인 지위의 인수시 허가는 불필요
   토지거래허가제도는 투기적 거래를 방지하여 정상적 거래질서를 형성하려는 데에 입법취지가 있는 점에 비추어 보면, 제3자가 토지거래허가를 받기 전의 **토지 매매계약상 매수인 지위를 인수하는 경우와 달리 매도인 지위를 인수하는 경우에는 최초매도인과 매수인 사이의 매매계약에 대하여 관할관청의 허가가 있어야만 매도인 지위의 인수에 관한 합의의 효력이 발생한다고 볼 것은 아니다**(대판 2013.12.26, 2012다1863).

4. 토지거래허가신청이 불허가되어 확정적 무효가 되기 위한 요건
   거래허가신청이 국토이용관리법 제21조의3 제1항, 같은 법 시행령 제24조 제1항에서 규정한 **적법한 절차(당사자가 협력하여 공동으로 신청하거나 당사자 일방이 이에 응하지 아니할 때에는 그 협력을 명하는 판결을 얻어서 하여야 한다)를 거쳐 이루어진 신청에 한한다** 할 것이므로, **당사자 일방이 임의적으로 거래허가신청을 하였다가 불허가받았다 하더라도 그 불허가로 인하여 거래계약이 확정적으로 무효가 되는 것은 아니다**(대판 1997.9.12, 97다6971).

(3) 무효의 일반적 효과

① 무효의 소급효: 법률행위가 무효이면 표의자가 의욕한 법률효과는 처음부터 당연히 발생하지 않는다. 다만, 조합계약이나 고용계약에서는 무효사유가 발생한 때부터 '장래에 향하여' 무효로 된다(통설). 무효는 원칙적으로 '누구든지' '아무 사람에게나' 주장할 수 있다. 원시적 불능을 이유로 하는 무효의 경우에 계약체결상 과실책임(제535조)에 의한 신뢰이익의 배상책임이 인정된다.

② 법률행위의 무효와 부당이득: 무효인 채권행위에 기한 채무는 이행을 하기 전에는 그대로 소멸한다. 그러나 이미 이행된 급부는 원칙적으로 부당이득법에 의하여 반환되어야 한다(제741조). 다만, 제103조의 사회질서 위반의 경우 불법원인급여(제746조)에 의한 제한이 있다. 그리고 무효인 법률행위에 따른 법률효과를 침해하는 것처럼 보이는 위법행위나 채무불이행이 있다고 하여도 법률효과의 침해에 따른 손해는 없는 것이므로 그 손해배상을 청구할 수는 없다(대판 2003.3.28, 2002다72125).

02 무효행위의 재생

(1) 법률행위에 있어서 일부무효의 법리

제137조【법률행위의 일부무효】법률행위의 일부분이 무효인 때에는 그 전부를 무효로 한다. 그러나 그 무효부분이 없더라도 법률행위를 하였을 것이라고 인정될 때에는 나머지 부분은 무효가 되지 아니한다.

① 의의

㉠ 법률행위의 일부분이 무효인 때에는 원칙적으로 그 전부를 무효로 한다(제137조 본문). 다만, 그 무효부분이 없더라도 법률행위를 하였을 것이라고 인정될 때에는 나머지 부분은 무효가 되지 않는다(제137조 단서).

㉡ 법률이 별도의 일부무효의 효과를 규정하는 경우에는 이에 의한다(대판 2004.6.11, 2003다1601). 즉, 개별규정이 제137조에 우선한다. 그리고 민법 제137조는 임의규정으로서 의사자치의 원칙이 지배하는 영역에서 적용된다(대판 2007.6.28, 2006다38161).

판례 일부무효 법리의 적용범위 및 강행법규와의 관계

민법 제137조는 임의규정으로서 **법률행위 자치의 원칙이 지배하는 영역에서 그 적용**이 있다. 그리하여 법률행위의 일부가 **강행법규인 효력규정에 위반되어 무효가 되는 경우** 그 부분의 무효가 나머지 부분의 유효·무효에 영향을 미치는가의 여부를 판단함에 있어서는, **개별 법령이 일부무효의 효력에 관한 규정을 두고 있는 경우에는 그에 따르고, 그러한 규정이 없다면 민법 제137조 본문에서 정한 바에 따라서 원칙적으로 법률행위의 전부가 무효**가 된다. 그러나 같은 조 단서는 당사자가 위와 같은 무효를 알았더라면 **그 무효의 부분이 없더라도 법률행위를 하였**

을 것이라고 인정되는 경우에는, 그 무효부분을 제외한 나머지 부분이 여전히 효력을 가진다고 정한다. 이때 당사자의 의사는 법률행위의 일부가 무효임을 법률행위 당시에 알았다면 의욕하였을 **가정적 효과의사**를 가리키는 것으로서, 당해 효력규정을 둔 입법취지 등을 고려할 때 법률행위 전부가 무효로 된다면 그 입법취지에 반하는 결과가 되는 등의 경우에는 여기서 당사자의 가정적 의사는 다른 특별한 사정이 없는 한 무효의 부분이 없더라도 그 법률행위를 하였을 것으로 인정되어야 한다(대판 2013.4.26, 2011다9068 – 甲과 乙 보험회사가 피보험자를 만 7세인 甲의 아들 丙으로 하고 보험수익자를 甲으로 하여, 丙이 재해로 사망하였을 때는 사망보험금을 지급하고 재해로 장해를 입었을 때는 소득상실보조금 등을 지급하는 내용의 보험계약을 체결하였는데, 丙이 교통사고로 보험약관에서 정한 후유장해진단을 받은 사안에서, 甲이 보험계약을 체결한 목적 등에 비추어 甲과 乙 회사는 보험계약 중 재해로 인한 사망을 보험금 지급사유로 하는 부분이 상법 제732조에 의하여 무효라는 사실을 알았더라도 나머지 보험금 지급사유 부분에 관한 보험계약을 체결하였을 것으로 봄이 타당하다는 이유로, 위 보험계약이 그 부분에 관하여는 여전히 유효하다고 본 원심판단을 정당하다고 한 사례).

---

② 제137조 단서의 적용요건

㉠ **법률행위의 일체성 및 분할가능성**: 법률행위의 내용이 불가분인 경우에는 그 일부분이 무효일 때에도 일부무효의 문제는 생기지 아니하나, 분할이 가능한 경우에는 민법 제137조의 규정에 따라 그 전부가 무효로 될 때도 있고, 그 일부만 무효로 될 때도 있다(대판 1994.5.24, 93다58332).

㉡ **나머지 부분만으로 법률행위의 의욕**: 무효부분이 없더라도 법률행위를 하였을 것인지 여부는 당사자의 의사에 의하여 판정되어야 하는데, 그 당사자의 의사는 실재하는 의사가 아니고 법률행위의 일부분이 무효임을 법률행위 당시에 알았다면 당사자 쌍방이 이에 대비하여 의욕하였을 가정적 의사를 말한다(대판 2002.9.10, 2002다21509).

판례 복수 당사자 사이의 합의 중 일부 당사자의 의사표시가 무효인 경우

복수의 당사자 사이에 어떠한 합의를 한 경우 그 합의는 전체로서 **일체성**을 가지는 것이므로, 그중 한 당사자의 의사표시가 무효인 것으로 판명된 경우 나머지 당사자 사이의 합의가 유효한지의 여부는 민법 제137조에 정한 바에 따라 **당사자가 그 무효부분이 없더라도 법률행위를 하였을 것이라고 인정되는지의 여부**에 의하여 판정되어야 하고, 그 당사자의 의사는 실재하는 의사가 아니라 법률행위의 일부분이 무효임을 법률행위 당시에 알았다면 당사자 쌍방이 이에 대비하여 **의욕**하였을 **가정적 의사**를 말하는 것이지만, 한편 그와 같은 경우에 있어서 나머지 당사자들이 처음부터 한 당사자의 의사표시가 무효가 되더라도 자신들은 약정내용대로 이행하기로 하였다면 무효가 되는 부분을 제외한 나머지 부분만을 유효로 하겠다는 것이 당사자의 의사라고 보아야 할 것이므로, 그 당사자들 사이에서는 가정적 의사가 무엇인지 가릴 것 없이 무효부분을 제외한 나머지 부분은 그대로 유효하다고 할 것이다(대판 2010.3.25, 2009다41465).

---

(2) 무효행위의 전환

> 제138조 【무효행위의 전환】 무효인 법률행위가 다른 법률행위의 요건을 구비하고 당사자가 그 무효를 알았더라면 다른 법률행위를 하는 것을 의욕하였으리라고 인정될 때에는 다른 법률행위로서 효력을 가진다.

① 의의

㉠ 무효행위의 전환이란 X라는 행위로서는 무효인 법률행위가 Y라는 행위의 요건을 갖추고 있고 또한 당사자가 그 무효를 알았더라면 Y행위를 할 것을 의욕하였으리라고 인정되는 경우에, 무효인 X행위 대신 Y행위로서의 효력을 인정하는 것을 말한다. 제137조는 '양적 일부무효'를 규정함에 대하여 제138조는 '질적 일부무효'를 규정한 것이다.

㉡ 여기에 관하여 개별적으로 특별규정이 두어져 있기도 하다(제530조, 제534조, 제1071조 등).

② 요건

㉠ 법률행위의 무효

ⓐ 무효행위의 전환은 일단 성립한 법률행위가 무효인 경우에 문제되며, 법률행위가 성립하지 않은 경우에는 문제될 여지가 없다.

ⓑ 민법은 **단독행위**가 무효인 경우에도 **전환**을 인정한다. 그 예로 비밀증서에 의한 유언이 그 방식을 결여할 경우에는 자필증서의 방식을 갖춘 경우에 '자필증서에 의한 유언'으로 인정하며(제1071조), 또한 '연착한 승낙'(제530조)과 '변경을 가한 승낙'(제534조)은 새로운 청약으로 간주된다.

㉡ **전환의사의 존재**: 당사자가 그 무효를 알았더라면 다른 법률행위를 할 것을 **의욕**하였으리라고 인정되어야 한다. 이때 당사자의 의사는 매매계약이 무효임을 계약 당시에 알았다면 의욕하였을 **가정적(假定的) 효과의사**로서(대판 2010.7.15, 2009다50308), 현실적 의사일 필요는 없다.

㉢ 다른 법률행위의 요건을 갖추고 있을 것

ⓐ 제2의 행위는 현실적으로 존재하는 것은 아니며, 이 점에서 은닉행위와 다르다.

ⓑ 판례에 의하면, 혼인 외의 출생자를 혼인 중의 출생자로 신고한 경우 인지신고로서는 유효하다고 하고(대판 1971.11.15, 71다1983, 가족관계의 등록 등에 관한 법률 제57조), 입양의 의사로 친생자 출생신고를 하고 거기에 입양의 성립요건이 모두 구비된 경우에는 입양의 효력이 있다고 한다(대판 1977.7.26, 77다49 전합). 또 법정기간 경과 후의 상속포기신고가 상속포기로서의 효력이 없는 경우에 공동상속인들 사이에는 공동상속인 중 1인이 고유의 법정상속분을

초과하여 상속재산 전부를 취득하고 잔여 상속인들은 이를 전혀 취득하지 않기로 하는 내용의 상속재산에 관한 협의분할이 이루어진 것으로 인정하고(대판 1991.12.24, 90누5986), 재건축사업부지에 포함된 토지에 대하여 재건축사업조합과 토지의 소유자가 체결한 매매계약이 매매대금의 과다로 말미암아 **불공정한 법률행위**에 해당하지만, 그 매매대금을 적정한 금액으로 감액하여 매매계약의 유효성을 인정한다(대판 2010.7.15, 2009다50308).

판례 **무효행위의 전환의 긍정례**

1. 매매계약이 약정된 **매매대금의 과다로 말미암아 민법 제104조에서 정하는 '불공정한 법률행위'에 해당하여 무효인 경우에도 무효행위의 전환에 관한 민법 제138조가 적용**될 수 있다. 따라서 당사자 쌍방이 위와 같은 **무효를 알았더라면 대금을 다른 액으로 정하여 매매계약에 합의하였을 것이라고 예외적으로 인정되는 경우에는, 그 대금액을 내용으로 하는 매매계약이 유효하게 성립**한다. 이때 당사자의 의사는 **매매계약이 무효임을 계약 당시에 알았다면 의욕하였을 가정적(假定的) 효과의사**로서, 당사자 본인이 계약 체결시와 같은 구체적 사정 아래 있다고 상정하는 경우에 거래관행을 고려하여 신의성실의 원칙에 비추어 결단하였을 바를 의미한다(대판 2010.7.15, 2009다50308).
2. 건설교통부 고시에 의하여 산출되는 임대보증금과 임대료의 상한액인 표준임대보증금과 표준임대료를 기준으로 **계약상 임대보증금과 임대료를 산정하여 임대보증금과 임대료 사이에 상호전환을 하였으나 절차상 위법이 있어 강행법규 위반으로 무효**가 되는 경우에는 특별한 사정이 없는 한 임대사업자와 임차인이 임대보증금과 임대료의 상호전환을 하지 않은 원래의 임대조건, 즉 표준임대보증금과 표준임대료에 의한 임대조건으로 임대차계약을 체결할 것을 의욕하였으리라고 봄이 타당하다. 그러므로 임대차계약은 민법 **제138조에 따라 표준임대보증금과 표준임대료를 임대조건으로 하는 임대차계약으로서 유효하게 존속**한다(대판 2016.11.18, 2013다42236 전합).

(3) 무효행위의 추인

제139조 【무효행위의 추인】 무효인 법률행위는 **추인하여도 그 효력이 생기지 아니한다**. 그러나 당사자가 그 무효임을 **알고 추인**한 때에는 **새로운 법률행위**로 본다.

① **의의**: 무효행위의 추인이란 법률행위로서의 효과가 확정적으로 발생하지 않는 무효행위를 뒤에 유효하게 하는 의사표시이다. 민법은 원칙적으로 추인을 금지하되, 예외적으로 비소급적인 추인을 인정한다(제139조). 학설은 일정한 경우에 소급적인 추인을 인정하고 있다.

② 요건

㉠ **무효인 법률행위의 존재:** 무효원인은 묻지 않으며, 확정적 무효인 경우를 전제로 한다.

㉡ 추인

ⓐ 당사자는 법률행위가 무효임을 알고 추인하여야 하며(대판 2014.3.27, 2012다106607), 무효사유가 소멸된 후에 하여야 한다. 즉, 추인시에 새로운 법률행위의 유효요건이 존재하여야 한다. 그 행위가 요식행위이면 요식성도 갖추어야 한다. 따라서 법률행위가 제103조 또는 제104조에 위반하여 무효인 경우에는 추인하여도 유효로 되지 않는다(대판 1994.6.24, 94다10900). 강행법규 위반의 경우에도 마찬가지라고 할 것이다.

ⓑ 추인은 명시적으로 혹은 묵시적으로도 할 수 있다. 묵시적 추인을 인정하기 위해서는 이전의 법률행위가 무효임을 알거나 적어도 무효임을 의심하면서도 그 행위의 효과를 자기에게 귀속시키도록 하는 의사로 후속행위를 하였음이 인정되어야 할 것이다(대판 2014.3.27, 2012다106607). 무효행위가 계약인 경우에는 쌍방의 합의로 하여야 한다.

③ 효과

㉠ 무효행위를 추인함으로써 새로운 법률행위가 성립한다(통설). 즉, 그때부터 유효하게 되는 것이므로 원칙적으로 소급효가 인정되지 않는 것이다(대판 1983.9.27, 83므22). 예컨대, 가장매매의 당사자가 그 무효인 매매를 추인하면 그때부터 유효한 매매가 된다. 무효인 가등기를 유효한 등기로 전용키로 한 약정은 그때부터 유효하고 이로써 위 가등기가 소급하여 유효한 등기로 전환될 수 없다(대판 1992.5.12, 91다26546).

㉡ 그러나 당사자간의 합의에 의한 채권적 · 소급적 추인을 인정할 수 있다(통설 · 판례). 거래안전과 무관한 가족법상의 법률행위에 있어서도 소급적 추인은 가능하다.

판례 **무효인 신분행위의 추인의 소급효**

혼인, 입양 등의 신분행위에 관하여 민법 제139조 본문을 적용하지 않고 **추인**에 의하여 **소급적 효력**을 인정하는 것은 무효인 신분행위 후 그 내용에 맞는 신분관계가 실질적으로 형성되어 쌍방 당사자가 이의 없이 그 신분관계를 계속하여 왔다면, 그 **신고가 부적법하다는 이유로 이미 형성되어 있는 신분관계의 효력을 부인하는 것은 당사자의 의사에 반하고 그 이익을 해칠 뿐 아니라 그 실질적 신분관계의 외형과 호적의 기재를 믿은 제3자의 이익도 침해할 우려가 있기 때문에 추인에 의하여 소급적으로 신분행위의 효력을 인정함으로써 신분관계의 형성이라는 신분관계의 본질적 요소를 보호하는 것이 타당하다는 데에 그 근거가 있다**고 할 것이므로, 당사자간에 **무효인 신고행위에 상응하는 신분관계가 실질적으로 형성되어 있지도 아니하고 또 앞으로도 그럴 가망이 없는 경우**에는 무효의 신분행위에 대한 추인의 의사표시만으로 그 무효행위의 효력을 인정할 수 없다(대판 1991.12.27, 91므30).

④ 무권리자의 처분행위

㉠ 무권리자의 처분행위는 원칙적으로 무효이다. 따라서 무권리자가 타인의 권리를 처분한 경우에는 특별한 사정이 없는 한 권리가 이전되지 않는다. 그러나 이러한 경우에 권리자가 무권리자의 처분을 추인하는 것도 자신의 법률관계를 스스로의 의사에 따라 형성할 수 있다는 사적자치의 원칙에 따라 허용된다. 이러한 추인은 무권리자의 처분이 있음을 알고 해야 하고, 명시적으로 또는 묵시적으로 할 수 있으며, 그 의사표시는 무권리자나 그 상대방 어느 쪽에 해도 무방하다(대판 2017.6.8, 2017다3499).

㉡ 권리자가 무권리자의 처분을 추인하면 무권대리에 대해 본인이 추인을 한 경우와 당사자들 사이의 이익상황이 유사하므로, 무권대리의 추인에 관한 민법 제130조, 제133조 등을 무권리자의 추인에 유추적용할 수 있다. 따라서 무권리자의 처분이 계약으로 이루어진 경우에 권리자가 이를 추인하면 원칙적으로 계약의 효과가 계약을 체결했을 때에 소급하여 권리자에게 귀속된다고 보아야 한다(대판 2017.6.8, 2017다3499). 그리고 무권리자에 의한 처분행위를 권리자가 추인한 경우에 권리자는 무권리자에 대하여 무권리자가 처분행위로 인하여 얻은 이득의 반환을 청구할 수 있다(대판 2022.6.30, 2020다210686 · 210693).

제3관 법률행위의 취소

01 취소 일반

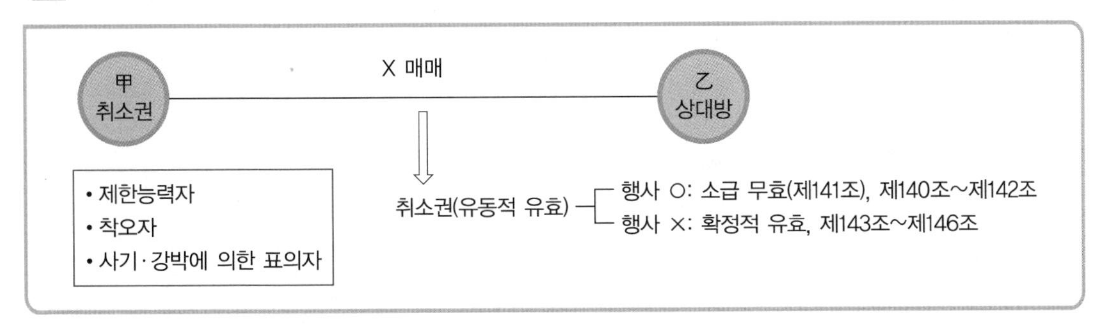

(1) 의의

① 법률행위의 취소란 일단 유효하게 성립한 법률행위의 효력을 제한능력 또는 의사표시의 흠(착오 · 사기 · 강박)을 이유로 특정인(취소권자)의 의사표시에 의하여 행위시에 소급하여 무효로 하는 것을 말한다. 여기서 취소할 수 있는 지위를 하나의 권리로 보아 취소권이라고 하는데, 이는 형성권에 속한다. 취소할 수 있는 행위는 법률행위가 처음부터 유효이지만(유동적 유효), 취소에 의하여 무효로 된다(확정적 무효). 반면 취소권이 그 행사 전에 소멸하면 법률행위는 확정적으로 유효로 된다.

② 법률행위의 취소에 관한 제140조 이하의 규정은 제한능력 또는 의사표시의 흠을 이유로 하는 취소에 관하여 적용된다(**협의의 취소**). 기타의 취소에 관하여는 제140조 이하의 규정이 그대로 적용되지 않는다(**광의의 취소**).

㉠ **재판 또는 행정처분의 취소**: 실종선고의 취소(제29조), 부재자의 재산관리에 관한 명령의 취소(제22조 제2항), 법인설립허가의 취소(제38조) 등이 그 예이다.

㉡ **유효한 법률행위의 취소**: 영업허락의 취소(제8조 제2항), 사해행위의 취소(제406조), 부담부 유증의 취소(제1111조) 등이 그 예이다.

㉢ **가족법상의 법률행위의 취소**: 혼인의 취소(제816조), 이혼의 취소(제838조), 친생자 승인의 취소(제854조), 입양의 취소(제884조), 인지의 취소(제861조) 등이 그 예이다.

(2) 구별개념

① **철회**: 철회는 아직 효력을 발생하고 있지 않은 의사표시를 종국적으로 효력이 발생하지 않게 하거나(예 청약의 철회), 일단 발생한 의사표시의 효력을 장래에 향하여 소멸시키는 표의자의 일방적 행위(제7조, 제16조, 제134조, 제1108조, 제1110조)이다.

② **해제**: 해제는 일단 유효하게 성립한 계약의 효력을 당사자 일방의 의사표시에 의하여 그 계약이 처음부터 효력이 없었던 것과 같은 상태로 돌아가게 하는 것이다. 해제는 법률규정 또는 당사자의 해제권 약정이 있는 경우에 허용된다(제543조).

취소와 해제의 비교

구분		취소	해제
차이점	발생원인	㉠ 제한능력 · 착오 · 사기 · 강박 등이 있을 때에 법률규정에 의하여 발생한다. ㉡ 법률행위의 성립에 하자가 있는 경우에 발생한다.	㉠ 채무불이행에 의한 법정해제권 및 계약에 의한 약정해제권에 의해 발생한다. ㉡ 법률행위의 성립에 하자가 없는 경우에도 발생하며, 성립 후 채무불이행으로도 발생한다.
	최고 요부	최고를 요하지 않는다.	이행지체의 경우 원칙적으로 최고를 요한다(제544조).
	행사기간	추인할 수 있는 날로부터 3년 내, 법률행위를 한 날로부터 10년 내의 제척기간이 있다(제146조).	해제권은 형성권이므로 일반형성권과 같이 10년의 제척기간에 걸린다.

	효과	㉠ 소급해서 무효가 된다(제141조). ㉡ 이행 전이면 이행할 필요가 없고, 이행 후이면 부당이득반환의무가 있다(제741조).	㉠ 소급해서 무효가 된다(통설 · 판례). ㉡ 이행 전이면 이행할 필요가 없고, 이행 후이면 부당이득반환의 특칙으로 원상회복의무가 있다(제548조). 그 외 채무불이행을 원인으로 손해배상의무가 있다(제551조).
	적용범위	법률행위 일반(계약 · 단독행위 · 합동행위)에 적용되므로 민법총칙에 규정이 있다.	계약에 특유한 제도이므로 채권 각칙 계약편에 규정이 있다.
공통점		㉠ 법률행위의 존재를 전제로 하기 때문에 종된 권리로서 분리하여 양도할 수 없다. ㉡ 취소권 · 해제권은 형성권이며, 그 행사는 상대방 있는 단독행위로서 상대방에 대하여 하여야 하며, 소급효가 인정된다.	

02 취소권

(1) 취소의 당사자

① 취소권자

> 제140조【법률행위의 취소권자】 취소할 수 있는 법률행위는 제한능력자, 착오로 인하거나 사기 · 강박에 의하여 의사표시를 한 자, 그의 대리인 또는 승계인만이 취소할 수 있다.

㉠ 미성년자 · 피성년후견인 · 피한정후견인 등 **제한능력자는 단독으로 법률행위를 취소할 수 있다.** 그리고 이 제한능력자의 취소는 제한능력을 이유로 취소할 수 없다(이설 없음).

㉡ 착오로 인하거나 사기 · 강박에 의하여 의사표시를 한 자는 그가 한 법률행위를 취소할 수 있다.

㉢ 제한능력자 및 착오 · 사기 · 강박에 의하여 의사표시를 한 자의 대리인을 말하며, 임의대리인과 법정대리인을 가리지 않는다. 제한능력자의 **법정대리인은 고유의 취소권**을 가지지만, **임의대리인**이 취소권을 행사하기 위해서는 본인의 **별도의 수권**이 있어야 한다(통설).

㉣ 승계인은 포괄승계인이나 특정승계인을 묻지 않지만, 취소권만의 승계는 인정되지 않는다.

② 취소의 상대방

> 제142조【취소의 상대방】 취소할 수 있는 법률행위의 상대방이 확정한 경우에는 그 취소는 그 상대방에 대한 의사표시로 하여야 한다.

㉠ 취소할 수 있는 법률행위의 상대방이 확정된 경우에는, 그 취소는 그 상대방에 대한 의사표시로 하여야 한다(제142조). 즉, 제3자에게 권리가 양도된 경우에도 원래의 상대방이 여전히 취소의 상대방이 된다.

㉡ 예컨대, 미성년자 甲이 乙에게 매각한 부동산이 丙에게 전매된 경우, 甲의 취소의 의사표시는 乙에게 하여야 하고 丙에게 하여서는 안 된다. 마찬가지로 제3자 丙의 사기에 의해 甲이 乙에게 부동산을 매각한 경우에도 乙에 대해 하여야 한다.

(2) 취소의 방법

① **취소의 의사표시**: 취소는 취소권자의 일방적인 의사표시에 의하여 행한다. 취소의 의사표시에 관하여는 방식에 제한이 없다. 따라서 반드시 재판상 행사하여야 할 필요는 없으며, 재판 외에서 의사표시를 하는 방법으로도 권리를 행사할 수 있다(대판 1993.7.27, 92다52795). 또한 명시적으로뿐만 아니라 묵시적으로도 할 수 있다(통설). 법률행위의 취소를 당연한 전제로 한 소송상의 이행청구나 이를 전제로 한 이행거절 가운데는 취소의 의사표시가 포함되어 있다고 볼 수 있다(대판 1993.9.14, 93다13162).

② **일부취소**: 일부취소에 관하여는 민법에 규정이 없으나, 일부무효의 법리(제137조)를 유추적용하여 인정하여야 한다(통설 · 판례). 그리하여 하나의 법률행위의 일부분에만 취소사유가 있다고 하더라도 그 법률행위가 가분적이거나 그 목적물의 일부가 특정될 수 있다면, 그 나머지 부분이라도 이를 유지하려는 당사자의 가정적 의사가 인정되는 경우 그 일부만의 취소도 가능하다 할 것이고, 그 일부의 취소는 법률행위의 일부에 관하여 효력이 생긴다(대판 1998.2.10, 97다44737).

(3) 취소의 효과

① 소급적 무효

> 제141조【취소의 효과】 취소된 법률행위는 처음부터 무효인 것으로 본다. 다만, 제한능력자는 그 행위로 인하여 받은 이익이 현존하는 한도에서 상환(償還)할 책임이 있다.

㉠ 취소가 있으면 그 법률행위는 처음부터 무효인 것으로 본다(제141조 본문). 그러나 취소한 후라도 무효행위의 추인의 요건에 따라 다시 추인하는 것은 가능하다(대판 1997.12.12, 95다38240). 취소된 법률행위를 원인으로 하는 채무가 아직 이행되지 않은 경우에는 그 채무를 이행할 필요가 없고, 이미 이행된 급부는 부당이득반환의 법리(제741조)에 의하여 반환되어야 한다.

판례 근로계약 취소의 소급효 부정

근로계약은 근로자가 사용자에게 근로를 제공하고 사용자는 이에 대하여 임금을 지급하는 것을 목적으로 체결된 계약으로서(근로기준법 제2조 제1항 제4호) 기본적으로 그 법적 성질이 **사법상 계약**이므로 계약 체결에 관한 당사자들의 의사표시에 무효 또는 취소의 사유가 있으면 상대방은 이를 이유로 **근로계약의 무효 또는 취소를 주장**하여 그에 따른 법률효과의 발생을 부정하거나 소멸시킬 수 있다. 다만, 그와 같이 근로계약의 무효 또는 취소를 주장할 수 있다 하더라도 **근로계약에 따라 그동안 행하여진 근로자의 노무 제공의 효과를 소급하여 부정하는 것은 타당하지 않으므로** 이미 제공된 근로자의 노무를 기초로 형성된 취소 이전의 법률관계까지 효력을 잃는다고 보아서는 아니 되고, **취소의 의사표시 이후 장래에 관하여만 근로계약의 효력이 소멸**된다고 보아야 한다(대판 2017.12.22, 2013다25194·25200).

ⓛ 취소의 소급적 무효의 효과는 제한능력을 이유로 하는 취소에 있어서는 제3자에게도 주장할 수 있는 절대적인 것이나, 착오·사기·강박을 이유로 한 경우에는 선의의 제3자에 대하여는 주장할 수 없는 상대적인 것이다(제109조 제2항, 제110조 제3항).

소급효 있는 행위·소급효 없는 행위

소급효 있는 행위	소급효 없는 행위
ⓐ 실종선고의 취소(제29조) ⓑ 제한능력·착오·사기·강박에 의한 의사표시의 취소(제141조) ⓒ 무권대리행위의 추인(제133조), 무권리자의 처분행위에 대한 추인, 토지거래허가를 받은 경우(판례) ⓓ 소멸시효의 완성(제167조) ⓔ 선택권의 행사에 의한 선택의 효력(제386조) ⓕ 상계(제493조) ⓖ 계약의 해제(판례) ⓗ 이혼의 취소(제838조), 협의파양의 취소(제904조) ⓘ 인지(제860조), 인지의 취소(제861조) ⓙ 상속재산의 분할(제1015조) ⓚ 상속의 포기(제1042조)	ⓐ 미성년자가 법률행위를 하기 전 법정대리인의 동의와 허락의 취소(제7조), 영업허락의 취소(제8조) ⓑ 성년후견·한정후견·특정후견 종료의 심판(제11조, 제14조, 제14조의3) ⓒ 부재자 재산관리명령의 취소(제22조) ⓓ 법인설립허가의 취소(제38조) ⓔ 무효행위의 추인(제139조) ⓕ 조건·기한부 법률행위의 효력(제147조, 제152조) ⓖ 공유물의 분할(제269조) ⓗ 계약의 해지(제550조) ⓘ 혼인의 취소(제824조), 입양의 취소(제897조)

② **소급효와 물권적 효력**: 채권행위의 이행으로 물권행위가 행하여진 후 취소사유가 채권행위에만 있는 경우에, 판례에 따르면 원인행위인 채권행위가 그 효력을 잃게 되면 물권행위도 당연히 효력을 상실하며, 따라서 취소권자는 **소유권에 기한 반환청구권**을 갖는다(제213조).

③ 이행급부의 반환

㉠ 원칙

> 제748조 【수익자의 반환범위】 ① 선의의 수익자는 그 받은 이익이 현존한 한도에서 전조의 책임이 있다.
> ② 악의의 수익자는 그 받은 이익에 이자를 붙여 반환하고 손해가 있으면 이를 배상하여야 한다.

취소된 법률행위에 기하여 이미 이행이 된 때에는 급부한 것이 **부당이득**으로서 반환되어야 한다(제741조 이하). 취소의 결과로써 발생하는 법률행위 당사자들의 부당이득반환의무는 **동시이행관계**에 있다(대판 1994.9.9, 93다31191). 부당이득의 반환범위는 제748조에 의하여 선의 · 악의에 따라 다르나, 민법은 제한능력자의 반환범위에 관하여는 특별규정을 두고 있다(제141조 단서).

㉡ 제한능력자의 반환범위에 관한 특칙

ⓐ **제한능력자**는 선의 · 악의를 묻지 않고 취소된 행위에 의하여 **받은 이익이 현존하는 한도에서 반환할 책임**이 있다[1](제141조 단서). '받은 이익이 현존하는 한도'라 함은, 취소되는 행위에 의해 사실상 얻은 이익이 그대로 있거나 또는 그것이 변형되어 잔존하고 있는 것을 말한다. 따라서 소비한 경우에는 이익은 현존하지 않으나, 필요한 비용(예 생활비 · 학비)에 충당한 때에는 이익은 현존하는 것이 된다. 제141조 단서는 제한능력자가 설사 악의이더라도 현존이익만을 반환하면 된다는 점에서, 제748조 제2항에 대한 특칙을 이룬다.

1 의사능력의 흠결을 이유로 법률행위가 무효가 되는 경우에도 유추적용되어야 할 것이다(대판 2009.1.15, 2008다58367).

ⓑ 이익의 현존에 대한 **증명책임**의 소재에 관하여 다수설은 공평을 근거로 이익이 현존하는 것으로 추정하며, 따라서 제한능력자가 현존이익이 없음을 증명하여야 한다고 한다. 판례는 **금전**의 경우에는 이득의 **현존**을 **추정**한다(대판 2005.4.15, 2003다60297). 그 취득한 것이 성질상 계속적으로 반복하여 거래되는 물품으로서 곧바로 판매되어 환가될 수 있는 **금전과 유사한 대체물**인 경우에도 마찬가지다(대판 2009.5.28, 2007다20440 · 20457).

판례 **미성년자가 신용카드 거래 후 신용카드 이용계약을 취소한 경우의 법률관계**

미성년자가 신용카드 발행인과 사이에 신용카드 이용계약을 체결하여 신용카드 거래를 하다가 신용카드 이용계약을 취소하는 경우 미성년자는 그 행위로 인하여 받은 이익이 현존하는 한도에서 상환할 책임이 있는바, **신용카드 이용계약이 취소됨에도 불구하고 신용카드 회원과 해당 가맹점 사이에 체결된 개별적인 매매계약은 특별한 사정이 없는 한 신용카드 이용계약취소와 무관하게 유효하게 존속한다 할 것이고, 신용카드 발행인이 가맹점들에 대하여 그 신용카드 사용대금을 지급한 것은 신용카드 이용계약과는 별개로 신용카드 발행인과 가맹점 사이에 체결된 가맹점 계약에 따른 것으로서 유효하므로, 신용카드 발행인의 가맹점에 대한 신용카드 이용대금의 지급으로써 신용카드 회원은 자신의 가맹점에 대한 매매대금 지급채무를 법률상 원인 없이 면제받는 이익을 얻었**으며, 이러한 이익은 **금전상의 이득으로서 특별한 사정이 없는 한 현존하는 것으로 추정**된다(대판 2005.4.15, 2003다60297).

03 취소권의 소멸

(1) 취소할 수 있는 법률행위의 추인(임의추인)

① 의의

> 제143조【추인의 방법, 효과】① 취소할 수 있는 법률행위는 제140조에 규정한 자가 추인할 수 있고, 추인 후에는 취소하지 못한다.
> ② 전조의 규정은 전항의 경우에 준용한다.

추인은 유효로 확정시키겠다는 취소권자의 의사표시로, 상대방 있는 단독행위이다. **취소권의 포기**라는 소극적인 의미와 법률행위를 확정적으로 유효로 하는 적극적인 의미가 있다.

② 요건

> 제144조【추인의 요건】① 추인은 **취소의 원인이 소멸된 후**에 하여야만 효력이 있다.
> ② 제1항은 **법정대리인 또는 후견인**이 추인하는 경우에는 적용하지 아니한다.

㉠ **추인권자**: 추인을 할 수 있는 자는 **취소권자**에 한정된다(제143조, 제140조).

㉡ **취소원인의 소멸**: 추인은 추인권자가 **취소원인이 소멸된 후**에 하여야 하고(제144조 제1항), 그렇지 않으면 추인의 효력이 없다(대판 1982.6.8, 81다107). 따라서 **제한능력자는 능력자로 된 후에 추인할 수 있고, 착오·사기·강박에 의한 의사표시는 그 상태에서 벗어난 후**에 하여야 한다. 그러나 법정대리인 또는 후견인은 언제라도 추인할 수 있다(제144조 제2항). 한편, 제한능력자이더라도 **미성년자나 피한정후견인**은 능력자가 되기 전이라도 **법정대리인 또는 후견인의 동의를 얻어 유효하게** 추인을 할 수 있다(통설).

ⓒ **취소할 수 있는 행위에 대한 인식**: 취소권자는 취소할 수 있는 행위임을 알고서 추인을 하여야 한다(대판 1997.5.30, 97다2986).

ⓓ **추인의 방법**: 취소의 경우와 같다(제143조 제2항). 추인은 법률행위의 상대방에 대한 의사표시로 하며, 묵시적으로도 가능하다(통설).

③ **효과**: 추인이 있으면 다시 취소할 수 없으며, 그 법률행위는 유효한 행위로 확정된다(제143조 제1항). 따라서 무효행위에서와 같은 추인의 소급효는 의미가 없다.

판례 취소한 법률행위의 추인

취소한 법률행위는 처음부터 무효인 것으로 간주되므로 취소할 수 있는 법률행위가 일단 취소된 이상 그 후에는 **취소할 수 있는 법률행위의 추인에 의하여** 이미 취소되어 무효인 것으로 간주된 당초의 의사표시를 다시 확정적으로 **유효하게 할 수는 없고**, 다만 **무효인 법률행위의 추인의 요건과 효력으로서 추인**할 수는 있으나, 무효행위의 추인은 그 **무효원인이 소멸한 후**에 하여야 그 효력이 있다. … 무효원인이 소멸한 후란 것은 … **취소의 원인이 종료된 후** … 라고 보아야 할 것이다(대판 1997.12.12, 95다38240).

민법상의 추인

구분	내용
무권대리의 추인 (제132조, 제133조)	무권대리인이 한 계약(유동적 무효)은 본인의 추인으로 본인에게 소급하여 효력 발생
무효행위의 추인 (제139조)	(확정적) 무효행위는 추인 ×, 당사자가 무효임을 알고 추인한 때에는 새로운 법률행위
취소할 수 있는 행위의 추인 (제143조, 제144조)	취소할 수 있는 법률행위(유동적 유효)는 취소의 원인이 종료한 후에 취소권자가 추인, 즉 취소권의 포기로 그 효력을 확정
무권리자의 처분행위에 대한 권리자의 추인	권리자의 추인이 있으면 소급하여 유효

(2) 법정추인

제145조 【법정추인】 취소할 수 있는 법률행위에 관하여 전조의 규정에 의하여 추인할 수 있는 후에 다음 각 호의 사유가 있으면 추인한 것으로 본다. 그러나 이의를 보류한 때에는 그러하지 아니하다.

1. 전부나 일부의 이행
2. 이행의 청구
3. 경개
4. 담보의 제공
5. 취소할 수 있는 행위로 취득한 권리의 전부나 일부의 양도
6. 강제집행

① **의의**: 민법은 추인할 수 있은 후에 당사자 사이에 일정한 사유가 있으면 당연히 추인한 것으로 간주한다(제145조). 법정추인은 제146조와 더불어 '취소할 수 있는 법률행위의 상대방을 보호'하고 '거래의 안전'을 유지하기 위한 제도로서 추인의 일종이라기보다는 취소권의 배제라고 이해된다(이견 없음).

② 법정추인의 요건 및 사유

㉠ 요건

ⓐ 법정추인 사유가 '추인할 수 있는 후'에, 즉 취소의 원인이 소멸한 후에 발생하여야 한다(제145조). 취소권자는 추인의 의사표시를 할 필요가 없으며, 취소할 수 있는 행위임을 인식할 필요도 없다(통설 · 판례).

ⓑ 취소권자가 이의를 보류하지 않았어야 한다(제145조 단서).

㉡ 법정추인 사유

ⓐ **전부나 일부의 이행**: 취소권자가 채무를 이행한 경우뿐만 아니라 상대방으로부터 채무이행을 수령한 경우도 포함한다(통설). 판례는, 취소할 수 있는 법률행위로부터 생긴 채무의 이행을 위하여 발행 · 교부한 당좌수표 중 일부가 거래은행에서 지급되게 하였다고 하여 나머지 당좌수표의 수표금 채무의 일부를 이행한 것이라고 할 수 없다는 이유로, 나머지 당좌수표의 발행행위를 추인하였다거나 법정추인 사유에 해당한다고 할 수 없다고 한다(대판 1996.2.23, 94다58438).

ⓑ **이행의 청구**: 취소권자가 채권자로서 상대방에게 채무이행을 청구하는 것을 말하고, 상대방으로부터 이행청구를 받는 것은 포함되지 않는다(통설).

ⓒ **경개**: 취소권자가 채권자로서 경개계약을 체결하든 채무자로서 하든 상관없다(통설).

ⓓ **담보의 제공**: 취소권자가 물적 담보 또는 인적 담보를 채무자로서 제공하든 채권자로서 제공을 받든 상관없다(통설).

ⓔ **취소할 수 있는 행위로 취득한 권리의 전부나 일부의 양도**: 취소권자에 의한 양도에 한정되고, 상대방의 양도는 포함되지 않는다. 또한 취득한 권리에 제한물권을 설정하는 경우도 포함된다. 다만, 취소함으로써 발생하게 될 장래의 채권에 대한 양도는 포함되지 않는다(통설).

ⓕ **강제집행**: 취소권자가 채권자로서 집행한 경우는 물론 채무자로서 집행을 받는 경우도 소송상 이의를 제기할 수 있었으므로 이를 하지 않는 경우에는 여기에 포함된다(통설).

③ **효과**: 법정추인이 인정되면 유효로 확정되고 이후에는 취소할 수 없게 된다.

기출예제

취소할 수 있는 법률행위에 관한 취소권자의 이의 보류 없는 행위로서 '법정추인' 사유에 해당하지 않는 것은? 제27회

① 경개
② 담보의 제공
③ 계약의 해제
④ 전부나 일부의 이행
⑤ 취소할 수 있는 법률행위로 취득한 권리의 양도

해설

법정추인 사유는 취소권자의 전부나 일부의 이행, 이행의 청구, 경개, 담보의 제공, 취소할 수 있는 행위로 취득한 권리의 전부나 일부의 양도, 강제집행이다(제145조). 계약의 해제는 법정추인 사유가 아니다.

정답: ③

(3) 취소권의 단기소멸

제146조 【취소권의 소멸】 취소권은 추인할 수 있는 날로부터 3년 내에, 법률행위를 한 날로부터 10년 내에 행사하여야 한다.

① 서언: 취소할 수 있는 행위에 관한 법률관계를 조기에 확정함으로써 상대방이나 이해관계 있는 제3자가 불안정한 지위에서 벗어날 수 있도록 하여 거래안전을 도모하려는 데 그 목적이 있다(통설).

② 기간의 법적 성질

㉠ 제146조가 규정하는 기간은 일반 소멸시효기간이 아니라 제척기간으로서, 제척기간이 도과하였는지 여부는 당사자의 주장에 관계없이 법원이 당연히 조사하여 고려하여야 할 사항이다[직권조사사항(대판 1996.9.20, 96다25371)].

㉡ 취소권 행사기간에 관하여, 통설은 출소기간이라고 보지만, 판례는 재판상 · 재판외에서 권리를 행사하면 그 청구권이 보전된다고 한다(권리행사기간설).

③ 내용

㉠ 취소권의 소멸시기

ⓐ '추인할 수 있는 날로부터 3년'과 '법률행위를 한 날로부터 10년'의 두 기간 가운데 먼저 만료되는 기간에 취소권은 소멸한다(통설). 여기서 '추인할 수 있는 날'이란 취소의 원인이 종료되어 취소권행사에 관한 장애가 없어져서 취소권자가 취소의 대상인 법률행위를 추인할 수도 있고 취소할 수도 있는 상태가 된 때를 가리킨다고 보아야 한다(대판 1998.11.27, 98다7421).

ⓑ 또한 법정대리인의 취소권의 소멸시기가 제한능력자의 그것과 다를 경우에는 먼저 도래한 시기에 따라 취소권은 소멸한다.

ⓒ **취소에 의하여 발생한 청구권의 존속기간**: 취소권의 행사로 발생하는 부당이득반환청구권, 손해배상청구권의 행사기간도 아울러 정한 것으로 보는 것이 통설이다. 판례는 반대로 그 취소권을 행사한 때로부터 소멸시효가 진행하는 것으로 본다(대판 1991.2.22, 90다13420).

마무리STEP 1 | OX 문제

01 무효인 법률행위에 따른 법률효과를 침해하는 것처럼 보이는 위법행위가 있다고 하여도 법률효과의 침해에 따른 손해는 없으므로 그 배상을 청구할 수 없다. ( )

02 토지거래허가구역 내의 토지에 대한 매매계약이 처음부터 허가를 배제하는 내용의 계약일 경우, 그 계약은 확정적 무효이다. ( )

03 법률행위의 일부분이 무효인 경우, 특별한 사정이 없는 한 그 전부를 무효로 한다. ( )

04 불공정한 법률행위로서 무효인 경우, 추인에 의하여 무효인 법률행위가 유효로 될 수 없다. ( )

05 무효인 가등기를 유효한 등기로 전용하기로 한 약정은 그때부터 유효하고, 이로써 가등기가 소급하여 유효한 등기로 전환되지 않는다. ( )

06 무권리자 甲이 乙의 권리를 자기 이름으로 처분한 경우, 乙이 추인하면 그 처분행위의 효력은 乙에게 미친다. ( )

07 취소권자는 제한능력자, 사기·강박·착오에 의한 의사표시를 한 자, 그 대리인 또는 승계인에 한한다. ( )

01 ○
02 ○
03 ○
04 ○
05 ○
06 ○
07 ○

08 가분적인 법률행위의 일부에 취소사유가 존재하고 나머지 부분을 유지하려는 당사자의 가정적 의사가 있는 경우, 일부만의 취소도 가능하다. ( )

09 취소할 수 있는 법률행위의 상대방이 확정된 경우, 그 취소는 그 상대방에 대한 의사표시로 하여야 한다. ( )

10 매매계약은 취소되면 소급하여 무효가 된다. ( )

11 취소된 법률행위에 기하여 이미 이행된 급부는 부당이득으로 반환되어야 한다. ( )

12 제한능력자가 제한능력을 이유로 법률행위를 취소한 경우, 그는 법률행위로 인하여 받은 이익이 현존하는 한도에서 상환할 책임이 있다. ( )

13 법률행위가 취소된 경우, 취소권자는 취소할 수 있는 법률행위의 추인에 의하여 취소된 법률행위를 유효하게 할 수 있다. ( )

14 취소할 수 있는 법률행위를 취소한 경우, 무효행위 추인의 요건을 갖추면 이를 다시 추인할 수 있다. ( )

15 제한능력자의 법정대리인이 제한능력자의 법률행위를 추인한 후에는 제한능력을 이유로 그 법률행위를 취소하지 못한다. ( )

08 ○

09 ○

10 ○

11 ○

12 ○

13 × 취소한 법률행위는 처음부터 무효인 것으로 간주되므로 취소할 수 있는 법률행위가 일단 취소된 이상 그 후에는 취소할 수 있는 법률행위의 추인에 의하여 이미 취소되어 무효인 것으로 간주된 당초의 의사표시를 다시 확정적으로 유효하게 할 수는 없고, 다만 무효인 법률행위의 추인의 요건과 효력으로서 추인할 수는 있다(대판 1997.12.12, 95다38240).

14 ○

15 ○

16 취소할 수 있는 법률행위에서 법정대리인은 취소원인이 소멸한 후에만 추인할 수 있다. ( )

17 취소할 수 있는 법률행위의 추인은 추인권자가 그 행위가 취소할 수 있는 것임을 알고 하여야 한다. ( )

18 취소할 수 있는 법률행위에 관하여 법정추인 사유가 존재하더라도 이의를 보류했다면 추인의 효과가 발생하지 않는다. ( )

19 미성년자로부터 부동산을 매수한 자가 목적물의 인도청구권을 양도한 경우에는 법정추인이 되지 않는다. ( )

20 취소권은 추인할 수 있는 날로부터 3년 내에, 법률행위를 한 날로부터 10년 내에 행사하여야 한다. ( )

21 법률행위 취소권의 존속기간은 제척기간이다. ( )

16 × 취소할 수 있는 법률행위의 추인은 추인권자가 취소원인이 소멸된 후에 하여야 하고(제144조 제1항), 그렇지 않으면 추인의 효력이 없다(대판 1982.6.8, 81다107). 그러나 법정대리인 또는 후견인은 언제라도 추인할 수 있다(제144조 제2항).

17 ○

18 ○

19 ○

20 ○

21 ○

마무리STEP 2 | 확인문제

01 **법률행위의 무효와 취소에 관한 설명으로 옳지 않은 것은? (다툼이 있으면 판례에 따름)** 제26회

① 취소할 수 있는 법률행위를 취소한 경우, 무효행위 추인의 요건을 갖추면 이를 다시 추인할 수 있다.

② 토지거래허가구역 내의 토지에 대한 매매계약이 처음부터 허가를 배제하는 내용의 계약일 경우, 그 계약은 확정적 무효이다.

③ 집합채권의 양도가 양도금지특약을 위반하여 무효인 경우, 채무자는 일부 개별 채권을 특정하여 추인할 수 없다.

④ 무권리자의 처분행위에 대한 권리자의 추인의 의사표시는 무권리자나 그 상대방 어느 쪽에 하여도 무방하다.

⑤ 취소할 수 있는 법률행위의 추인은 추인권자가 그 행위가 취소할 수 있는 것임을 알고 하여야 한다.

정답 | 해설

01 ③ 이른바 집합채권의 양도가 양도금지특약을 위반하여 무효인 경우, 채무자는 일부 개별 채권을 특정하여 추인하는 것이 가능하다(대판 2009.10.29, 2009다47685).

02 **법률행위의 무효와 취소에 관한 설명으로 옳지 않은 것은? (다툼이 있으면 판례에 따름)**

제25회

① 법률행위의 일부분이 무효인 경우, 특별한 사정이 없는 한 그 전부를 무효로 한다.
② 일부무효에 관한 민법 제137조는 당사자의 합의로 그 적용을 배제할 수 있다.
③ 무효인 가등기를 유효한 등기로 전용하기로 약정한 경우, 그 가등기는 등기시로 소급하여 유효한 등기로 된다.
④ 취소할 수 있는 법률행위의 상대방이 확정된 경우, 취소는 그 상대방에 대한 의사표시로 해야 한다.
⑤ 제한능력자의 법정대리인이 제한능력자의 법률행위를 추인한 후에는 제한능력을 이유로 그 법률행위를 취소하지 못한다.

03 **무효와 취소에 관한 설명으로 옳지 않은 것은? (다툼이 있으면 판례에 따름)**

제23회

① 취소할 수 있는 법률행위는 취소권을 행사하지 않더라도 처음부터 무효이다.
② 취소할 수 있는 법률행위의 상대방이 확정된 경우, 취소는 그 상대방에 대한 의사표시로 해야 한다.
③ 제한능력자가 제한능력을 이유로 법률행위를 취소한 경우, 그는 법률행위로 인하여 받은 이익이 현존하는 한도에서 상환할 책임이 있다.
④ 무효인 가등기를 유효한 등기로 전용하기로 한 약정은 그때부터 유효하고, 이로써 가등기가 소급하여 유효한 등기로 전환되지 않는다.
⑤ 무효인 법률행위에 따른 법률효과를 침해하는 것처럼 보이는 위법행위가 있다고 하여도 법률효과의 침해에 따른 손해는 없으므로 그 배상을 청구할 수 없다.

04 법률행위의 무효와 취소에 관한 설명으로 옳지 않은 것은? (다툼이 있으면 판례에 따름)

제21회

① 취소된 법률행위는 특별한 사정이 없는 한 취소한 이후부터 무효이다.

② 취소권은 추인할 수 있는 날로부터 3년 내에, 법률행위를 한 날로부터 10년 내에 행사하여야 한다.

③ 토지거래허가구역 내의 토지거래계약이 처음부터 허가를 배제하는 내용인 경우에는 확정적 무효이다.

④ 취소할 수 있는 법률행위의 상대방이 확정된 경우, 그 취소는 그 상대방에 대한 의사표시로 하여야 한다.

⑤ 무권리자 甲이 乙의 권리를 자기 이름으로 처분한 경우, 乙이 추인하면 그 처분행위의 효력은 乙에게 미친다.

정답 | 해설

02 ③ 무효인 가등기를 유효한 등기로 전용키로 한 약정은 그때부터 유효하고 이로써 위 가등기가 소급하여 유효한 등기로 전환될 수 없다(대판 1992.5.12, 91다26546).

03 ① 취소할 수 있는 행위는 법률행위가 처음부터 유효이지만(유동적 유효), 취소권의 행사에 의하여 무효로 된다(확정적 무효).

04 ① 취소된 법률행위는 처음부터 무효인 것으로 본다(제141조).

05 **법률행위의 무효와 취소에 관한 설명으로 옳지 않은 것은? (다툼이 있으면 판례에 따름)**

제20회

① 매매계약은 취소되면 소급하여 무효가 된다.

② 불공정한 법률행위로서 무효인 경우, 추인에 의하여 무효인 법률행위가 유효로 될 수 없다.

③ 취소된 법률행위에 기하여 이미 이행된 급부는 부당이득으로 반환되어야 한다.

④ 취소할 수 있는 법률행위는 취소권자의 추인이 있으면 취소하지 못한다.

⑤ 취소할 수 있는 법률행위에서 법정대리인은 취소원인이 소멸한 후에만 추인할 수 있다.

06 **법률행위의 취소에 관한 설명으로 옳지 않은 것은? (다툼이 있으면 판례에 따름)**

제24회

① 취소할 수 있는 법률행위에 관하여 법정추인 사유가 존재하더라도 이의를 보류했다면 추인의 효과가 발생하지 않는다.

② 취소할 수 있는 법률행위를 취소한 경우, 무효행위의 추인요건을 갖추더라도 다시 추인할 수 없다.

③ 계약체결에 관한 대리권을 수여받은 대리인이 취소권을 행사하려면 특별한 사정이 없는 한 취소권의 행사에 관한 본인의 수권행위가 있어야 한다.

④ 매도인이 매매계약을 적법하게 해제하였더라도 매수인은 해제로 인한 불이익을 면하기 위해 착오를 이유로 한 취소권을 행사할 수 있다.

⑤ 가분적인 법률행위의 일부에 취소사유가 존재하고 나머지 부분을 유지하려는 당사자의 가정적 의사가 있는 경우, 일부만의 취소도 가능하다.

07 법률행위의 취소와 추인에 관한 설명으로 옳지 않은 것은? (다툼이 있으면 판례에 따름)

제22회

① 법률행위가 취소되면 그 법률행위는 처음부터 무효인 것으로 본다.

② 취소의 원인이 종료된 후 취소할 수 있는 법률행위를 추인하는 경우, 취소할 수 있는 법률행위임을 알고 추인해야 그 효력이 생긴다.

③ 법률행위가 취소된 경우, 취소권자는 취소할 수 있는 법률행위의 추인에 의하여 취소된 법률행위를 유효하게 할 수 있다.

④ 법률행위가 취소된 경우, 취소권자는 취소의 원인이 종료된 후 무효인 법률행위의 추인에 따라 그 법률행위를 유효하게 할 수 있다.

⑤ 가분적인 법률행위의 일부분에만 취소사유가 있는 경우, 나머지 부분의 효력을 유지하려는 당사자의 가정적 의사가 있다면 그 일부만의 취소도 가능하다.

정답 | 해설

05 ⑤ 취소할 수 있는 법률행위의 추인은 추인권자가 취소원인이 소멸된 후에 하여야 하고(제144조 제1항), 그렇지 않으면 추인의 효력이 없다(대판 1982.6.8, 81다107). 그러나 법정대리인 또는 후견인은 언제라도 추인할 수 있다(제144조 제2항).

06 ② 취소한 법률행위는 처음부터 무효인 것으로 간주되므로 취소할 수 있는 법률행위가 일단 취소된 이상 그 후에는 취소할 수 있는 법률행위의 추인에 의하여 이미 취소되어 무효인 것으로 간주된 당초의 의사표시를 다시 확정적으로 유효하게 할 수는 없고, 다만 무효인 법률행위의 추인의 요건과 효력으로서 추인할 수는 있다(대판 1997.12.12, 95다38240).

07 ③ 취소한 법률행위는 처음부터 무효인 것으로 간주되므로 취소할 수 있는 법률행위가 일단 취소된 이상 그 후에는 취소할 수 있는 법률행위의 추인에 의하여 이미 취소되어 무효인 것으로 간주된 당초의 의사표시를 다시 확정적으로 유효하게 할 수는 없고, 다만 무효인 법률행위의 추인의 요건과 효력으로서 추인할 수는 있다(대판 1997.12.12, 95다38240).

제9절 법률행위의 부관(조건과 기한)

제1관 총설

01 개념

(1) 법률행위의 부관이란 법률행위의 효과를 제한하기 위하여 법률행위의 내용으로서 덧붙여지는 약관이다. 부관은 법률행위의 '효력'의 발생 또는 소멸에 관한 것이지, 법률행위의 '성립'에 관한 것이 아니다.

(2) 법률행위의 부관에는 조건 · 기한 · 부담의 세 가지가 있다. 민법은 조건과 기한에 관하여서만 일반적 규정을 두고, 부담과 관련하여서는 부담부 증여(제561조)와 부담부 유증(제1088조)만을 특별히 규정하고 있다.

(3) 당사자는 법률행위를 하면서 그 '효력의 발생 또는 소멸'을 '장래의 일정한 사실'에 의존하게 할 수 있고, 이것은 법률행위 자유의 원칙상 당연히 허용된다. 여기서 장래의 일정한 사실의 발생이 '불확실'한 것이 조건이고, '확실'한 것이 기한이다. 현재의 사실이나 과거의 사실은 조건이나 기한이 될 수 없다. 즉, 조건은 법률행위 효력의 발생 또는 소멸을 장래의 불확실한 사실의 성부에 의존하게 하는 법률행위의 부관이다. 반면 장래의 사실이더라도 그것이 장래 반드시 실현되는 사실이면 실현되는 시기가 비록 확정되지 않더라도 이는 기한으로 보아야 한다(대판 2018.6.28, 2018다201702).

(4) 조건을 붙이고자 하는 의사의 표시는 그 방법에 관하여 일정한 방식이 요구되지 않으므로 묵시적 의사표시나 묵시적 약정으로도 할 수 있다(대판 2018.6.28, 2016다221368).

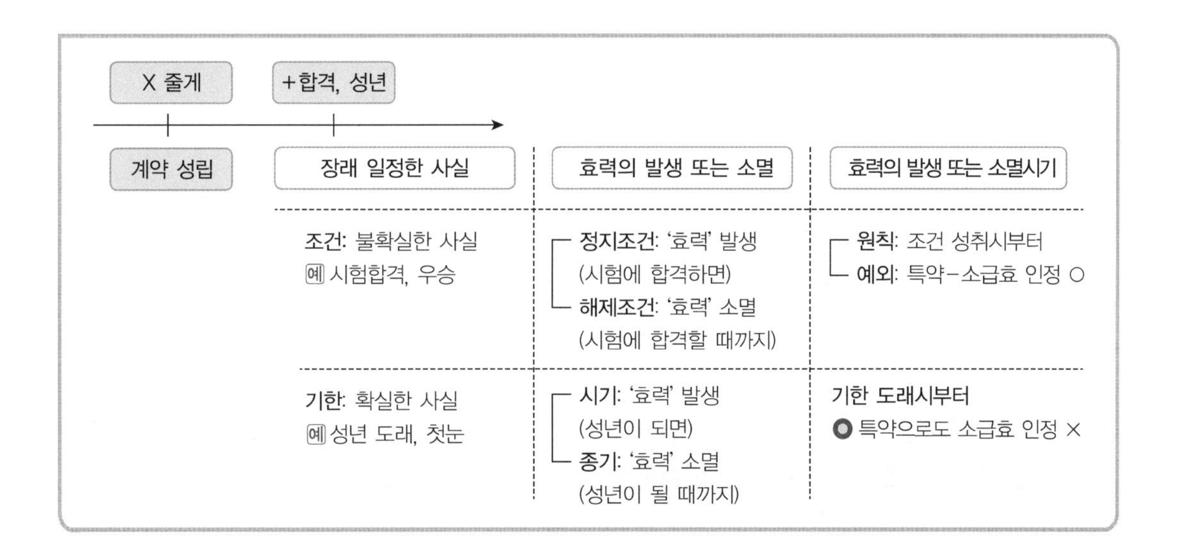

02 조건 · 기한과 구별할 개념

(1) 부담

부담부 법률행위는 '부담부'이기는 하지만 법률행위의 효력이 이 부담에 종속되는 것이 아니고 곧바로 완성된 권리를 발생시킨다. 부담부 증여(제561조)와 부담부 유증(제1088조) 등 무상행위에서 그 예를 찾을 수 있다. 부관의 개념을 인정하는 통설에 따르면 부담도 부관의 일종이라고 한다.

(2) 동기

법률행위를 하게 된 동기나 연유는 원칙적으로 법률행위의 내용이 되지 않으나, 조건과 기한은 그 내용을 구성한다. 따라서 조건의사가 있더라도 그것이 외부에 표시되지 않으면 법률행위의 동기에 불과할 뿐이다(대판 2003.5.13, 2003다10797).

제2관 조건이 붙은 법률행위

01 조건 일반

(1) 조건의 의의

① 조건이란 그 성취 여부가 불확실한 장래의 사실을 말하며, 법률행위 효력의 발생 또는 소멸에 관하여 이러한 조건이 붙은 법률행위를 조건부 법률행위라고 한다. 이러한 법률행위에 있어서 그 효력을 판단하는 기준시는 법률행위의 성립시이고 조건의 성취시가 아니다.

② 어느 법률행위에 어떤 조건이 붙어 있었는지 아닌지는 사실인정의 문제로서 그 조건의 존재를 주장하는 자가 이를 입증하여야 한다(대판 2006.11.24, 2006다35766).

③ 판례는, "甲과 乙이 빌라 분양을 甲이 대행하고 수수료를 받기로 하는 내용의 분양전속계약을 체결하면서, 특약사항으로 '분양계약기간 완료 후 미분양 물건은 甲이 모두 인수하는 조건으로 한다.'라고 정한 사안에서, 위 특약사항은 甲이 분양계약기간 만료 후 미분양 세대를 인수할 의무를 부담한다는 계약의 내용을 정한 것에 불과하고, 이와 달리 계약의 효력발생이 좌우되게 하려는 법률행위의 부관으로서 조건을 정한 것이라고 보기 어렵다."고 하였다(대판 2020.7.9, 2020다202821).

(2) 조건의 종류

① 정지조건 · 해제조건

㉠ 법률행위의 효력을 그 성취에 의하여 발생하게 하는 조건을 정지조건이라고 하고(제147조 제1항, 예 합격하면 집을 한 채 주겠다), 이미 발생한 법률행위의 효력을 그 성취에 의하여 소멸하게 하는 조건을 해제조건이라고 한다(제147조 제2항, 예 합격할 때까지 생활비를 대주겠다).

㉡ 판례는, 장래 불하받을 것을 조건으로 하는 귀속재산의 매매(대판 1969.12.9, 69다1785), 주무관청의 처분허가를 조건으로 하는 사찰재산의 처분(대판 1981.9.22, 80다2586)은 정지조건부 계약이며, 동산의 매매계약을 체결하면서 소유권유보의 특약을 한 경우에 소유권을 이전한다는 물권적 합의는 대금의 완급을 정지조건으로 하는 행위라고 한다(대판 1999.9.7, 99다30534).

㉢ 판례는, 매매토지 중 공장부지에 편입되지 아니한 부분을 매도인에게 원가로 반환한다는 약정은 환매계약이 아니라 공장부지로 사용되지 아니하는 것을 해제조건으로 하는 매매계약이며(대판 1981.6.9, 80다3195), 약혼예물의 수수는 혼인 불성립을 해제조건으로 하는 증여와 유사한 성질을 가진다고 한다(대판 1996.7.14, 96다5506).

② 수의조건 · 비수의조건

㉠ 수의조건

ⓐ 순수수의조건: 법률행위의 효력을 당사자 일방의 임의의 의사에 전적으로 의존하게 하는 조건을 '순수수의조건'이라고 한다. '내 마음이 내키면 집 한 채를 주겠다.'는 것이 그 예이다. 그런데 그 유효성에 관하여는 견해의 대립이 있다. 무효라는 견해가 다수설이다.

판례 순수수의조건의 의미

제작물공급계약의 당사자들이 보수의 지급시기에 관하여 **"수급인이 공급한 목적물을 도급인이 검사하여 합격하면, 도급인은 수급인에게 그 보수를 지급한다."는 내용으로 한 약정**은 도급인의 수급인에 대한 보수지급의무와 동시이행관계에 있는 수급인의 목적물 인도의무를 확인한 것에 불과하므로, 법률행위의 효력 발생을 장래의 불확실한 사실의 성부에 의존하게 하는 **법률행위의 부관인 조건에 해당하지 아니**할 뿐만 아니라, **조건에 해당한다 하더라도 검사에의 합격 여부는 도급인의 일방적인 의사에만 의존하지 않고** 그 목적물이 계약내용대로 제작된 것인지 여부에 따라 객관적으로 결정되므로 **순수수의조건에 해당하지 않는다**(대판 2006.10.13, 2004다21862).

ⓑ 단순수의조건: 법률행위의 효력을 당사자의 일방의 의사에 의존하면서도 임의의 의사에 따른 작위 또는 부작위에 의존하는 조건을 말한다. '내가 카메라를 한 대 더 사면 이 카메라를 너에게 주겠다.'는 것이 그 예이다.

㉡ 비수의조건: 조건사실의 실현 여부가 당사자의 일방적 의사에만 의존하지 않는 조건을 말한다. 조건의 성취 여부가 당사자의 의사와는 전혀 관계없이 자연적 사실이나 제3자의 의사나 행위에 의존하는 조건을 우성조건이라고 한다. 반면에 조건의 성취 여부가 당사자의 의사 및 제3자의 의사에 의존하는 조건을 혼성조건이라고 한다.

③ 가장조건

> 제151조 【불법조건, 기성조건】 ① 조건이 선량한 풍속 기타 사회질서에 위반한 것인 때에는 그 법률행위는 무효로 한다.
> ② 조건이 법률행위의 당시 이미 성취한 것인 경우에는 그 조건이 정지조건이면 조건 없는 법률행위로 하고 해제조건이면 그 법률행위는 무효로 한다.
> ③ 조건이 법률행위의 당시에 이미 성취할 수 없는 것인 경우에는 그 조건이 해제조건이면 조건 없는 법률행위로 하고 정지조건이면 그 법률행위는 무효로 한다.

형식적으로는 조건이지만 실질적으로는 조건으로서의 효력이 인정되지 못하는 것을 총칭하여 가장조건이라고 한다.

㉠ **법정조건**: 법인의 설립에서 주무관청의 허가(제32조)나 유언에서 유언자의 사망 및 수증자의 생존(제1073조 제1항, 제1089조 제1항)과 같이 법률행위의 효력이 발생하기 위하여 법률이 명문으로 요구하는 조건이다. 법정조건을 법률행위의 조건으로 정한 경우에는 당연한 것이므로 무의미하며, 조건으로서의 의미를 가지지 않는다. 그러나 법률행위의 효력이 확정되지 않은 동안의 법률관계에는 조건규정을 유추적용하는 것이 바람직하다(대판 1962.4.18, 4294민상1603).

㉡ **불법조건**: 조건이 선량한 풍속 기타 사회질서에 위반하는 경우가 불법조건이며, 불법조건이 붙어 있는 법률행위는 조건뿐만 아니라 법률행위 자체가 무효이다(대결 2005.11.8, 2005마541). 불법행위를 하지 않을 것을 조건으로 하는 법률행위의 경우에는, 조건이 불법하지는 않지만 그것이 법률행위와 결합함으로써 반사회성을 띠게 되어 무효이다. 부첩관계의 종료를 해제조건으로 하는 증여계약은 그 조건만이 무효인 것이 아니라 증여계약 자체가 무효이다(대판 1966.6.21, 66다530).

㉢ **기성조건**: 조건이 '법률행위의 당시 이미 성취한 것인 경우'가 기성조건이다. 기성조건이 정지조건이면 조건 없는 법률행위가 되고, 해제조건이면 그 법률행위는 무효이다(제151조 제2항).

㉣ **불능조건**: 조건이 법률행위 성립 당시 이미 성취할 수 없는 것으로 객관적으로 확정된 경우가 불능조건이다. 불능조건이 해제조건이면 조건 없는 법률행위가 되고, 정지조건이면 그 법률행위는 무효이다(제151조 제3항).

(3) 조건에 친하지 않은 법률행위

① **서언**: 조건부 법률행위는 그 효력의 발생과 소멸이 장래에 대하여 불확정적이므로, 법률관계가 처음부터 확정적이어야 하는 법률행위에는 조건을 붙일 수 없다. 또한 조건을 허용하면 법률의 목적에 명백히 반하는 경우에도 조건을 붙일 수 없다.

② **조건을 붙일 수 없는 법률행위**

㉠ **단독행위**: 조건에 의하여 상대방의 지위가 불안정하게 되어 부당하므로 원칙적으로 조건을 붙일 수 없다. 상계, 추인, 취소, 해제, 해지, 철회, 선택채권의 선택, 환매 및 주식청약 등의 경우이다. 그러나 상대방의 동의가 있는 경우, 상대방에게 이익만을 주는 경우(예 채무면제, 유증), 상대방이 결정할 수 있는 사실을 조건으로 하는 경우(예 정지조건부 해제)에는 조건을 붙일 수 있다.

판례 정지조건부 해제

계약당사자의 일방이 상대방에게 대하여 일정한 기간을 정하여 그 기간 내에 이행이 없을 때에는 계약을 해제하겠다는 의사표시를 한 경우에는 위의 기간경과로 그 계약은 해제된 것으로 해석하여야 할 것이다(대판 1970.9.29, 70다1508).

㉡ **신분행위**: 혼인, 이혼, 입양, 인지, 상속의 포기 등 신분행위에는 원칙적으로 조건을 붙일 수 없다. 다만, 상대방에게 불이익을 초래하지 않거나 공서양속에 반하지 않는 경우에는 허용된다. 유언에는 조건을 붙일 수 있다(제1071조).

㉢ **어음 및 수표행위**: 어음과 수표행위는 객관적 획일성이 요구되므로 조건을 붙일 수 없다(통설). 다만, 어음보증에 조건을 붙이는 것은 어음거래의 안정성을 해치지 않으므로 허용된다(대판 1986.9.9, 84다카2310).

㉣ **물권계약**: 독일 민법은 부동산소유권이전의 합의에 조건이나 기한을 붙이지 못하도록 하지만, 우리 민법에서는 허용된다고 본다(통설). 예컨대, 동산의 매매계약을 체결하면서 소유권유보의 특약을 한 경우에 소유권을 이전한다는 물권적 합의는 대금의 완급을 정지조건으로 하는 행위이다(대판 1999.9.7, 99다30534).

③ **효과**: 조건을 붙일 수 없는 법률행위에 조건을 붙인 경우에, 일부무효의 법리에 따라 그 법률행위는 '전부무효'로 된다. 다만, 어음법과 수표법상 배서에 붙인 조건은 이를 기재하지 아니한 것으로 본다(어음법 제12조 제1항, 제77조 제1항 제1호 및 수표법 제15조 제1항). 따라서 조건 없는 어음 및 수표행위로서 효력을 갖는다.

02 조건의 성취와 불성취

(1) 서설

조건부 법률행위의 효력은 조건사실의 실현 여부에 좌우되는데, 그 조건사실의 실현 · 불실현이 확정되는 것을 조건의 성취 · 불성취라고 한다.

(2) 조건의 성취 또는 불성취를 주장할 수 있는 경우

제150조 【조건성취, 불성취에 대한 반신의행위】 ① 조건의 성취로 인하여 불이익을 받을 당사자가 신의성실에 반하여 조건의 성취를 방해한 때에는 상대방은 그 조건이 성취한 것으로 주장할 수 있다.
② 조건의 성취로 인하여 이익을 받을 당사자가 신의성실에 반하여 조건을 성취시킨 때에는 상대방은 그 조건이 성취하지 아니한 것으로 주장할 수 있다.

① 조건의 부당한 불성취의 경우 조건성취의 주장

㉠ 조건의 성취로 인하여 불이익을 받을 당사자가 신의성실에 반하여 조건의 성취를 방해한 때[고의에 의한 경우만이 아니라 과실에 의한 경우에도 신의성실에 반하여 조건의 성취를 방해한 때에 해당한다(대판 1998.12.22, 98다42356)]에는 상대방은 그 조건이 성취한 것으로 주장할 수 있다(제150조 제1항). 예컨대, 이혼녀가 재혼하면 부양료를 청구하지 않기로 화해를 한 후 타인과 동거생활을 한 경우, 도급공사의 완공을 정지조건으로 하여 공사대금채무를 부담한 경우에 도급인이 수급인의 공사장 출입을 통제한 경우(대판 1998.12.22, 98다42356) 등을 들 수 있다.

㉡ 상대방의 주장에 의하여 조건성취로 의제되는 시점은 방해행위가 없었다면 조건이 성취되었으리라고 추산되는 시점이다(대판 1998.12.12, 98다42356).

② **조건의 부당한 성취의 경우 조건불성취의 주장:** 조건의 성취로 인하여 이익을 받을 당사자가 신의성실에 반하여 조건을 성취시킨 때에는 상대방은 그 조건이 성취하지 아니한 것으로 주장할 수 있다(제150조 제2항).

03 조건부 법률행위의 효력

(1) 조건의 성취 전의 효력

조건의 성취 여부가 확정되기 전에는 당사자 일방은 조건의 성취로 일정한 이익을 얻게 될 기대를 가진다. 이 권리를 조건부 권리라고 하는데, 이는 기대권의 일종으로서 민법은 일종의 권리로서 보호한다.

① 조건부 권리에 대한 침해금지

> 제148조 【조건부 권리의 침해금지】 조건 있는 법률행위의 당사자는 조건의 성부가 미정한 동안에 조건의 성취로 인하여 생길 상대방의 이익을 해하지 못한다.

② 조건부 권리의 실현

> 제149조 【조건부 권리의 처분 등】 조건의 성취가 미정한 권리의무는 일반규정에 의하여 처분, 상속, 보존 또는 담보로 할 수 있다.

(2) 조건의 성취 후의 효력

> 제147조 【조건성취의 효과】 ① 정지조건 있는 법률행위는 조건이 성취한 때로부터 그 효력이 생긴다.
> ② 해제조건 있는 법률행위는 조건이 성취한 때로부터 그 효력을 잃는다.
> ③ 당사자가 조건성취의 효력을 그 성취 전에 소급하게 할 의사를 표시한 때에는 그 의사에 의한다.

① 법률행위효력의 확정

㉠ 정지조건부 법률행위에서 조건이 성취되면 법률행위는 그 효력을 발생하고, 불성취로 확정되면 무효로 된다. 반면, 해제조건부 법률행위에서 조건이 성취되면 법률행위의 효력은 소멸하고, 불성취로 확정되면 효력은 소멸하지 않는 것으로 확정된다.

㉡ 조건부 법률행위에서 조건이 성취되었다는 사실은 조건의 성취로 이익을 얻는 자, 즉 '정지조건부 법률행위에 있어서 조건이 성취되었다는 사실은 이에 의하여 권리

를 취득하고자 하는 측'이(대판 1983.4.12, 81다카692; 대판 1984.9.25, 84다카 967[1]), 해제조건의 경우에는 조건의 성취로 의무를 면하게 되는 자가 주장 · 증명하여야 한다.

1 원고의 자진사임을 조건으로 한 증여에서, 원고가 자진사임함으로써 그 조건이 성취되었음을 입증할 책임이 있다.

판례 정지조건부 법률행위에 해당한다는 사실에 대한 주장증명책임

어떠한 법률행위가 조건의 성취시 법률행위의 효력이 발생하는 소위 정지조건부 법률행위에 해당한다는 사실은 그 법률행위로 인한 법률효과의 발생을 저지하는 사유로서 그 **법률효과의 발생을 다투려는 자**에게 주장 · 입증책임이 있다(대판 1993.9.28, 93다20832).

② **비소급적 효력**: 조건성취의 효과는 원칙적으로 소급하지 않는다. 즉, 정지조건부 법률행위는 그 조건이 성취된 때부터 그 효력이 생기고(제147조 제1항), 해제조건부 법률행위는 그 조건이 성취된 때부터 그 효력을 잃는다(제147조 제2항). 다만, 당사자가 조건성취의 효력을 그 성취 전에 소급하게 할 의사를 표시한 경우에는 그 의사에 의한다(제147조 제3항).

판례 해제조건부 증여

해제조건부 증여로 인한 부동산소유권이전등기를 마쳤다 하더라도 **그 해제조건이 성취되면 그 소유권은 증여자에게 복귀한다**고 할 것이고, 이 경우 당사자간에 별단의 의사표시가 없는 한 그 조건성취의 **효과는 소급하지 아니하나, 조건성취 전에 수증자가 한 처분행위는 조건성취의 효과를 제한하는 한도 내에서는 무효**라고 할 것이다(대판 1992.5.22, 92다5584).

제3관 기한이 붙은 법률행위

01 기한 일반

제152조【기한도래의 효과】① 시기 있는 법률행위는 기한이 도래한 때로부터 그 효력이 생긴다.
② 종기 있는 법률행위는 기한이 도래한 때로부터 그 효력을 잃는다.

(1) 기한의 의의

기한이란 법률행위의 효력의 발생이나 소멸 또는 채무의 이행을 장래 발생할 것이 확실한 사실에 의존케 하는 법률행위의 부관을 말한다. 기한이 붙은 법률행위를 '기한부 법률행위'라고 한다.

(2) 기한의 종류

① 시기 · 종기: 시기란 법률행위의 효력의 발생 또는 법률행위의 효과로 발생하는 채무의 이행에 관한 기한을 말한다(제152조 제1항, 예 내년 1월 1일부터 임대한다). 종기란 법률행위의 효력의 소멸시기를 정하는 기한을 말한다(제152조 제2항, 예 내년 12월 31일까지 임대한다).

② 확정기한 · 불확정기한

㉠ 기한의 내용인 사실이 발생하는 시기가 확정되어 있는 것이 확정기한이고, 그렇지 않은 것이 불확정기한이다. '내년 1월 1일부터', '앞으로 3개월 후에'는 확정기한의 예이고, '甲이 사망하였을 때', 상가분양계약에서 중도금 지급기일을 '1층 골조공사 완료시'로 정한 것은 중도금 지급의무의 이행기를 장래 도래할 시기가 확정되지 아니한 때, 즉 불확정기한으로 이행기를 정한 경우에 해당한다(대판 2005.10.7, 2005다38546).

㉡ 불확정기한과 조건의 구별이 어려운 경우가 있다. 예컨대, 출세하면 지급한다는 약속, 가옥을 매각하면 지급하기로 하는 채무 등이 그러하다. 이것은 법률행위의 해석문제이며, 부관에 표시된 사실이 발생하지 아니하면 채무를 이행하지 아니하여도 된다고 보아야 하는 때에는 정지조건으로 정한 것으로 보아야 하고, 표시된 사실이 발생한 때는 물론이고 반대로 발생하지 아니하는 것이 확정된 때에도 그 채무를 이행하여야 한다고 보는 것이 타당한 경우에는 표시된 사실의 발생 여부가 확정되는 것을 불확정기한으로 정한 것으로 보아야 한다(대판 2011.4.28, 2010다89036). 채무의 변제에 관하여 일정한 사실이 부관으로 붙여진 경우에는 특별한 사정이 없는 한 사실이 발생한 때뿐만 아니라 사실의 발생이 불가능하게 된 때에도 이행기한은 도래한 것으로 보아야 한다(대판 2018.4.24, 2017다205127).

판례 **이미 부담하고 있는 채무의 변제에 관하여 일정한 사실이 부관으로 붙여진 경우 그 부관의 법적 성질(= 불확정기한)**

이미 부담하고 있는 채무의 변제에 관하여 일정한 사실이 부관으로 붙여진 경우에는 특별한 사정이 없는 한 **그것은 변제기를 유예한 것으로서 그 사실이 발생한 때 또는 발생하지 아니하는 것으로 확정된 때에 기한이 도래**한다(대판 2003.8.19, 2003다24215).

---

(3) 기한에 친하지 않은 법률행위

① 기한에 친하지 않은 법률행위에 기한을 붙이면 법률행위 전체가 무효로 된다.

② 시기를 붙일 수 없는 것은 법률행위의 효과가 즉시 발생할 필요가 있는 경우, 예컨대 혼인, 협의이혼, 입양, 파양, 상속의 승인 및 포기 등 가족법상의 행위이다. 또한 취소 · 해제 · 추인 · 상계와 같은 소급효가 있는 법률행위에는 시기를 붙일 수 없다. 그러나 어음행위나 수표행위는 조건에 친하지 않으나, 시기를 붙이는 것은 무방하다.

③ 종기를 붙일 수 없는 법률행위는 대체로 해제조건의 경우와 같다.

02 기한부 법률행위의 효력

(1) 기한의 도래

기일의 도래 또는 기간이 경과함으로써 기한은 도래한다. 또한 기한의 이익을 포기하거나(제153조 제2항) 상실한 때에도(제388조) 기한이 도래한 것으로 된다(통설).

(2) 기한도래 전의 효력

기한은 조건과 달리 반드시 도래하므로 기한의 도래까지 기한부 권리를 보호할 필요는 더욱 강하다. 따라서 민법은 제148조 · 제149조를 기한부 권리에 준용하고 있다(제154조 제2항).

(3) 기한도래 후의 효력

시기부 법률행위는 기한이 도래한 때부터 그 효력이 생긴다(제152조 제1항). 반면 종기부 법률행위는 기한이 도래한 때부터 그 효력을 잃는다(제152조 제2항). 기한의 효력에는 소급효가 없으며, 당사자의 특약에 의해서도 소급효를 인정할 수 없다.

03 기한의 이익

> 제153조【기한의 이익과 그 포기】① 기한은 채무자의 이익을 위한 것으로 추정한다.
> ② 기한의 이익은 이를 포기할 수 있다. 그러나 상대방의 이익을 해하지 못한다.

(1) 서언

① 기한의 이익이란 기한이 존재하는 것, 즉 기한이 도래하지 않음으로써 당사자가 받는 이익을 말한다.

② 기한의 이익을 누가 가지는가는 법률행위의 성질에 따라 다르다. 즉, 기한의 이익은 채권자만이 가지는 경우도 있고(예 무상임치의 임치인, 사용대차의 차주 등), 채무자만이 가지는 경우도 있으며(예 무이자 소비대차의 차주 등), 채권자 · 채무자 쌍방이 가지는 경우도 있다(예 이자부 소비대차, 임대차 등). 민법은 당사자의 특약이나 법률행위의 성질상 분명하지 않은 경우에는 채무자의 이익을 위하여 존재하는 것으로 추정한다(제153조 제1항). 따라서 기한의 이익이 채권자에게 있다는 것은 채권자가 이를 증명하여야 한다.

(2) 기한의 이익의 포기

① 기한의 이익은 포기할 수 있다. 그러나 상대방의 이익을 해하지 못한다(제153조 제2항). 포기는 상대방 있는 단독행위로, 상대방에 대한 일방적 의사표시로 행하여진다.

② 기한의 이익이 상대방에게도 있는 경우에는 상대방의 손해를 배상하고 기한의 이익을 포기할 수 있다(이설 없음). 예컨대, 이자부 소비대차의 채무자는 이행기까지의 이자를 지급하면서 기한 전에 변제할 수 있다.

(3) 기한의 이익의 상실

① 기한의 이익을 채무자에게 주는 것은 채무자를 신용하여 그에게 이행의 유예를 주기 위해서이다. 그러므로 채무자에게 신용상실의 사유가 발생한 때에는 채무자는 기한의 이익을 상실한다.

② 법률은 다음의 경우에 채무자는 기한의 이익을 주장하지 못하는 것으로 규정한다. 즉, ㉠ 채무자가 담보를 손상 · 감소 · 멸실하게 하거나, 담보제공의 의무를 이행하지 아니한 때(제388조), ㉡ 채무자가 파산한 때(채무자 회생 및 파산에 관한 법률 제425조)이다.

③ **기한이익 상실의 특약:** 이른바 할부급 채무에서 1회라도 할부금의 지급을 게을리하면 잔금 전액을 일시에 청구하여도 이의가 없다는 특약을 맺을 수 있다.

판례 기한이익 상실의 특약의 해석 및 기한이익 상실사유가 발생한 경우의 법률관계

1. 기한이익 상실의 특약은 그 내용에 의하여 일정한 사유가 발생하면 채권자의 청구 등을 요함이 없이 당연히 기한의 이익이 상실되어 이행기가 도래하는 것으로 하는 **정지조건부 기한이익 상실의 특약**과 일정한 사유가 발생한 후 채권자의 통지나 청구 등 채권자의 의사행위를 기다려 비로소 이행기가 도래하는 것으로 하는 **형성권적 기한이익 상실의 특약**의 두 가지로 대별할 수 있고, 기한이익 상실의 특약이 위의 양자 중 어느 것에 해당하느냐는 당사자의 **의사해석의 문제**이지만 일반적으로 기한이익 상실의 특약이 채권자를 위하여 둔 것인 점에 비추어 명백히 정지조건부 기한이익 상실의 특약이라고 볼 만한 특별한 사정이 없는 이상 **형성권적 기한이익 상실의 특약으로 추정**하는 것이 타당하다. 형성권적 기한이익 상실의 특약이 있는 경우에는 그 특약은 채권자의 이익을 위한 것으로서 **기한이익의 상실사유가**

발생하였다고 하더라도 채권자가 나머지 **전액을 일시에 청구할 것인가 또는 종래대로 할부 변제를 청구할 것인가를 자유로이 선택할 수 있다**(대판 2002.9.4, 2002다28340).

2. 계약당사자 사이에 일정한 사유가 발생하면 채무자는 기한의 이익을 잃고 채권자의 별도의 의사표시가 없더라도 바로 이행기가 도래한 것과 같은 효과를 발생케 하는 이른바 **정지조건부 기한이익 상실의 특약**을 한 경우에는 그 특약에 정한 **기한이익의 상실사유가 발생함과 동시에** 기한의 이익을 상실케 하는 **채권자의 의사표시가 없더라도 이행기도래의 효과가 발생**하고, 채무자는 특별한 사정이 없는 한 **그때부터 이행지체**의 상태에 놓이게 된다(대판 1989.9.29, 88다카14663).

기출예제

법률행위의 부관에 관한 설명으로 옳지 않은 것은? 제27회

① 정지조건이 있는 법률행위는 특별한 사정이 없는 한 그 조건이 성취한 때로부터 그 효력이 생긴다.
② 해제조건 있는 법률행위는 특별한 사정이 없는 한 그 조건이 성취한 때로부터 그 효력을 잃는다.
③ 법률행위의 조건이 선량한 풍속 기타 사회질서에 위반한 것인 때에는 그 법률행위는 무효로 한다.
④ 시기(始期) 있는 법률행위는 그 기한이 도래한 때로부터 그 효력이 소멸한다.
⑤ 기한의 이익은 이를 포기할 수 있지만, 상대방의 이익을 해하지 못한다.

해설

시기부 법률행위는 기한이 도래한 때부터 그 효력이 생긴다(제152조 제1항). 반면 종기부 법률행위는 기한이 도래한 때부터 그 효력을 잃는다(제152조 제2항). 정답: ④

마무리STEP 1 | OX 문제

01 조건은 의사표시의 일반원칙에 따라 조건의사와 그 표시가 필요하다. ( )

02 법률행위의 조건이 선량한 풍속에 반하는 경우, 원칙적으로 조건만 무효로 될 뿐 그 법률행위가 무효로 되는 것은 아니다. ( )

03 조건이 법률행위 당시 이미 성취된 경우, 그 조건이 해제조건이면 그 법률행위는 무효로 한다. ( )

04 불능조건이 정지조건이면 조건 없는 법률행위가 된다. ( )

05 조건의 성취로 인하여 불이익을 받을 당사자가 신의성실에 반하여 조건의 성취를 방해한 경우, 그 방해시에 조건이 성취된 것으로 추정된다. ( )

06 조건의 성취가 미정한 권리는 일반규정에 의하여 담보로 할 수 없다. ( )

07 조건의 성취에 소급효가 없으나 당사자가 그 성취 전에 소급하게 할 의사를 표시한 때에는 그 의사에 따른다. ( )

01 ○

02 × 조건이 선량한 풍속 기타 사회질서에 위반하는 경우가 불법조건이며, 불법조건이 붙어 있는 법률행위는 조건뿐만 아니라 법률행위 자체가 무효이다(대결 2005.11.8, 2005마541).

03 ○

04 × 불능조건이 해제조건이면 조건 없는 법률행위가 되고, 정지조건이면 그 법률행위는 무효이다(제151조 제3항).

05 × 상대방의 주장에 의하여 조건성취로 의제되는 시점은 방해행위가 없었다면 조건이 성취되었으리라고 추산되는 시점이다(대판 1998.12.12, 98다42356).

06 × 조건의 성취가 미정한 권리의무는 일반규정에 의하여 처분, 상속, 보존 또는 담보로 할 수 있다(제149조).

07 ○

08 법률행위가 정지조건부 법률행위에 해당한다는 사실은 그 법률효과의 발생을 다투려는 자에게 증명책임이 있다. ( )

09 정지조건부 법률행위에 있어서 조건이 성취되었다는 사실은 권리를 취득하고자 하는 자가 증명하여야 한다. ( )

10 불확정한 사실이 발생한 때를 이행기한으로 정한 경우, 그 사실의 발생이 불가능하게 된 때에도 기한이 도래한 것으로 본다. ( )

11 상계의 의사표시에는 기한을 붙일 수 없다. ( )

12 기한은 채권자의 이익을 위한 것으로 추정한다. ( )

13 특별한 사정이 없는 한 기한의 이익은 이를 포기할 수 없다. ( )

14 당사자 사이에 기한이익 상실의 특약이 있는 경우, 특별한 사정이 없는 한 이는 형성권적 기한이익 상실의 특약으로 추정된다. ( )

08 ○
09 ○
10 ○
11 ○
12 × 기한은 채무자의 이익을 위한 것으로 추정한다(제153조 제1항).
13 × 기한의 이익은 이를 포기할 수 있다. 그러나 상대방의 이익을 해하지 못한다(제153조 제2항).
14 ○

마무리STEP 2 | 확인문제

01 **법률행위의 부관에 관한 설명으로 옳지 않은 것은? (다툼이 있으면 판례에 따름)**

제26회

① 조건은 의사표시의 일반원칙에 따라 조건의사와 그 표시가 필요하다.
② 법률행위가 정지조건부 법률행위에 해당한다는 사실은 그 법률효과의 발생을 다투려는 자에게 증명책임이 있다.
③ 당사자 사이에 기한이익 상실의 특약이 있는 경우, 특별한 사정이 없는 한 이는 형성권적 기한이익 상실의 특약으로 추정된다.
④ 보증채무에서 주채무자의 기한이익의 포기는 보증인에게 효력이 미치지 아니한다.
⑤ 조건의 성취로 인하여 불이익을 받을 당사자가 신의칙에 반하여 조건의 성취를 방해한 경우, 그러한 행위가 있었던 시점에서 조건은 성취된 것으로 의제된다.

02 **조건에 관한 설명으로 옳은 것은? (다툼이 있으면 판례에 따름)** 제22회

① 정지조건부 법률행위에 있어서 조건이 성취되었다는 사실은 권리를 취득하고자 하는 자가 증명하여야 한다.
② 조건을 붙이고자 하는 의사가 외부에 표시되지 않더라도 조건부 법률행위로 인정된다.
③ 법률행위의 조건이 선량한 풍속에 반하는 경우, 원칙적으로 조건만 무효로 될 뿐 그 법률행위가 무효로 되는 것은 아니다.
④ 불능조건이 정지조건이면 조건 없는 법률행위가 된다.
⑤ 당사자 사이에는 의사표시로 조건성취의 효력을 소급할 수 없다.

03 **법률행위의 부관으로서 조건에 관한 설명으로 옳지 않은 것은? (다툼이 있으면 판례에 따름)** 제20회

① 조건부 법률행위에 있어 조건이 공서양속에 반하는 경우, 그 조건만을 분리하여 무효로 할 수 없다.

② 조건의 성취에 소급효가 없으나 당사자가 그 성취 전에 소급하게 할 의사를 표시한 때에는 그 의사에 따른다.

③ 조건이 법률행위 당시 이미 성취된 경우, 그 조건이 해제조건이면 그 법률행위는 무효로 한다.

④ 조건이 법률행위 당시 이미 성취될 수 없는 경우, 그 조건이 정지조건이면 그 법률행위는 무효로 한다.

⑤ 조건의 성취로 인하여 불이익을 받을 당사자가 신의성실에 반하여 조건의 성취를 방해한 경우, 그 방해시에 조건이 성취된 것으로 추정된다.

정답 | 해설

01 ⑤ 상대방의 주장에 의하여 조건성취로 의제되는 시점은 방해행위가 없었다면 조건이 성취되었으리라고 추산되는 시점이다(대판 1998.12.12, 98다42356).

02 ① ① 어떠한 법률행위가 조건의 성취시 법률행위의 효력이 발생하는 소위 정지조건부 법률행위에 해당한다는 사실은 그 법률행위로 인한 법률효과의 발생을 저지하는 사유로서 그 법률효과의 발생을 다투려는 자에게 주장 · 입증책임이 있다(대판 1993.9.28, 93다20832).

② 조건의사가 있더라도 그것이 외부에 표시되지 않으면 법률행위의 동기에 불과할 뿐이다(대판 2003.5.13, 2003다10797).

③ 조건이 선량한 풍속 기타 사회질서에 위반하는 경우가 불법조건이며, 불법조건이 붙어 있는 법률행위는 조건뿐만 아니라 법률행위 자체가 무효이다(대결 2005.11.8, 2005마541).

④ 불능조건이 해제조건이면 조건 없는 법률행위가 되고, 정지조건이면 그 법률행위는 무효이다(제151조 제3항).

⑤ 당사자가 조건성취의 효력을 그 성취 전에 소급하게 할 의사를 표시한 경우에는 그 의사에 의한다(제147조 제3항).

03 ⑤ 상대방의 주장에 의하여 조건성취로 의제되는 시점은 방해행위가 없었다면 조건이 성취되었으리라고 추산되는 시점이다(대판 1998.12.12, 98다42356).

04 **조건과 기한에 관한 설명으로 옳은 것은? (다툼이 있으면 판례에 따름)** 제25회

① 특별한 사정이 없는 한 기한의 이익은 이를 포기할 수 없다.
② 정지조건 있는 법률행위는 조건이 성취한 때로부터 그 효력을 잃는다.
③ 조건의 성취가 미정한 권리는 일반규정에 의하여 담보로 할 수 없다.
④ 정지조건이 법률행위 당시에 이미 성취할 수 없는 것인 경우, 그 법률행위는 무효이다.
⑤ 법률행위에 어떤 조건이 붙어 있었는지 여부는 그 조건의 부존재를 주장하는 자가 이를 증명해야 한다.

05 **조건과 기한에 관한 설명으로 옳지 않은 것은? (다툼이 있으면 판례에 따름)**

제24회

① 법률행위에 정지조건이 붙어 있다는 사실은 그 법률행위의 효력발생을 다투려는 자가 증명하여야 한다.
② 조건의사가 외부로 표시되지 않은 경우, 조건부 법률행위로 인정되지 않는다.
③ 당사자가 조건성취의 효력을 그 성취 전에 소급하게 할 의사를 표시한 경우, 그 의사표시는 무효이다.
④ 불확정한 사실이 발생한 때를 이행기한으로 정한 경우, 그 사실의 발생이 불가능하게 된 때에도 기한이 도래한 것으로 본다.
⑤ 상계의 의사표시에는 기한을 붙일 수 없다.

06 조건과 기한에 관한 설명으로 옳지 않은 것은? (다툼이 있으면 판례에 따름)

제21회

① 기한은 채권자의 이익을 위한 것으로 추정한다.
② 종기 있는 법률행위는 기한이 도래한 때로부터 그 효력을 잃는다.
③ 조건을 붙이는 것이 허용되지 않는 법률행위에 조건을 붙인 경우, 그 법률행위 전부가 무효이다.
④ 조건이 법률행위 당시에 이미 성취할 수 없는 경우, 그 조건이 정지조건이면 그 법률행위는 무효이다.
⑤ 정지조건부 법률행위에서 조건성취의 사실에 대한 증명책임은 조건성취로 인한 권리취득을 주장하는 자에게 있다.

정답 | 해설

04 ④ ④ 불능조건이 해제조건이면 조건 없는 법률행위가 되고, 정지조건이면 그 법률행위는 무효이다(제151조 제3항).
① 기한의 이익은 이를 포기할 수 있다. 그러나 상대방의 이익을 해하지 못한다(제153조 제2항).
② 정지조건 있는 법률행위는 조건이 성취한 때로부터 그 효력이 생긴다(제147조 제1항).
③ 조건의 성취가 미정한 권리의무는 일반규정에 의하여 처분, 상속, 보존 또는 담보로 할 수 있다(제149조).
⑤ 어느 법률행위에 어떤 조건이 붙어 있었는지 아닌지는 사실인정의 문제로서 그 조건의 존재를 주장하는 자가 이를 입증하여야 한다(대판 2006.11.24, 2006다35766).

05 ③ 당사자가 조건성취의 효력을 그 성취 전에 소급하게 할 의사를 표시한 경우에는 그 의사에 의한다(제147조 제3항).

06 ① 기한은 채무자의 이익을 위한 것으로 추정한다(제153조 제1항).

제 6 장 기간

목차 내비게이션 민법총칙

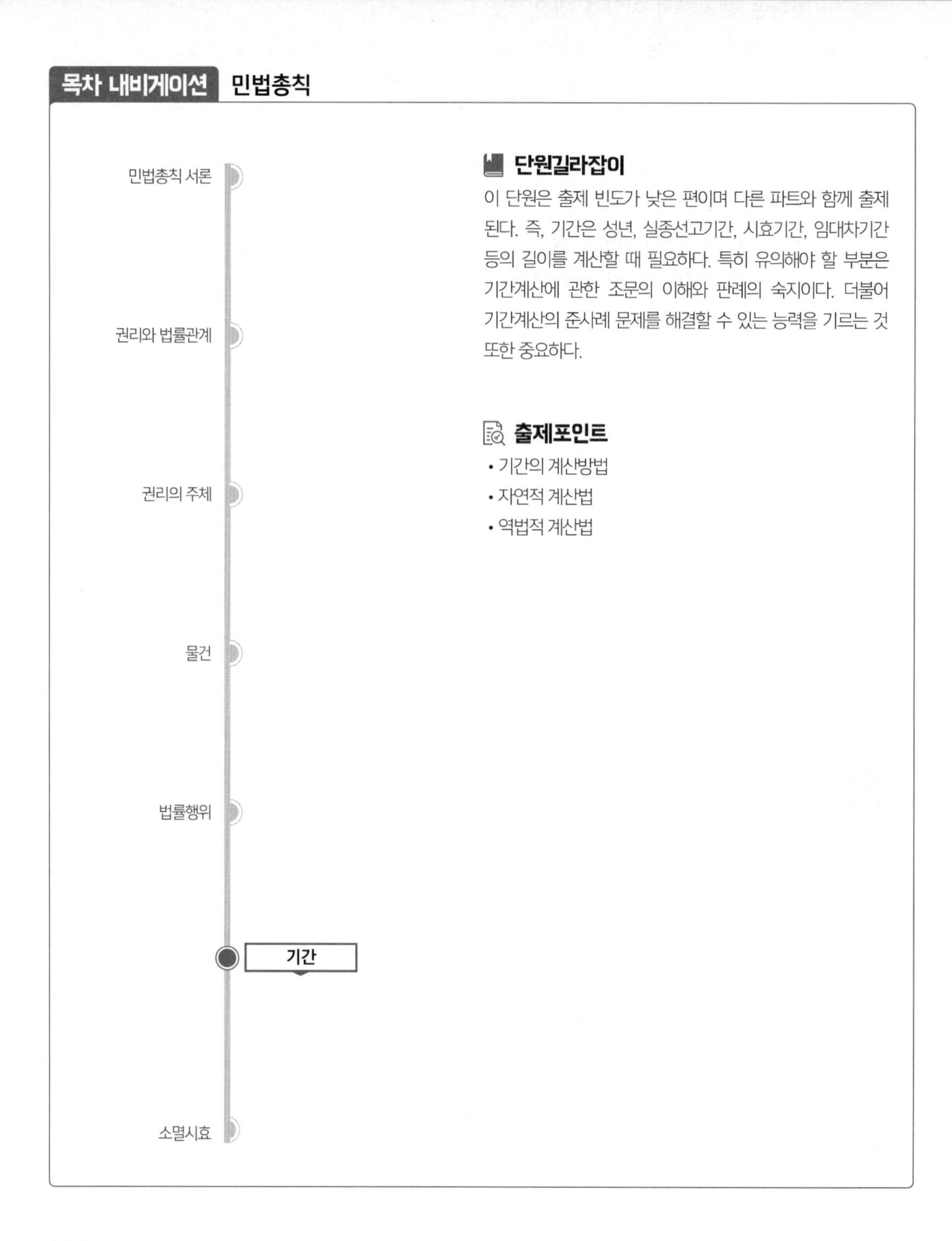

단원길라잡이

이 단원은 출제 빈도가 낮은 편이며 다른 파트와 함께 출제된다. 즉, 기간은 성년, 실종선고기간, 시효기간, 임대차기간 등의 길이를 계산할 때 필요하다. 특히 유의해야 할 부분은 기간계산에 관한 조문의 이해와 판례의 숙지이다. 더불어 기간계산의 준사례 문제를 해결할 수 있는 능력을 기르는 것 또한 중요하다.

출제포인트

- 기간의 계산방법
- 자연적 계산법
- 역법적 계산법

01 기간 일반

(1) 기간의 의의

① 기간이란 어느 시점에서 어느 시점까지의 계속된 시간을 말한다. 기간은 법률사실로서 '사건'에 속하며, 다른 법률사실과 결합하여 법률요건을 이룬다. 예컨대, 성년 · 최고기간 · 실종기간 · 기한 · 시효 등에서의 시간이 그러하다.

② 기일은 어느 특정의 시점을 가리키는 것으로서, 기간의 말일과 기일은 달리 취급할 필요가 없으므로, 전자에 관한 민법의 규정은 기일에도 준용되어야 할 것으로 해석된다.

(2) 기간의 계산에 관한 민법규정의 적용범위

> 제155조【본장의 적용범위】기간의 계산은 법령, 재판상의 처분 또는 법률행위에 다른 정한 바가 없으면 본장의 규정에 의한다.

'기간의 계산은 법령, 재판상의 처분 또는 법률행위'에 의해 정해지며, 이러한 정함이 없으면 제155조 이하의 규정에 따른다(제155조). 즉, 민법 제155조에 의하면 법령이나 법률행위 등에 의하여 위 원칙과 달리 정하는 것도 가능하다(대판 2007.8.23, 2006다62942). 제155조 이하의 기간 계산법은 사법관계는 물론 공법관계에도 통칙적으로 적용된다(대판 1989.4.11, 87다카2901).

02 기간의 계산방법

(1) 계산방법의 종류

자연적 계산법은 시간을 실제 그대로 계산하는 것이고, 역법적 계산법은 역(曆)에 따라서 계산하는 것이다. 전자는 정확하지만 불편하고, 후자는 부정확하지만 편리하다는 장점이 있다. 여기서 민법은 시간을 단위로 하는 단기간에 대하여는 자연적 계산법을, 일 · 주 · 월 · 연을 단위로 하는 장기간에 대하여는 역법적 계산법을 채택하고 있다.

(2) 기간을 '시 · 분 · 초'로 정한 경우

> 제156조【기간의 기산점】기간을 시, 분, 초로 정한 때에는 즉시로부터 기산한다.

기간을 시 · 분 · 초로 정한 경우에는 즉시 기산한다(제156조). 기간의 만료점은 그 정하여진 시 · 분 · 초가 종료한 때이다. 즉, 자연적 계산법을 채택한 것으로서, 예컨대 9월 1일 오전 9시부터 10시간은 9월 1일 오후 7시이다.

(3) 기간을 '일 · 주 · 월 · 연'으로 정한 경우

① 기산점

> 제157조 【기간의 기산점】 기간을 일, 주, 월 또는 연으로 정한 때에는 기간의 초일은 산입하지 아니한다. 그러나 그 기간이 오전 영시로부터 시작하는 때에는 그러하지 아니하다.
>
> 제158조 【나이의 계산과 표시】 나이는 출생일을 산입하여 만(滿) 나이로 계산하고, 연수(年數)로 표시한다. 다만, 1세에 이르지 아니한 경우에는 월수(月數)로 표시할 수 있다.

㉠ '기간을 일, 주, 월 또는 연으로 정한 때'에는 기간의 초일은 산입하지 않는다(제157조 본문, 초일불산입의 원칙). 따라서 근로자의 평균임금을 산정하여야 할 사유가 발생한 날 이전 3월간의 기산에 있어서 사유발생한 날인 초일은 산입하지 않아야 한다(대판 1989.4.11, 87다카2901).

㉡ 그러나 오전 영시로부터 시작하는 때는 초일을 산입한다(제157조 단서). 따라서 오는 5월 1일부터 5일간, '행정소송기간의 초일'(대판 1966.7.12, 66누48), '농지개혁법상 분배농지일람표의 종람공고기간의 초일'(대판 1970.11.30, 70다1967)은 기간에 산입되며, 구 국회의원선거법상의 '선거공고일로부터'라 함은 선거일을 공고한 날의 오전 영시부터를 의미한다(대판 1989.3.10, 88수85). 또한 연령계산에서도 출생일을 산입한다(제158조).

② 만료점

㉠ 말일의 종료

> 제159조 【기간의 만료점】 기간을 일, 주, 월 또는 연으로 정한 때에는 기간 말일의 종료로 기간이 만료한다.

ⓐ 기간 말일의 종료로 기간이 만료한다(제159조). 즉, 기간의 만료점은 그 날 오후 12시(자정)가 된다. 그러나 판례는 정년의 계산법에 관하여 "정년이 53세라 함은 만 53세 만료일이 아니라 53세에 도달하는 날을 말한다."고 한다(대판 1973.6.12, 71다2669).

ⓑ 법령 또는 관습에 의해 영업시간이 정해져 있는 때에는 기간의 말일이 영업시간의 종료로써 만료한다.

㉡ 말일의 계산

> 제160조 【역에 의한 계산】 ① 기간을 주, 월 또는 연으로 정한 때에는 역에 의하여 계산한다.
> ② 주, 월 또는 연의 처음으로부터 기간을 기산하지 아니하는 때에는 최후의 주, 월 또는 연에서 그 기산일에 해당한 날의 전일로 기간이 만료한다.

③ 월 또는 연으로 정한 경우에 최종의 월에 해당일이 없는 때에는 그 월의 말일로 기간이 만료한다.

제161조 【공휴일 등과 기간의 만료점】 기간의 말일이 토요일 또는 공휴일에 해당한 때에는 기간은 그 익일로 만료한다.

ⓐ 기간을 '주 · 월 또는 연'으로 정한 때에는 이를 일(日)로 환산하지 않고 역(曆)에 의하여 계산한다(제160조 제1항). 따라서 월이나 연의 일수의 장단은 문제삼지 않는다.

ⓑ 주 · 월 · 연의 처음부터 기간을 계산하는 때에는 그 주 · 월 · 연의 말일의 종료로 기간이 만료하고, 처음부터 계산하지 않을 때에는 최후의 주 · 월 · 연에서 기산일에 해당한 날의 전일로 기간은 만료한다(제160조 제2항).

ⓒ 월 또는 연으로 정한 경우에 최후의 월에 해당일이 없는 경우에는 그 월의 말일로 기간이 만료한다(제160조 제3항).

ⓓ 기간의 말일이 토요일 또는 공휴일에 해당하는 때에는 기간은 그 익일로 만료한다(제161조). 공휴일에는 국경일 및 일요일뿐만 아니라 임시공휴일도 포함된다(대판 1964.5.26, 63다958). 판례는 즉시항고기간(대결 1964.6.30, 64마437), 항소기간(대판 1967.10.23, 67다1895) 및 세법상의 재심사결정기간(대판 1968.3.19, 67누100)과 이의신청기간(대판 1987.10.13, 87누53) 등에 이 규정을 적용한다. 그러나 기간의 말일이 공휴일인 때는 그 다음 날로 만료한다는 민법 제161조의 규정은 초일이 공휴일인 경우에는 적용이 없다(대판 1982.2.23, 81누204).

(4) 기간의 역산

민법상 기간의 계산방법은 일정한 기산일로부터 소급하여 과거에 역산되는 기간에도 준용된다[통설, 판례(대판 1989.4.11, 87다카2901)]. 예컨대 사원총회일이 3월 15일이라고 한다면, 14일이 기산점이 되어 그 날부터 역으로 7일을 계산한 8일의 오전 영시가 말일이 되고, 따라서 늦어도 7일 중으로 총회소집통지가 발송되어야 한다(제71조).

마무리STEP 1 | OX 문제

01 기간의 계산에 관한 민법규정은 공법관계에 적용되지 않는다. ( )

02 기간의 기산점에 관한 제157조의 초일불산입의 원칙은 당사자의 합의로 달리 정할 수 있다. ( )

03 기간을 분으로 정한 때에는 즉시로부터 기산한다. ( )

04 2023년 5월 27일(토) 13시부터 9시간의 만료점은 2023년 5월 27일 22시이다. ( )

05 기간을 월로 정한 때에는 역(曆)에 의하여 계산한다. ( )

06 기간을 일 또는 주로 정한 때에는 그 기간이 오전 영시로부터 시작하지 않는 경우, 기간의 초일은 산입하지 아니한다. ( )

07 연령계산에는 출생일을 산입한다. ( )

01 × 제155조 이하의 기간계산법은 사법관계는 물론 공법관계에도 통칙적으로 적용된다(대판 1989.4.11, 87다카2901).

02 ○

03 ○

04 ○

05 ○

06 ○

07 ○

08 2017년 1월 13일(금) 17시에 출생한 사람은 2036년 1월 12일 24시에 성년자가 된다. ( )

09 기간의 말일이 토요일 또는 공휴일에 해당하는 때에는 기간은 그 익일로 만료한다. ( )

10 정년이 53세라 함은 만 53세에 도달하는 날을 의미하는 것이지, 만 53세가 만료하는 날을 의미하지는 않는다. ( )

11 정관상 사원총회의 소집통지를 1주간 전에 발송하여야 하는 사단법인의 사원총회일이 2023년 6월 2일(금) 10시인 경우, 총회소집통지는 늦어도 2023년 5월 25일 중에는 발송하여야 한다. ( )

08 ○
09 ○
10 ○
11 ○

마무리STEP 2 | 확인문제

01 **법령 또는 약정 등으로 달리 정한 바가 없는 경우, 기간에 관한 설명으로 옳지 않은 것은? (다툼이 있으면 판례에 따름)** 제22회

① 기간계산에 관한 민법 규정은 공법관계에 적용되지 않는다.
② 기간을 월 또는 연으로 정한 때에는 역(歷)에 의하여 계산한다.
③ 기간의 말일이 토요일 또는 공휴일에 해당하는 때에는 기간은 그 익일로 만료한다.
④ 기간을 일 또는 주로 정한 때에는 그 기간이 오전 영시로부터 시작하지 않는 경우, 기간의 초일은 산입하지 아니한다.
⑤ 연령계산에는 출생일을 산입한다.

02 **기간의 만료점이 빠른 시간 순서대로 나열한 것은? (다툼이 있으면 판례에 따름)** 제23회

> ㉠ 2020년 6월 2일 오전 0시 정각부터 4일간
> ㉡ 2020년 5월 4일 오후 2시 정각부터 1개월간
> ㉢ 2020년 6월 10일 오전 10시 정각부터 1주일 전(前)

① ㉠ - ㉡ - ㉢
② ㉠ - ㉢ - ㉡
③ ㉡ - ㉠ - ㉢
④ ㉡ - ㉢ - ㉠
⑤ ㉢ - ㉡ - ㉠

정답 | 해설

01 ① 제155조 이하의 기간계산법은 사법관계는 물론 공법관계에도 통칙적으로 적용된다(대판 1989.4.11, 87다카2901).

02 ⑤ ㉠ 2020년 6월 2일 오전 0시 정각부터 4일간의 만료점은 2020년 6월 5일 24시
㉡ 2020년 5월 4일 오후 2시 정각부터 1개월간의 만료점은 2020년 6월 4일 24시
㉢ 2020년 6월 10일 오전 10시 정각부터 1주일 전(前)의 만료점은 2020년 6월 2일 24시

house.Hackers.com

제 7 장 소멸시효

목차 내비게이션 민법총칙

민법총칙 서론

권리와 법률관계

권리의 주체

물건

법률행위

기간

소멸시효

제1절 총설
제2절 소멸시효의 요건
제3절 소멸시효의 장애(소멸시효의 중단과 정지)
제4절 소멸시효의 효과

단원길라잡이

이 단원은 2문제 정도 출제된다. 특히 유의해야 할 부분은 제척기간과의 비교, 소멸시효의 요건, 재판상 청구 · 최고 · 승인 등 소멸시효의 중단사유, 소멸시효의 효과 등이다. 그러나 제척기간은 소멸시효를 공부한 후에, 취득시효는 물권법을 공부한 후에, 이행지체는 채권법을 공부한 후에 소멸시효와 비교하며 정리하는 것이 좋다.

출제포인트

- 소멸시효와 제척기간
- 소멸시효의 대상적격
- 소멸시효의 기산점
- 소멸시효의 기간
- 소멸시효의 중단과 정지
- 소멸시효 완성의 효과
- 시효이익의 포기

제1절 총설

01 시효의 의의

(1) 시효란 일정한 사실상태가 일정기간 계속된 경우에 그 상태가 진실한 권리관계에 합치되는가에 상관없이 그 사실상태를 존중하여 그대로 권리관계로 인정하는 법률요건이다(통설).

(2) 시효에는 취득시효와 소멸시효의 두 가지가 있다. 소멸시효는 권리불행사라는 사실상태가 일정기간 계속된 경우에 권리소멸의 효과를 발생시킨다는 점에서, 권리행사라는 외관이 일정기간 계속된 경우에 권리취득의 효과를 발생시키는 취득시효와 구별된다. 민법은 소멸시효는 총칙편에, 취득시효는 물권편에 규정하고 있다.

02 시효제도의 존재이유

판례는 '시효제도는 일정기간 계속된 사회질서를 유지하고 시간의 경과로 인하여 곤란하게 되는 증거보전으로부터의 구제 내지는 자기 권리를 행사하지 않고 소위 권리 위에 잠자는 자는 법적 보호에서 이를 제외하기 위하여 규정된 제도'라고 하거나(대판 1976.11.6, 76다148 전합), 또는 '시효제도의 존재이유는 영속된 사실상태를 존중하고 권리 위에 잠자는 자를 보호하지 않는다는 데에 있고 특히 소멸시효에 있어서는 후자의 의미가 강하다.'고 한다(대판 1992.3.31, 91다32053 전합).

03 소멸시효와 구별되는 제도(제척기간)

(1) 의의

제척기간이란 일정한 권리에 관하여 법률이 예정하는 존속기간이다. 제척기간이 규정되어 있는 권리는 권리를 행사하지 않고 제척기간이 경과하면 당연히 소멸한다(대판 2015.1.29, 2013다215256). 소멸시효가 일정한 기간의 경과와 권리의 불행사라는 사정에 의하여 권리소멸의 효과를 가져오는 것과는 달리 그 기간의 경과 자체만으로 곧 권리소멸의 효과를 가져오게 하는 것이다(대판 1995.11.10, 94다22682). 이러한 제척기간은 그 권리와 관련된 법률관계를 조속히 확정하기 위한 제도이다. 제척기간은 형성권에 관하여 규정된 경우가 많으나, 청구권과 같은 다른 권리에 규정된 경우도 있다.

판례 **매매예약완결권의 행사시기에 관한 약정이 있는 경우 그 제척기간의 기산점**

제척기간은 권리자로 하여금 당해 권리를 신속하게 행사하도록 함으로써 **법률관계를 조속히 확정**시키려는 데 그 제도의 취지가 있는 것으로서, 소멸시효가 일정한 기간의 경과와 권리의 불행사라는 사정에 의하여 권리소멸의 효과를 가져오는 것과는 달리 그 기간의 경과 자체만으로 곧 권리소멸의 효과를 가져오게 하는 것이므로 그 기간 진행의 기산점은 특별한 사정이 없는 한 **원칙적으로 권리가 발생한 때**이고, 당사자 사이에 **매매예약완결권을 행사할 수 있는 시기를 특별히 약정한 경우에도 그 제척기간은 당초 권리의 발생일로부터 10년간의 기간이 경과되면 만료되는 것**이지 그 기간을 넘어서 그 약정에 따라 **권리를 행사할 수 있는 때로부터 10년이 되는 날까지로 연장된다고 볼 수 없다**(대판 1995.11.10, 94다22682).

(2) 법적 성질

① 제척기간이 정해져 있는 권리는 어떤 방법으로 행사하여야 제척기간의 경과에 따른 권리의 소멸을 저지할 수 있는가? 민법에는 제척기간을 주로 부여하는 일정한 형성권에 관해서는 그 기간 내에 **재판상 행사**를 하여야 하는 것으로 정하는 것이 있다. **채권자취소권**(제406조), 친생부인권의 행사(제847조 제1항) 등이 그러하다. 문제는 이러한 규정이 없는 제척기간에 관해서이다.

② 판례는 징발재산 정리에 관한 특별조치법 제20조가 정한 환매권(대판 1992.10.13, 92다4666), 미성년자의 법률행위의 취소권(대판 1993.7.27, 92다52795), 매도인의 하자담보책임에 관한 매수인의 권리(대판 1985.11.12, 84다카2344), 수급인에 대하여 하자담보책임을 물을 수 있는 권리(대판 2000.6.9, 2000다15371)에 관하여, 이들 권리는 그 기간 내에 **재판상 또는 재판 외에서 행사**할 수 있다고 한다. 그런데 채권양도의 통지는 양도인이 채권이 양도되었다는 사실을 채무자에게 알리는 것에 그치는 행위이므로, 그것만으로 제척기간 준수에 필요한 권리의 재판 외 행사에 해당한다고 할 수 없다(대판 2012.3.22, 2010다28840 전합).

③ 그러나 "민법 **제204조 제3항과 제205조 제2항**에 의하면 점유를 침탈당하거나 방해를 받은 자의 침탈자 또는 방해자에 대한 청구권은 그 점유를 침탈당한 날 또는 점유의 방해행위가 종료된 날로부터 1년 내에 행사하여야 하는 것으로 규정되어 있는데, 위의 제척기간은 재판 외에서 권리행사하는 것으로 족한 기간이 아니라 반드시 그 기간 내에 소를 제기하여야 하는 이른바 **출소기간**으로 해석함이 상당하다."고 한다(대판 2002.4.26, 2001다8097).

(3) 소멸시효와의 차이점

구분	소멸시효	제척기간
판별	'시효로 인하여' 또는 '소멸시효가 완성한다' 등으로 표현하면 소멸시효기간으로 본다(통설). 청구권은 원칙적으로 소멸시효의 대상이 되지만, 예외적으로 제척기간의 대상이 되는 것도 있다. 그러나 형성권은 제척기간의 대상이 된다. 판례는 제766조 제2항을 소멸시효로 본다.	
존재 이유	시효제도는 일정기간 계속된 사회질서를 유지하고 시간의 경과로 인하여 곤란하게 되는 증거보전으로부터의 구제, 소위 권리 위에 잠자는 자는 법적 보호에서 이를 제외하기 위하여 규정된 제도이다(판례).	제척기간은 권리자로 하여금 당해 권리를 신속하게 행사하도록 함으로써 법률관계를 조속히 확정시키려는 데 그 제도의 취지가 있다(판례).
요건	① 일정한 기간의 경과와 함께 권리의 불행사라는 사실상태의 계속을 요건으로 한다. ② 기간은 규정에 의해 정해지고, 법률행위에 의하여 단축 또는 경감할 수 있다. ③ 권리를 행사할 수 있는 때를 기산점으로 한다.	① 기간의 경과를 요건으로 한다. ② 기간은 규정에 의해 정해지고, 기간의 정함이 없는 형성권은 10년이며, 자유로이 단축할 수 없다. ③ 원칙적으로 권리가 발생한 때, 예약이 성립한 때(매매예약완결권의 경우) 또는 권리가 발생한 때(대물변제예약완결권의 경우)를 기산점으로 한다.
중단	시효의 중단제도가 있다(제168조, 제178조).	중단이 인정되지 않는다. 즉, 권리자의 권리행사가 있으면 그대로 효과가 발생하는 것이고, 이를 기초로 다시 기간이 갱신되는 문제는 발생하지 않는다.
정지	시효의 정지제도가 있다(제179조 내지 제182조).	정지가 인정되지 않는다. 시효정지에 관한 제182조를 제척기간에 준용하자는 소수설이 있다.
효과 및 소급효	절대적 소멸설에 의하면 권리가 소멸한다는 점에서 효과는 제척기간과 같고, 상대적 소멸설에 의하면 차이가 있다. 소멸시효 완성의 효력은 기산일에 소급한다.	기간이 경과한 때로부터 장래에 향하여 권리가 소멸한다.
포기	시효이익은 포기할 수 있다(제184조 제1항).	포기제도가 없다.
소송상의 주장 요부	변론주의원칙상 그 사실을 주장하지 않으면 고려되지 않는다.	당사자가 주장하지 않더라도 법원이 당연히 이를 고려하여야 하는 직권조사사항이다.

증명책임	소멸시효기간의 완성을 주장하는 자(의무자)가 증명하여야 한다.	권리자가 제척기간이 경과하지 않았음을 증명하여야 한다.
공통점	일정한 기간의 경과로써 권리가 소멸하는 점에서 양자는 같다. 또 당사자의 약정으로 기간을 연장할 수 없는 점도 같다.	

제2절 소멸시효의 요건

01 개관

시효로 인하여 권리가 소멸하려면 ① 권리가 소멸시효의 목적이 될 수 있는 것이어야 하고, ② 권리자가 권리를 행사할 수 있음에도 불구하고 행사하지 않아야 하며, ③ 권리 불행사의 상태가 일정기간 계속되어야 한다는 세 가지 요건이 갖추어져야 한다. 이는 소멸시효를 주장하는 자가 증명하여야 한다.

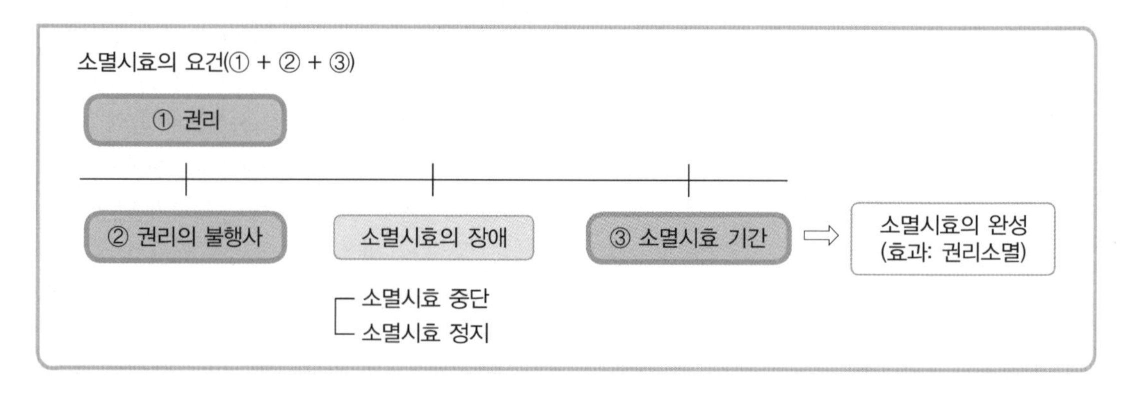

02 소멸시효의 대상이 되는 권리

제162조 【채권, 재산권의 소멸시효】 ① 채권은 10년간 행사하지 아니하면 소멸시효가 완성한다.
② 채권 및 소유권 이외의 재산권은 20년간 행사하지 아니하면 소멸시효가 완성한다.

(1) 재산권

소멸시효의 대상이 되는 권리는 재산권으로 한정되고, 물권, 채권, 지식재산권이 문제된다. 즉, 신분권이나 인격권과 같은 비재산적 권리는 그 대상이 아니다.

① **채권**: 채권은 소멸시효의 대상이다(제162조 제1항). 나아가 채권적 청구권도 원칙적으로 소멸시효에 걸린다. 다음에서는 소멸시효의 대상적격이 문제되는 경우를 살펴보자.

㉠ 법률행위로 인한 등기청구권

판례 부동산 매수인의 소유권이전등기청구권

1. 시효제도의 존재이유에 비추어 보아 **부동산 매수인이 그 목적물을 인도받아서 이를 사용수익하고 있는 경우**에는 그 매수인을 권리 위에 잠자는 것으로 볼 수도 없고 또 매도인 명의로 등기가 남아 있는 상태와 매수인이 인도받아 이를 사용 · 수익하고 있는 상태를 비교하면 매도인 명의로 잔존하고 있는 등기를 보호하기보다는 매수인의 사용수익상태를 더욱 보호하여야 할 것이므로 **그 매수인의 등기청구권은 다른 채권과는 달리 소멸시효에 걸리지 않는다**고 해석함이 타당하다(대판 1976.11.6, 76다148 전합).
2. 부동산의 매수인이 그 부동산을 인도받은 이상 이를 사용 · 수익하다가 그 부동산에 대한 보다 적극적인 권리행사의 일환으로 **다른 사람에게 그 부동산을 처분하고 그 점유를 승계하여 준 경우**에도 그 이전등기청구권의 행사 여부에 관하여 그가 그 부동산을 스스로 계속 사용 · 수익만 하고 있는 경우와 특별히 다를 바 없으므로 위 두 어느 경우에나 **이전등기청구권의 소멸시효는 진행되지 않는다**고 보아야 한다(대판 1999.3.18, 98다32175 전합).

㉡ 취득시효에 기한 등기청구권: 판례는 "토지에 대한 취득시효 완성으로 인한 소유권이전등기청구권은 그 토지에 대한 점유가 계속되는 한 시효로 소멸하지 아니하고, 그 점유자가 점유를 상실한 때로부터 10년간 등기청구권을 행사하지 아니하면 소멸시효가 완성한다."고 한다(대판 1996.3.8, 95다34866).

② 물권: 지상권, 지역권이 대상이 된다.

㉠ 소유권은 절대성과 항구성으로 인하여 소멸시효의 대상이 아니다. 상린관계상의 권리(제215조 이하) 및 공유물분할청구권(제268조)과 같이 소유권에 수반하는 권리는 소유권과 독립하여 소멸시효에 걸리지 않는다(통설 · 판례).

㉡ 점유권과 유치권은 점유라는 사실상태에 의존하기 때문에 성질상 소멸시효에 걸리지 않는다.

㉢ 담보물권(유치권 · 질권 · 저당권)은 피담보채권이 존속하는 한, 소멸시효에 걸리지 않는다. 피담보채권의 소멸로써 담보물권이 소멸할 뿐이다(부종성). 한편, 근저당권설정 약정에 의한 근저당권설정등기청구권은 그 피담보채권이 될 채권과 별개로 소멸시효에 걸린다(대판 2004.2.13, 2002다7213).

㉣ 소유권에 기한 물권적 청구권도 소멸시효에 걸리지 않는다(대판 1979.2.13, 78다2412).

판례 소유권에 기한 물권적 청구권

1. **매매계약이 합의해제된 경우에도 매수인에게 이전되었던 소유권은 당연히 매도인에게 복귀**하는 것이므로 합의해제에 따른 매도인의 원상회복청구권은 소유권에 기한 물권적 청구권이라고 할 것이고 이는 **소멸시효의 대상이 되지 아니한다**(대판 1982.7.27, 80다2968).
2. 채권담보의 목적으로 이루어지는 부동산 양도담보의 경우에 있어서 **피담보채무가 변제된 이후에 양도담보권설정자가 행사하는 등기청구권**은 양도담보권설정자의 실절적 소유권에 기한 물권적 청구권이므로 따로이 시효소멸되지 아니한다(대판 1979.2.13, 78다2412).

③ 물권에 준하는 재산권: 광업권, 어업권, 특허권, 상표권, 디자인권 등은 소유권과 같은 성질을 가지므로 소멸시효의 대상이 아니다. 보통 권리의 존속기간이 예정된다.

판례 조세의 부과권이 소멸시효의 대상이 되는지 여부(적극)

조세채권의 소멸시효를 규정하고 있는 국세기본법 제27조 제1항 소정의 국세의 징수를 목적으로 하는 권리라 함은 궁극적으로 국세징수의 실현만족을 얻는 일련의 권리를 말하는 것이므로, 여기에는 **추상적으로 성립된 조세채권을 구체적으로 확정하는 국가의 기능인 부과권과 그 이행을 강제적으로 추구하는 권능인 징수권을 모두 포함**하고 있다 할 것이므로 다른 특별한 규정이 없는 한 위 **양자가 다같이 소멸시효의 대상**이 된다(대판 1984.12.26, 84누572 전합).

(2) 형성권, 항변권의 문제

① 형성권의 문제: 형성권행사의 기간은 제척기간으로 본다. 존속기간이 없는 형성권은 10년의 제척기간에 걸린다고 본다(통설 · 판례).

② 항변권의 문제: 쌍무계약에서의 동시이행의 항변권과 보증인의 최고 · 검색의 항변권은 독립하여 소멸시효에 걸리지 않는다.

03 권리의 불행사(시효의 기산점)

제166조 【소멸시효의 기산점】 ① 소멸시효는 권리를 행사할 수 있는 때로부터 진행한다.
② 부작위를 목적으로 하는 채권의 소멸시효는 위반행위를 한 때로부터 진행한다.

(1) 권리를 행사할 수 있는 때

① 서언

㉠ 소멸시효는 객관적으로 권리가 발생하고 그 권리를 행사할 수 있는 때부터 진행한다(제166조 제1항). 따라서 권리를 행사할 수 없는 동안은 소멸시효는 진행할 수 없다. 그 기산일은 제157조 본문에 따라 그날이 오전 0시를 의미하지 않는 한 소멸시효기간에 산입되지 않는다(통설).

㉡ 소멸시효의 기산일은 변론주의의 적용대상이므로, 본래의 소멸시효 기산일과 당사자가 주장하는 기산일이 다른 경우에는 당사자가 주장하는 기산일을 기준으로 한다(대판 1995.8.25, 94다35886).

② 원칙(법률상 장애가 없을 것): '권리를 행사할 수 없는 때'라 함은 그 권리행사에 법률상의 장애사유, 예를 들면 '정지조건의 미성취나 이행기의 미도래'(대판 1982.1.19, 80다2626) 등이 있는 경우를 말한다. 그리고 "건물에 관한 소유권이전등기청구권에 있어서 그 목적물인 건물이 완공되지 아니하여 이를 행사할 수 없었다는 사유는 법률상의 장애사유에 해당한다(대판 2007.8.23, 2007다28024 · 28031)." 사실상의 장애사유가 있는 경우에는 소멸시효가 진행된다. 그 사유들을 보면, 권리자의 개인적 사정이나 법률지식의 부족, 미성년인 사정(대판 1965.6.22, 65다775), 권리존재의 부지 또는 채무자의 부재 등이다. 특히 사실상의 권리의 존재나 권리행사 가능성을 알지 못하였고 알지 못함에 과실이 없다고 하여도 법률상 장애사유에 해당하지 않는다(대판 2004.4.27, 2003두10763).

(2) 각종 권리에서 소멸시효의 기산점

각종 권리	소멸시효의 기산점
기한을 정한 채권	① 확정기한부 채권: 확정기한이 도래한 때, 기한의 유예가 있으면 유예한 이행기일로부터 다시 진행 ② 불확정기한부 채권: 그 기한이 객관적으로 도래한 때부터 ③ 기한이익 상실의 특약이 있는 경우 ㉠ 형성권적 기한이익 상실의 특약: 각 변제기의 도래시마다 순차로 소멸시효가 진행하고, 잔존채무 전액의 변제를 구하는 의사가 표시되었다면 전액에 대하여 그때부터 시효가 진행(판례) ㉡ 정지조건부 기한이익 상실의 특약: 사유발생시 전액에 대하여 시효 진행
기한의 정함이 없는 채권	① 그 채권성립시부터, 계속적인 거래관계에서 발생한 채권의 경우에는 각 외상대금채권이 발생한 때로부터(장기간 입원치료를 받는 경우) ② 청구 또는 해지통고를 한 후 일정기간이나 상당한 기간이 경과한 후에 청구할 수 있는 채권(제603조 제2항, 제635조 등): 그 전제가 되는 청구나 해지통고를 할 수 있는 때로부터 소정의 유예기간이 경과한 때로부터(반환시기의 약정이 없는 소비대차계약상의 채권은 '채권의 성립시부터'라는 견해 있음)
정지조건부 채권	조건의 성취시부터
선택채권	선택권을 행사할 수 있는 때로부터
부작위채권	위반행위를 한 때로부터

손해배상 청구권	① 채무불이행: 채무불이행시설(판례) - 이행불능된 때부터(대상청구 포함) ② 불법행위: 손해 및 가해자를 안 날로부터 3년(손해가 위법행위로 인하여 발생한 것까지 알았어야 함), 불법행위를 한 날로부터 10년(가해행위로 인하여 손해의 결과가 발생한 날)
부당이득반환 청구권	① 성립과 동시에 행사할 수 있으므로 그때부터 ② 하자 있는 행정처분의 경우: 당연무효인 행정처분의 경우, 그 반환청구권을 행사할 수 있을 때부터(과세처분으로 인한 오납이 있었던 때). 취소할 수 있는 행정처분의 경우, 행정처분을 취소하는 행정소송의 판결이 확정될 때부터
구상권	① 보증인의 구상권: 주채무자에 대한 보증인의 사후구상권과 사전구상권은 각각 그 권리가 발생되어 이를 행사할 수 있는 때부터 ② 공동불법행위자의 구상권: 구상권자가 피해자에게 현실로 손해배상금을 지급한 때부터
동시이행의 항변권이 붙어 있는 채권	이행기부터
무권대리행위의 추인으로 확정된 채권	추인에는 소급효가 인정되지만, 그 권리는 추인시부터 시효가 진행된다.
기타 재산권	권리를 행사할 수 있는 때로부터(물권의 발생시부터)

판례

1. 채무불이행으로 인한 손해배상청구권의 소멸시효의 기산점
   ① 채무불이행으로 인한 손해배상청구권의 소멸시효는 **채무불이행시로부터** 진행한다(대판 2005.1.14, 2002다57119).
   ② 소유권이전등기 말소등기의무의 이행불능으로 인한 전보배상청구권의 소멸시효는 말소등기의무가 **이행불능상태에 돌아간 때로부터** 진행된다(대판 2005.9.15, 2005다29474).
   ③ 소멸시효는 권리를 행사할 수 있는 때부터 진행한다(민법 제166조 제1항). 채무불이행으로 인한 손해배상청구권은 **현실적으로 손해가 발생한 때**에 성립하고, 현실적으로 손해가 발생하였는지 여부는 사회통념에 비추어 객관적이고 합리적으로 판단하여야 한다(대판 2020.6.11, 2020다201156).

2. 계속적 물품공급계약에 의한 외상대금채권의 소멸시효의 기산점
   계속적 물품공급계약에 기하여 발생한 외상대금채권은 특별한 사정이 없는 한 **개별 거래로 인한 각 외상대금채권이 발생한 때로부터 개별적으로 소멸시효가 진행**하는 것이지 거래종료일부터 외상대금채권 총액에 대하여 한꺼번에 소멸시효가 기산한다고 할 수 없는 것이고, 각 개별 거래시마다 서로 기왕의 미변제 외상대금에 대하여 확인하거나 확인된 대금의 일부를 변제하는 등의 행위가 없었다면, **새로이 동종 물품을 주문하고 공급받았다는 사실만으로는 기왕의 미변제 채무를 승인한 것으로 볼 수 없다**(대판 2007.1.25, 2006다68940).

3. 주택임차인이 임차물을 점유하고 있는 경우의 보증금반환채권

임대차가 종료함에 따라 발생한 임차인의 목적물반환의무와 임대인의 보증금반환의무는 동시이행관계에 있다. 임차인이 임대차 종료 후 동시이행항변권을 근거로 임차목적물을 계속 점유하는 것은 임대인에 대한 보증금반환채권에 기초한 권능을 행사한 것으로서 보증금을 반환받으려는 계속적인 권리행사의 모습이 분명하게 표시되었다고 볼 수 있다. 그리고 주택임대차보호법 제4조 제2항은 "임대차기간이 끝난 경우에도 임차인이 보증금을 반환받을 때까지는 임대차관계가 존속되는 것으로 본다."라고 정하고 있다(2008.3.21. 법률 제8923호로 개정되면서 표현이 바뀌었을 뿐 그 내용은 개정 전과 같다). 2001.12.29. 법률 제6542호로 제정된 상가건물 임대차보호법도 같은 내용의 규정을 두고 있다(제9조 제2항). 이는 임대차기간이 끝난 후에도 임차인이 보증금을 반환받을 때까지는 임차인의 목적물에 대한 점유를 임대차기간이 끝나기 전과 마찬가지 정도로 강하게 보호함으로써 임차인의 보증금반환채권을 실질적으로 보장하기 위한 것이다. 따라서 임대차기간이 끝난 후 보증금을 반환받지 못한 임차인이 목적물을 점유하는 동안 위 규정에 따라 법정임대차관계가 유지되고 있는데도 임차인의 보증금반환채권은 그대로 시효가 진행하여 소멸할 수 있다고 한다면, 이는 위 규정의 입법취지를 훼손하는 결과를 가져오게 되어 부당하다. 따라서 **주택임대차보호법에 따른 임대차에서 그 기간이 끝난 후 임차인이 보증금을 반환받기 위해 목적물을 점유하고 있는 경우 보증금반환채권에 대한 소멸시효는 진행하지 않는다고 보아야 한다**(대판 2020.7.9, 2016다244224 · 244231).

---

04 소멸시효기간

> 제162조 【채권, 재산권의 소멸시효】 ① 채권은 10년간 행사하지 아니하면 소멸시효가 완성한다.
> ② 채권 및 소유권 이외의 재산권은 20년간 행사하지 아니하면 소멸시효가 완성한다.

어떤 권리의 소멸시효기간이 얼마나 되는지에 관한 주장은 단순한 법률상의 주장에 불과하므로 변론주의의 적용대상이 되지 않고 법원이 직권으로 판단할 수 있다(대판 2013.2.15, 2012다68217).

(1) 채권의 소멸시효기간

① **일반채권**: 채권의 소멸시효기간은 원칙적으로 10년이다(제162조 제1항). 다만, 상행위로 인한 채권의 소멸시효기간은 5년이다(상법 제64조). 은행이 영업행위로서 한 대출금에 대한 변제기 이후의 지연손해금은 그 원본채권과 마찬가지로 상행위로 인한 채권으로서 5년의 소멸시효를 규정한 상법 제64조가 적용된다(대판 2008.3.14, 2006다2940).

② 단기소멸시효에 걸리는 채권

㉠ 3년의 소멸시효에 걸리는 채권

ⓐ **이자, 부양료, 급료, 사용료 기타 1년 이내의 기간으로 정한 금전 또는 물건의 지급을 목적으로 한 채권(제1호)**: 여기서 '1년 이내의 채권'이라는 것은 1년 이내의 정기로 지급되는 채권이라는 뜻이지, 변제기가 1년 이내의 채권이라는 의미가 아니다(대판 1996.9.20, 96다25302). 정수기 대여계약에 기한 월대여료채권(대판 2013.7.12, 2013다20571), 1개월 단위로 지급되는 집합건물의 관리비채권이 그 예이다(대판 2007.2.22, 2005다65821). 그러나 이자채권이라고 하더라도 1년 이내의 정기에 지급하기로 한 것이 아닌 이상 위 규정 소정의 3년의 단기소멸시효에 걸리는 것은 아니다(대판 1996.9.20, 96다25302). 금전채무의 이행지체로 인하여 발생하는 지연손해금은 그 성질이 손해배상금이지 이자가 아니며, 민법 제163조 제1호가 규정한 '1년 이내의 기간으로 정한 채권'도 아니므로 3년간의 단기소멸시효의 대상이 되지 아니한다(대판 1998.11.10, 98다42141).

판례 **민법 제163조 제1호 소정의 '1년 이내의 기간으로 정한 채권'의 의미**

민법 제163조 제1호 소정의 '1년 이내의 기간으로 정한 금전 또는 물건의 지급을 목적으로 하는 채권'이란 **1년 이내의 정기에 지급되는 채권**을 의미하는 것이지, 변제기가 1년 이내의 채권을 말하는 것이 아니므로, **이자채권**이라고 하더라도 **1년 이내의 정기에 지급하기로 한 것**이 아닌 이상 위 규정 소정의 3년의 단기소멸시효에 걸리는 것이 아니다(대판 1996.9.20, 96다25302). 금전을 차용한 차주가 약정시기에 차용금을 반환하지 못함으로 말미암아 대주가 소비대차계약에 따라 차주로부터 지급받는 **지연손해금**은 민법 제163조 제1호 소정의 1년 이내의 기간으로 정한 이자에 해당되지 않는다(대판 1991.5.14, 91다7156).

ⓑ **의사, 조산사, 간호사 및 약사의 치료, 근로 및 조제에 관한 채권(제2호)**: 여기서의 의사에는 자격 있는 의사 · 치과의사 · 한의사 · 수의사 외에 치료 등을 행한 무자격자도 포함시켜야 한다. 그리고 종합병원 · 의료법인에도 이 규정을 적용하여야 한다.

판례 **의사의 치료비채권의 소멸시효**

의사의 치료비채권의 경우, 특약이 없는 한 그 **개개의 진료가 종료될 때마다** 각각의 당해 진료에 필요한 비용의 이행기가 도래하여 그에 대한 시효가 진행된다고 해석함이 상당하고(대판 1998.2.13, 97다47675), 장기간 입원치료를 받는 경우라고 하더라도 다른 특약이 없는 한 입원치료 중에 환자에 대하여 치료비를 청구함에 아무런 장애가 없으므로 **퇴원시부터 소멸시효가 진행된다고 볼 수 없다**(대판 2001.11.9, 2001다52568).

ⓒ 도급받은 자, 기사 기타 공사의 설계 또는 감독에 종사하는 자의 공사에 관한 채권(제3호): 도급을 받은 자의 공사에 관한 채권은 공사대금채권뿐만 아니라 그 공사에 부수되는 채권도 포함한다(대판 1994.10.14, 94다17185). 따라서 도급공사를 시행하던 중 발생한 홍수피해의 복구공사로 수급인이 도급인에 대하여 갖는 복구공사비 청구채권도 포함한다(대판 2009.11.12, 2008다41451). 수급인의 저당권설정청구권도 공사대금채권을 담보하기 위하여 저당권설정등기절차의 이행을 구하는 채권적 청구권으로서 공사에 부수되는 채권에 해당한다(대판 2016.10.27, 2014다211978).

판례 우수현상광고에서 상대방의 손해배상청구권의 소멸시효기간

우수현상광고의 광고자로서 당선자에게 일정한 계약을 체결할 의무가 있는 자가 그 의무를 위반함으로써 계약의 종국적인 체결에 이르지 않게 되어 상대방이 그러한 **계약체결의무의 채무불이행을 원인으로 하는 손해배상을 청구**한 경우 그 손해배상청구권은 계약이 체결되었을 경우에 취득하게 될 계약상의 이행청구권과 실질적이고 경제적으로 밀접한 관계가 형성되어 있기 때문에, 그 **손해배상청구권의 소멸시효기간은 계약이 체결되었을 때 취득하게 될 이행청구권에 적용되는 소멸시효기간**에 따른다. 따라서 우수현상광고의 당선자가 광고주에 대하여 우수작으로 판정된 계획설계에 기초하여 기본 및 실시설계계약의 체결을 청구할 수 있는 권리를 가지고 있는 경우, 이러한 청구권에 기하여 계약이 체결되었을 경우에 취득하게 될 계약상의 이행청구권은 '**설계에 종사하는 자의 공사에 관한 채권**'으로서 이에 관하여는 민법 제163조 제3호 소정의 **3년**의 단기소멸시효가 적용되므로, 위의 기본 및 실시설계계약의 체결의무의 불이행으로 인한 손해배상청구권의 소멸시효 역시 3년의 단기소멸시효가 적용된다(대판 2005.1.14, 2002다57119).

ⓓ 변호사, 변리사, 공증인, 공인회계사 및 법무사에 대한 직무상 보관한 서류의 반환을 청구하는 채권(제4호): 여기의 서류에는 의뢰인의 등기필증과 같이 소유권이 의뢰인에게 있는 것은 포함되지 않는다(이설 없음).

ⓔ 변호사, 변리사, 공증인, 공인회계사 및 법무사의 직무에 관한 채권(제5호)

ⓕ 생산자 및 상인이 판매한 생산물 및 상품의 대가(제6호): 이 채권은 상행위로 생긴 것이므로 본래는 상법 제64조에 의하여 5년의 시효에 걸려야 하지만, 여기에서 5년보다 더 단기의 시효를 규정하고 있어서 동조 단서에 의하여 3년의 시효에 걸리게 된다(대판 1966.6.28, 66다790). 전기업자가 공급하는 전력의 대가인 전기요금채권은 민법 제163조 제6호의 '생산자 및 상인이 판매한 생산물 및 상품의 대가'에 해당된다(대판 2014.10.6, 2013다84940).

ⓛ 1년의 소멸시효에 걸리는 채권

ⓐ 여관, 음식점, 대석, 오락장의 숙박료, 음식료, 대석료, 입장료, 소비물의 대가 및 체당금의 채권(제1호)

ⓑ **의복, 침구, 장구 기타 동산의 사용료의 채권(제2호)**: 여기서의 동산의 사용료채권이란 극히 단기의 동산임대차로 인한 임료채권을 말하고, 영업을 위하여 2월에 걸친 중기의 임료채권은 이에 해당하지 아니한다(대판 1976.9.28, 76다1839).

ⓒ 노역인, 연예인의 임금 및 그에 공급한 물건의 대금채권(제3호)

ⓓ **학생 및 수업자의 교육, 의식 및 유숙에 관한 교주, 숙주, 교사의 채권(제4호)**: 이 규정은 채권자가 개인인 경우뿐만 아니라 법인인 학교나 법인 아닌 사단·재단인 교육시설의 경우에도 적용된다.

판례 **반대채무는 1년의 단기소멸시효의 적용을 받지 않음**

일정한 채권의 소멸시효기간에 관하여 이를 특별히 **1년의 단기로 정하는 민법 제164조**는 그 각 호에서 개별적으로 정하여진 채권의 채권자가 그 채권의 발생원인이 된 계약에 기하여 **상대방에 대하여 부담하는 반대채무에 대하여는 적용되지 아니한다**. 따라서 그 채권의 상대방이 그 계약에 기하여 가지는 반대채권은 원칙으로 돌아가, 다른 특별한 사정이 없는 한 민법 제162조 제1항에서 정하는 **10년의 일반소멸시효기간의 적용**을 받는다(대판 2013.11.14, 2013다65178).

③ 판결 등으로 확정된 채권

제165조【판결 등에 의하여 확정된 채권의 소멸시효】 ① 판결에 의하여 확정된 채권은 단기의 소멸시효에 해당한 것이라도 그 소멸시효는 10년으로 한다.
② 파산절차에 의하여 확정된 채권 및 재판상의 화해, 조정 기타 판결과 동일한 효력이 있는 것에 의하여 확정된 채권도 전항과 같다.
③ 전2항의 규정은 판결확정 당시에 변제기가 도래하지 아니한 채권에 적용하지 아니한다.

㉠ 판결에 의하여 확정된 채권은 단기의 소멸시효에 해당한 것이라도 그 소멸시효는 10년으로 한다(제165조 제1항). 제165조의 규정은 단기의 소멸시효에 걸리는 것이라도 확정판결을 받은 권리의 소멸시효는 10년으로 한다는 뜻일 뿐 10년보다 장기의 소멸시효를 10년으로 단축한다는 의미도 아니고 본래 소멸시효의 대상이 아닌 권리가 확정판결을 받음으로써 10년의 소멸시효에 걸린다는 뜻도 아니다(대판 1981.3.24, 80다1888,1889).

㉡ '파산절차에 의하여 확정된 채권 및 재판상의 화해, 조정 기타 판결과 동일한 효력이 있는 것에 의하여 확정된 채권'도 같다(제165조 제2항). '기타 판결과 동일한 효력이 있는 것'에는 청구의 인낙조서(민사소송법 제220조)와 확정된 지급명령(민사소송법 제474조)이 있다. 따라서 지급명령에서 확정된 채권은 단기의 소멸시효에 해당하는 것이라도 그 소멸시효기간이 10년으로 연장된다(대판 2009.9.24, 2009다39530).

ⓒ 한편 '판결확정 당시에 변제기가 도래하지 아니한 채권'에는 이들 규정이 적용되지 않는다(제165조 제3항).

판례

1. 주채무에 관한 판결이 확정되어 소멸시효가 10년으로 된 경우 보증채무의 소멸시효기간
채권자와 주채무자 사이의 채무가 판결 등에 의해 확정되어 그 소멸시효가 10년으로 되었다 할지라도 위 **당사자 이외의 채권자와 연대보증인 사이**에 있어서는 위 확정판결 등은 그 시효기간에 대하여는 아무런 영향도 없고 채권자의 연대보증인의 연대보증채권의 소멸시효기간은 **여전히 종전의 소멸시효기간에 따른다**(대판 1986.11.25, 86다카1569).

2. 주채무의 소멸시효가 완성된 경우
보증채무에 대한 소멸시효가 중단되었다고 하더라도 이로써 주채무에 대한 소멸시효가 중단되는 것은 아니고, 주채무가 소멸시효 완성으로 소멸된 경우에는 보증채무도 그 채무 자체의 시효중단에 불구하고 부종성에 따라 당연히 소멸된다(대판 2002.5.14, 2000다62476).

3. 유치권의 피담보채권의 소멸시효기간이 확정판결 등에 의하여 10년으로 연장된 경우
유치권이 성립된 부동산의 매수인은 피담보채권의 소멸시효가 완성되면 시효로 인하여 채무가 소멸되는 결과 **직접적인 이익을 받는 자에 해당하므로 소멸시효의 완성을 원용할 수 있는 지위에 있다**고 할 것이나, 매수인은 유치권자에게 채무자의 채무와는 별개의 독립된 채무를 부담하는 것이 아니라 단지 채무자의 채무를 변제할 책임을 부담하는 점 등에 비추어 보면, **유치권의 피담보채권의 소멸시효기간이 확정판결 등에 의하여 10년으로 연장된 경우 매수인은 그 채권의 소멸시효기간이 연장된 효과를 부정하고 종전의 단기소멸시효기간을 원용할 수는 없다**(대판 2009.9.24, 2009다39530).

(2) 기타 재산권의 소멸시효기간

채권과 소유권 외의 재산권의 소멸시효기간은 20년이다(제162조 제2항).

기출예제

소멸시효에 관한 설명으로 옳지 않은 것은? (다툼이 있으면 판례에 따름) 제27회

① 채권 및 소유권은 10년간 행사하지 아니하면 소멸시효가 완성한다.
② 지역권은 20년간 행사하지 아니하면 소멸시효가 완성한다.
③ 금전채무의 이행지체로 인하여 발생하는 지연손해금은 3년간의 단기소멸시효가 적용되지 않는다.
④ 이자채권이라도 1년 이내의 정기로 지급하기로 한 것이 아니면 3년의 단기소멸시효가 적용되지 않는다.
⑤ 상행위로 인하여 발생한 상품판매대금채권은 3년의 단기소멸시효가 적용된다.

해설

채권은 10년간 행사하지 아니하면 소멸시효가 완성한다(제162조 제1항). 그러나 소유권은 절대성과 항구성으로 인하여 소멸시효의 대상이 아니다.

정답: ①

제3절 소멸시효의 장애(소멸시효의 중단과 정지)

01 서설

권리의 불행사라는 사실상태가 소멸시효의 완성을 향하여 경과하는 과정을 소멸시효의 진행이라고 한다. 소멸시효의 진행이 방해되는 경우가 있는바, '시효의 중단'과 '시효의 정지' 두 가지가 있다. 시효의 중단은 중단사유가 생기면 그때까지 경과한 시효기간은 법적으로 무의미한 것이 되고 그 사유가 종료한 때로부터 다시 새로운 시효기간이 진행된다. 시효의 정지는 정지사유가 존재하는 동안 시효는 일시 진행을 정지하고 그 사유가 없어지면 다시 시효는 진행한다.

02 소멸시효의 중단

1. 의의

(1) 소멸시효의 중단이란 소멸시효가 진행하는 도중에 권리의 불행사라는 상태와 조화될 수 없는 사실이 발생한 경우에 이미 진행한 시효기간은 무의미하게 되므로 그 효력을 상실하게 하는 제도를 말한다.

(2) 시효중단사유는 변론주의의 대상이어서 당사자의 주장이 없으면 법원이 이에 관하여 판단할 필요가 없으며, 그에 대한 증명책임은 시효완성을 다투는 당사자가 진다(대판 1997.4.25, 96다46484).

2. 소멸시효의 중단사유

소멸시효의 중단사유는 ㉮ 청구(제170조 내지 제174조), ㉯ 압류 또는 가압류 · 가처분(제175조, 제176조), ㉰ 승인(제177조)의 세 가지이다(제168조). ㉮ · ㉯는 권리자가 자기의 권리를 주장하는 것이고, ㉰는 의무자가 상대방의 권리를 인정하는 것이다.

(1) 청구(제168조 제1호)

① 의의: 청구란 시효의 대상인 권리를 행사하는 것을 말하며, 재판상 청구뿐만 아니라 재판 외의 것도 포함한다.

② 재판상 청구(제170조)

> 제170조 【재판상의 청구와 시효중단】 ① 재판상의 청구는 소송의 각하, 기각 또는 취하의 경우에는 시효중단의 효력이 없다.
> ② 전항의 경우에 6월 내에 재판상의 청구, 파산절차참가, 압류 또는 가압류, 가처분을 한 때에는 시효는 최초의 재판상 청구로 인하여 중단된 것으로 본다.

㉠ 재판상 청구의 의의

ⓐ 시효중단사유로서의 재판상 청구는 사법상 권리를 **민사소송**의 절차에 의하여 주장하는 것을 말한다. 민사소송이기만 하면 이행 · 확인 · 형성소송이든 불문하고 본소는 물론 반소도 이에 해당하며, 재심의 소도 포함된다(대판 1992.4.24, 92다6983).

ⓑ **형사소송, 행정소송은 재판상 청구에 해당하지 않는다**(통설 · 판례). 다만, 판례는 **소송촉진 등에 관한 특례법에 따른 배상명령신청**(법 제26조), 과오납한 조세에 대한 부당이득반환청구에서 **과세처분의 취소 또는 무효확인을 구하는 소**에 시효중단을 인정하였다(대판 1992.3.31, 91다32053 전합).

판례 **형사소송**

형사소송은 피고인에 대한 국가형벌권의 행사를 그 목적으로 하는 것이므로, **피해자가 형사소송에서 소송촉진 등에 관한 특례법에서 정한 배상명령을 신청한 경우를 제외**하고는 단지 **피해자가 가해자를 상대로 고소하거나 그 고소에 기하여 형사재판이 개시되어도 이를 가지고 소멸시효의 중단사유인 재판상의 청구로 볼 수는 없다**(대판 1999.3.12, 98다18124).

ⓒ 재판상의 청구라 함은, 통상적으로는 **권리자가 원고**로서 시효를 주장하는 자를 피고로 하여 소송물인 권리를 소의 형식으로 주장하는 경우를 가리키지만, 이와 반대로 시효를 주장하는 자가 원고가 되어 소를 제기한 데 대하여 **피고로서 응소하여 그 소송에서 적극적으로 권리를 주장하고 그것이 받아들여진 경우도** 마찬가지로 이에 포함되는 것으로 해석함이 타당하다(대판 1993.12.21, 92다47861 전합). 위와 같은 응소행위로 인한 **시효중단의 효력**은 피고가 현실적으로 권리를 행사하여 **응소한 때에 발생한다**(대판 2010.8.26, 2008다42416).

판례 **응소의 상대방**

시효를 주장하는 자의 소제기에 대한 응소행위가 시효중단사유로서의 재판상 청구에 준하는 행위로 인정되려면 **의무 있는 자가 제기한 소송에서 권리자가 의무 있는 자를 상대로 응소**하여야 할 것이므로, 담보가등기가 설정된 후에 그 목적 부동산의 소유권을 취득한 **제3취득자나 물상보증인 등 시효를 원용할 수 있는 지위에 있으나 직접 의무를 부담하지 아니하는 자가 제기한 소송에서의 응소행위는 권리자의 의무자에 대한 재판상 청구에 준하는 행위에 해당한다고 볼 수 없다**(대판 2007.1.11, 2006다33364).

ⓓ 재판상의 청구가 시효중단의 사유가 되려면 그 청구가 **채권자** 또는 그 채권을 행사할 권능을 가진 자에 의하여 이루어져야 한다(대판 2014.6.26, 2013다45716). **채권의 양수인이 채권양도의 대항요건을 갖추지 못한 상태에서 채무자를 상대로 재판상의 청구**를 한 경우에도 소멸시효 중단사유인 재판상의 청구에

해당한다(대판 2005.11.10, 2005다41818). 판례는, **"채권양도 후 대항요건이 구비되기 전의 양도인은** 채무자에 대한 관계에서는 여전히 채권자의 지위에 있으므로 채무자를 상대로 시효중단의 효력이 있는 **재판상의 청구**를 할 수 있다." 고 한다(대판 2009.2.12, 2008두20109).

ⓔ 판례에 의하면, 확정된 승소판결에는 기판력이 있으므로, 승소 확정판결을 받은 당사자가 그 상대방을 상대로 다시 승소 확정판결의 전소(前訴)와 동일한 청구의 소를 제기하는 경우 그 후소(後訴)는 권리보호의 이익이 없어 부적법하다. 하지만 예외적으로 확정판결에 의한 채권의 소멸시효기간인 10년의 경과가 임박한 경우에는 그 시효중단을 위한 소는 소의 이익이 있다. 나아가 이러한 경우에 후소의 판결이 전소의 승소 확정판결의 내용에 저촉되어서는 아니 되므로, 후소 법원으로서는 그 확정된 권리를 주장할 수 있는 모든 요건이 구비되어 있는지 여부에 관하여 다시 심리할 수 없다(대판 2018.7.19, 2018다22008 전합). 시효중단을 위한 후소로서 이행소송 외에 전소 판결로 확정된 채권의 시효를 중단시키기 위한 조치, 즉 '재판상의 청구'가 있다는 점에 대하여만 확인을 구하는 형태의 '새로운 방식의 확인소송'이 허용되고, 채권자는 두 가지 형태의 소송 중 자신의 상황과 필요에 보다 적합한 것을 선택하여 제기할 수 있다(대판 2018.10.18, 2015다232316 전합).

ⓛ 재판상 청구에 의한 시효중단의 범위

재판상 청구	시효중단의 범위
기본적 법률관계에 대한 청구와 파생적 청구권	기본적 법률관계의 확인청구소송의 제기는 그 법률관계로부터 생기는 개개의 권리에 대한 시효중단사유가 된다. 예컨대, 파면된 사립학교 교원이 제기한 파면처분 무효확인청구의 소는 급여채권에 대한 재판상 청구에 해당한다(대판 1994.5.10, 93다21606). 소유권이전등기청구권이 발생한 기본적 법률관계에 해당하는 매매계약을 기초로 하여 건축주 명의변경을 구하는 소를 제기한 경우, 등기청구권의 소멸시효를 중단시키는 재판상 청구에 포함된다(대판 2011.7.14, 2011다19737). 소유권의 취득시효를 중단시키는 재판상 청구에는 소유권확인청구는 물론, 소유권의 존재를 전제로 하는 다른 권리주장(예 소유물반환청구 · 등기말소청구 · 손해배상청구 · 부당이득반환청구 등)도 포함한다.
어음 · 수표채권과 그 원인채권	원인채권에 기한 청구는 어음채권의 소멸시효를 중단시키지 못하나, 어음채권에 기한 청구는 원인채권의 소멸시효를 중단시키는 효력이 있다(판례).

일부청구의 경우	일부청구를 명시하여 소송을 제기한 경우에는 나머지 부분에 대한 시효중단의 효력이 없다. 그러나 비록 일부만을 청구한 경우에도 그 취지로 보아 채권 전부에 관하여 판결을 구하는 것으로 해석되는 경우에는 그 전부에 관하여 시효중단의 효력이 발생한다(판례). ● 청구권경합의 경우 그중 하나의 권리의 행사는 일부청구의 문제가 아니다.
채권자대위청구	채권자대위권 행사의 효과는 채무자에게 귀속되는 것이므로 채권자대위소송의 제기로 인한 소멸시효 중단의 효과 역시 채무자에게 생긴다(대판 2011.10.13, 2010다80930).
근저당권설정등기 청구권과 피담보채권	근저당권설정등기청구의 소제기는 그 피담보채권의 재판상 청구에 준하는 것으로서 피담보채권에 대한 소멸시효 중단의 효력이 생긴다(대판 2004.2.13, 2002다7213).

판례

1. 하나의 채권 중 일부만을 청구하는 소송을 제기한 경우, 소멸시효 중단의 효력발생범위
   ① 하나의 채권 중 **일부에 관하여만 판결을 구한다는 취지를 명백히 하여 소송을 제기**한 경우에는 소제기에 의한 소멸시효 중단의 효력이 그 일부에 관하여만 발생하고, 나머지 부분에는 발생하지 아니하나(대판 1975.2.25, 74다1557 참조), 소장에서 청구의 대상으로 삼은 **채권 중 일부만을 청구하면서 소송의 진행경과에 따라 장차 청구금액을 확장할 뜻을 표시하고 당해 소송이 종료될 때까지 실제로 청구금액을 확장한 경우**에는 소제기 당시부터 채권 전부에 관하여 판결을 구한 것으로 해석되므로, 이러한 경우에는 소제기 당시부터 채권 전부에 관하여 재판상 청구로 인한 시효중단의 효력이 발생한다(대판 1992.4.10, 91다43695 참조).
   ② 소장에서 청구의 대상으로 삼은 **채권 중 일부만을 청구하면서 소송의 진행경과에 따라 장차 청구금액을 확장할 뜻을 표시하였으나 당해 소송이 종료될 때까지 실제로 청구금액을 확장하지 않은 경우**에는 소송의 경과에 비추어 볼 때 채권 전부에 관하여 판결을 구한 것으로 볼 수 없으므로, **나머지 부분에 대하여는 재판상 청구로 인한 시효중단의 효력이 발생하지 아니한다.** 그러나 이와 같은 경우에도 소를 제기하면서 장차 청구금액을 확장할 뜻을 표시한 채권자로서는 장래에 나머지 부분을 청구할 의사를 가지고 있는 것이 일반적이라고 할 것이므로, 다른 특별한 사정이 없는 한 당해 소송이 계속 중인 동안에는 나머지 부분에 대하여 권리를 행사하겠다는 의사가 표명되어 최고에 의해 권리를 행사하고 있는 상태가 지속되고 있는 것으로 보아야 하고, **채권자는 당해 소송이 종료된 때부터 6월 내에 민법 제174조에서 정한 조치를 취함으로써 나머지 부분에 대한 소멸시효를 중단시킬 수 있다**(대판 2020.2.6, 2019다223723).
2. 채권자가 복수의 채권 중 어느 하나를 행사한 경우
   채권자가 동일한 목적을 달성하기 위하여 복수의 채권을 갖고 있는 경우, 채권자로서는 그 선택에 따라 권리를 행사할 수 있되, **그중 어느 하나의 청구를 한 것만으로는** 다른 채권 그 자체를 행사한 것으로 볼 수는 없으므로, 특별한 사정이 없는 한 **다른 채권에 대한 소멸시효 중단의 효력은 없다**(대판 2020.3.26, 2018다221867).

ⓒ 재판상 청구에 의한 소멸시효 중단의 효과

ⓐ 재판상 청구에 의한 시효중단의 효력은 소를 제기한 때 발생한다(민사소송법 제265조). 다만, 응소의 경우에는 현실적으로 권리를 행사하여 응소한 때에 발생한다. 한편 소송을 이송한 경우, 소제기에 따른 시효중단의 효력발생시기는 이송한 법원에 소가 제기된 때이다(대판 2007.11.30, 2007다54610).

ⓑ 재판상 청구는 소송의 각하, 기각, 취하의 경우에는 시효중단의 효력이 없다(제170조 제1항). 이러한 경우에 6월 내에 재판상의 청구, 파산절차참가, 압류 또는 가압류, 가처분을 한 때에는 시효는 최초의 재판상 청구로 인하여 중단된 것으로 본다(제170조 제2항). 이는 각하, 기각 혹은 취하된 소의 제기에 대하여 '재판 외 청구'인 최고로서의 효력을 인정한다는 의미이다. 다만, 기각판결이 확정된 경우에는 청구권의 부존재가 확정됨으로써 중단의 효력이 생길 수 없다(대판 1992.4.24, 92다6983).

판례 **이미 사망한 자를 피고로 하여 제기된 소의 경우**

이미 사망한 자를 피고로 하여 제기된 소는 부적법하여 이를 간과한 채 본안 판단에 나아간 판결은 당연무효로서 그 효력이 상속인에게 미치지 않고, **채권자의 이러한 제소는 권리자의 의무자에 대한 권리행사에 해당하지 않으므로**, 상속인을 피고로 하는 당사자 표시정정이 이루어진 경우와 같은 특별한 사정이 없는 한, 거기에는 **애초부터 시효중단 효력이 없어 민법 제170조 제2항이 적용되지 않는다**고 봄이 타당하다(대판 2014.2.27, 2013다94312).

③ 파산절차참가(제171조)

> 제171조【파산절차참가와 시효중단】 파산절차참가는 채권자가 이를 취소하거나 그 청구가 각하된 때에는 시효중단의 효력이 없다.

채권자가 파산재단의 배당에 참가하기 위하여 자기 채권을 신고하는 것이 파산절차참가인데(채무자회생법 제447조), 이는 시효중단의 효력을 가진다. 그러나 채권자가 이를 취소하거나 그 청구가 각하되면 시효중단의 효력이 발생하지 않는다(제171조).

④ 지급명령(제172조)

> 제172조【지급명령과 시효중단】 지급명령은 채권자가 법정기간 내에 가집행신청을 하지 아니함으로 인하여 그 효력을 잃은 때에는 시효중단의 효력이 없다.

지급명령이란 금전 그 밖에 대체물이나 유가증권의 일정한 수량의 지급을 목적으로 하는 청구에 대하여 법원이 보통의 소송절차에 의함이 없이 채권자의 신청에 의하여 간이 · 신속하게 발하는 이행에 관한 명령이다(대판 2011.11.10, 2011다54686). 지급명령 사건이 채무자의 이의신청으로 소송으로 이행되는 경우에 지급명령에 의한 시효중단의 효과는 소송으로 이행된 때가 아니라 지급명령을 신청한 때에 발생한다(대판 2015.2.12, 2014다228440).

⑤ 화해를 위한 소환(제173조 전단)

> 제173조 【화해를 위한 소환, 임의출석과 시효중단】 화해를 위한 소환은 상대방이 출석하지 아니하거나 화해가 성립되지 아니한 때에는 1월 내에 소를 제기하지 아니하면 시효중단의 효력이 없다. 임의출석의 경우에 화해가 성립되지 아니한 때에도 그러하다.

⑥ 임의출석(제173조 후단)

⑦ 최고(제174조)

> 제174조 【최고와 시효중단】 최고는 6월 내에 재판상의 청구, 파산절차참가, 화해를 위한 소환, 임의출석, 압류 또는 가압류, 가처분을 하지 아니하면 시효중단의 효력이 없다.

㉠ 최고는 채무자에 대하여 채무이행을 구한다는 채권자의 의사통지(준법률행위)로서, 이에는 특별한 형식이 요구되지 않는다(대판 2003.5.13, 2003다16238). 이는 재판 외 행위로서 상대방에게 도달한 때에 시효중단의 효력이 발생한다(통설).

㉡ 최고에 의하여 일단 시효중단의 효력이 발생하여도, 6개월 이내에 재판상 청구, 파산절차참가, 화해를 위한 소환, 임의출석, 압류 또는 가압류·가처분을 하여야 시효중단의 효력이 유지된다(제174조). '지급명령'의 누락은 입법상 잘못이므로 당연히 포함된다(통설). 이것은 주로 시효완성에 즈음하여 실질적으로 시효기간을 6개월 연장하는 것과 같은 효과가 있다.

㉢ 최고를 여러 번 거듭하다가 재판상 청구 등을 한 경우에 시효중단의 효력은 항상 최초의 최고시에 발생하는 것이 아니라 재판상 청구 등을 한 시점을 기준으로 하여 이로부터 소급하여 6월 이내에 한 최고시에 발생한다(대판 1987.12.22, 87다카2337).

㉣ '6월'의 기산점은 최고가 상대방에게 도달한 때부터이다. 다만, 채무이행을 최고받은 채무자가 그 이행의무의 존부 등에 대하여 조사를 해 볼 필요가 있다는 이유로 채권자에 대하여 그 이행의 유예를 구한 경우에는 채권자가 그 회답을 받을 때까지는 최고의 효력이 계속된다고 보아야 하고, 따라서 같은 조에 규정된 6월의 기간은 채권자가 채무자로부터 회답을 받은 때로부터 기산되는 것이라고 해석하여야 할 것이다(대판 2006.6.16, 2005다25632). 그리고 소송고지로 인한 최고의 경우, 당해 소송이 계속 중인 동안은 최고에 의하여 권리를 행사하고 있는 상태가 지속되는 것으로 보아 민법 제174조에 규정된 6월의 기간은 당해 소송이 종료된 때로부터 기산되는 것으로 해석하여야 한다(대판 2009.7.9, 2009다14340).

ⓜ 최고가 인정되는지에 관하여 권리자의 보호를 위하여 너그럽게 해석하는 것이 바람직하다. 판례도, 재판상 청구가 취하된 경우(대판 1987.12.22, 87다카2337), 이행청구 의사가 표명된 소송고지(대판 2015.5.14, 2014다16494), 채권자가 채무자를 상대로 재산관계 명시신청을 하여 그 재산목록의 제출을 명하는 결정이 채무자에게 송달된 경우(대판 2012.1.12, 2011다78606), 연대채무자 1인의 소유부동산에 대하여 경매신청을 한 경우(대판 2003.8.21, 2001다22840), 채권자가 확정판결에 기한 채권의 실현을 위하여 채무자의 제3채무자에 대한 채권에 관하여 압류 및 추심명령을 받아 그 결정이 제3채무자에게 송달이 된 경우(대판 2003.5.13, 2003다16238)에 최고로서의 효력을 인정한다.

기출예제

추가적인 조치가 없더라도 소멸시효 중단의 효력이 발생하는 것은? (다툼이 있으면 판례에 따름) 제27회

① 채권자의 승소 확정판결
② 최고
③ 재산명시명령의 송달
④ 이행청구 의사가 표명된 소송고지
⑤ 내용증명우편에 의한 이행청구

해설

① 재판상 청구에 의한 시효중단의 효력은 소를 제기한 때 발생한다(민사소송법 제265조).
② 최고는 6월 내에 재판상의 청구, 파산절차참가, 화해를 위한 소환, 임의출석, 압류 또는 가압류, 가처분을 하지 아니하면 시효중단의 효력이 없다(제174조).
③ 채권자가 확정판결에 기한 채권의 실현을 위하여 채무자에 대하여 민사집행법상 재산명시신청을 하고 그 결정이 채무자에게 송달되었다면 거기에 소멸시효 중단사유인 '최고'로서의 효력만이 인정되므로, 재산명시결정에 의한 소멸시효 중단의 효력은, 그로부터 6월 내에 다시 소를 제기하거나 압류 또는 가압류, 가처분을 하는 등 민법 제174조에 규정된 절차를 속행하지 아니하는 한 상실된다(대판 2012.1.12, 2011다78606).
④ 소송고지의 요건이 갖추어진 경우에 소송고지서에 고지자가 피고지자에 대하여 채무의 이행을 청구하는 의사가 표명되어 있으면 민법 제174조에 정한 시효중단사유로서의 최고의 효력이 인정된다. 소송고지에 의한 최고의 경우에는 민사소송법 제265조를 유추적용하여 당사자가 소송고지서를 법원에 제출한 때에 시효중단의 효력이 발생한다(대판 2015.5.14, 2014다16494).
⑤ 내용증명우편에 의한 이행청구는 성질상 최고이다.

정답: ①

(2) 압류, 가압류, 가처분(제168조 제2호)

> 第175조【압류, 가압류, 가처분과 시효중단】 압류, 가압류 및 가처분은 권리자의 청구에 의하여 또는 법률의 규정에 따르지 아니함으로 인하여 취소된 때에는 시효중단의 효력이 없다.
>
> 第176조【압류, 가압류, 가처분과 시효중단】 압류, 가압류 및 가처분은 시효의 이익을 받은 자에 대하여 하지 아니한 때에는 이를 그에게 통지한 후가 아니면 시효중단의 효력이 없다.

① 의의

㉠ 민사집행법상의 강제집행의 첫단계인 압류와 보전처분인 가압류 · 가처분을 독립된 시효중단사유로 한 것은, 이것들은 반드시 재판상 청구를 전제로 하지 않을 뿐만 아니라, 또 판결이 있더라도 그 후 새로이 진행하는 시효를 저지할 필요가 있기 때문이다.

㉡ 부동산 경매절차에서 집행력 있는 채무명의 정본을 가진 채권자가 하는 배당요구는 민법 제168조 제2호의 압류에 준하는 것으로서 배당요구에 관련된 채권에 관하여 소멸시효를 중단하는 효력이 생긴다(대판 2002.2.26, 2000다25484).

㉢ 주택임대차보호법 제3조의3에서 정한 임차권등기명령에 따른 임차권등기에는 민법 제168조 제2호에서 정하는 소멸시효 중단사유인 압류 또는 가압류, 가처분에 준하는 효력이 있다고 볼 수 없다(대판 2019.5.16, 2017다226629).

② 시효중단의 효력

㉠ 압류 · 가압류 · 가처분에 의하여 시효가 중단되는 시기는 명령을 신청한 때이다(이설 없음). 판례도 가압류에 관하여 민사소송법 제265조를 유추적용하여 가압류를 신청한 때 시효중단의 효력이 생긴다고 한다(대판 2017.4.7, 2016다35451). **그리고 판례는, 가압류에 의한 집행보전의 효력이 존속하는 동안은 시효중단의 효력이 계속되며, 가압류의 피보전채권에 관하여 본안의 승소판결이 확정되었다고 하더라도 가압류에 의한 시효중단의 효력이 이에 흡수되어 소멸되지 않는다고 한다**(대판 2006.7.4, 2006다32781).

판례 **경매절차에서 부동산이 매각되어 가압류등기가 말소된 경우, 가압류에 의한 시효중단의 효력이 계속되는지 여부(소극)**

가압류는 강제집행을 보전하기 위한 것으로서 경매절차에서 부동산이 매각되면 그 부동산에 대한 집행보전의 목적을 다하여 효력을 잃고 말소되며, 가압류채권자에게는 집행법원이 그 지위에 상응하는 배당을 하고 배당액을 공탁함으로써 가압류채권자가 장차 채무자에 대하여 권리행사를 하여 집행권원을 얻었을 때 배당액을 지급받을 수 있도록 하면 족한 것이다. 따라서 이러한 경우 가압류에 의한 시효중단은 경매절차에서 부동산이 매각되어 가압류등기가 말소되기 전에 배당절차가 진행되어 가압류채권자에 대한 배당표가 확정되는 등의 특별한 사정이 없는 한, 채권자가 가압류집행에 의하여 권리행사를 계속하고 있다고 볼 수 있는 **가압류등기가 말소된 때 그 중단사유가 종료되어, 그때부터 새로 소멸시효가 진행한다**고 봄이 타당하다(매각대금 납부 후의 **배당절차에서 가압류채권자의 채권에 대하여 배당이 이루어지고 배당액이 공탁되었다고 하여** 가압류채권자가 그 공탁금에 대하여 채권자로서 권리행사를 계속하고 있다고 볼 수는 없으므로 그로 인하여 **가압류에 의한 시효중단의 효력이 계속된다고 할 수 없다**)(대판 2013.11.14, 2013다18622 · 18639).

ⓛ 압류 등에 의한 시효중단은 권리자가 그 신청을 취소하거나 법률상의 요건 흠결로 취소된 때에는 그 효력이 소급하여 상실된다(제175조, 대판 2014.11.13, 2010다63591).

ⓒ 압류, 가압류 및 가처분이 시효의 이익을 받을 자 이외의 자에 대하여 행하여진 경우에도 시효이익을 받을 자에게 통지한다면 시효중단의 효력이 인정된다(제176조). 이는 제169조의 예외이다. 예컨대, 물상보증인이나 저당부동산의 제3취득자의 부동산을 압류한 경우에는, 그 사실을 주채무자에게 통지하여야 그에게 시효중단의 효력이 미친다.

판례 **직접점유자를 상대로 점유이전금지가처분을 한 뜻을 간접점유자에게 통지한 바가 없는 경우**

민법 제176조에 의하면 가처분은 시효의 이익을 받은 자에 대하여 하지 아니한 때에는 이를 그에게 통지한 후가 아니면 시효중단의 효력이 없다고 되어 있어 **직접점유자를 상대로 점유이전금지가처분을 한 뜻을 간접점유자에게 통지한 바가 없다면 가처분은 간접점유자에 대하여 시효중단의 효력을 발생할 수 없다**(대판 1992.10.27, 91다41064 · 41071).

---

(3) 승인(제168조 제3호)

> 제177조 【승인과 시효중단】 시효중단의 효력 있는 승인에는 상대방의 권리에 관한 처분의 능력이나 권한 있음을 요하지 아니한다.

① 의의: 시효중단사유로서의 승인은 시효이익을 받을 당사자인 채무자가 그 시효의 완성으로 권리를 상실하게 될 자 또는 그 대리인에 대하여 그 권리가 존재함을 인식하고 있다는 뜻을 표시함으로써 성립한다(대판 1995.9.29, 95다30178). 관념의 통지이다.

② 당사자

㉠ 승인을 할 수 있는 자는 시효이익을 받을 채무자 또는 그 대리인이다. 제3자가 승인을 하더라도 시효중단의 효력은 생기지 않는다. 이를테면 보증인이나 물상보증인이 한 승인은 채무자에 대해 시효중단의 효과가 없다. 또 회사의 경리과장, 총무과장 또는 출장소장은 다른 특별한 사정이 없는 한 회사가 부담하고 있는 채무에

관하여 소멸시효의 중단사유가 되는 승인을 할 수 없다(대판 1965.12.28, 65다2133).

㉡ 승인에는 처분의 능력이나 권한을 필요로 하지 않으나 관리의 능력이나 권한은 필요하다(통설). 한편 대리인은 처분권한이 없어도 관리권한이 있으면 유효하게 승인할 수 있다. 즉, 제한능력자의 법정대리인 및 처분의 권한이 없는 부재자 재산관리인(제25조), 그리고 권한을 정하지 않은 대리인(제118조)도 유효하게 승인할 수 있다.

판례 소멸시효 중단사유로서의 승인이 총유물의 관리·처분행위가 아님

비법인사단이 총유물에 관한 매매계약을 체결하는 행위는 총유물 그 자체의 처분이 따르는 채무부담행위로서 총유물의 처분행위에 해당하나, 그 **매매계약에 의하여 부담하고 있는 채무의 존재를 인식하고 있다는 뜻을 표시하는 데 불과한 소멸시효 중단사유로서의 승인은 총유물 그 자체의 관리·처분이 따르는 행위가 아니어서 총유물의 관리·처분행위라고 볼 수 없다**(대판 2009.11.26, 2009다64383[1]).

1 비법인사단의 대표자가 총유물의 매수인에게 소유권이전등기를 해주기 위하여 매수인과 함께 법무사 사무실을 방문한 행위가 소유권이전등기청구권의 소멸시효 중단의 효력이 있는 승인에 해당한다.

㉢ 관념의 통지에는 의사표시의 규정이 유추적용되므로 승인하는 당사자는 행위능력이 필요하다. 따라서 법정대리인의 동의 없는 미성년자의 승인은 이를 취소할 수 있다. 물론 의사능력도 필요하다.

㉣ 승인은 소멸시효의 완성으로 권리를 상실하게 될 자 또는 그 대리인에 대하여 하여야 한다[통설, 판례(대판 1992.4.14, 92다947)]. 가령, 채무자가 2번저당권을 설정하여도 그것이 1번저당권자에 대한 승인이 되지 않는다. 또한 피의자가 검사로부터 신문을 받는 과정에서 검사를 상대로 채무의 일부를 승인하는 의사가 표시되어 있다고 하더라도, 그 기재 부분만으로 곧바로 소멸시효 중단사유로서 승인의 의사표시가 있은 것으로는 볼 수 없다(대판 1999.3.12, 98다18124).

③ 승인의 요건 및 방법

㉠ 승인은 시효의 이익을 받을 당사자인 채무자가 권리의 존재를 인식하여야 한다. 따라서 사전승인은 허용되지 않으며, 소멸시효의 진행이 개시된 이후에만 가능하다(대판 2001.11.9, 2001다52568).

㉡ 승인은 특별한 방식을 요하지 않으며, 명시적이건 묵시적이건 상관없다(대판 2000.4.25, 98다63193). 예컨대 면책적 채무인수(대판 1999.7.9, 99다12376[1]), 분기말에 물품대금이 포함된 잔액확인통지서를 작성·교부하여 주는 것(대판 2006.9.22, 2006다22852), 변제기한의 유예요청, 이자의 지급, 일부변제[다만, 액수에 관하여 다툼이 없어야 한다(대판 1996.1.23, 95다39854)], 채무자가 담보목적의

가등기를 설정해 주는 것(대판 1997.12.26, 97다22676)은 묵시적 승인이 있는 것으로 된다. 그런데 묵시적인 승인의 표시는 채무자가 그 채무의 존재 및 액수에 대하여 인식하고 있음을 전제로 하여 그 표시를 대하는 상대방으로 하여금 채무자가 그 채무를 인식하고 있음을 그 표시를 통해 추단하게 할 수 있는 방법으로 행해지면 족하다고 할 것이다(대판 2006.9.22, 2006다22852 · 22869). 따라서 계속적 거래관계에 있는 자가 단순히 기왕에 공급받았던 것과 동종 물품을 주문하고 공급받았다는 사실만으로는 기왕의 미변제 채무를 승인한 것으로 볼 수 없다(대판 2007.1.25, 2006다68940).

1 인수채무가 원래 5년의 상사시효의 적용을 받던 채무라면 그 후 면책적 채무인수에 따라 그 채무자의 지위가 인수인으로 교체되었다고 하더라도 그 소멸시효의 기간은 여전히 5년의 상사시효의 적용을 받는다 할 것이고, 이는 채무인수행위가 상행위나 보조적 상행위에 해당하지 아니한다고 하여 달리 볼 것이 아니다.

ⓒ 채무승인이 있었다는 사실은 이를 주장하는 채권자 측에서 증명하여야 한다(대판 2005.2.17, 2004다59959). 승인으로 인한 시효중단의 효력은 그 승인의 통지가 상대방에게 도달하는 때에 발생한다(대판 1995.9.29, 95다30178).

ⓓ 승인은 시효의 완성 전에만 할 수 있다. 시효완성 후에는 시효이익의 포기가 가능할 뿐이다.

판례 **채무의 일부변제와 채무 전부에 대한 시효중단**

동일 당사자간의 계속적인 금전거래로 인하여 수개의 금전채무가 있는 경우에 채무의 일부변제는 채무의 일부로서 변제한 이상 그 **채무 전부에 관하여 시효중단의 효력을 발생**하는 것으로 보아야 하고 동일 당사자간에 계속적인 거래관계로 인하여 수개의 금전채무가 있는 경우에 채무자가 전채무액을 변제하기에 부족한 금액을 채무의 일부로 변제한 때에는 특별한 사정이 없는 한 기존의 수개의 채무 전부에 대하여 승인을 하고 변제한 것으로 보는 것이 상당하다(대판 1980.5.13, 78다1790).

---

3. 시효중단의 효과

(1) 기본적 효과

> 제178조 【중단 후에 시효진행】 ① 시효가 중단된 때에는 중단까지에 경과한 시효기간은 이를 산입하지 아니하고 중단사유가 종료한 때로부터 새로이 진행한다.
> ② 재판상의 청구로 인하여 중단한 시효는 전항의 규정에 의하여 재판이 확정된 때로부터 새로이 진행한다.

① 시효가 중단되면 그때까지 경과한 시효기간은 그 효력을 잃는다(제178조 제1항 전단). 이 점에서 정지와 구별된다.

② 시효가 중단된 후에는 중단사유가 종료한 때부터 시효가 새로 진행된다(제178조 제1항 후단). '중단사유가 종료한 때'는 개별적으로 판단하여야 하지만, 법은 특히 재판상 청구에 대하여 '재판이 확정된 때'부터 시효가 새로 진행하는 것으로 규정한다(제178조 제2항). 그 밖에 파산절차참가는 파산절차가 종료한 때, 지급명령은 그것이 확정된 때, 화해를 위한 소환 · 임의출석은 화해가 성립한 때, 최고의 경우에는 6개월 내에 다른 시효중단조치를 취하여야 하므로 그 개별조치에 따른 사유가 종료한 때이다. 재산명시신청은 법원으로부터 그 결정이 있는 때, 압류 · 가압류 · 가처분은 그 절차가 종료한 때, 승인은 그 통지가 상대방에게 도달한 때이다. 판례는, 압류의 경우에는 압류가 해제되거나 집행절차가 종료될 때(대판 2017.4.28, 2016다239840), 부동산의 가압류의 경우에는 특별한 사정이 없는 한 가압류등기가 말소된 때(대판 2013.11.14, 2013다18622 · 18639) 그 중단사유가 종료되어, 그때부터 새로 소멸시효가 진행한다고 한다. 기한유예(승인에 해당)에 의한 중단의 경우에는 유예된 이행기가 도래한 때이다(대판 1992.12.22, 92다40211). 즉, 그 유예기간을 정하지 않았다면 변제유예의 의사를 표시한 때부터, 그리고 유예기간을 정하였다면 그 유예기간이 도래한 때부터 다시 소멸시효가 진행된다(대판 2006.9.22, 2006다22852 · 22869).

판례

1. 가압류에 의한 시효중단의 효력
   민법 제168조에서 가압류를 시효중단사유로 정하고 있는 것은 가압류에 의하여 채권자가 권리를 행사하였다고 할 수 있기 때문인데 가압류에 의한 집행보전의 효력이 존속하는 동안은 가압류채권자에 의한 권리행사가 계속되고 있다고 보아야 할 것이므로 **가압류에 의한 시효중단의 효력은 가압류의 집행보전의 효력이 존속하는 동안은 계속**된다. 민법 제168조에서 가압류와 재판상의 청구를 별도의 시효중단사유로 규정하고 있는데 비추어 보면, 가압류의 피보전채권에 관하여 본안의 **승소판결이 확정되었다고 하더라도 가압류에 의한 시효중단의 효력이 이에 흡수되어 소멸된다고 할 수 없다**(대판 2000.4.25, 2000다11102).
2. 면책적 채무인수의 경우
   면책적 채무인수가 있은 경우, **인수채무의 소멸시효기간은 채무인수와 동시에 이루어진 소멸시효 중단사유, 즉 채무승인에 따라 채무인수일로부터 새로이 진행**된다(대판 1999.7.9, 99다12376).

(2) 시효중단의 인적 범위

① 원칙

> 제169조【시효중단의 효력】 시효의 중단은 당사자 및 그 승계인간에만 효력이 있다.

㉠ 여기서 당사자라 함은 '시효중단행위에 관여한 당사자'를 가리키고 시효의 대상인 권리 또는 청구권의 당사자를 의미하지 않는다[통설, 판례(대판 1997.4.25, 96다46484)]. 따라서 "공유자의 한 사람이 공유물의 보존행위로서 제소한 경우라도, 동 제소로 인한 시효중단의 효력은 재판상의 청구를 한 그 공유자에 한하여 발생하고, 다른 공유자에게는 미치지 아니한다(대판 1979.6.26, 79다639)."

㉡ 승계인이라 함은 '시효중단에 관여한 당사자로부터 중단의 효과를 받는 권리를 그 중단효과 발생 이후에 승계한 자'를 뜻하고, 포괄승계인은 물론 특정승계인도 이에 포함된다(대판 1997.4.25, 96다46484).

② **예외**: 예외적으로 다음의 경우에는 시효중단의 효력이 미치는 인적 범위가 확대된다.

㉠ 물상보증인의 재산에 대한 압류를 한 경우에 이를 채무자에게 통지하면 채무자에 대해서도 시효가 중단된다(제176조).

㉡ 요역지가 수인의 공유인 경우에 그 1인에 의한 지역권소멸시효의 중단 또는 정지는 다른 공유자를 위하여 효력이 있다(제296조).

㉢ 어느 연대채무자에 대한 이행청구는 다른 연대채무자에게도 효력이 있다[이행청구의 절대적 효력(제416조)].

㉣ 주채무자에 대한 시효의 중단은 보증인에게도 미친다(제440조).

03 소멸시효의 정지

(1) 의의

① 소멸시효의 정지란 시효가 거의 완성될 무렵에 권리자가 시효를 중단시키는 행위를 할 수 없거나 그 행위를 하는 것이 대단히 곤란한 경우에, 그 사정이 소멸한 후 일정기간이 경과하는 시점까지 시효의 완성을 유예하는 것을 말한다. 시효의 정지는 정지사유가 있기 전까지의 시효기간은 그대로 산입되는 점에서, 이를 산입하지 않는 시효의 중단과는 다르다.

② 민법은 소멸시효의 중단에 관한 규정은 취득시효에도 준용하지만(제247조 제2항), 소멸시효의 정지에 관해서는 이를 준용하는 규정을 두고 있지 않다. 통설은 이는 입법적 불비로서 취득시효에 관하여 유추적용을 긍정한다.

(2) 소멸시효의 정지사유

① 제한능력자를 위한 정지

> 제179조 【제한능력자의 시효정지】 소멸시효의 기간만료 전 6개월 내에 제한능력자에게 법정대리인이 없는 경우에는 그가 능력자가 되거나 법정대리인이 취임한 때부터 6개월 내에는 시효가 완성되지 아니한다.

> 제180조【재산관리자에 대한 제한능력자의 권리】 ① 재산을 관리하는 아버지, 어머니 또는 후견인에 대한 제한능력자의 권리는 그가 능력자가 되거나 후임 법정대리인이 취임한 때부터 6개월 내에는 소멸시효가 완성되지 아니한다.

② 혼인관계의 종료에 의한 정지

> 제180조【부부 사이의 권리와 시효정지】 ② 부부 중 한쪽이 다른 쪽에 대하여 가지는 권리는 혼인관계가 종료된 때부터 6개월 내에는 소멸시효가 완성되지 아니한다.

③ 상속재산에 관한 정지

> 제181조【상속재산에 관한 권리와 시효정지】 상속재산에 속한 권리나 상속재산에 대한 권리는 상속인의 확정, 관리인의 선임 또는 파산선고가 있는 때로부터 6월 내에는 소멸시효가 완성하지 아니한다.

④ 천재 기타 사변에 의한 정지

> 제182조【천재 기타 사변과 시효정지】 천재 기타 사변으로 인하여 소멸시효를 중단할 수 없을 때에는 그 사유가 종료한 때로부터 1월 내에는 시효가 완성하지 아니한다.

제4절 소멸시효의 효과

01 소멸시효 완성의 효과

(1) 서설

민법은 취득시효에 관해서는 '… 소유권을 취득한다'고 정하는데(제245조, 제246조), 소멸시효에 관해서는 '… 소멸시효가 완성한다'고 규정하면서(제162조 등) '완성'의 의미에 대해서는 침묵한다. 여기서 '완성한다'는 것의 의미에 관하여 학설이 대립한다.

(2) 학설 · 판례의 내용

① 절대적 소멸설은 소멸시효의 완성으로 권리가 당연히 소멸한다는 견해이다(통설 · 판례). 상대적 소멸설은 소멸시효의 완성으로 권리가 당연히 소멸하지는 않고, 다만 시효의 이익을 받을 자에게 권리의 소멸을 주장할 권리가 생길 뿐이라는 견해이다.

② 판례는 절대적 소멸설을 취하고 있다. 즉, 당사자의 원용이 없어도 시효완성의 사실로서 채무는 당연히 소멸하고, 다만 소멸시효의 이익을 받는 자가 소멸시효 이익을 받겠다는 뜻을 항변하지 않는 이상 그 의사에 반하여 재판할 수 없을 뿐이다(대판 1979.2.13, 78다2157).

상대적 소멸설과 절대적 소멸설의 비교

구분	상대적 소멸설	절대적 소멸설
원용	당사자의 원용이 있어야 한다. 법원은 직권으로 시효를 고려하지 못한다.	'변론주의의 원칙상' 소멸시효의 이익을 받을 자가 그 사실을 주장하여야 비로소 고려될 수 있다.
소멸시효 완성 후의 변제	채무자가 시효완성의 사실을 알았거나 알지 못하였거나 원용이 없는 동안은 채권은 소멸하지 않은 것이므로 유효한 채무의 변제가 된다.	채무자가 시효완성의 사실을 알고 변제를 하면 시효이익의 포기(제184조) 또는 악의의 비채변제(제742조)가 되어 반환청구를 하지 못하고, 시효완성의 사실을 모르고 변제한 경우에는 도의관념에 적합한 비채변제(제744조)가 되어 역시 그 반환을 청구하지 못한다.
소멸시효 이익의 포기	이를 원용권의 포기라고 하고, 권리는 시효로 소멸하지 않는 것으로 확정된다.	소멸시효의 이익을 받지 않겠다는 의사표시이며, 그에 따라 소멸시효의 효과가 생기지 않는 것으로 구성한다.

(3) 소멸시효 완성과 그 주장

① 판례는 소멸시효 완성을 원용할 수 있는 자를 권리의 소멸에 의하여 직접 이익을 받는 자로 한정한다. 채무자가 그 대표적인 예이지만, 가등기담보가 설정된 부동산의 제3취득자(대판 1995.7.11, 95다12446), 매매예약에 의한 가등기가 경료된 부동산의 제3취득자(대판 1991.3.12, 90다카27570), 유치권이 성립된 부동산의 매수인(대판 2009.9.24, 2009다39530[1]), 물상보증인(대판 2004.1.16, 2003다30890), 사해행위 취소소송의 상대방이 된 사해행위의 수익자(대판 2007.11.29, 2007다54849), 공탁금출급청구권이 시효로 소멸한 경우에 공탁자에게 공탁금회수청구권이 인정되지 않는 때에 있어서 국가(대판 2007.3.30, 2005다11312)도 시효이익의 직접수익자에 해당한다.

1 유치권의 피담보채권의 소멸시효기간이 확정판결 등에 의하여 10년으로 연장된 경우 매수인은 그 채권의 소멸시효기간이 연장된 효과를 부정하고 종전의 단기소멸시효기간을 원용할 수는 없다.

② 반면 아무런 채권도 없는 자(대판 1991.3.27, 90다17552)나 채권자대위소송에서의 제3채무자(대판 1998.12.8, 97다31472[1])는 직접수익자에 해당하지 않는다. 채무자에 대한 일반채권자는 자기의 채권을 보전하기 위하여 필요한 한도 내에서 채무자를 대위하여 시효소멸을 주장할 수 있을 뿐 채권자의 지위에서 독자적으로 시효의 주장을 할 수 없다고 한다(대판 1997.12.26, 97다22676).

1 제3채무자는 채무자가 채권자에 대하여 가지는 항변으로 대항할 수 없고, 채권의 소멸시효가 완성된 경우 이를 원용할 수 있는 자는 원칙적으로는 시효이익을 직접 받는 자뿐이고, 채권자대위소송의 제3채무자는 이를 행사할 수 없다.

판례 소멸시효의 남용

1. 소멸시효를 이유로 한 항변권의 행사도 민법의 대원칙인 신의성실의 원칙과 권리남용금지의 원칙의 지배를 받는 것이어서 **채무자가 소멸시효 완성 후 시효를 원용하지 아니할 것 같은 태도를 보여 권리자로 하여금 이를 신뢰하게 하였고, 권리자가 그로부터 권리행사를 기대할 수 있는 상당한 기간 내에 자신의 권리를 행사**하였다면, 채무자가 소멸시효 완성을 주장하는 것은 신의성실 원칙에 반하는 권리남용으로 허용될 수 없다. … 위 권리행사의 **'상당한 기간'**은 특별한 사정이 없는 한 민법상 시효정지의 경우에 준하여 **단기간으로 제한**되어야 한다. 그러므로 개별 사건에서 매우 특수한 사정이 있어 그 기간을 연장하여 인정하는 것이 부득이한 경우에도 **불법행위로 인한 손해배상청구의 경우** 그 기간은 아무리 길어도 민법 제766조 제1항이 규정한 **단기소멸시효기간인 3년을 넘을 수는 없다**고 보아야 한다(대판 2013.5.16, 2012다202819 전합).
2. 공무원의 불법행위로 손해를 입은 피해자의 국가배상청구권의 소멸시효 기간이 지났으나 **국가가 소멸시효 완성을 주장하는 것이 신의성실의 원칙에 반하는 권리남용으로 허용될 수 없어 배상책임을 이행한 경우**에는, 그 소멸시효 완성 주장이 권리남용에 해당하게 된 원인행위와 관련하여 해당 공무원이 그 원인이 되는 행위를 적극적으로 주도하였다는 등의 특별한 사정이 없는 한, **국가가 해당 공무원에게 구상권을 행사하는 것은 신의칙상 허용되지 않는다**고 봄이 상당하다(대판 2016.6.10, 2015다217843).

---

02 시효완성의 범위

(1) 시적 범위(소멸시효의 소급효)

제167조 【소멸시효의 소급효】 소멸시효는 그 기산일에 소급하여 효력이 생긴다.

소멸시효가 완성하면 그로 인한 권리소멸의 효과는 그 기산일에 소급한다(제167조). 따라서 소멸시효의 기산일 이후의 이자를 지급할 필요가 없게 된다(통설). 그러나 시효로 소멸하는 채권이 그 소멸시효가 완성되기 전에 상계할 수 있었던 것이라면 채권자는 상계할 수 있다(제495조).

판례 **손해배상채권의 제척기간이 경과한 경우에도 제495조의 유추적용**

매도인의 담보책임을 기초로 한 매수인의 손해배상채권 또는 수급인의 담보책임을 기초로 한 도급인의 손해배상채권이 각각 상대방의 채권과 상계적상에 있는 경우에 당사자들은 채권·채무관계가 이미 정산되었거나 정산될 것으로 기대하는 것이 일반적이므로, 그 신뢰를 보호할 필요가 있다. 이러한 손해배상채권의 제척기간이 지난 경우에도 그 기간이 지나기 전에 상대방에 대한 채권·채무관계의 정산 소멸에 대한 신뢰를 보호할 필요성이 있다는 점은 소멸시효가 완성된 채권의 경우와 아무런 차이가 없다. 따라서 매도인이나 수급인의 담보책임을 기초로 한 손해배상채권의 제척기간이 지난 경우에도 **제척기간이 지나기 전 상대방의 채권과 상계할 수 있었던 경우**에는 매수인이나 도급인은 민법 제495조를 유추적용해서 위 **손해배상채권을 자동채권으로 해서 상대방의 채권과 상계할 수 있다**고 봄이 타당하다(대판 2019.3.14, 2018다255648).

(2) 물적 범위

제183조 【종속된 권리에 대한 소멸시효의 효력】 주된 권리의 소멸시효가 완성한 때에는 종속된 권리에 그 효력이 미친다.

주된 권리의 소멸시효가 완성된 경우에는 종속된 권리에 그 효력이 미친다(제183조). 주된 권리의 소멸시효가 완성되었으나 종된 권리의 그것은 아직 완성되지 않은 경우에 그 실익이 있다. 가령 원본채권이 시효로 소멸하면, 지분권인 이자채권도 역시 시효로 소멸한다. 판례도, "하나의 금전채권의 원금 중 일부가 변제된 후 나머지 원금에 대하여 소멸시효가 완성된 경우, … 소멸시효 완성의 효력은 소멸시효가 완성된 원금 부분으로부터 그 완성 전에 발생한 이자 또는 지연손해금에는 미치나, 변제로 소멸한 원금 부분으로부터 그 변제 전에 발생한 이자 또는 지연손해금에는 미치지 않는다."고 한다(대판 2008.3.14, 2006다2940). 저당권에 관해서는 별도의 규정이 있다(제369조).

03 소멸시효이익의 포기

제184조 【시효의 이익의 포기 기타】 ① 소멸시효의 이익은 미리 포기하지 못한다.
② 소멸시효는 법률행위에 의하여 이를 배제, 연장 또는 가중할 수 없으나 이를 단축 또는 경감할 수 있다.

(1) 서언

소멸시효이익의 포기란 소멸시효의 완성으로 인한 법적인 이익을 받지 않겠다고 하는 효과의사를 필요로 하는 의사표시이다(대판 2013.7.25, 2011다56187).

(2) 소멸시효 완성 전의 포기

① 소멸시효가 완성하기 전에 미리 시효이익을 포기하는 것은 **인정되지 않는다**(제184조 제1항). 여기서 '미리'란 시효가 완성되기 전을 의미한다. 시효제도는 공익적 제도라는 점과 채권자가 채무자의 궁박을 이용하여 미리 소멸시효의 이익을 포기하게 할 염려가 있다는 점에서 이를 금지한다.

② 같은 취지에서 소멸시효의 완성을 곤란하게 하는 특약, 즉 **소멸시효의 배제, 시효기간의 연장이나 가중하는 특약은 무효**이다. 반면, 이를 **단축 또는 경감하는 특약은 유효하다**(제184조 제2항).

판례 이행청구할 수 있는 기간제한의 효력

특정한 채무의 이행을 청구할 수 있는 기간을 제한하고 그 기간을 도과할 경우 채무가 소멸하도록 하는 약정은 민법 또는 상법에 의한 소멸시효기간을 단축하는 약정으로서 특별한 사정이 없는 한 민법 **제184조 제2항에 의하여 유효**하다(대판 2006.4.14, 2004다70253).

---

(3) 소멸시효 완성 후의 포기

① **포기의 성질**: 제184조 제1항의 반대해석상, 소멸시효가 완성한 후에 시효이익을 포기하는 것은 유효하다(통설). 이 포기는 소멸시효의 이익을 받지 않겠다는 **상대방 있는 단독행위**로서 처분행위이다.

② 요건

㉠ 소멸시효이익 포기의 의사표시를 할 수 있는 자는 시효완성의 이익을 받을 당사자 또는 대리인에 한정되고, 그 밖의 제3자가 시효이익의 포기의 의사표시를 하였더라도 시효완성의 이익을 받을 자에 대한 관계에서 아무런 효력이 없다(대판 1998.2.27, 95다39854). 시효이익 포기의 의사표시의 상대방은 **진정한 권리자**이다(대판 1994.12.23, 94다40734).

㉡ 시효이익의 포기는 처분행위이므로 **처분의 능력과 권한**을 가지고 있어야 한다. 이것이 소멸시효 중단사유인 승인과 다른 점이다.

㉢ 포기가 유효하기 위해서는 포기하는 자가 시효완성의 사실을 **알면서** 하여야 한다. 판례는 시효완성 후에 시효이익을 포기하는 듯한 행위가 나타나면 시효완성사실에 대한 악의를 **추정**한다(대판 1995.4.4, 95다3756). 그리하여 "시효완성 후에 채무를 승인한 때에는 시효완성의 사실을 알고 그 이익을 포기한 것이라고 추정할 수 있다."고 한다(대판 1967.2.7, 66다2173).

③ 방법

㉠ 시효이익의 포기는 상대방에 대한 의사표시로 한다. '시효이익 포기의 의사표시가 존재하는지의 판단은 표시된 행위 내지 의사표시의 내용과 동기 및 경위, 당사자가 의사표시 등에 의하여 달성하려고 하는 목적과 진정한 의도 등을 종합적으로 고찰하여 사회정의와 형평의 이념에 맞도록 논리와 경험의 법칙, 그리고 사회일반의 상식에 따라 객관적이고 합리적으로 이루어져야 한다(대판 2013.2.28, 2011다21556[1]).'

1 시효완성 후 소멸시효 중단사유에 해당하는 채무의 승인이 있었다 하더라도 그것만으로는 곧바로 소멸시효 이익의 포기라는 의사표시가 있었다고 단정할 수 없다.

판례 **시효완성 후 채무의 승인이 있는 경우**

소멸시효 중단사유로서의 채무승인은 시효이익을 받는 당사자인 채무자가 소멸시효의 완성으로 채권을 상실하게 될 자에 대하여 상대방의 권리 또는 자신의 채무가 있음을 알고 있다는 뜻을 표시함으로써 성립하는 이른바 **관념의 통지로 여기에 어떠한 효과의사가 필요하지 않다**. 이에 반하여 시효완성 후 **시효이익의 포기**가 인정되려면 시효이익을 받는 채무자가 시효의 완성으로 인한 법적인 이익을 받지 않겠다는 **효과의사**가 필요하기 때문에 **시효완성 후 소멸시효 중단사유에 해당하는 채무의 승인이 있었다 하더라도 그것만으로는 곧바로 소멸시효이익의 포기라는 의사표시가 있었다고 단정할 수 없다**(대판 2013.2.28, 2011다21556).

㉡ 포기는 명시적이든 묵시적이든 상관없다. 예컨대, 소유권이전등기청구권의 소멸시효기간이 지난 후에 등기의무자가 소유권이전등기를 해주기로 약정한 경우(대판 1993.5.11, 93다12824), 부동산 경매절차에서 경락대금이 시효완성 채권자에게 배당되어 그 채무의 일부변제에 충당될 때까지 채무자가 아무런 이의도 안한 경우(대판 2002.2.26, 2000다25484), 시효완성 후에 채무자의 변제기한의 유예요청(대판 1965.12.28, 65다2133), 시효완성 후에 채무의 승인(대판 1965.12.28, 65다2133) 또는 시효완성 후의 '일부변제'와 '채권자에 의한 담보권실행에 대하여 이의를 제기하지 않은 경우'(대판 2001.6.12, 2001다3580)는 포기로 해석된다. 그러나 채무자가 소멸시효가 완성된 이후에 여러 차례에 걸쳐 채권자의 제소기간 연장 요청에 동의한 경우(대판 1987.6.23, 86다카2107), 소멸시효 완성 후에 있는 과세처분에 기하여 세액을 납부한 경우(대판 1988.1.19, 87다카70)에는 그것만으로는 포기의 의사표시를 인정할 수 없다.

판례

1. 소멸시효 완성 후, 채무의 일부를 변제한 경우 및 채무자 소유의 부동산이 경락되고 대금이 배당될 때까지 채무자가 이의를 제기하지 않은 경우
   채무자가 **소멸시효 완성 후 채무를 일부 변제**한 때에는 액수에 관하여 다툼이 없는 한 채무 전체를 묵시적으로 승인한 것으로 보아야 하고, 이 경우 **시효완성의 사실을 알고 이익을 포기한 것으로 추정**되므로, 소멸시효가 완성된 채무를 피담보채무로 하는 근저당권이 실행되어 **채무자 소유의 부동산이 경락되고 대금이 배당되어 채무의 일부 변제에 충당될 때까지 채무자가 아무런 이의를 제기하지 아니하였다면**, 경매절차의 진행을 채무자가 알지 못하였다는 등 다른 특별한 사정이 없는 한, **채무자는 시효완성의 사실을 알고 채무를 묵시적으로 승인하여 시효의 이익을 포기**한 것으로 볼 수 있기는 하다. 그러나 소멸시효가 완성된 경우 채무자에 대한 일반채권자는 채권자의 지위에서 독자적으로 소멸시효의 주장을 할 수는 없지만 자기의 채권을 보전하기 위하여 필요한 한도 내에서 채무자를 대위하여 소멸시효 주장을 할 수 있으므로 **채무자가 배당절차에서 이의를 제기하지 아니하였다고 하더라도 채무자의 다른 채권자가 이의를 제기하고 채무자를 대위하여 소멸시효 완성의 주장을 원용하였다면, 시효의 이익을 묵시적으로 포기한 것으로 볼 수 없다**(대판 2017.7.11, 2014다32458).

2. 소멸시효가 완성된 이자채무의 일부를 변제한 경우
   원금채무에 관하여는 소멸시효가 완성되지 아니하였으나 이자채무에 관하여는 소멸시효가 완성된 상태에서 채무자가 채무를 일부 변제한 때에는 액수에 관하여 다툼이 없는 한 **원금채무에 관하여 묵시적으로 승인하는 한편 이자채무에 관하여 시효완성의 사실을 알고 그 이익을 포기한 것으로 추정**되며, 채무자의 변제가 채무 전체를 소멸시키지 못하고 당사자가 변제에 충당할 채무를 지정하지 아니한 때에는 민법 제479조, 제477조에 따른 법정변제충당의 순서에 따라 충당되어야 한다(대판 2013.5.23, 2013다12464).

3. 상계항변이 먼저 이루어지고 그 후 대여금채권의 소멸시효항변이 있었던 경우
   소송에서의 상계항변은 일반적으로 소송상의 공격방어방법으로 피고의 금전지급의무가 인정되는 경우 자동채권으로 상계를 한다는 예비적 항변의 성격을 갖는다. 따라서 상계항변이 먼저 이루어지고 그 후 대여금채권의 소멸을 주장하는 소멸시효항변이 있었던 경우에, **상계항변 당시 채무자인 피고에게 수동채권인 대여금채권의 시효이익을 포기하려는 효과의사가 있었다고 단정할 수 없다.** 그리고 항소심 재판이 속심적 구조인 점을 고려하면, **제1심에서 공격방어방법으로 상계항변이 먼저 이루어지고 그 후 항소심에서 소멸시효항변이 이루어진 경우를 달리 볼 것은 아니다**(대판 2013.2.28, 2011다21556).

④ 포기의 효과

㉠ 포기의 효력은 그 의사표시가 상대방에게 도달하는 때에 발생한다(대판 1994.12.23, 94다40734). 포기를 하면 처음부터 시효이익이 생기지 않았던 것으로 된다(절대적 소멸설).

ⓛ 한편 '소멸시효이익의 포기는 상대적 효과가 있을 뿐이어서 다른 사람에게는 영향을 미치지 아니함이 원칙'(대판 2015.6.11, 2015다200227)이므로, **주채무자가 시효의 이익을 포기하더라도 보증인에게는 그 효력이 없고**(대판 1991.1.29, 89다카1114), 저당부동산의 제3취득자에게도 효력이 없다(대판 2010.3.11, 2009다100098). 그러나 소멸시효이익의 포기 당시에는 권리의 소멸에 의하여 직접 이익을 받을 수 있는 이해관계를 맺은 적이 없다가 나중에 시효이익을 이미 포기한 자와의 법률관계를 통하여 비로소 시효이익을 원용할 이해관계를 형성한 자는 이미 이루어진 시효이익 포기의 효력을 부정할 수 없다(대판 2015.6.11, 2015다200227).

기출예제

소멸시효에 관한 설명으로 옳은 것은? (다툼이 있으면 판례에 따름) 제27회

① 소멸시효 중단사유인 채무의 승인은 의사표시에 해당한다.
② 시효중단의 효력 있는 승인에는 상대방의 권리에 관한 처분의 능력이나 권한 있음을 요하지 아니한다.
③ 소멸시효이익의 포기사유인 채무의 묵시적 승인은 관념의 통지에 해당한다.
④ 시효완성 전에 채무의 일부를 변제한 경우에는 그 수액에 관하여 다툼이 없는 한 채무승인의 효력이 있어 채무 전부에 관하여 소멸시효이익 포기의 효력이 발생한다.
⑤ 채무자가 담보목적의 가등기를 설정하여 주는 것은 채무의 승인에 해당하므로, 그 가등기가 계속되고 있는 동안 그 피담보채권에 대한 소멸시효는 진행하지 않는다.

해설

① 소멸시효 중단사유로서의 채무승인은 시효이익을 받는 당사자인 채무자가 소멸시효의 완성으로 채권을 상실하게 될 자에 대하여 상대방의 권리 또는 자신의 채무가 있음을 알고 있다는 뜻을 표시함으로써 성립하는 이른바 관념의 통지로, 여기에 어떠한 효과의사가 필요하지 않다(대판 2013.2.28, 2011다2155).
③ 시효이익을 받을 채무자는 소멸시효가 완성된 후 시효이익을 포기할 수 있고, 이것은 시효의 완성으로 인한 법적인 이익을 받지 않겠다고 하는 효과의사를 필요로 하는 의사표시이다(대판 2017.7.11, 2014다32458).
④ 동일 당사자간의 계속적인 금전거래로 인하여 수개의 금전채무가 있는 경우에 채무의 일부변제는 채무의 일부로서 변제한 이상 그 채무 전부에 관하여 시효중단의 효력을 발생하는 것으로 보아야 하고, 동일 당사자간에 계속적인 거래관계로 인하여 수개의 금전채무가 있는 경우에 채무자가 전채무액을 변제하기에 부족한 금액을 채무의 일부로 변제한 때에는 특별한 사정이 없는 한 기존의 수개의 채무 전부에 대하여 승인을 하고 변제한 것으로 보는 것이 상당하다(대판 1980.5.13, 78다1790).
⑤ 채무자가 채권자에 대하여 자기 소유의 부동산에 담보목적의 가등기를 설정하여 주는 것은 민법 제168조 소정의 채무의 승인에 해당한다고 볼 수 있다(대판 1997.12.26, 97다22676). 승인이 상대방에게 도달한 때부터 다시 시효기간의 계산이 시작된다(제178조 제1항).

정답: ②

마무리STEP 1 | OX 문제

01 소멸시효에는 중단이 있지만, 제척기간은 중단이 있을 수 없다. ( )

02 소멸시효의 이익은 시효완성 후 포기할 수 있으나, 제척기간의 경우에는 기간의 도과로 권리가 당연히 소멸하므로 포기가 인정되지 않는다. ( )

03 소멸시효는 당사자가 시효완성사실을 원용할 때 고려되지만, 제척기간은 법원의 직권조사사항이다. ( )

04 건물소유권은 소멸시효에 걸리지 않는다. ( )

05 지상권은 20년간 행사하지 않으면 소멸시효가 완성된다. ( )

06 소유권에 기한 물권적 청구권은 소멸시효에 걸리지 않는다. ( )

07 당사자가 본래의 소멸시효 기산일과 다른 기산일을 주장하는 경우, 법원은 본래의 소멸시효 기산일을 기준으로 소멸시효를 계산하여야 한다. ( )

01 ○
02 ○
03 ○
04 ○
05 ○
06 ○
07 × 소멸시효의 기산일은 변론주의의 적용대상이므로, 본래의 소멸시효 기산일과 당사자가 주장하는 기산일이 다른 경우에는 당사자가 주장하는 기산일을 기준으로 한다(대판 1995.8.25, 94다35886).

08 사실상 권리의 존재나 권리행사 가능성을 알지 못하였다는 사유는 특별한 사정이 없는 한 소멸시효의 진행을 방해하지 않는다. (　)

09 정지조건부 채권의 소멸시효는 그 조건이 성취한 때로부터 진행한다. (　)

10 건물이 완공되기 전에는 건물에 관한 소유권이전등기청구권의 시효가 진행하지 않는다. (　)

11 부작위를 목적으로 한 채권의 소멸시효는 계약체결시부터 진행한다. (　)

12 법원은 어떤 권리의 소멸시효기간이 얼마나 되는지를 직권으로 판단할 수 없다. (　)

13 1개월 단위로 지급되는 집합건물의 관리비채권은 3년의 단기소멸시효에 걸린다. (　)

14 과세처분의 취소 또는 무효확인의 소는 소멸시효 중단사유인 재판상 청구에 해당하지 않는다. (　)

15 권리의 일부에 대하여 소를 제기한 것이 명백한 경우, 원칙적으로 그 일부뿐만 아니라 나머지 부분에 대하여도 시효중단의 효력이 발생한다. (　)

08 ○

09 ○

10 ○

11 × 부작위를 목적으로 하는 채권의 소멸시효는 위반행위를 한 때로부터 진행한다(제166조 제2항).

12 × 어떤 권리의 소멸시효기간이 얼마나 되는지에 관한 주장은 단순한 법률상의 주장에 불과하므로 변론주의의 적용대상이 되지 않고, 법원이 직권으로 판단할 수 있다(대판 2013.2.15, 2012다68217).

13 ○

14 × 과세처분의 취소 또는 무효확인청구의 소가 비록 행정소송이라고 할지라도 조세환급을 구하는 부당이득반환청구권의 소멸시효 중단사유인 재판상 청구에 해당한다고 볼 수 있다(대판 1992.3.31, 91다32053 전합).

15 × 일부청구를 명시하여 소송을 제기한 경우에는 나머지 부분에 대한 시효중단의 효력이 없다.

16 응소행위로 인한 시효중단의 효력은 원고가 소를 제기한 때에 발생한다. ( )

17 가압류에 의한 시효중단의 효력은 가압류의 집행보전의 효력이 존속하는 동안 계속된다. ( )

18 승인으로 인한 시효중단의 효력은 그 승인의 통지가 상대방에게 발신된 때에 발생한다. ( )

19 시효중단의 효력 있는 승인에는 상대방의 권리에 관한 처분의 능력이나 권한 있음을 요하지 않는다. ( )

20 시효의 중단은 원칙적으로 당사자 및 그 승계인간에만 효력이 있다. ( )

21 물상보증인 소유의 부동산에 대한 압류는 그 통지와 관계없이 주채무자에 대하여 시효중단의 효력이 생긴다. ( )

22 주채무자에 대한 시효의 중단은 보증인에 대하여 그 효력이 있다. ( )

23 재산을 관리하는 후견인에 대한 제한능력자의 권리는 그가 능력자가 되거나 후임 법정대리인이 취임한 때부터 6개월 내에는 소멸시효가 완성되지 않는다. ( )

16 × 재판상 청구에 의한 시효중단의 효력은 소를 제기한 때 발생한다(민사소송법 제265조). 다만, 응소의 경우에는 현실적으로 권리를 행사하여 응소한 때에 발생한다(대판 2007.11.30, 2007다54610).

17 ○

18 × 승인으로 인한 시효중단의 효력은 그 승인의 통지가 상대방에게 도달하는 때에 발생한다(대판 1995.9.29, 95다30178).

19 ○

20 ○

21 × 압류, 가압류 및 가처분은 시효의 이익을 받은 자에 대하여 하지 아니한 때에는 이를 그에게 통지한 후가 아니면 시효중단의 효력이 없다(제176조). 즉, 물상보증인이나 저당부동산의 제3취득자의 부동산을 압류한 경우에는, 그 사실을 주채무자에게 통지하여야 그에게 시효중단의 효력이 미친다.

22 ○

23 ○

24 재판상의 청구로 인하여 중단된 시효는 재판이 확정된 때로부터 새로이 진행한다. ( )

25 채권자대위소송의 상대방은 채권자의 채무자에 대한 피보전채권이 시효로 소멸하였음을 원용할 수 있음이 원칙이다. ( )

26 소멸시효가 완성된 채권이 그 완성 전에 상계할 수 있었던 것이면 그 채권자는 상계할 수 있다. ( )

24 ○

25 × 채권자가 채권자대위권을 행사하여 제3자에 대하여 하는 청구에 있어서, 제3채무자는 채무자가 채권자에 대하여 가지는 항변으로 대항할 수 없고, 채권의 소멸시효가 완성된 경우 이를 원용할 수 있는 자는 원칙적으로는 시효이익을 직접 받는 자뿐이고, 채권자대위소송의 제3채무자는 이를 행사할 수 없다(대판 1998. 12.8, 97다31472).

26 ○

마무리STEP 2 | 확인문제

01 **소멸시효에 걸리는 권리는? (다툼이 있으면 판례에 따름)** 제23회

① 점유권
② 유치권
③ 주위토지통행권
④ 소유권에 기한 방해제거청구권
⑤ 물상보증인의 채무자에 대한 구상권

02 **소멸시효에 관한 설명으로 옳은 것을 모두 고른 것은? (다툼이 있으면 판례에 따름)** 제26회

> ㉠ 소유권에 기한 물권적 청구권은 소멸시효에 걸리지 않는다.
> ㉡ 하자담보책임에 기한 토지 매수인의 손해배상청구권은 제척기간에 걸리므로 소멸시효의 적용이 배제된다.
> ㉢ 사실상 권리의 존재나 권리행사 가능성을 알지 못하였다는 사유는 특별한 사정이 없는 한 소멸시효의 진행을 방해하지 않는다.

① ㉡
② ㉠, ㉡
③ ㉠, ㉢
④ ㉡, ㉢
⑤ ㉠, ㉡, ㉢

정답 | 해설

01 ⑤ 물상보증인의 채무자에 대한 구상권은 그들 사이의 물상보증위탁계약의 법적 성질과 관계없이 민법에 의하여 인정된 별개의 독립한 권리이고, 그 소멸시효에 있어서는 민법상 일반채권에 관한 규정이 적용된다(대판 2001.4.24, 2001다6237).

02 ③ ㉡ 매도인에 대한 하자담보에 기한 손해배상청구권에 대하여는 민법 제582조의 제척기간 규정으로 인하여 소멸시효 규정의 적용이 배제된다고 볼 수 없으며, 이때 다른 특별한 사정이 없는 한 무엇보다도 매수인이 매매 목적물을 인도받은 때부터 소멸시효가 진행한다고 해석함이 타당하다(대판 2011.10.13, 2011다10266).

03 **소멸시효에 관한 설명으로 옳지 않은 것은? (다툼이 있으면 판례에 따름)** 제20회

① 건물소유권은 소멸시효에 걸리지 않는다.
② 채권자대위소송의 상대방은 채권자의 채무자에 대한 피보전채권이 시효로 소멸하였음을 원용할 수 있음이 원칙이다.
③ 1개월 단위로 지급되는 집합건물의 관리비채권은 3년의 단기소멸시효에 걸린다.
④ 가등기담보권이 설정된 부동산의 제3취득자는 그 피담보채권에 관한 소멸시효를 독자적으로 원용할 수 있다.
⑤ 소멸시효가 완성된 채권이 그 완성 전에 상계할 수 있었던 것이면 그 채권자는 상계할 수 있다.

04 **소멸시효에 관한 설명으로 옳지 않은 것은? (다툼이 있으면 판례에 따름)** 제24회

① 불계속지역권은 소멸시효에 걸리는 권리이다.
② 공유관계가 존속하는 한 공유물분할청구권은 독립하여 소멸시효에 걸리지 않는다.
③ 건물이 완공되기 전에는 건물에 관한 소유권이전등기청구권의 시효가 진행하지 않는다.
④ 소멸시효 완성 후에 채무승인이 있었다면, 곧바로 소멸시효이익의 포기가 있는 것으로 간주된다.
⑤ 정지조건부 채권의 소멸시효는 그 조건이 성취한 때로부터 진행한다.

05 **소멸시효에 관한 설명으로 옳은 것은? (다툼이 있으면 판례에 따름)** 제25회

① 소멸시효의 이익은 미리 포기할 수 있다.
② 1개월 단위로 지급되는 집합건물의 관리비채권의 소멸시효기간은 3년이다.
③ 부작위를 목적으로 하는 채권의 소멸시효는 계약체결시부터 진행한다.
④ 근저당권설정약정에 의한 근저당권설정등기청구권은 그 피담보채권이 될 채권과 별개로 소멸시효에 걸리지 않는다.
⑤ 당사자가 본래의 소멸시효 기산일과 다른 기산일을 주장하는 경우, 법원은 원칙적으로 본래의 소멸시효 기산일을 기준으로 소멸시효를 계산해야 한다.

06 소멸시효에 관한 설명으로 옳지 않은 것은? (다툼이 있으면 판례에 따름) 제22회

① 정지조건부 권리는 조건이 성취된 때부터 소멸시효가 진행한다.

② 당사자가 본래의 소멸시효 기산일과 다른 기산일을 주장하는 경우, 법원은 본래의 소멸시효 기산일을 기준으로 소멸시효를 계산하여야 한다.

③ 공동불법행위자 사이에 인정되는 구상권의 소멸시효는 구상권자가 공동면책행위를 한 때부터 진행한다.

④ 특정물 매도인의 하자담보책임에 기한 매수인의 손해배상청구권은 특별한 사정이 없는 한, 그 목적물을 인도받은 때부터 소멸시효가 진행한다.

⑤ 채권자가 선택권자인 선택채권은 선택권을 행사할 수 있는 때부터 소멸시효가 진행한다.

정답 | 해설

03 ② 채권자가 채권자대위권을 행사하여 제3자에 대하여 하는 청구에 있어서, 제3채무자는 채무자가 채권자에 대하여 가지는 항변으로 대항할 수 없고, 채권의 소멸시효가 완성된 경우 이를 원용할 수 있는 자는 원칙적으로는 시효이익을 직접 받는 자뿐이고, 채권자대위소송의 제3채무자는 이를 행사할 수 없다(대판 1998.12.8, 97다31472).

04 ④ 시효완성 후 시효이익의 포기가 인정되려면 시효이익을 받는 채무자가 시효의 완성으로 인한 법적인 이익을 받지 않겠다는 효과의사가 필요하기 때문에 시효완성 후 소멸시효 중단사유에 해당하는 채무의 승인이 있었다 하더라도 그것만으로는 곧바로 소멸시효이익의 포기라는 의사표시가 있었다고 단정할 수 없다(대판 2013.2.28, 2011다21556).

05 ② ② 민법 제163조 제1호에서 3년의 단기소멸시효에 걸리는 것으로 규정한 '1년 이내의 기간으로 정한 채권'이란 1년 이내의 정기로 지급되는 채권을 말하는 것으로서 1개월 단위로 지급되는 집합건물의 관리비채권은 이에 해당한다고 할 것이다(대판 2007.2.22, 2005다65821).

① 소멸시효의 이익은 미리 포기하지 못한다(제184조 제1항).

③ 부작위를 목적으로 하는 채권의 소멸시효는 위반행위를 한 때로부터 진행한다(제166조 제2항).

④ 근저당권설정약정에 의한 근저당권설정등기청구권은 그 피담보채권이 될 채권과 별개로 소멸시효에 걸린다(대판 2004.2.13, 2002다7213).

⑤ 소멸시효의 기산일은 변론주의의 적용대상이므로, 본래의 소멸시효 기산일과 당사자가 주장하는 기산일이 다른 경우에는 당사자가 주장하는 기산일을 기준으로 한다(대판 1995.8.25, 94다35886).

06 ② 소멸시효의 기산일은 변론주의의 적용대상이므로, 본래의 소멸시효 기산일과 당사자가 주장하는 기산일이 다른 경우에는 당사자가 주장하는 기산일을 기준으로 한다(대판 1995.8.25, 94다35886).

07 **소멸시효에 관한 설명으로 옳지 않은 것은? (다툼이 있으면 판례에 따름)** 제21회

① 지상권은 20년간 행사하지 않으면 소멸시효가 완성된다.
② 시효중단사유가 종료한 때로부터 소멸시효는 새로이 진행된다.
③ 부작위를 목적으로 한 채권의 소멸시효는 계약체결시부터 진행한다.
④ 최고가 있은 후 6개월 내에 압류 또는 가압류를 하면 그 최고는 시효중단의 효력이 있다.
⑤ 매도인의 소유권이전채무가 이행불능이 된 경우, 매수인의 손해배상채권의 소멸시효는 그 채무가 이행불능이 된 때부터 진행한다.

08 **甲은 2007년 5월 1일 친구 乙에게 아파트 전세자금에 사용하도록 1억원을 변제기 2007년 12월 31일로 정하여 빌려 주었다. 그런데 2017년 5월 1일이 되도록 乙은 甲에게 변제를 하지 않고 있다. 이에 관한 설명으로 옳은 것은? (다툼이 있으면 판례에 따름)** 제20회

① 甲의 대여금채권은 이미 시효로 소멸하였다.
② 甲이 2017년 5월 31일 乙에게 내용증명우편으로 이행을 청구하였다면 2027년 5월 31일까지 시효중단의 효력이 발생한다.
③ 乙이 2017년 5월 31일 채무를 승인하였다면 甲의 대여금채권은 2017년 12월 31일에 시효로 소멸한다.
④ 甲이 2017년 5월 31일 乙을 상대로 대여금채권 1억원의 지급을 구하는 소를 제기하여 2017년 12월 1일 승소판결이 확정된다면 그 확정된 때로부터 새로 10년의 시효가 진행된다.
⑤ 甲이 대여금채권의 보전을 위해 乙의 재산에 대해 가압류결정을 받아 2017년 5월 31일 가압류집행을 하였더라도 시효중단의 효력은 없다.

09 소멸시효에 관한 설명으로 옳은 것은? (다툼이 있으면 판례에 따름) 제21회

① 소멸시효는 당사자의 합의에 의하여 단축할 수 없으나 연장할 수는 있다.
② 법원은 어떤 권리의 소멸시효기간이 얼마나 되는지를 직권으로 판단할 수 없다.
③ 연대채무자 중 한 사람에 대한 이행청구는 다른 연대채무자에 대하여도 시효중단의 효력이 있다.
④ 재판상 청구는 소송이 각하된 경우에는 시효중단의 효력이 없으나, 기각된 경우에는 시효중단의 효력이 있다.
⑤ 주채무가 민사채무이고 보증채무는 상행위로 인한 것일 경우, 보증채무는 주채무에 따라 10년의 소멸시효에 걸린다.

정답 | 해설

07 ③ 부작위를 목적으로 하는 채권의 소멸시효는 위반행위를 한 때로부터 진행한다(제166조 제2항).

08 ④ ① 甲의 대여금채권은 2008년 1월 1일부터 10년의 소멸시효에 걸리는데, 2017년 12월 31일 소멸시효가 완성된다. 현재 2017년 5월 1일이므로 甲의 대여금채권은 소멸시효가 완성되지 않았다.
② 甲이 2017년 5월 31일 乙에게 내용증명우편으로 이행을 청구한 것은 최고이다. 그러나 최고는 6월 내에 재판상의 청구, 파산절차참가, 화해를 위한 소환, 임의출석, 압류 또는 가압류, 가처분을 하지 아니하면 시효중단의 효력이 없다(제174조).
③ 乙이 2017년 5월 31일 채무를 승인하였다면 소멸시효가 중단된다. 시효가 중단된 때에는 중단까지에 경과한 시효기간은 이를 산입하지 아니하고 중단사유가 종료한 때로부터 새로이 진행한다(제178조 제1항). 따라서 甲의 대여금채권은 2027년 5월 31일에 시효로 소멸한다.
⑤ 甲이 대여금채권의 보전을 위해 乙의 재산에 대해 가압류결정을 받아 2017년 5월 31일 가압류집행을 하면, 가압류에 의한 집행보전의 효력이 존속하는 동안은 시효중단의 효력이 계속된다(대판 2006.7.4, 2006다32781).

09 ③ ③ 어느 연대채무자에 대한 이행청구는 다른 연대채무자에게도 효력이 있다(제416조).
① 소멸시효는 법률행위에 의하여 이를 배제, 연장 또는 가중할 수 없으나 이를 단축 또는 경감할 수 있다(제184조 제2항).
② 어떤 권리의 소멸시효기간이 얼마나 되는지에 관한 주장은 단순한 법률상의 주장에 불과하므로 변론주의의 적용대상이 되지 않고 법원이 직권으로 판단할 수 있다(대판 2013.2.15, 2012다68217).
④ 재판상의 청구는 소송의 각하, 기각 또는 취하의 경우에는 시효중단의 효력이 없다(제170조 제1항).
⑤ 보증채무는 주채무와는 별개의 독립한 채무이다(대판 1977.3.8, 76다2667). 보증채무에 대하여는 성질에 따라 보증인에 대한 채권이 민사채권인 경우에는 10년, 상사채권인 경우에는 5년의 소멸시효기간이 적용된다(대판 2014.6.12, 2011다76105).

10 소멸시효의 중단에 관한 설명으로 옳지 않은 것은? (다툼이 있으면 판례에 따름)

제25회

① 승인으로 인한 시효중단의 효력은 그 승인의 통지가 상대방에게 발신된 때에 발생한다.
② 소멸시효의 중단사유인 승인은 묵시적으로도 할 수 있다.
③ 재판상의 청구로 인하여 중단된 시효는 재판이 확정된 때로부터 새로이 진행한다.
④ 지급명령신청은 소멸시효의 중단사유로서 재판상의 청구에 포함된다.
⑤ 가압류는 소멸시효의 중단사유이다.

11 소멸시효의 중단에 관한 설명으로 옳지 않은 것은? (다툼이 있으면 판례에 따름)

제23회

① 재판상 청구는 그 소가 각하되더라도 최고의 효력은 있다.
② 응소행위로 인한 시효중단의 효력은 원고가 소를 제기한 때에 발생한다.
③ 소멸시효가 중단되면 중단사유가 종료된 때부터 새로 시효가 진행한다.
④ 시효중단의 효력 있는 승인에는 상대방의 권리에 관한 처분의 능력이나 권한 있음을 요하지 않는다.
⑤ 부진정연대채무자 1인에 대한 이행의 청구는 다른 부진정연대채무자에 대하여 시효중단의 효력이 없다.

12 소멸시효의 중단에 관한 설명으로 옳은 것은? (다툼이 있으면 판례에 따름) 제22회

① 과세처분의 취소 또는 무효확인의 소는 소멸시효 중단사유인 재판상 청구에 해당하지 않는다.
② 권리의 일부에 대하여 소를 제기한 것이 명백한 경우, 원칙적으로 그 일부뿐만 아니라 나머지 부분에 대하여도 시효중단의 효력이 발생한다.
③ 채권자가 파산법원에 대한 파산채권신고를 한 경우, 시효중단의 효력이 발생하지 않는다.
④ 주채무자에 대한 시효의 중단은 보증인에 대하여 그 효력이 있다.
⑤ 소멸시효가 중단된 때에는 그 시효의 진행이 일시 중지되었다가 중단사유가 종료한 때로부터 다시 이어서 진행한다.

13 소멸시효의 중단과 정지에 관한 설명으로 옳지 않은 것은? (다툼이 있으면 판례에 따름)

제24회

① 시효의 중단은 원칙적으로 당사자 및 그 승계인간에만 효력이 있다.

② 가압류에 의한 시효중단의 효력은 가압류의 집행보전의 효력이 존속하는 동안 계속된다.

③ 물상보증인 소유의 부동산에 대한 압류는 그 통지와 관계없이 주채무자에 대하여 시효중단의 효력이 생긴다.

④ 재산을 관리하는 후견인에 대한 제한능력자의 권리는 그가 능력자가 되거나 후임 법정대리인이 취임한 때부터 6개월 내에는 소멸시효가 완성되지 않는다.

⑤ 부부 중 한쪽이 다른 쪽에 대하여 가지는 권리는 혼인관계가 종료된 때부터 6개월 내에는 소멸시효가 완성되지 않는다.

정답 | 해설

10 ① 승인으로 인한 시효중단의 효력은 그 승인의 통지가 상대방에게 도달하는 때에 발생한다(대판 1995.9.29. 95다30178).

11 ② 재판상 청구에 의한 시효중단의 효력은 소를 제기한 때 발생한다(민사소송법 제265조). 다만, 응소의 경우에는 현실적으로 권리를 행사하여 응소한 때에 발생한다(대판 2007.11.30, 2007다54610).

12 ④ ④ 주채무자에 대한 시효중단은 보증인에 대하여도 효력이 있다(제440조). 모든 시효중단사유에 대해 절대효가 있다.

① 과세처분의 취소 또는 무효확인청구의 소가 비록 행정소송이라고 할지라도 조세환급을 구하는 부당이득반환청구권의 소멸시효 중단사유인 재판상 청구에 해당한다고 볼 수 있다(대판 1992.3.31, 91다32053 전합).

② 일부청구를 명시하여 소송을 제기한 경우에는 나머지 부분에 대한 시효중단의 효력이 없다.

③ 채권자가 파산재단의 배당에 참가하기 위하여 자기 채권을 신고하는 것이 파산절차참가인데(채무자회생법 제447조), 이는 시효중단의 효력을 가진다.

⑤ 시효가 중단된 때에는 중단까지에 경과한 시효기간은 이를 산입하지 아니하고 중단사유가 종료한 때로부터 새로이 진행한다(제178조 제1항).

13 ③ 압류, 가압류 및 가처분은 시효의 이익을 받은 자에 대하여 하지 아니한 때에는 이를 그에게 통지한 후가 아니면 시효중단의 효력이 없다(제176조). 즉, 물상보증인이나 저당부동산의 제3취득자의 부동산을 압류한 경우에는, 그 사실을 주채무자에게 통지하여야 그에게 시효중단의 효력이 미친다.